주역절중

周易折中

6

이 책은 (재)한국연구재단의 지원으로 학고방출판사에서 출간, 유통합니다.

한국연구재단 학술명저번역총서 동양편 620

주역절중

周易折中

6

象傳

편찬
이광지
李光地
책임역주
신창호
공동역주
김학목 · 심의용 · 윤원현

學古房

서문

『주역』은 '변화(變化)의 성경(聖經)'이라 불린다. 그만큼 자연 질서와 인간 사회 법칙을 변화의 원칙에 따라 변주하며, 성스럽게 우주적 삶의 기준을 구가한다. 그러나 '이현령비현령(耳懸鈴鼻懸鈴)'이라는 말이 붙을 정도로 다양하고 복합적인 해석의 차원이 개입하면서, 『주역』은 축적된 역사 이상으로 심오하고 의미심장한 세계를 형성한다. 그것이 『주역』의 특성이자 묘미일 수 있다.

본 번역 연구서 『어찬주역절중(御纂周易折中)』은 강희제(康熙帝)가 이광지(李光地, 1642~1718)에게 총괄책임의 칙명을 내려 1713~1715년에 걸쳐 완성한 『주역』 해설서이다. 전체 22권의 석판본(石版本)이 내부각본(內府刻本)으로 현존한다. 『주역절중』은 『주역』이 경전으로 성립된 이후 한대(漢代)에서 명대(明代)까지의 다양한 견해를 핵심적으로 정돈한 『주역』 학술의 결정판이다. 주희의 견해를 기본으로 하여 경(經)과 전(傳)이 분리된 『주역』 고본(古本)의 체제를 회복하였다. 또한 주희의 주역관을 근거로 의리학(義理學)과 상수학(象數學)을 망라하는 다양한 학설을 폭넓게 해석하고, 의리에 국한되었던 『주역전의대전(周易傳義大全)』의 결점을 보완하였다. 정주(程朱)의 뜻을 존숭하면서도 그와 다른 주장들을 절충하고 있는 저작이다.

『주역절중』의 편찬자인 이광지는 중국 청대(淸代) 사람으로 복건성(福建省) 천주(泉州) 출신이다. 자(字)는 진경(晋卿)이고 호(號)는 후암(厚庵)이다. 1670년 진사(進士)에 급제하고 삼번(三藩)의 난을 평정함으로써 강희제의 두터운 신임을 받았고, 관직이 문연각대학사

겸이부상서(文淵閣大學士兼吏部尙書)에 이르렀다. 학문의 경지도 상당하여 경전에 두루 통달하였는데, 특히 『주역』에 정통하여 『주역통론(周易通論)』, 『주역관상(周易觀象)』, 『이문정역의(李文貞易義)』, 『역의전선(易義前選)』 등을 저술하였다. 당시 반주자학적(反朱子學的) 학풍을 대표하던 모기령(毛奇齡)과 달리 정주리학(程朱理學)의 학풍을 충실히 계승하였다.

『주역절중』의 체계와 내용을 보면, 경과 전을 분리하여 편찬하고, 64괘의 괘사와 효사, 「단전」, 「상전」, 「계사전」, 「문언전」, 「설괘전」, 「서괘전」, 「잡괘전」의 순서로 『주역』 전문을 서술하였다. 그리고 『역학계몽』, 「계몽부록(啓蒙附錄)」, 「서괘잡괘명의(序卦雜卦明義)」를 첨부하였다. 주희의 『주역본의(周易本義)』, 정이(程頤)의 『역정전(易程傳)』, 한대부터 명대까지 역학에 조예가 깊은 학자 218명의 「집설(集說)」, 편찬자의 「안(案)」, 이를 종합한 「총론(總論)」이 실려 있다. 그런 만큼 『주역절중』은 『주역』 관련 학술 연구에서 의미가 크다.

본 번역 연구는 내부각본을 저본으로 하고 문연각(文淵閣) 『사고전서(四庫全書)』본을 대교본으로 하였으며 무구비재(無求備齋) 『역경집성(易經集成)』본을 참고하였다. 1715년에 이광지가 『어찬주역절중』을 완성했으므로, 『주역절중』이 만들어진지 이제 막 300년이 지났다. 이 긴 세월의 무게만큼 『주역』 연구도 질적으로 깊이를 더하고 양적으로 방대해졌다. 그런 와중에 300년 만인 21세기 초반에 『주역절중』이 한글로 번역·출간되어 무척이나 기쁘다. 『주역』을 비롯한 역학 연구자, 나아가 동양학을 연구하는 관련 학인들에게 조금이나마 보탬이 된다면 번역 연구자로서 더욱 보람을 느낄 것 같다.

본 번역 연구는 먼저, 『주역절중』의 본문을 완역하고, 원문 및 번역문을 온전하게 이해하기 위해 자세한 설명이 필요한 부분은 각주로 해설하였다. 아울러 『주역절중』에 등장하는 학자들의 「인명사전」을 별도로 작성하여 첨부하였다. 이런 연구 성과가 『주역절중』의 한문을 옮기는 수준을 훨씬 넘어서 있기에, 단순하게 『주역절중』 '번역'이라 하지 않고 '번역 연구'라고 자부해 본다.

본 번역 연구 작업은 2015년 5월~2017년 4월까지 2년여 동안 이루어졌다. 연구책임자를 맡은 신창호 교수를 비롯하여, 공동연구자인 윤원현 박사·김학목 박사·심의용 박사 등 우리 번역 연구진은 번역 연구기간 동안 수시로 만나 초교를 윤독하고 다양한 연구 자료를 교환하면서 『주역』의 학술 마당을 열었다. 한대부터 명대에 걸쳐 있는 『주역절중』의 특성상, 역학(易學) 사상의 방대함으로 인해 내용을 정확하게 이해하고 정돈하는데 애로 사항도 많았다. 하지만 전문 학자들의 자문과 번역 연구자 상호 간의 소통을 통해 문제점을 극복하려고 노력했다. 그러나 번역과 연구의 두 측면에서 여전히 아쉬운 부분이 많다. 대부분의 번역 연구가 장·단점을 지니고 있듯이, 본 번역 연구도 미비한 점이 있을 것이다. 특히, 제대로 연구가 이루어지지 않아 오류가 난 부분이 있다면, 사계의 권위 있는 학자들의 애정 어린 질정을 부탁한다.

본 번역 연구진 이외에 감사해야 할 분들이 있다. 먼저, 교정과 윤문 등 원고를 정돈하는 과정에서 수고해 준 고려대학교 대학원의 철학 및 교육철학 전공의 여러 제자들(김지은, 우버들, 위민성, 이유정, 임용덕, 장우재, 정순희, 한지윤 등)에게 고마운 마음을 전한다. 젊은 제자들은 그들의 시각에서 번역 연구 내용의 가독성과 표현 등 여러 부분을 꼼꼼하게 살피며 의미 있는 충고를 해 주었다.

또한 교육부와 한국연구재단에 감사를 드린다. 본 번역 연구는 2015년 한국연구재단의 '명저번역지원' 사업으로 2년 동안 지원을 받아 수행한 결과이다. 방대한 분량이기 때문에 한국연구재단의 지원이 없었다면, 실행하기 어려운 작업이었다. 마지막으로 어려운 사정에도 불구하고 편집과 출판을 맡아 책을 깔끔하게 정돈해 준 하운근 대표님을 비롯한 도서출판 학고방 가족들에게 감사의 말씀을 전한다.

어떤 저술이건 혼자만의 노력과 작업에 의해 이루어지는 성과는 존재하지 않는다. 마찬가지로 이 『주역절중』의 번역 연구에도 많은 분들의 땀과 열정이 녹아들어 있다. 번역 연구에 직·간접으로 참여한 모든 분들과 이 책을 참고로 연구를 진행하는 여러 학인들도 『주역』의 사유가 더욱 풍성해지기를 소망한다. 나아가 미래에 또 다른 공동 노력의 결실로, 본 번역 연구보다 세련된 『주역절중』이 많이 저술되기를 기대해 본다.

2018. 6
번역 연구자를 대표하여
신창호 삼가 씀

일러두기

1. 본 역서는 문연각(文淵閣)판본 『어찬주역절중(御纂周易折中)』을 저본으로 한다.
2. 본 역서는 원문을 먼저 제시하고 번역문을 붙이는 대조본 형식으로 한다.
3. 번역은 직역을 원칙으로 하되, 가독성을 높이기 위해 필요에 따라 의역을 가미한다.
4. 『역』의 경문(經文) 번역은 편자 이광지(李光地)가 정이(程頤)의 『이천역전』보다 주희(朱熹)의 『주역본의』를 전면으로 내세운 의도에 따라, 주희의 주장을 기준으로 한다.
5. 원문에는 최소한의 현대식 표점을 표기한다.
6. 인용한 선행 학설에 대해서는 가능한 출전을 밝히고, 요약문일 경우 필요에 따라 설명을 첨가한다.
7. 인용한 학설은 전체적으로 큰 따옴표(" ")로 묶고, 인용문 속의 인용문은 작은 따옴표(' '), 작은 꺽쇠(「 」) 순으로 한다.
8. 각주에서, 원문에 대한 각주는 원문을 먼저 제시하고(예 : 潛龍勿用[잠긴 용은 쓰지 않는다]), 번역문에 대한 각주는 한글을 먼저 제시한다(예 : 잠긴 용은 쓰지 않는다[潛龍勿用]).
9. 괘명(卦名)은 '곤(坤)괘'와 같은 형식으로 통일하되, 필요할 경우 '곤(坤䷁)괘', '곤(坤☷)괘'와 같이 괘상(卦象)을 병기한다.
10. 국한문 병기는 매 장과 매 괘의 첫 부분에서 표기하고, 나머지는 국문을 중심으로 하되, 각주에는 한문으로 처리한 것도 있다.

11. 번역문이 10줄을 초과할 경우, 가독성을 높이기 위해 가능한 단락을 구분한다.
12. 『역』과 관련된 전문적인 개념어는 주석에서 풀이하고, 번역문에는 해석하지 않고 드러내어 용어 통일을 기한다.
13. 제1권의 뒷부분에 『주역절중』에서 인용된 학자들의 약력을 정돈한 별도의 「인명사전」을 작성하여 첨부하였다.
14. 『주역절중』의 맨 마지막 부분인 22권 「서괘·잡괘명의(序卦·雜卦明義)」는 편의상 「서괘·잡괘전(序卦·雜卦傳)」 다음에 배치하였다.

단전彖傳

彖傳
단전

제9권

단상전彖上傳

1. 건乾☰괘

本義

彖, 卽文王所系之辭. 上者, 經之上篇. 傳者, 孔子所以釋經之辭也. 後凡言傳者放此.

단(彖)은 문왕(文王)이 붙인 말이다. 상(上)이란 경전의 상편이다. 전(傳)은 공자가 경문을 해석한 말이다. 뒤에 전(傳)이라고 말한 것은 모두 이와 같다.

案

「彖傳」者, 孔子所以釋文王之意. 先釋名, 後釋辭. 其釋名則雜取諸卦象卦德卦體, 有兼取者, 有但取其一二者, 要皆以「傳」中首一句之義爲重. 如屯則"剛柔始交而難生", 蒙則"山下有險", 皆第一義也. 釋辭之體, 尤爲不一. 有直據卦名而論其理者, 有雜取卦象卦德卦體者, 蓋辭生於名. 就文王本文觀之, 則據卦名而論其理者正也. 然名旣根於卦, 則辭亦不離乎卦, 雜而取之. 一則所以盡名中之緼, 以見辭義之有所從來, 一則以爲二體六爻吉凶之斷例, 而見辭義之無所不包也.

「단전」은 공자가 문왕의 뜻을 해석한 것이다. 먼저 괘명(卦名)을 해석했고, 나중에 괘사(卦辭)를 해석했다. 괘명을 해석하는 데 여러 괘상(卦象)과 괘덕(卦德)과 괘체(卦體)를 취했는데, 겸해서 취한 경우도 있고 단지 하나 둘을 취한 경우도 있으나, 모두 「단전」의 가운데 첫 번째 구절의 의미를 중시해야 한다. 예를 들어 준(屯)괘에서 "강(剛)과 유(柔)가 비로소 교제하지만 어려움이 발생한다"고 했고, 몽(蒙)괘에서 "산 아래에 위험이 있다"고 했으니 모두 첫 번째 뜻이다.

괘사를 해석하는 문체는 더욱이 하나가 아니다. 직접 괘명에 근거하여 그 이치를 논하는 경우가 있고 괘상과 괘덕과 괘체를 섞어서 논하는 경우도 있는데, 괘사는 괘명으로부터 오기 때문이다. 문왕의 본문을 가지고 보면 괘명에 근거하여 그 이치를 논하는 것이 옳다. 그러나 괘명은 괘에 근본하니 괘사 역시 괘를 벗어날 수 없어 섞어 취했다.

한편으로는 괘명 가운데 핵심을 다하여 괘사의 뜻이 생겨나는 곳을 드러냈고 한편으로는 두 체(體)를 구성하는 여섯 효의 길흉을 판단하는 예로 괘사의 의미가 포함하지 않는 점을 드러냈다.

惟乾坤坎離震艮巽兌八卦不釋名者, 八卦之名, 文王無改於伏羲之舊, 而其德其象, 相傳已久, 不待釋也. 惟坎加'習'字, 有取於重卦之義, 故特釋之. 其釋辭則亦雜取德象, 與其爻位. 如釋乾'元亨利貞'之辭, 則以天言之者, 其卦象也, 以九五言之者, 其爻位也. 釋坤辭以地, 釋坎辭以水, 釋震辭以雷, 則皆卦象也. 釋坎以剛中, 釋離以柔中, 釋艮曰'上下敵應, 不相與也', 釋巽曰'剛巽''柔順', 釋兌曰'剛中''柔外', 則皆爻位也. 先明乾卦, 則諸卦可通矣.

오직 건(乾☰) · 곤(坤☷) · 감(坎☵) · 리(離☲) · 진(震☳) · 간(艮☶) ·

손(巽☴) · 태(兌☱) 등 여덟 괘는 괘명을 해석하지 않았는데, 여덟 괘의 이름은 문왕이 복희 때부터 고치지 않아 그 덕과 상이 서로 전해진지 오래되었기 때문에 해석할 필요가 없다.

오직 감(坎)괘에는 '습(習)'이라는 글자를 덧붙여 중복된 괘라는 의미를 취했기 때문에 특별히 해석했다. 그 괘사를 해석하는 데 또한 괘덕과 괘상과 그 효의 지위를 섞어서 취했는데 예를 들어 건(乾)괘에서 '원형이정(元亨利貞)'이라는 말은 천도(天道)를 가지고 말한 것이니 그 괘상이고, 구오를 가지고 말한 것은 그 효의 지위이다. 곤괘의 괘사는 땅으로 해석하고, 감(坎)괘의 괘사는 물로 해석하고, 진(震)괘의 괘사는 우레로 해석하니 모두 괘상(卦象)이다. 감(坎)괘는 강중(剛中)으로 해석하고, 리(離)괘는 유중(柔中)으로 해석하고, 간(艮)괘는 '위와 아래가 적대적으로 호응하여 서로 함께 하지 않는다'고 하고, 손(巽)괘는 '강함이 공손하고' '유함이 순종한다'고 해석하고, 태(兌)괘는 '강함이 중을 이루고' '유함이 밖에 있다'고 해석하니 모두 효의 지위이다. 먼저 건괘를 밝히면 다른 괘들은 통할 수 있다.

大哉乾元, 萬物資始, 乃統天.

크구나, 건원(乾元)이여! 만물이 이를 바탕으로 시작하니 천도(天道)를 통괄한다.

本義

此專以天道明乾義, 又析元亨利貞爲四德, 以發明之, 而此一節首釋元義也. '大哉', 歎辭. 元, 大也, 始也. 乾元, 天德之大始, 故萬物之生, 皆資之以爲始也. 又爲四德之首, 而貫乎天德之始終, 故曰'統天.'

이는 오로지 천도(天道)로 건(乾)의 뜻을 밝히고 또 원(元)·형(亨)·이(利)·정(貞)을 나누어 네 가지 덕을 만들어 분명하게 밝혔는데, 이 한 구절은 먼저 원(元)의 뜻을 해석한 것이다.
'크구나'는 감탄사이다. 원(元)은 크다는 것이고 시작한다는 뜻이다. 건원(乾元)은 천도의 덕이 크게 시작하는 것이므로 만물의 생성이 모두 이에 바탕하여 시작한다. 또 네 가지 덕의 우두머리가 되어 천도의 덕에서 처음과 끝을 꿰뚫으므로 '천도를 통괄한다'고 했다.

集說

● 九家易曰 : "乾者純陽, 天之象也. 觀乾之始, 以知大德. 惟天爲大, 故曰'大哉.' 元者, 氣之始也."[1)]

구가역(九家易)에서 말했다. "건(乾)은 순수한 양이니 하늘의 모습이다. 건의 시작을 보면 큰 덕을 안다. 오직 하늘이 크기 때문에 '크구나'라고 했다. 원(元)은 기운의 시작이다."

● 『朱子語類』云 : "乾元只是天之性, 不是兩個物事."2)

『주자어류』에서 말했다. "건원(乾元)은 하늘의 본성일 뿐이지 두 개의 것이 아니다."

又云 : "元者用之端, 而亨 · 利 · 貞之理具焉. 至於爲亨爲利爲貞, 則亦元之爲耳. 此元之所以包四德也. 若分而言之, 則元亨誠之通, 利貞誠之復. 其體用固有在矣, 以用言, 則元爲主, 以體言, 則貞爲主."3)

또 말했다. "원(元)은 작용의 단서이고 형(亨) · 이(利) · 정(貞)의 이치가 갖추어져 있다. 형통함[亨]과 이로움[利]과 곧음[貞]이 되면 또한 원(元)이 이루어진 것일 뿐이다. 이는 원(元)이 네 가지 덕을 포괄하고 있기 때문이다. 만약 나누어 말하면 원(元)과 형(亨)은 진실함[誠]이 통한 것이고, 이(利)와 정(貞)은 진실함이 회복된 것이다. 그 체(體)와 용(用)이 분명 있고, 용(用)으로 말하자면 원(元)이 주된 것이고 체(體)로 말하자면 정(貞)이 주된 것이다."

1) 이정조(李鼎祚), 『주역집해(周易集解)』 권1.
2) 『주자어류(朱子語類)』 68권, 77조목.
3) 『주문공문집』 권4, 「서(書) · 답방백모(答方伯謨)」.

又云："元者，天地生物之端倪也．元者生意，在亨則生意之長，在利則生意之遂，在貞則生意之成．若言仁便是這意思，仁本生意，生意則惻隱之心也．苟傷著這生意，則惻隱之心便發．若羞惡，也是仁去那義上發．若辭讓，也是仁去那禮上發．若是非，也是仁去那智上發．若不仁之人，安得更有義禮智．"[4)]

또 말했다. "원(元)은 천지가 만물을 낳은 단서이다. 원(元)이란 생의(生意)이니 형통하는 데서는 생의가 성장하고, 이로움에서는 생의가 실현되고, 곧음에서는 생의가 이루어진다. 만약 인(仁)이 이러한 뜻이라면 인은 생의에 근본하니 생의가 곧 측은한 마음이다. 이러한 생의가 상처받으면 측은한 마음은 일어난다. 부끄러워하고 미워하는 마음일지라도 인은 이 의(義)에서 발현된다. 사양하는 마음일지라도 인은 이 예(禮)에서 발현된다. 시비를 가르는 마음일지라도 인은 이 지(智)에서 발현된다. 만약 불인한 사람이라면 어떻게 의(義)·예(禮)·지(智)가 있겠는가?"

● 蔡氏清曰："天地間凡大者，皆爲始．始者便自大，有生之初，自然之理是如此．有生之後，當然之序亦如此．「彖辭」元字只訓大者，以本文原無始字義也．此以有'萬物資始'句故兼言之．抑乾元之大，亦於'萬物資始'處見也．"[5)]

채청(蔡清)[6)]이 말했다. "하늘과 땅 사이에서 큰 것은 모두 시작이

4) 『주자어류(朱子語類)』 68권, 39조목.
5) 채청(蔡清), 『역경몽인(易經蒙引)』 권1 상.
6) 채청(蔡清, 1453~1508) : 자는 개부(介夫)이고 별호는 허재(虛齋)이다. 명(明)대 진강(晉江) 사람으로, 31세에 진사에 급제하여 벼슬은 남경문선랑중(南京文選郎中), 강서제학부사(江西提學副使) 등을 역임하였다.

다. 시작은 원래 크니 생명이 생겨나는 시초에 자연(自然)의 이치는 이와 같다. 생명이 있고 난 뒤에 당연(當然)한 순서 또한 이와 같다. 「단사」에서 원(元)이라는 글자는 크다고 해석하니 본문에는 원래 시작의 의미가 없기 때문에 '만물이 이것을 바탕으로 시작한다'는 구절을 겸해서 말했다. 또한 건원(乾元)의 위대함 또한 '만물이 이것을 바탕으로 시작한다'는 곳에서 드러난다."

명대의 저명한 이학가(理學家)로서 주로 이정(二程)과 주희(朱熹)의 저술 연구를 통해 그들의 사상을 계승하였다. 특히 천주(泉州) 개원사(開元寺)에서 역학연구단체를 결성하여 90여 책을 출간하면서 청원학파(淸源學派)를 이루었다. 이정기(李廷機), 장악(張嶽), 임희원(林希元), 진침(陳琛) 등의 학자들이 그 학파의 주요 구성원이었다. 저술로는 『사서몽인(四書蒙引)』, 『역경몽인(易經蒙引)』, 『허재문집(虛齋文集)』 등이 있다.

雲行雨施, 品物流形.

구름이 모여들고 비가 내려 모든 종류의 것들이 형체를 완성한다.

本義

此釋乾之亨也.

이는 건원이 형통한 것을 해석했다.

集說

● 楊氏萬里曰: "「彖」言元利貞, 而獨不言亨者, 蓋'雲行雨施', 卽氣之亨也, '品物流形', 卽形之亨也."

양만리(楊萬里)가 말했다. "「단전」에서 원(元) · 이(利) · 정(貞)을 말했는데 오직 형(亨)을 말하지 않은 것은, '구름이 모여들고 비가 내린다'는 것은 기의 형통함이고 '모든 종류의 것들이 형체를 완성한다'는 것은 형체의 형통함이기 때문이다."

● 俞氏琰曰: "前言萬物, 此言品物. 萬與品, 同與異與? 元爲稟氣之始, 未可區別, 故總謂之萬. 亨則流動形見, 而洪纖高下, 各有區別, 放特謂之品."[7]

유염(俞琰)[8]이 말했다. "앞에서는 만물(萬物)을 말했고 여기서는 품물(品物)을 말했다. 만(萬)과 품(品)은 같은 것인가 다른 것인가? 원(元)은 기를 품수받는 시작이라 구별하지 못하기 때문에 총체적으로 만(萬)이라고 했다. 형통할 때는 흘러 움직이고 형체가 갖추어져 드러나니, 크고 미세하고 높고 낮은 것이 각각 구별이 있어 특별히 품(品)이라고 했다."

7) 유염(俞琰), 『주역집설(周易集說)』 권14.

8) 유염(俞琰) : 자는 옥오(玉吾)이고, 호는 전양자(全陽子), 임옥산인(林屋山人), 석간도인(石澗道人) 등이다. 남송 말 원대 초기에 활동한 학자로 송대 오군(吳郡 : 현 강소성 소주〈蘇州〉) 사람이다. 어려서 가학을 익히고 젊어서는 기서(奇書)를 즐겨 연구하다가, 뒤늦게 과거시험 준비를 했다. 남송이 멸망하고 원대 조정이 들어서자 과거응시를 포기하고 은거하여 역학 연구에 전념하였다. 역학 관련 저술이 특히 많았는데, 대표적인 것으로 『주역집설(周易集說)』, 『독역거요(讀易擧要)』, 『역외별전(易外別傳)』 등이 있다.

大明終始, 六位時成, 時乘六龍以御天.

천도의 시작과 끝을 크게 밝히면 괘의 여섯 자리가 각각의 때로써 이루니, 각각의 때에 따라 여섯 마리 용이 올라타고서 하늘의 운행을 제어한다.

本義

始, 卽元也. 終, 謂貞也. 不終則無始, 不貞則無以爲元也. 此言聖人大明乾道之終始, 則見卦之六位, 各以時成, 而乘此六陽以行天道, 是乃聖人之元亨也.

시작은 원(元)이다. 끝은 정(貞)을 말한다. 끝나지 않으면 시작할 수 없고 정(貞)하지 않으면 원(元)이 될 수 없다. 이는 성인이 건도(乾道)가 끝나고 시작하는 것을 크게 밝히면, 괘의 여섯 자리가 각기 때로써 이루어 여섯 양(陽)을 타고 천도를 행하는 것을 볼 수 있다고 말한 것이니, 이는 곧 성인의 원(元)과 형(亨)이다.

集說

● 『朱子語類』云 : "乾道終始, 卽四德也. 始則元, 終則貞. 蓋不終則無以爲始, 不貞則無以爲元. 六爻之立, 由此而立耳. 以時成者, 言各以其時而成, 如'潛''見''飛''躍', 皆以時耳. 然皆四德之流行也."[9]

『주자어류』에서 말했다. "건도(乾道)의 시작과 끝이 네 가지 덕이다. 시작은 원(元)이고 끝은 정(貞)이다. 끝나지 않으면 시작은 없고 정(貞)하지 않으면 원(元)은 없기 때문이다. 여섯 효의 지위는 이것으로부터 세워질 뿐이다. '각각의 때로써 이룬다'는 것은 각각 그 때로써 이룬다는 말이니 예를 들어 '잠긴다' '드러난다' '난다' '도약한다'는 것은 모두 때일 뿐이다. 그러나 모두 네 가지 덕의 유행이다."

又云 : "六龍只是六爻, 龍只是譬喩. 明此六爻之義, '潛''見''飛''躍', 以時而動, 便是'乘六龍', 便是'禦天'. 聖人便是天, 天便是聖人."10)

또 말했다. "여섯 용은 여섯 효일 뿐이니 용은 단지 비유일 뿐이다. 이 여섯 효의 뜻을 밝혔으니, '잠긴다' '드러난다' '난다' '도약한다'는 것은 때에 따라 움직이는 것으로 '여섯 용을 탄다'는 것이고, '하늘의 운행을 제어한다'는 것이다. 성인이 곧 하늘이고 하늘이 곧 성인이다."

9) 『주자어류(朱子語類)』 68권, 79조목.
10) 『주자어류(朱子語類)』 68권, 82조목.

乾道變化, 各正性命, 保合大和, 乃利貞.

건도가 변하고 화하여 각각 사물의 본성과 천명을 바르게 하니, 큰 조화를 오래도록 보존하고 화합하여, 만물을 이롭게 하면서도 올바르다.

本義

變者化之漸, 化者變之成. 物所受爲性, 天所賦爲命. '大和', 陰陽會合沖和之氣也. '各正'者, 得於有生之初. '保合'者, 全於已生之後. 此言'乾道變化', 無所不利, 而萬物各得其性命以自全, 以釋利貞之義也.

변(變)은 화(化)가 점진적으로 나아간 것이고, 화(化)는 변(變)의 완성이다. 사물이 받은 것이 성(性)이고 하늘이 부여한 것이 명(命)이다. '큰 조화[大和]'는 음양(陰陽)이 모여 조화로운 기운이다. '각각 바르게 한다[各正]'는 것은 만물이 태어나는 초기에 얻고, '보존하고 화합한다[保合]'는 생겨난 뒤에 온전히 보존하는 것이다.
이는 '건도(乾道)가 변하고 화하여' 이롭지 않은 바가 없는데 만물이 각기 그 본성과 천명을 얻어 스스로 온전히 하는 것을 말하니, 이(利)와 정(貞)의 뜻을 해석하였다.

集說

● 『朱子語類』云 : "'各正性命', 他那元亨時雖正了, 然未成形質, 到這裏方成, 如百穀堅實了, 方喚作正性命."[11]

『주자어류』에서 말했다. "'각각 그 본성과 천명을 바르게 한다'는 것은 이 원(元)과 형(亨)일 때는 바르게 되었지만 아직 형질(形質)을 이루지 못해 여기에 이르러 비로소 완성되니, 마치 백곡(百穀)이 견실하게 된 것과 같아 본성과 천명을 바르게 한다."

又云 : "'乾道變化, 各正性命', 總只是一個理. 此理處處相渾淪, 如一粒粟生爲苗, 苗便生花, 花便結實, 又成粟還復本形. 一穗有百粒, 每粒個個完全, 又將這百粒去種, 又各成百粒, 生生只管不已. 初間只是這一粒分去, 物物各有理, 總只是一個理."[12]

또 말했다. "'건도가 변하고 화하여 각각 본성과 천명을 바르게 한다'는 것은 총체적으로 하나의 이치이다. 이 이치는 곳곳에 서로 섞여 있어 하나의 벼가 생겨나서 모가 되고 모가 꽃을 피우고 꽃이 열매를 맺는 것과 같으니, 벼가 이루어지면 본래의 형체로 돌아간다. 하나의 벼이삭에 백 개의 쌀알이 있고 각각의 쌀알은 완전하여 이 백 개의 쌀을 심으면 또 각각 백 개의 쌀을 이루니, 낳고 낳는 것이 그치지 않는다. 처음에 이 하나의 쌀알이 분화되어 각각의 것에 이치가 있지만 총체적으로는 하나의 이치이다."

11) 『주자어류(朱子語類)』, 68권, 85조목.
12) 『주자어류(朱子語類)』, 94권, 37조목.

又云："'保合大和', 卽是保合此生理也. '天地絪縕', 乃天地保合此生物之理. 造化不息, 及其萬物化生之後, 則萬物各自保合其生理. 不保合則無物矣."[13]

또 말했다. "'큰 조화를 오래도록 보존하고 화합한다'는 것은 이 생리(生理)를 보존하고 화합한다는 뜻이다. '하늘과 땅이 얼키고 설킨다[天地絪縕]'[14]는 것은 하늘과 땅이 이 만물을 낳는 이치를 보존한다는 말이다. 조화(造化)가 그치지 않아 만물이 화(化)하여 생겨난 뒤이니 만물이 각각 그 생리를 보존하고 화합한다. 보존하고 화합하지 못하면 사물은 없다."

又云："'保合大和', 天地萬物皆然. 天地便是大底萬物. 萬物便是小底天地."[15]

또 말했다. "'큰 조화를 오래도록 보존하고 화합한다'는 것은 천지 만물이 모두 그러하다. 천지는 큰 사물이고 만물은 작은 천지이다."

又云："仁爲四德之首, 而智則能成始而成終. 猶元爲四德之長, 然元不生於元而生於貞. 蓋天地之化, 不翕聚則不能發散也. 仁智交際之間, 乃萬化之機軸. 此理循環不窮, 吻合無間, 不貞則無以爲元也."[16]

---

13) 『주문공문집』 권39, 「서(書) · 답범백숭(答范 伯崇)」.

14) 『주역』「계사하」: "하늘과 땅의 기운이 얼키고 설켜 만물이 화(化)하여 엉기고, 남녀(男女)가 정(精)을 맺어 만물이 화생(化生)한다.[天地絪縕, 萬物化醇, 男女構精, 萬物化生.]"라고 하였다.

15) 『주자어류』 68권, 89조목.

또 말했다. "인(仁)은 네 가지 덕의 우두머리이고, 지(智)는 시작하여 끝을 맺을 수 있는 것이다. 원(元)은 네 가지 덕의 우두머리이지만, 원은 원으로부터 생겨나지 않고 정(貞)으로부터 생겨나는 것과 같다. 천지의 화(化)는 모이지 않으면 발산할 수가 없기 때문이다. 인과 지가 교제할 때가 바로 만물 변화의 기축이다. 이 이치는 순환하여 끝이 없고 맞물려 틈이 없으니, 정(貞)하지 않으면 원(元)이 될 수 없다."

● 項氏安世曰 : "推其本統言之, 則曰乾元, 極其變化言之, 則曰乾道. 始乎乾元, 終乎大和. 萬物出於元, 入於元. 此元之所以爲大也."[17]

항안세(項安世)[18]가 말했다. "그 본통(本統)을 추론하여 말하면 건원(乾元)이고, 그 변화를 극대화하여 말하면 건도(乾道)이다. 건원에서 시작하여 큰 조화에서 끝난다. 만물은 원(元)에서 나와 원으

16) 『주자어류』 6권, 75조목.

17) 항안세(項安世), 『주역완사(周易玩辭)』 권1.

18) 항안세(項安世, 1129~1208) : 자는 평부(平父)이고, 호는 평암(平庵)이며, 송대 강릉(江陵 : 현 호북성 소속) 사람이다. 효종(孝宗) 순희(淳熙) 2년(1175) 진사에 급제하여 소흥부교수(紹興府教授)가 되었는데, 당시 절동제거(浙東提擧)를 맡고 있던 주희(朱熹)를 만나 서로 강론하였다. 주희가 간관(諫官)으로 조정에 추천한 적이 있으며, 비서성정자(秘書省正字), 교서랑(校書郞), 지주통판(池州通判) 등을 역임했다. 경원(慶元) 연간에 상소를 올려 주희(朱熹)를 유임하라고 했다가 탄핵을 받고 위당(僞黨)으로 몰려 파직되었다. 나중에 복직되어 여러 벼슬을 거쳤다. 저서에는 『주역완사(周易玩辭)』, 『항씨가설(項氏家說)』, 『평암회고(平庵悔稿)』 등이 있다.

로 들어간다. 이것이 원이 큰 까닭이다."

● 胡氏炳文曰:"以二氣之分言, 則變者萬物之出機, '元亨'是也, 化者萬物之入機, '利貞'是也, 以一氣之運言, 則變者其漸, 化者其成. 先言'品物流形', 後言'各正性命'. 物有此形, 卽有此性, 皆天所命也. 謂之'各正', 則命之稟也, 乃性之所以一定而不易. 謂之'保合', 則性之存也, 又命之所以流行而不已. 蓋'大和'者, 陰陽會合沖和之氣, 而'乾元''資始'之理, 固在其中矣."[19]

호병문(胡炳文)[20]이 말했다. "두 기(氣)의 분화로 말하면 변(變)은 만물이 나오는 기틀이니 '원형(元亨)'이 이것이고, 화(化)는 만물이 들어가는 기틀이니 '이정(利貞)'이 이것이다. 한 기의 운행으로 말하면 변(變)은 점차적인 과정이고, 화(化)는 그 완성이다. 먼저 '모든 종류의 것들이 형체를 완성한다'고 하고 나중에 '각각 그 본성과 천명을 바르게 한다'고 했다. 사물은 이 형체가 있으면 이 본성이 있으니 모두 하늘이 부여한 명이다. '각각 바르게 한다'고 한 것은 명을 품수하는 일이니 본성은 한번 정해지면 바꿀 수 없다. '보존하고 화합한다'고 했으니 본성의 보존이고 또 명이 유행하여 그치지

19) 호병문(胡炳文), 『주역본의통석(周易本義通釋)』 권1.

20) 호병문(胡炳文, 1250~1333) : 원나라 휘주(徽州) 무원(婺源) 사람으로 자는 중호(仲虎)이고, 호는 운봉(雲峰)이다. 주희(朱熹)의 종손(宗孫)에게 『주역』과 『서경』을 배워 주자학에 잠심했으며, 특히 『주역』에 뛰어났다. 신주(信州) 도일서원(道一書院) 산장(山長)을 지내고, 난계주학정(蘭溪州學正)이 되었는데, 나가지 않았다. 저서에 『주역본의통석(周易本義通釋)』과 『서집해(書集解)』, 『춘추집해(春秋集解)』, 『예서찬술(禮書纂述)』, 『사서통(四書通)』, 『대학지장도(大學指掌圖)』, 『오경회의(五經會義)』, 『이아운어(爾雅韻語)』 등이 있다.

않는다. '큰 조화'는 음양이 모여 화합하는 기이고 '건원'과 '바탕으로 시작하는' 이치는 그 가운데 있다."

● 薛氏瑄曰 : "'大哉乾元, 萬物資始', 誠之源也, 道之體也, 萬殊之所以一本也. '乾道變化, 各正性命', 誠 斯立焉, 道之用也, 一本之所以萬殊也. 然凡言體用, 不可分而爲二."[21]

설선(薛瑄)[22]이 말했다. "'크구나 건원이여, 만물이 이를 바탕으로 시작한다'는 것은 성(誠)의 근원이고 도의 체(體)이며 만 가지가 하나의 근본인 까닭이다. '건도가 변화하여 각각 본성과 천명을 바르게 한다'는 것은 성(誠)이 이에 성립하고 도의 용(用)이며 하나의 근본이 만 가지로 나뉘는 까닭이다. 그렇게 체용(體用)을 말했으니 나뉘어 둘이 될 수 없다."

● 蔡氏清曰 : "'各正''保合', 雖合爲乾之利貞. 然細分之, '各正'者利也, 保合者貞也. 「文言」『本義』云'利者生物之遂, 物各得宜, 不相妨害', 非卽此之各正性命乎! '貞者生物之成, 實理具備, 隨在各足, 非卽此之保合大和乎!"[23]

21) 설선(薛瑄), 『독서속록(讀書續録)』 권9.

22) 설선(薛瑄, 1389~1464) : 자는 덕온(德溫)이고 호는 경헌(敬軒)이다. 명(明)대 하진(河津) 사람으로, 하동학파(河東學派)의 창시자이다. 세칭 설하동(薛河東)이라 불렸다. 벼슬은 통의대부(通議大夫), 예부좌시랑 겸 한림원학사(禮部左侍郎兼翰林院學士)를 지냈다. 시호는 문청(文淸)이고, 후세에 설문청(薛文清)이라 불렸다. 저서에 『설문청공전집(薛文清公全集)』이 있다.

23) 채청(蔡清), 『역경몽인(易經蒙引)』 권1 상.

채청(蔡清)[24]이 말했다. "'각각 바르게 한다'와 '보존하여 화합한다'는 것은 합하여 건(乾)의 이정(利貞)이 될지라도 세분하여 말하면 '각각 바르게 한다'는 것은 이(利)이고 '보존하여 화합한다'는 정(貞)이다. 「문언전」 『주역본의』에서 '이(利)는 만물을 낳는 것을 이룬 상황으로, 사물이 각각 마땅함을 얻어 서로 방해하고 해치지 않는다'고 했으니, 이것이 각각 본성과 천명을 바르게 하는 것이 아닌가! '정(貞)은 만물을 낳는 것을 이루는 상황으로 실제의 이치가 구비되어 있는 곳에 따라 각각 족하다'고 했으니, 이것이 큰 조화를 보존하고 화합하는 것이 아닌가!"

● 林氏希元曰 : "'各正性命'是利, '保合大和'是貞. 向之'資始'於元, '流形'於亨者, 今則各效法象, 各成形質, 而性命於是乎各正. 旣而愈斂愈固, 生意凝畜而不滲漏, 化機內蘊而不外見, 則大和於是保合矣."[25]

임희원(林希元)[26]이 말했다. "'각각 본성과 천명을 바르게 한다'는

24) 채청(蔡清, 1453~1508) : 자는 개부(介夫)이고 별호는 허재(虛齋)이다. 명(明)대 진강(晉江) 사람으로, 31세에 진사에 급제하여 벼슬은 남경문선랑중(南京文選郎中), 강서제학부사(江西提學副使) 등을 역임하였다. 명대의 저명한 이학가(理學家)로서 주로 이정(二程)과 주희(朱熹)의 저술 연구를 통해 그들의 사상을 계승하였다. 특히 천주(泉州) 개원사(開元寺)에서 역학연구단체를 결성하여 90여 책을 출간하면서 청원학파(清源學派)를 이루었다. 이정기(李廷機), 장악(張嶽), 임희원(林希元), 진침(陳琛) 등의 학자들이 그 학파의 주요 구성원이었다. 저술로는 『사서몽인(四書蒙引)』, 『역경몽인(易經蒙引)』, 『허재문집(虛齋文集)』 등이 있다.

25) 임희원(林希元), 『역경존의(易經存疑)』 권1.

것은 이(利)이고, '큰 조화를 보존하고 화합한다'는 것은 정(貞)이다. 이전에 원(元)에서 '바탕으로 삼아 시작한다'고 하고 형(亨)에서 '유행한다'고 했는데 지금은 각각 상(象)을 본받아 각각 형질(形質)을 이루었으니, 본성과 천명이 이에 각각 바르게 된다. 수렴하면 할수록 견고해져서 생의(生意)가 응축되어 새어나가지 않고 변화의 기틀이 안에서 온축하여 겉으로 드러나지 않으니, 큰 조화가 이에 보존하고 화합한다."

26) 임희원(林希元, 1481~1565) : 명(明)대 동안 신점(同安新店) 사람으로, 자는 무정(茂貞)이고 호는 차애(次崖)이다. 명(明) 정덕(正德)11년(1516)에 진사에 급제하여 남경대리사평사(南京大理寺評事), 광서사주판관(廣西泗州判官), 흠주지주(欽州知州) 등을 역임했다. 학문으로는 정주학과 채청(蔡清)의 『역경몽인(易經蒙引)』을 중시했다. 특히 『주역』을 다른 경전에 비해 극히 높게 평가하여, 오경 가운데 『역경』을 뺀 나머지는 강물과 같고 『역경』은 바다와 같다고 했다. 저술로는 『역경존의(易經存疑)』, 『사서존의(四書存疑)』, 『임차애선생문집(林次崖先生文集)』 등이 있다.

首出庶物, 萬國咸寧.

모든 것 가운데 가장 뛰어나 온 나라가 모두 편안하다.

本義

聖人在上, 高出於物, 猶乾道之變化也. 萬國各得其所而咸寧, 猶萬物之'各正性命', 而'保合大和'也. 此言聖人之'利貞'也. 蓋嘗統而論之, 元之者物之始生, 亨者物之暢茂, 利則向於實也, 貞則實之成也. 實之旣成, 則其根蒂脫落, 可復種而生矣. 此四德之所以循環而無端也. 然而四者之間, 生氣流行, 初無間斷, 此元之所以包四德而統天也. 其以聖人而言, 則孔子之意, 蓋以此卦爲聖人得天位, 行天道, 而致太平之占也. 雖其文義有非文王之舊者, 然讀者各以其意求之, 則並行而不悖也. 坤卦放此.

성인이 윗자리에 있어 만물보다 걸출한 것은 건도(乾道)의 변과 화와 같다. 모든 나라가 각기 그 마땅한 장소를 얻어 편안한 것은 만물이 '각각 본성과 천명을 올바르게 하여' '큰 조화를 보존하고 화합한다.' 이것이 성인(聖人)의 '이(利)와 정(貞)'을 말한다.

통합하여 논하면 원(元)은 사물이 처음 생기는 것이고 형(亨)은 만물이 번창하고 무성한 것이며 이(利)는 열매를 맺도록 하는 것이고 정(貞)은 열매가 이루어진 것이다. 열매가 이루어지면 그 뿌리와 꼭지가 떨어져 다시 심어 새로 자랄 수 있다. 이것이 네 가지 덕이 순환하여 끝이 없는 까닭이다. 그러나 네 가지 덕 사이에 생기(生

氣)가 유행하여 애초부터 끊어짐이 없으니, 이것이 원(元)이 네 가지 덕을 포함하여 하늘을 통괄하는 까닭이다.
이를 성인으로 말하면 공자의 뜻은 이 괘를 성인이 하늘의 지위를 얻어 천도(天道)를 행하여 태평성대를 이루는 점(占)이라 여긴 것이다. 비록 그 문장의 뜻이 문왕(文王)의 옛 것이 아닌 점이 있지만, 독자가 각각 뜻으로 구한다면 함께 행해져 어그러지지는 않을 것이다. 곤괘(坤卦)도 이와 같다.

程傳

卦下之辭爲'彖', 夫子從而釋之, 通謂之「彖」. 彖者言一卦之義. 故知者觀其彖辭, 則思過半矣. '大哉乾元', 贊乾元始萬物之道大也. 四德之'元', 猶五常之仁. 偏言則一事, 專言則包四者. '萬物資始乃統天', 言元也. 乾元, 統言天之道也. 天道始萬物, 物資始於天也. '雲行雨施, 品物流形', 言'亨'也. 天道運行, 生育萬物也. 大明天道之終始, 則見卦之六位, 各以時成.

괘 밑에 달린 말이 '단(彖)'인데 공자가 괘 밑에 달린 말을 따라 해석한 것을 통상적으로 「단전(彖傳)」이라고 한다.
'단'이란 한 괘의 뜻을 말한다. 그러므로 지혜로운 자는 「단전」의 글만 보고도 괘의 내용 절반을 이해한다. '크구나, 건원이여'라는 말은 건원(乾元)이 모든 것들을 시작하게 하는 도가 크다는 점을 찬미한 것이다. '원(元)' '형(亨)' '이(利)' '정(貞)'이라는 네 가지 덕에서 '원(元)'이란 '인의예지신(仁義禮智信)'이라는 오상(五常)에서의 인(仁)과 같다. 한편으로만 말하면 한 가지 일이지만 전체적으로 말하면 네 가지를 포괄한다.

'만물이 이를 바탕으로 시작하니 천도(天道)를 통괄한다'는 것은 건원을 말한다. 건원은 천도(天道)[27]를 통칭해서 말한 것이다. 천도는 만물을 시작하게 하니, 만물은 천도를 바탕으로 시작된다. '구름이 모여들고 비가 내려 모든 종류의 것들이 형체를 완성한다'는 것은 '형통함'을 말한다. 천도가 운행하여 만물이 생겨나고 길러진다. 사람이 천도의 시작과 끝을 크게 깨달으면, 괘의 여섯 자리가 각각 때에 따라 이루어졌음을 알게 된다.

卦之初終, 乃天道終始. 乘此六爻之時, 乃天運也. '以禦天'謂以當天運. '乾道變化', 生育萬物, 洪纖高下, 各以其類, '各正性命'也. 天所賦爲命, 物所受爲性, '保合大和'乃'利貞.' '保', 謂常存. 合, 謂常和. '保合大和', 是以利且貞也. 天地之道, 常久而不已者, 保合大和也. 天爲萬物之祖, 王爲萬邦之'宗', 乾道'首出庶物'而萬彙亨, 君道尊臨天位而四海從. 王者體天之道, 則'萬國咸寧'也.

27) 천도(天道) : 자연의 이치를 말한다. 이는 하늘을 종교적으로 이해하는 것이 아니라 합리적으로 이해한 것이다. 정이천, 『하남정씨유서』 22권 : "체(棣)가 물었다. '선을 행하면 복을 받고 사악함을 행하면 재앙을 받는다는 것은 어떻습니까?' 대답했다. '이것은 저절로 그러한 이치이다. 선을 행하면 복이 있고, 사악함을 행하면 재앙이 있다.' 또 물었다. '천도는 어떠합니까?' 대답했다. '단지 이치[理]일 뿐이다. 이치가 곧 천도이다. 예를 들어 황천(皇天)께서 진노했다고 한다면 이것이 사람이 저 위에 있어 진노했다는 의미는 아니다. 단지 이치가 그렇다는 말이다.[棣問, '福善禍淫如何?' 曰, '此自然之理, 善則有福, 淫則有禍. 又問, 天道如何?' 曰, '只是理, 理便是天道也. 且如說皇天震怒, 終不是有人在上震怒. 只是理如此.']"라고 하였다.

괘의 처음과 끝이 곧 천도의 처음과 끝이다. 이 여섯 효의 때를 타는 것이 곧 하늘의 운행이다. '하늘의 운행을 제어한다'는 말은 하늘의 운행을 담당한다는 말이다.

'건도(乾道)가 변화하여' 만물을 생성하고 길러서 크고 작거나 높고 낮은 것이 각기 그 부류에 따라 '각각 본성과 천명을 바르게 한다.' 하늘이 부여한 것이 천명이고 사물이 받은 것이 본성이다. '큰 조화를 오래도록 보존하고 화합하여 만물을 이롭게 하면서도 올바르다'에서 '보(保)'는 오래 지속적으로 보존한다는 말이고, '합(合)'은 오래 지속적으로 화합한다는 말이다. '큰 조화를 오래도록 보존하고 화합하니', 그래서 이롭게 하면서 또 올바름을 굳게 지킨다. 천지(天地)의 도가 오래도록 지속하고 그침이 없는 것은 큰 조화가 오래도록 보존되고 화합되기 때문이다.

하늘은 모든 것의 조상이고, 왕은 모든 나라의 '종가'다. 건도(乾道)가 '모든 것 가운데 가장 뛰어나' 모든 종류의 것이 형통하고 군주의 도리가 천자(天子)의 지위에 존귀하게 임하여 세상 모든 사람들이 복종한다. 왕이 하늘의 도를 몸으로 체득하면 '온 나라가 모두 편안하다.'

集說

● 『朱子語類』云: "'大哉乾元, 萬物資始', '至哉坤元, 萬物資生', 那元字便是生物之仁, 資始是得其氣, 資生是成其形. 到得亨便是他彰著, 利便是結聚, 貞便是收斂. 收斂既無形迹, 又須復生. 至如夜半子時, 此物雖存, 猶未動在, 到寅卯便生, 巳午便著, 申酉便結, 亥子丑便實, 及至寅又生. 他這箇只管運轉, 一歲有一歲之運, 一月有一月之運, 一日有一日之運, 一時有一時之運,雖一息之微, 亦有四箇段子. 恁地運轉."[28]

『주자어류』에서 말했다. "'크구나 건원이여, 만물이 이를 바탕으로 해서 시작한다', '지극하구나 곤원이여, 만물이 이를 바탕으로 생겨난다'라는 말에서 이 원(元)이라는 글자는 만물을 살리는 인이고, 바탕으로 시작하는 것은 그 기를 얻는 것이고 바탕으로 생겨난다는 것은 그 형체를 이루는 것이다. 형(亨)에 이르러 그것이 밝게 드러나고, 이(利)에 이르러 결합하여 응취하며, 정(貞)에 이르러 수렴한다. 수렴하여 형체와 흔적이 없게 되면 또 다시 생겨난다. 깊은 밤 자시(子時)에 이것이 존재하지만, 아직 움직이지 않고 인묘(寅卯)에 이르러 생겨나며, 사오(巳午)에 이르러 드러나며, 신유(辛酉)에 이르러 결합하며, 해자축(亥子丑)에 이르러 결실을 이르고, 인(寅)에 이르러 또 생겨난다. 이것들은 운행하여 회전하니 한 해에는 한 해의 운행이 있고, 한 달에는 한 달의 운행이 있고, 하루에는 하루의 운행이 있고, 한 시간에는 한 시간의 운행이 있어, 한 순간의 미세함에도 네 단계가 있다. 그대로 운행하여 회전한다."

又曰 : "元亨利貞無斷處, 貞了又元. 今日子時前, 便是昨日亥時. 物有夏秋冬生底, 是到這裏方感得生氣, 他自有箇小小元亨利貞."[29]

또 말했다. "원형이정은 단절된 곳이 없어서 정(貞)이 끝나면 또 원(元)이다. 오늘 자시(子時) 이전이 어제의 해시(亥時)이다. 사물에는 여름 가을 겨울에 생겨나는 것이 있는데 여기에 이르러 생명의

28) 『주자어류』 68권, 74조목.
29) 『주자어류』 68권, 33조목.

기운을 느끼니, 그것들은 본래 작은 원형이정이 있다."

● 林氏希元曰 : "伏義所畫乾卦, 其義所該者廣, 不止天道. 文王'元亨利貞'之繫, 只是個占辭. 原無它意, 夫子贊『易』, 則專以天道來發明乾義. 又將'元亨利貞'之辭, 分爲四德, 以發明乾義, 以天道明乾義. 它無所見, 只在析'元亨利貞'爲四德上見得."30)

임희원(林希元)이 말했다. "복희가 그린 건괘는 그 의미가 해당하는 것이 넓어 천도에 그치지 않는다. 문왕이 '원형이정'이라는 말을 붙인 것은 단지 점사(占辭)일 뿐이다. 원래는 다른 의미가 없었으나 공자가 역을 편찬하니 오로지 천도를 가지고 건(乾)의 의미를 밝혔다. 또 '원형이정'이라는 괘사를 네 가지 덕으로 나누어 건의 의미를 밝혔고 천도로 건의 의미를 밝혔다. 그는 다른 견해가 없었고 단지 '원형이정'이 네 가지 덕이라는 점에서 분석해 본 것이다."

又曰 : "元亨利貞本旨, 在卦辭者, 與諸卦一般. 至吾夫子分爲四德, 而後世之言天道者因之, 此夫子所以爲道德之宗也. 又如仁字首見於『尙書』, 只作愛人說, 至夫子始作心德說, 以此立教, 仁道始行於世."31)

또 말했다. "원형이정의 본래 뜻은 괘사에 있는 것과 여러 괘가 마찬가지이다. 우리 공자가 나누어 네 가지 덕이 되고 후세에 천도를 말하는 자는 그것을 따르니, 이것이 공자가 도덕의 조종이 되는 까닭이다. 또 인(仁)이라는 글자가 『상서(尙書)』에서 처음 드러날 때

30) 임희원(林希元), 『역경존의(易經存疑)』 권1.

31) 임희원(林希元), 『역경존의(易經存疑)』 권1.

는 단지 사람을 사랑한다는 말이었지만, 공자에 이르러서는 비로소 마음의 덕으로 말하였으니, 이것이 가르침을 세우고 인도(仁道)가 비로소 세상에 행해진 것이다."

又曰 : "利者生物之遂, 貞者生物之成. 遂與成, 如何分別? 『論語』 '遂事不諫', 注云, 遂謂'事雖未成, 而勢不能已也', 則知遂是方向成之勢, 而貞則成矣. 故曰利則向於實也, 貞則實之成也."[32]

또 말했다. "이(利)는 만물이 생겨나는 것이 끝나고 정(貞)은 만물이 생겨나는 것이 완성된다. 끝난다는 것과 완성한다는 것은 어떻게 분별하는가? 『논어』에서 '끝난 일이라 간하지 않다'[33]라는 말에서 주희가 주석하여 말하기를 '일이 비록 이루어지지는 않았으나 형세가 그만둘 수 없는 것이다'[34]라고 하였으니, 끝난다는 것은 막 이루어지려는 형세이고 굳게 지키면[貞] 완성된다. 그러므로 이(利)는 열

32) 임희원(林希元), 『역경존의(易經存疑)』 권1.

33) 『논어』「팔일」: "애공(哀公)이 재아(宰我)에게 사(社)에 대하여 물으니, 재아가 대답했다. '하후씨(夏后氏)는 소나무를 사주(社主)로 사용하였고, 은(殷)나라 사람들은 잣나무를 사용하였고, 주(周)나라 사람들은 밤나무를 사용하였으니, 밤나무를 사용한 이유는 백성들에게 전율(戰栗)을 느끼게 하려고 해서 였습니다.' 공자가 이를 듣고 말했다. '내 이미 이루어진 일이라 말하지 않으며 끝난 일이라 간하지 않으며 이미 지나간 일이라 탓하지 않는다.'[哀公, 問社於宰我, 宰我對曰, "夏后氏, 以松, 殷人, 以柏, 周人, 以栗. 曰, 使民戰栗." 子聞之曰, "成事, 不說, 遂事, 不諫, 旣往, 不咎.]"라고 하였다.

34) 『논어집주』「팔일」: "수사(遂事)는 일이 비록 이루어지지는 않았으나 형세가 그만둘 수 없는 것이다.[遂事,謂事雖未成, 而勢不能已者.]"라고 하였다.

매를 맺으려고 향하는 것이고, 정(貞)은 열매가 완성된 것이다.”

案

乾者, 健也. 「彖辭」但言至健之道, 大通而宜於正固, 以爲人事之占而已. 夫子作「彖傳」, 乃推卦象卦位以發明之. 以卦象明之者, 乾之象莫大於天也. 以卦位明之者, 乾之位莫尊於五也. 以天之元亨言之, 其以一時統四時之德者莫如元, 至於澤流萬物則亨也. 以君之元亨言之, 九五以一位統六位之德, 是亦天之元矣, 澤流萬民是亦天之亨矣. 其言六位, 又言六龍者, 蓋以切'飛龍在天'之義.

건(乾)은 강건함이다. 「단사」에서 지극히 강건한 도라고 했기에 크게 통하여 마땅히 올바르고 견고해야 하니, 인간사의 점일 뿐이다. 공자가 「단전」을 지어 괘의 모습과 괘의 자리를 추론하여 밝혔다. 괘의 모습으로 밝힌 것은 건의 모습이 하늘보다 큰 것은 없다는 말이다. 괘의 지위로 밝힌 것은 건의 지위는 다섯 번째 효보다 존귀한 것은 없다는 점이다.
하늘의 원형(元亨)으로 말하면 한 계절로 네 계절의 덕을 통괄하는 것은 원(元)만한 것이 없으니, 그 은택이 만물에게 흘러가면 형통하다. 군주의 원형(元亨)으로 말하면 구오효는 하나의 지위로 여섯 지위의 덕을 통솔하여 이것 역시 하늘의 원(元)으로 은택이 만민에게 흘러가니, 또한 하늘의 형통함이다. 여섯 지위를 말하고 또 여섯 용을 말한 것은 '나는 용이니 하늘에 있다'는 뜻이 절실하기 때문이다.

言四德之終始, 寓於六爻之中. 而獨九五備衆爻之德, 處在天之位. 如乘駕六龍以禦於天路, 則能行雲施雨, 與天之'雲行雨施'同也. 又以天之'利貞'言之, 萬物成遂, 性命正而大和洽者, '利貞'之候也. 以君之'利貞'言之, 九五一爻, 爲卦之主. 上下五陽與之同德, 如大君在上, 萬民各得其性命之理, 以休養於大和之化, 是亦天之利貞矣. 其言庶物言萬國者, 又以切'利見大人'之義. 以德位之所統言之, 則曰庶物. 以功化之所及言之, 則曰萬國. '首出'則爲物所睹, 至於'咸寧', 而臻乎上治矣. 乾之爲義, 無所不包, 夫子擧其大者, 故以天道君道盡之.

네 가지 덕의 끝과 시작을 말하고 여섯 효 가운데에 덧붙였다. 오직 구오효는 여러 효의 덕을 갖추고 하늘의 지위에 자리했다. 마치 여섯 용의 수레를 타고 하늘의 길을 가는 것과 같고, 구름을 운행하여 비를 내릴 수 있는 것 같으니, 하늘에서 '구름이 와서 비가 내리는' 모습과 같다.
또 하늘의 '이정(利貞)'으로 말하면 만물이 완성되고 이루어져 본성과 천명이 바르게 되고 큰 조화가 화합하는 것이 '이정(利貞)'의 징후이다. 군주의 '이정(利貞)'으로 말하면 구오효 한 효가 괘의 주인이다. 위와 아래의 다섯 양은 그와 함께 덕을 같이 하여 군주가 위에 있고, 만백성이 각각 그 본성과 천명의 이치를 얻어 큰 조화의 변화 속에서 아름답게 길러지는 것과 같으니, 이것 또한 하늘의 이정(利貞)이다.
'모든 것' '온 나라'라고 말한 것은 '대인을 만나는 것이 이롭다'는 뜻에 절실하다. 덕과 지위가 통솔하는 것으로 말하면 모든 것이라고 한다. 공의 조화가 미치는 것으로 말하면 온 나라라고 한다. '가장 뛰어나다'는 사물이 보는 것이고 '모두 편안하다'는 최상의 정치에 이른 것이다. 건의 뜻은 포함하지 않는 것이 없으니 공자가 큰 것을 들었으므로 천도와 군도로 다했다.

2. 곤坤䷁괘

至哉坤元, 萬物資生, 乃順承天.

지극하구나, 곤원이여! 만물이 이를 바탕으로 생겨나니, 하늘의 이치를 유순하게 이어받는다.

本義

此以地道明坤之義, 而首言元也. '至', 極也, 比'大'義差緩, '始'者氣之始, '生'者形之始. 順承天施, 地之道也.

이는 땅의 도(道)로 곤(坤)의 뜻을 밝히면서 먼저 원(元)을 말했다. '지(至)'는 지극함이니, 건(乾)괘의 '크다'는 뜻에 비하면 뜻이 다소 느슨하다.
건괘의 '시(始)'는 기(氣)의 시작이고, '생(生)'은 형체의 시작이다. 하늘의 시행을 순종하면서 받드는 것이 땅의 도리이다.

集說

● 呂氏大臨曰 : "乾之體大矣, 坤之效乾之法, 至乾之大而後已,故乾元曰'大哉', 坤元曰'至哉'."

여대림(呂大臨)[1]이 말했다. "건(乾)의 몸체가 큰데 곤(坤)이 건의 법(法)을 본받아 건의 큼에 이른 뒤에 그치기 때문에 건원(乾元)을 '크구나'라고 했고, 곤원(坤元)은 '지극하구나'라고 했다."

● 『朱子語類』云 : "資乾以始, 便資坤以生, 不爭得霎時間. 萬物資乾以始而有氣, 資坤以生而有形, 氣至而生, 卽坤元也."[2]

『주자어류』에서 말했다. "건(乾)을 바탕으로 해서 시작하여 곤(坤)을 바탕으로 해서 생겨나니 잠깐의 시간을 다투지 않는다. 만물은 건을 바탕으로 시작하여 기(氣)가 있고 곤을 바탕으로 생겨나서 형

---

1) 여대림(呂大臨, 1046~1092) : 자는 여숙(與叔)이고, 여대균(呂大鈞)의 동생이다. 북송 경조 남전(京兆藍田 : 현 섬서성 소속) 사람으로 처음에 장재(張載)에게 배웠고 나중에 정이(程頤)에게 배웠는데, 사좌량(謝良佐), 유조(游酢), 양시(楊時)와 함께 '정문사선생(程門四先生)'으로 일컬어진다. 육경(六經)에 정통했고, 특히 『예기(禮記)』에 밝았다. 문음(門蔭)으로 관직에 올라 나중에 진사 시험에 합격했다. 철종(哲宗) 원우(元祐) 연간에 태학박사(太學博士)를 지냈고, 비서성정자(秘書省正字)로 옮겼다. 범조우(范祖禹)의 천거로 강관(講官)이 되었는데, 기용되기도 전에 죽었다. 예학(禮學)에 밝아 예의를 중시했으며, 정자의 예학을 계승하여 심성지학(心性之學)에 치중했다. 저서에 『역장구(易章句)』, 『대역도상(大易圖象)』, 『맹자강의(孟子講義)』, 『대학중용해(大學中庸解)』, 『노자해(老子注)』, 『서명집해(西銘集解)』 등이 있었지만 대부분 없어지고, 지금은 『고고도(考古圖)』, 『속고고도(續考古圖)』, 『석문(釋文)』이 사고전서(四庫全書)에 수록되어 있다. 문집에 『옥계집(玉溪集)』이 있다.
2) 『주자어류(朱子語類)』 69권, 111조목.

체가 있어 기가 이르면 생겨나니 그것이 곤원(坤元)이다.”

● 蔡氏清曰 : “若徒曰‘至哉坤元! 萬物資生’, 則疑於與‘大哉乾元! 萬物資始’者敵矣. 今曰‘乃順承天.’ 非惟可以見坤道无成有終之義. 而乾坤之合德以共成生物之功者, 亦於此乎見之. 不然, 乾有乾四德, 坤有坤四德而名實混矣.”[3]

채청(蔡清)이 말했다. “단지 ‘지극하구나 곤원이여! 만물이 이를 바탕으로 생겨난다’고만 했다면, ‘크구나 건원이여! 만물은 이를 바탕으로 생겨난다’는 문장과 대적하는 뜻으로 의심했을 것이다. 지금 ‘하늘의 이치를 유순하게 이어받는다’고 했으니 곤도(坤道)에서 유종의 의미를 이루지 못함을 볼 수 있는 것만은 아니다. 건과 곤이 덕을 합하여 만물을 낳는 공을 함께 이룬다는 점 또한 여기서 본다. 그렇지 않으면 건에는 건의 네 가지 덕이 있고 곤에는 곤의 네 가지 덕이 있어 명분과 실제가 섞인다.”

3) 채청(蔡清), 『역학몽인(易經蒙引)』 권1 하.

坤厚載物, 德合無疆. 含弘光大, 品物咸亨.

곤원이 만물을 풍성하게 담는 것은 그 덕이 그치지 않는 하늘의 덕에 부합한다. 포용하고 넓고 현명하고 크니, 다양한 것들이 모두 형통하다.

本義

言亨也, '德合無疆', 謂配乾也.

형통함을 말했다. '덕이 그치지 않는 하늘의 덕에 부합한다'는 것은 건(乾)괘와 짝이 됨을 말한다.

集說

● 崔氏憬曰: "含育萬物爲弘, 光華萬物爲大. 動植各遂其性, 故曰'品物咸亨'也."[4]

최경(崔憬)[5]이 말했다. "만물을 품어 기르는 것이 홍(弘)이고 만물

---

4) 이정조(李鼎祚), 『주역집해(周易集解)』 권2.

5) 최경(崔憬): 당(唐)대 역학가로서 그 생졸연대는 공영달의 뒤 이정조(李鼎祚)의 앞이다. 그의 역학은 역상(易象)과 역수(易數)를 중시하여, 왕필(王弼)의 『주역주(周易注)』를 묵수하지 않고 의리와 상수를 함께 다루었다. 순상(荀爽) · 우번(虞翻) · 마융(馬融) · 정현(鄭玄)의 역학에도 조예가 깊었다. 공영달의 『주역정의(周易正義)』가 관학으로서 학계를 지

을 빛내고 꽃피우는 것이 대(大)이다. 동물과 식물은 각각 그 본성을 이루기 때문에 '다양한 것들이 모두 형통하다'고 했다."

● 游氏酢曰："'其靜也翕', 故曰'含弘'. 含言無所不容, 弘言無所不有. '其動也辟', 故曰'光大'. 光言無所不著, 大言無所不被, 此所以'德合無疆'也."[6]

유초(游酢)[7]가 말했다. "'곤(坤)은 그 고요함이 움츠러든다'[8]고 했

배할 때 그의 역학은 독창적으로 새로운 의의가 있다고 칭송되었으며, 특히 이정조(李鼎祚)에게 추앙받았다. 이로써 그의 역학은 한(漢)대 역학에서 송(宋)대 역학으로 옮겨가는 선구가 되었다고 평가받는다. 저작으로는 『주역탐현(周易探玄)』이 있었다고 하는데 전해지지 않고, 이정조(李鼎祚)의 『주역집해(周易集解)』에 그의 주장이 많이 보인다.

6) 유초(游酢), 『유치산집(游廌山集)』 권2.

7) 유초(游酢, 1053~1123) : 자는 정부(定夫) · 자통(子通)이고, 호는 치산(廌山) · 광평(廣平)이며, 시호는 문숙(文肅)이다. 건양(建陽 : 현 복건성 건영) 사람이다. 북송 때 경학가이다. 1083년에 진사가 되어 태학박사(太學博士), 감찰어사(監察御使) 등을 지냈다. 형 유순(游醇)과 함께 학문과 행실로 알려져서 당시 지부구현(知扶溝縣)으로 있던 정호(程顥)의 부름을 받아 학사(學事)를 맡게 되었고, 그때부터 정호 형제를 사사하였다. 사량좌(謝良佐), 양시(楊時), 여대림(呂大臨)과 함께 '정문사선생(程門四先生)'으로 일컬어졌다. 도를 천지 만물 속에 있는 보편적 존재로 인식하여 자연의 도가 바로 인륜의 이치라고 주장하였다. 또 『주역』을 중시하여 그 책 속에 우주 만물의 이치가 포함되어 있다고 보았다. 만년에 선(禪)에 몰입하여 유가가 불가를 배척할 것이 아니라 서로 보완적인 관계가 되어야 한다고 주장하여, 후대 학자인 호굉(胡宏)으로부터 '정자 문하의 죄인'이라고 혹평을 받기도 하였다. 저술로 『역설(易說)』, 『중용의(中庸義)』, 『논어맹자잡해(論語孟子雜解)』, 『시이남의(詩

기 때문에 '포용하고 관대하다'고 했다. '함(含)'이란 포용하지 않는 것이 없다는 말이고, '홍(弘)'이란 가지지 않는 것이 없다는 말이다. '그 움직임이 열린다'고 했기 때문에 '빛나고 크다'고 했다. '광(光)'이란 드러나지 않음이 없고 '대(大)'는 혜택을 받지 않음이 없는 것을 말하니, 이것이 '그 덕이 하늘의 덕에 부합한다'는 말이다."

● 林氏希元曰:"無所不包, 可見其弘. 無所不達, 可見其大. '含弘光大', 坤之亨也. '品物咸亨', 是物隨坤亨而亨也. 變萬言品者, 與乾'雲行雨施品物流形'一般."[9]

임희원(林希元)이 말했다. "포용하지 않음이 없으니 그 넓은 것을 볼 수 있다. 도달하지 않음이 없으니 그 큼을 볼 수 있다. '포용하고 넓고 빛나고 크다'고 했으니 곤(坤)의 형통함이다. '다양한 것들이 모두 형통하다'고 했으니, 이는 사물이 곤도(坤道)의 형통함을 따라 형통하다는 말이다. 만물이 변하는 것을 품(品)이라 했는데, 건(乾)괘의 '구름이 모여들고 비가 내려 모든 종류의 것들이 형체를 완성한다'는 뜻과 마찬가지다."

二南義)』 등이 있었지만 모두 잃어버렸고, 남은 글을 모아 후세 사람이 엮은 『유치산집(游廌山集)』이 남아 있다.

8) 『주역』「계사상」: "건(乾)은 그 고요함이 전일하고 그 움직임이 곧다. 이 때문에 큼이 생긴다. 곤(坤)은 그 고요함이 움츠러들고 그 움직임이 열린다. 이 때문에 넓음이 생긴다.[夫乾, 其靜也專, 其動也直, 是以大生焉. 夫坤, 其靜也翕, 其動也闢, 是以廣生焉.]"라고 하였다.

9) 임희원(林希元), 『역경존의(易經存疑)』 권1.

牝馬地類, 行地無疆. 柔順利貞, 君子攸行.

암컷 말은 땅의 부류이니, 땅을 달리는 것에 끝이 없다. 유순하고 모든 것을 이롭게 하면서도 올바름을 굳게 지키니 이것이 군자가 행하는 바이다.

本義

言利貞也. 馬, 乾之象, 而以爲地類者, 牝陰物, 而馬又行地之物也, '行地無疆', 則順而健也. '柔順利貞', 坤之德也. '君子攸行', 人之所行, 如坤之德也. 所行如是, 則其占如下文所云也.

이정(利貞)을 말한 것이다. 말은 건(乾)의 상(象)인데 땅의 부류라고 한 것은 암말은 음(陰)의 사물이고 말은 또 땅을 달리는 것이기 때문이다.
'땅을 달리는 것에 끝이 없다'는 유순하고 굳센 것이다. '유순하고 모든 것을 이롭게 하면서도 올바름을 굳게 지킨다'는 것은 곤(坤)의 덕이다. '군자가 행하는 바이다'는 사람이 행하는 것이 곤(坤)의 덕과 같다는 말이다. 행하는 것이 이와 같으면 그 점(占)이 아랫글에서 말한 바와 같다.

程傳

資生之道, 可謂大矣. 乾旣稱大, 故坤稱至. '至'義差緩, 不若大之盛也. 聖人於尊卑之辨, 謹嚴如此. 萬物資乾以始, 資坤以生, 父母之道也. '順承天施', 以成其功. 坤之厚德, 持載萬物, 合於乾之無疆也. 以'含''弘''光''大'四者形容坤道, 猶乾之剛健中正純粹也. '含', 包容也. '弘', 寬裕也. '光', 昭明也. '大', 博厚也.

바탕으로 해서 생겨나는 도는 크다고 할 수 있다. 다만 건도(乾道)를 크다고 칭했기 때문에 곤도(坤道)는 지극하다고 칭했다. '지극하다'는 뜻은 조금 느슨하여 '크다'는 말이 가진 성대한 의미보다는 못하다. 존귀하고 낮은 차이를 성인이 분별하는 것이 이렇게 조심스럽고 엄격하다.

모든 것이 건도를 바탕으로 시작하고 곤도를 바탕으로 생겨나니, 이것이 아버지와 어머니의 도이다. '하늘이 시행하는 뜻을 유순하게 이어받아' 그 하늘이 이루려던 공을 완성한다. 곤도의 두터운 덕은 모든 것을 지탱하고 실어 건도의 그치지 않는 덕에 부합한다.

'함(含)' · '홍(弘)' · '광(光)' · '대(大)' 4가지로 곤도(坤道)를 형용했으니 건도(乾道)를 강직함[剛] · 강건함[健] · 중도를 이룸[中] · 올바름[正] · 순수함[純] · 아름다움[粹]으로 형용한 것과 같다. '함(含)'이란 포용한다는 뜻이고, '홍(弘)'은 관대하다는 뜻이며 '광(光)'은 밝게 빛난다는 뜻이고 '대(大)'는 넓고 두텁다는 뜻[10]이다.

10) 넓고 두텁다 : 박후(博厚)를 해석한 것이다. 『중용』 26장, "그러므로 '지극한 진실과 정성'은 쉼이 없으니, 쉬지 않으면 오래도록 지속하고, 오래도록 지속하면 징험이 있고, 징험이 있으면 여유 있게 오래 할 수 있고, 여유 있게 오래 할 수 있으면 넓고 두텁게 되고, 넓고 두텁게 되면 고명하다. 넓고 두터운 것은 모든 것을 실어주고, 고명한 것은 모든 것을 덮으며, 여유 있게 오래도록 지속하는 것은 모든 것을 완성시킨다. 넓고

有此四者, 故能成承天之功, 品物咸得亨遂. 取牝馬爲象者, 以其柔順而健, 行地之類也. '行地無疆', 謂健也. "乾健坤順, 坤亦健乎?" 曰, "非健何以配乾? 未有乾行而坤止也. 其動也剛, 不害其爲柔也. 柔順而利貞, 乃坤德也, 君子之所行也. 君子之道, 合坤德也."

이 네 가지를 가지고 있으므로 하늘을 받드는 공을 이룰 수 있어 다양한 것들이 모두 형통하고 성숙하게 된다. 암컷 말을 상징으로 취한 것은 유순하면서도 강건하게 달리는 것이 땅의 부류이기 때문이다.

'땅에서 달리는 것에 끝이 없다'는 뜻은 강건함을 말한다. "건도는 강건함을 상징하고 곤도는 유순함을 상징하는데, 왜 곤도도 강건하다고 했는가?" 이렇게 답하겠다. "강건하지 않다면 어떻게 건도와 짝이 될 수 있겠는가? 건도가 운행하는데 곤도가 멈춘 경우는 없다. 그 움직임이 강직하지만 유순하게 행하는 것을 방해하지는 않는다. 그래서 유순(柔順)하고 만물을 이롭게 하면서도 올바름을 유지하는 것이 곧 곤도의 덕이니, 군자가 행하는 바이다. 그래서 군자의 도는 곤도의 덕과 합치한다."

集說

● 王氏弼曰: "地之所以得無疆者, 以卑順行之故也. 乾以龍'禦

두터운 것은 땅과 짝하고, 고명한 것은 하늘과 짝하며, 여유 있게 오래 지속하는 것은 한계가 없다.[故至誠無息. 不息則久, 久則徵, 徵則悠遠, 悠遠則博厚, 博厚則高明. 博厚, 所以載物也, 高明, 所以覆物也, 悠久, 所以成物也. 博厚配地, 高明配天, 悠久無疆.]"라고 하였다.

天', 坤以馬'行地'."[11]

왕필(王弼)이 말했다. "땅이 끝이 없을 수 있는 것은 자신을 낮추어 유순하게 행하기 때문이다. 건은 용으로 '하늘을 제어하고' 땅은 말로써 '땅을 달린다.'"

● 『朱子語類』云 : "'牝馬地類, 行地無疆', 便是那'柔順利貞, 君子攸行'. 本連下面, 緣它趁押韻後, 故說在此."[12]

『주자어류』에서 말했다. "'암컷 말은 땅의 부류이니, 땅을 달리는 것에 끝이 없다'는 말은 '유순하여 만물을 이롭게 하면서도 올바름을 지키니 군자가 행하는 바이다'라는 뜻이다. 본래 아래 면에 연결되어 있는데 그 압운을 따랐기 때문에 여기에서 말했다."

又云 : "『程傳』云, '未有乾行而坤止', 此說是. 且如乾施物, 坤不應, 則不能生物. 既會生物, 便是動, 若不是它健後, 如何配乾? 只是健得來順."[13]

또 말했다. "『정전』에서 '건이 행하는 데 곤이 멈춘 적이 없었다'고 했는데 이 말은 옳다. 만약 건(乾)이 만물에 시행했는데 곤(坤)이 호응하지 않으면 사물을 낳을 수가 없다. 만물이 생겨날 수 있었다면 움직인 것이니, 곤이 강건하게 움직인 뒤가 아니라면 어떻게 건(乾)에 짝할 수 있겠는가? 강건하여 유순할 뿐이다."

---

11) 왕필(王弼), 『周易註』「곤(坤)괘」.
12) 『주자어류(朱子語類)』 69권, 104조목.
13) 『주자어류(朱子語類)』 69권, 113조목.

● 龔氏煥曰 : "坤'先迷後得'而亦有元亨者. 坤之元亨, 承乾而已. 故曰'至哉坤元' '乃順承天', 又曰'德合無疆' '品物咸亨'. 坤之利貞, 乃坤之德, 故曰'牝馬地類, 行地無疆, 柔順利貞'. 此亦'先迷後得'之意. 坤所以能承乾之元亨以爲元亨者, 以其'柔順利貞'也."[14]

공환(龔煥)[15]이 말했다. "곤(坤)괘에서 '앞서면 미혹되고 뒤서면 얻으니' 또한 원형(元亨)이 있다. 곤의 원형(元亨)은 건을 이었을 뿐이다. 그러므로 '지극하구나! 곤원(坤元)이여'라고 했고 '하늘을 따라서 잇는다'고 하고, 또 '덕이 하늘의 덕에 부합한다' '다양한 것들이 모두 형통하다'고 했다. 곤의 이정(利貞)은 곤의 덕이기 때문에 '암컷 말은 땅의 부류이니, 땅을 달리는 것에 끝이 없다. 유순하고 모든 것을 이롭게 하면서도 올바름을 굳게 지킨다.'고 했다. 이것 역시 '앞서면 미혹되고 뒤서면 얻는다'는 뜻이다. 곤이 건의 원형(元亨)을 이어 원형(元亨)할 수 있는 것은 '유순하고 모든 것을 이롭게 하면서도 올바름을 지키기' 때문이다."

● 熊氏良輔曰 : "'君子攸行', 合聯下文'先迷'之上, 不必以韻爲拘. 當時夫子只是從頭說下來."

웅량보(熊良輔)[16]가 말했다. "'군자가 행하는 것이다'라는 구절은

14) 정정조(程廷祚), 『대역택언(大易擇言)』「곤(坤)괘」.

15) 공환(龔煥) : 자는 유문(幼文)이고, 천봉선생(泉峯先生)이라고 불렸다. 원(元)대 임천(臨川)사람이다. 요응중(饒應中)에게 사사하여 본체를 밝히고 실천에 옮기는 데 힘썼다. 당시 아직 과거제도가 시행되지 못했는데, 시행되면 반드시 정자와 주자의 학문을 법식으로 삼아야 한다고 주장했다. 과연 뒤에 그의 말대로 시행되었다.

아래 문장의 '앞서면 미혹된다'는 위에 연결하면 반드시 운 때문에 구애될 필요가 없다. 당시에 공자는 앞에서부터 말해 내려갔다."

● 林氏希元曰:"'牝馬地類', 順也. '行地無疆', 順而健也. 故承之曰'柔順利貞', 言此卽坤德之順健云爾. 不敢自主, 承天之施以生萬物, '柔順'也. 承天生物, 直至於有終, '利貞'也. 「彖辭」'利牝馬之貞', 本無四德, 夫子以四德解, 故爲之說如此."[17]

임희원(林希元)이 말했다. "'암말은 땅의 부류이다'는 것은 유순하다는 뜻이고, '땅을 달리는 데 끝이 없다'는 유순하지만 강건하다는 것이다. 그러므로 그 말을 이어 '유순하여 만물을 이롭게 하면서도 올바름을 지킨다'고 했다. 이것이 곤의 덕이 유순하면서 강건하다는 말이다. 감히 주도할 수는 없지만 하늘의 시행을 이어 만물을 낳는 일이 '유순한' 것이다. 하늘을 이어 만물을 낳으니, 곧바로 결말이 있고 '만물을 이롭게 하면서도 올바름을 지킨다'. 「단사」에서 '암말의 올바름이 이롭다'는 것은 본래 네 가지 덕이 없지만 공자가 네 가지 덕으로 해석하였기 때문에 이렇게 말하였다."

16) 웅량보(熊良輔, 1310~1380) : 자는 임중(任重)이고, 호는 매변(梅邊)이다. 원(元)대 남창(南昌) 사람이다. 웅개(熊凱)에게 학문을 배웠는데, 특히 『역』에 정통했다. 저서에 주희(朱熹)의 학설을 주로 하고 자기의 논의를 가미한 『주역본의집성(周易本義集成)』과 『풍아유음(風雅遺音)』, 『소학입문(小學入門)』 등이 있다.

17) 임희원(林希元), 『역경존의(易經存疑)』 권1.

先迷失道, 後順得常. '西南得朋', 乃與類行, '東北喪朋', 乃終有慶.

앞서서 주도하면 미혹하여 도를 잃고, 뒤이어 따르면 상도를 얻는다. '서남쪽은 동류를 얻어' 같은 종류의 사람과 함께 가고, '동북쪽은 동류를 잃지만' 결국에는 좋은 일이 있다.

本義

陽大陰小, 陽得兼陰, 陰不得兼陽. 故坤之德, 常減於乾之半也. 東北雖喪朋, 然反之西南, 則終有慶矣.

양(陽)은 크고 음(陰)은 작아서 양은 음을 겸할 수 있지만 음은 양을 겸할 수 없다. 그러므로 곤(坤)의 덕이 항상 건(乾)의 반으로 감소한다. 동북(東北) 쪽은 비록 벗을 잃지만 서남(西南) 쪽으로 돌아온다면, 결국에는 기쁜 일이 있을 것이다.

集說

● 程子曰 : "'東北喪朋', 陰必從陽, 然後'乃終有慶'也."[18]

정자(程子)가 말했다. "'동북쪽은 벗을 잃어서' 음이 반드시 양을 따른 뒤에 '결국에는 기쁜 일이 있다.'"

18) 정이천, 『역전(易傳)』「곤(坤)괘」.

● 項氏安世曰 : "'東北喪朋, 乃終有慶'者, 所以發文王言外之意也. 地之交乎天, 臣之事乎君, 婦之從乎夫, 皆喪朋之慶也."[19]

항안세(項安世)가 말했다. "'동북쪽은 친구를 잃지만 결국에는 기쁜 일이 있다'는 문왕이 말 이면의 뜻을 드러낸 것이다. 땅이 하늘과 교제하고 신하가 군주를 섬기고 아내가 남편을 따르는 것은 모두 친구를 잃은 기쁜 일이다."

● 邱氏富國曰 : "坤道主成, 成在後, 故先乾而動, 則迷而失其道, 從乾而動, 則順而得其常. 西南爲後, 於坤爲得地, 故往西南則與類行, 東北爲先, 於坤爲不得地, 故往東北則必喪朋."[20]

구부국(邱富國)이 말했다. "곤도는 이루는 것을 주로 하니, 이룬 뒤에 건을 앞서서 움직이면 미혹되어 도를 잃고, 건을 따라서 움직이면 순종하여 그 상도를 얻는다. 서남쪽은 뒤따르는 것이니, 곤에서 땅을 얻으므로 서남쪽으로 가면 같은 부류와 함께 가고, 동북쪽은 앞서는 것이므로 곤에서 땅을 얻지 못하므로 동북쪽으로 가면 반드시 친구를 잃는다."

● 王氏申子曰 : "馬而非牝, 則不順而非地之類. 牝而非馬, 則不能配乾而'行地無疆.' 此坤之'柔順利貞'也. 故君子行坤之道者, 先乎陽, 則迷而失, 後乎陽, 則順而得. 以陰從陰, 猶與類行, 以陰從陽, 然後有慶."[21]

19) 항안세(項安世), 『주역완사(周易玩辭)』 권1.
20) 구부국(丘富國), 『주역집해(周易輯解)』 권1.
21) 왕신자(王申子), 『대역집설(大易緝說)』 권1.

왕신자(王申子)가 말했다. "말이지만 암말이 아니면 따르지 않아서 땅의 부류가 아니다. 암컷인데 말이 아니면 건(乾)과 짝하여 '땅을 달리는데 끝이 없을' 수가 없다. 이것이 곤(坤)의 '유순하고 만물을 이롭게 하면서 올바름을 굳게 지킨다'는 뜻이다. 그러므로 군자는 곤의 도를 행하는 자이니, 양보다 앞서면 미혹되어 상도를 잃고 양을 따르면 유순하여 상도를 얻는다. 음으로 음을 따르는 일이 같은 부류와 함께 행하는 것이고, 음으로 양을 따른 뒤에 기쁜 일이 있다."

● 林氏希元曰 : "'先迷失道', 是以失道解先迷. 蓋陰本居後, 今居先是失道, 故迷也. 後順得常, 是以順解得常. 蓋陰本居後, 居先爲逆, 居後爲順, 故得其常道也."

임희원(林希元)이 말했다. "'앞서면 미혹되어 상도를 잃는다'는 상도를 잃는다는 것으로 앞서면 미혹된다는 말을 해석했다. 음은 본래 뒤에 자리하는데 지금은 앞에 자리하여 도를 잃었기 때문에 미혹되었다. 뒤따르면 유순하여 상도를 얻는다. 그래서 유순하다는 것으로 상도를 얻는다고 해석했다. 음은 본래 뒤에 자리하는데 앞에 자리하여 거스르니 뒤에 자리하여 유순하기 때문에 그 상도를 얻는다."

● 金氏賁亨曰 : "喪朋, 猶泰之朋亡. 舍其朋而從陽, 則有得主之慶."

김비형(金賁亨)[22]이 말했다. "친구를 잃었다는 것은 태(泰)괘의 '친

22) 김비형(金賁亨, 1483~1564) : 임해(臨海) 사람이다. 명나라 정덕(正德)

구를 버린다'[23]는 말과 같다. 친구를 버리고 양을 따르면 주인을 얻는 기쁜 일이 있다."

● 何氏楷曰："'君子攸行', 雖趁上韻, 然意連下文, 釋卦辭'君子有攸往也'. 君子之行, 以陽剛爲主. 以陰抗陽, 故迷而失道. 以陰順陽, 故得所主而不失其常. 蓋陽爲主, 陰承之, 此天地不易之常理也. 得朋者, 合群陰以從陽, 後代終也. 喪朋者, 斂群陰以避陽, 先無成也."[24]

하해(何楷)가 말했다. "'군자가 가는 것이 있다'는 구절은 위의 운을 따랐지만 의미는 아래 글과 연결되니, 괘사의 '군자는 가는 바가 있다'는 말을 해석한 것이다. 군자의 행동은 양의 굳셈을 위주로 한다. 음으로 양에 저항하기 때문에 미혹되어 상도를 잃는다. 음으로 양에 순종하기 때문에 주인을 얻어 상도를 잃지 않는다. 양은 주인이고 음이 그것을 잇는 것이 천지의 바뀌지 않는 상리(常理)이다. 친구를 얻는 것은 여러 무리의 음과 합하여 양을 따라 뒤에 결말을

2년에 과거 시험을 보아 9년만에 진사에 올랐다. 형부랑중(刑部郎中), 강서안찰사첨사(江西按察司僉事)를 지냈다. 원통한 소송을 핵설하여 탐관오리들을 징벌하고 부호들을 혼내서 백성들로부터 좋은 평가를 받았다. 강서(江西)에서 이학(理學)에 힘썼다. 우수한 학생을 뽑아 백록서원(白鹿書院)에서 강학했다. 『주역(周易)』 공부를 깊게 하여 『학역(學易記)』를 지었다. 저서에는 『학서기(學書記)』, 『학용의(學庸議)』, 『도남록(道南錄)』, 『상산하사요어(象山白沙要語)』 등이 있다.

23) 『주역』「태(泰)괘」: "구이효는 더러운 것을 포용하고, 맨몸으로 바다를 건너며, 먼 것을 버리지 않고, 친구를 버리면, 중(中)을 시행하는 것에 합치된다.[九二, 包荒, 用馮河, 不遐遺, 朋亡, 得尙于中行.]"라고 하였다.

24) 하해(何楷), 『고주역정고(古周易訂詁)』 권1.

이루는 것이다. 친구를 잃는 것은 여러 음을 모아 양을 피해 앞서면 이름이 없다.”

"安貞之吉", 應地無疆.

"안정되면서 올바르게 해야 길하다"는 끝없는 땅의 도에 호응하는 것이다.

本義

安而且貞, 地之德也.

편안하고 또 올바름을 굳게 지키는 것이 땅의 덕이다.

程傳

乾之用, 陽之爲也. 坤之用, 陰之爲也. 形而上曰天地之道, 形而下曰陰陽之功. '先迷後得'以下, 言陰道也. 先唱則迷失陰道, 後和則順而得其常理. 西南陰方, 從其類得朋也. 東北陽方, 離其類喪朋也. 離其類而從陽, 則能成生物之功, 終有吉慶也. 與類行者本也, 從於陽者用也.

건도의 작용은 양(陽)이 하고, 곤도의 작용은 음(陰)이 하는 것이다. 형체가 생겨나기 이전을 천지(天地)의 도라 하고 형체가 생겨난 이후를 음양(陰陽)의 공(功)이라 한다.

'앞서서 주도하면 미혹하고 뒤이어 따르면 얻는다'는 말 이하는 음(陰)의 도를 말한다. 앞서서 주장하고 주도하려 하면 미혹하게 되어 음의 도를 잃고, 뒤이어 화답하면 유순하면서 그 상리(常理)를 얻는다.
서남쪽은 음의 방위이니 그 부류를 따르면 동료를 얻는다. 동북쪽은 양의 방위이니 그 부류에서 벗어나면 동류를 잃는다. 그 부류에서 벗어나 양을 따른다면 만물을 생겨나게 하는 공을 이룰 수 있어 결국에는 길하고 기쁜 일이 있다. 같은 부류의 사람과 함께 가는 것이 근본이지만, 양을 따르는 것은 현실의 때에 알맞게 적용하는 일이다.

陰體柔躁, 故從於陽, 則能安貞而吉, 應地道之無疆也. 陰而不安貞, 豈能應地之道? 彖有三無疆, 蓋不同也. '德合无疆', 天之不已也. '應地无疆', 地之无窮也. '行地无疆', 馬之健行也.

음의 체질은 유조(柔躁)하므로[25] 양을 따르면 안정되고 올바르게 행할 수 있어 길하고, 끝없는 땅의 도에 호응한다. 음의 체질이면서 안정되고 올바르지 못하다면 어떻게 땅의 도에 호응할 수 있겠는가? 「단전」에서는 '무강(無疆)'이라는 표현이 세 번 나오는데 모두 뜻이 같지 않다. '그치지 않는 하늘의 덕에 부합한다[德合無疆]'는 하늘의

25) 유조(柔躁) : 유약하고 조급한 자질을 말한다. 『주역전의대전(周易傳義大全)』에서 주희는 이 말을 이렇게 설명하고 있다. "'음의 체질은 유조하다'는 말은 그것이 유약하므로 그래서 조급한 것이다. 강(剛)함은 조급하지 않다. 조급이란 움직이려고 하지만 움직일 수 없다는 뜻이니 강함은 곧 움직인다. 유약하고 조급한 자는 스스로를 지킬 수가 없으므로 '안정되면서 올바르게 해야 길하다'고 했다.[陰體柔躁, 只爲他柔, 所以躁, 剛便不躁. 躁是那欲動而不得動之意, 剛則便動矣. 柔躁不能自守, 所以說安貞吉.]"

운행이 그치지 않는다는 뜻이다. '끝없는 땅의 도에 호응한다[應地無疆]'는 땅에 끝이 없다는 말이다. '땅을 달리는 것에 끝이 없다[行地無疆]'는 말이 강건하게 달린다는 뜻이다.

集說

● 孔氏穎達曰："'萬物資生'者, 言萬物資地而生. 乾本氣初, 故云'資始'. 坤據成形, 故云'資生'. '乃順承天'者, 乾是剛健, 能統領於天, 坤是陰柔, 以和順承奉於天. 以其廣厚, 故能載物. 有此生長之德, 合會'無疆'. 凡言'無疆'者有二義. 一是廣博無疆, 二是長久無疆也. 自此以上, 論坤元之德也. 包含弘厚, 光著盛大, 故品類之物, 皆得亨通. 此二句釋亨也. 牝馬以其柔順, 故云地類. 以柔順爲體, 故'行地無疆', 不復窮已. 此二句釋利貞. 故上文云'利牝馬之貞'是也."[26]

공영달(孔穎達)[27]이 말했다. "'만물이 바탕해서 생겨난다'는 것은 만

---

26) 공영달(孔穎達), 『주역주소(周易注疏)』 권1.

27) 공영달(孔穎達, 574~648) : 자는 중달(仲達)이고 시호는 헌공(憲公)이며, 기주 형수(冀州衡水 : 현 하북성 형수〈衡水〉) 사람이다. 동란의 와중에서 학문을 닦았으며 남북 두 학파의 유학은 물론 산학(産學)과 역법(曆法)에도 정통했다. 당 태종(唐太宗)에게 중용되어, 벼슬은 국자박사(國子博士)를 거쳐 국자감의 좨주(祭酒) · 동궁시강(東宮侍講) 등을 역임하였다. 특히 문장 · 천문 · 수학에 능통하였으며, 위징(魏徵)과 함께 『수서(隋書)』를 편찬하였다. 당 태종의 명에 따라 고증학자 안사고(顔師古) 등과 더불어 오경(五經) 해석의 통일을 시도하여 『오경정의(五經正義)』 170권을 편찬하였다. 이는 위진 남북조 이래 경학의 집대성이라고 할 수 있다.

물이 땅을 바탕으로 해서 생겨난다는 말이다. 건(乾)은 본래 기의 시초이기 때문에 '바탕으로 해서 시작한다'고 했다. 곤은 이에 근거하여 형체를 이루기 때문에 '바탕해서 생겨난다'고 했다. '하늘을 따라서 잇는다'는 말은 건은 강건하여 하늘을 통솔할 수 있고, 곤은 음유하여 조화하고 순종하여 하늘을 이어 받들 수 있다는 것이다. 그 넓고 두텁기 때문에 만물을 담을 수 있다. 이렇게 낳고 성장하는 덕이 있어 '끝이 없는' 덕에 부합한다. '끝이 없다'는 말은 두 가지 뜻이 있다. 하나는 광대하여 끝이 없다는 것이고 두 번째는 오래되어 끝이 없다는 말이다. 이것 이상은 곤원(坤元)의 덕을 논했다. 포용하고 넓어서 빛나고 성대하기 때문에 다양한 것들이 모두 형통한다. 이 두 구절은 형통함을 해석했다. 암컷 말은 유순하기 때문에 땅의 부류라고 했다. 유순함으로 형체를 삼기 때문에 '땅을 달리는 데 끝이 없다'고 했으니, 다시 궁하여 그치지 않는다. 이 두 구절은 이정(利貞)을 해석했다. 그러므로 위의 문장에서 '암컷 말의 올바름이 이롭다'고 했다.

'柔順利貞, 君子攸行'者, 重釋利貞之義. 是'君子之所行', 兼釋前文'君子有攸往'也. '先迷失道'者, 以陰在物之先, 失其爲陰之道. '後順得常'者, 以陰在物之後, 陽唱而陰和, 是後順得常. '乃與類行'者, 以陰而造坤位, 是乃與類行. '乃終有慶'者, 以陰而詣陽, 初雖離群, 乃終久有慶善也. 安謂安靜, 貞謂貞正也. 地體安靜而貞正, 人若靜而能正, 卽得其吉, 應合地之無疆也."[28]

'유순하여 만물을 이롭게 하면서도 올바름을 굳게 지키니 군자가 행하는 것이다'라는 말은 이정(利貞)의 뜻을 거듭 해석했다. 군자가

28) 공영달(孔穎達), 『주역주소(周易注疏)』 권1.

행하는 것은 앞의 문장에 '군자가 갈 바가 있다'는 말을 겸하여 해석하였다. '앞서면 미혹되어 상도를 잃는다'는 것은 음이 사물 앞에 있어 그 음의 도를 잃는다는 말이다. '뒤따라 유순하여 상도를 얻는다'는 것은 음이 사물의 뒤에 있어 양이 부르면 음이 화답하니 뒤따라 순종하여 상도를 얻는다는 뜻이다. '부류와 함께 행한다'는 음으로 곤(坤)의 자리를 조장하니 부류와 함께 행하는 것이다. '결국에는 기쁜 일이 있다'는 것은 음으로 양을 따르니 처음에는 무리에서 벗어나지만 결국에는 기쁘고 좋은 일이 있다. 안(安)은 편안히 고요한 것이고 정(貞)은 올바름을 굳게 지키는 일이다. 땅의 몸체가 안정되고 곧고 바르게 되어 사람이 고요하여 올바를 수 있으면 길함을 얻어 땅의 끝이 없음에 호응하고 부합한다.

3. 준屯䷂괘

屯, 剛柔始交而難生.

혼돈이니, 굳셈과 부드러움이 교류하기 시작했으나 어려움이 생겼다.

本義

以二體釋卦名義. 始交, 謂震. 難生, 謂坎.

진(震☳)괘와 감(坎☵)괘 두 형체로 괘명(卦名)의 뜻을 해석하였다. 처음 교류했다는 것은 진(震)괘를 말하고, 어려움이 생겼다는 것은 감(坎)괘를 말한다.

集說

● 朱氏震曰 : "震者, 乾交於坤, 一索得之, '剛柔始交'也. 坎險難, '剛柔始交而難生'也."[1]

주진(朱震)[2]이 말했다. "진(震)괘는 건(乾☰)괘와 곤(坤☷)괘가 교제하여 한 줄을 얻어 '굳셈과 부드러움이 처음 교제했다.' 감(坎)괘는 위험과 어려움이라서 '굳셈과 부드러움이 처음 교제하여 어려움이 생겼다."

● 張氏清子曰: "乾坤之後, 一索得震爲始交, 再索得坎爲難生, 而承上接下之辭, 所以合震坎之義, 而釋其爲屯也."

장청자(張清子)가 말했다. "건(乾☰)괘와 곤(坤☷)괘가 교제하여 한 줄을 얻어 진(震☳)괘가 되어 비로소 교제하고 두 줄을 얻어 감(坎☵)괘가 되어 어려움이 생기니 위를 잇고 아래를 접한 말이니 그래서 진(震)괘와 감(坎)괘의 뜻을 합하여 둔괘가 됨을 해석했다."

1) 주진(朱震), 『한상역전(漢上易傳)』 권1.
2) 주진(朱震, 1072~1138) : 자는 자발(子發)이고, 세칭 한상선생(漢上先生)이라 불리었다. 송대 형문군(荊門軍 : 현 호북성 소속) 사람으로 1115년에 진사에 급제하여 벼슬은 예부원외랑(禮部員外郎), 비서소감 겸임 시경연(秘書少監兼任侍經筵), 중서사인(中書舍人), 한림학사(翰林學士) 등을 역임하였다. 『역』과 『춘추』에 해박하였고 저서에는 『한상역전(漢上易傳)』이 있다.

動乎險中, 大亨貞.

험난함 속에서 움직이니 크게 형통하고 올바름을 지킨다.

本義

以二體之德釋卦辭. 動, 震之爲也. 險, 坎之地也. 自此以下, 釋"元亨利貞", 乃用文王本意.

두 형체의 덕으로 괘사(卦辭)를 해석했다. 움직임은 진(震)괘가 하는 것이다. 위험은 감(坎)괘의 자리이다. 이 이하는 "원형이정(元亨利貞)"을 해석할 때 문왕(文王)의 본래 뜻을 썼다.

集說

● 『朱子語類』問: "『本義』云, '此以下釋元亨利貞, 用文王本意', 何也?"
曰: "乾'元亨利貞', 至孔子方作四德說, 後人不知, 將謂文王作『易』, 便作四德說, 卽非也. 如屯卦所謂'元亨利貞'者, 以其能動雖可以亨, 而在險則宜守正. 故筮得之者, 其占爲大亨而利於正, 初非謂四德也. 故孔子釋此彖辭, 只曰'動乎險中, 大亨貞', 是用文王本意釋之也."[3]

3) 『주자어류』 70장, 8조목.

『주자어류』에서 물었다. "『주역본의』에서 '이 이하는 원형이정(元亨利貞)을 해석할 때 문왕(文王)의 본래 뜻을 썼다'고 했는데 무슨 말입니까?"

대답했다. "건(乾)괘의 '원형이정(元亨利貞)'은 공자에 이르러 네 가지 덕으로 설명했는데 후대 사람들이 알지 못했고, 문왕이 『역(易)』을 만든 것이 네 가지 덕을 설명했다고 말하는데 잘못이다. 준(屯)괘에서 '원형이정(元亨利貞)'이라고 하는 것은 움직일 수 있으면 형통할 수 있지만 위험 속에 있기 때문에 올바름을 지키라는 말이다. 그러므로 점쳐서 이것을 얻는 자는 그 점이 크게 형통하지만 올바름이 이롭다는 말이지 애초부터 네 가지 덕을 말하는 것이 아니다. 그러므로 공자는 이 단사(彖辭)를 해석하여 단지 '험난함 속에서 움직이니 크게 형통하고 올바름을 지킨다'고 했으니 문왕의 본래 뜻을 써서 해석한 것이다."

雷雨之動滿盈, 天造草昧, 宜建侯而不寧.
우레와 비의 움직임이 세상에 가득 차 있어 시세의 흐름이 혼란하고 어두운 때이므로 제후를 세우고 편안하게 있지 못한다.

本義

以二體之象釋卦辭. 雷, 震象. 雨, 坎象. '天造', 猶言天運. '草', 雜亂. '昧', 晦冥也. 陰陽交而雷雨作, 雜亂晦冥, 塞乎兩間. 天下未定, 名分未明. 宜立君以統治, 而未可遽謂安寧之時也. 不取初九爻義者, 取義多端, 姑擧其一也.

두 형체의 상(象)으로 괘사(卦辭)를 해석하였다. 우레는 진(震☳)괘의 상(象)이고, 비는 감(坎☵)괘의 상(象)이다.
'천조(天造)'는 천운(天運)이란 말과 같다. '초(草)'는 섞여 혼란스럽다는 말이고, '매(昧)'는 어둡다는 말이다. 음(陰)과 양(陽)이 교제하여 우레와 비가 일어나 섞여 혼란스럽고 어두워 두 사이를 막았다. 천하가 아직 안정되지 못하고 명분(名分)이 아직 밝지 못하다. 마땅히 군주를 세워 통치해야 하고, 급작스럽게 편안한 때라고 말해서는 안 된다.
초구효의 뜻을 취하지 않은 것은 뜻을 취하는 데 여러 가지 단서가 있으니 우선 그 한 가지를 든 것이다.

程傳

以雲雷二象言之, 則"剛柔始交"也. 以坎震二體言之, "動乎險中"也. 剛柔始交, 未能通暢, 則艱屯, 故云難生. 又動於險中, 爲艱屯之義. 所謂大亨而貞者, "雷雨之動滿盈"也. 陰陽始交, 則艱屯未能通暢, 及其和洽, 則成雷雨滿盈於天地之間, 生物乃遂. 屯有大亨之道也.

구름과 우레 두 모습으로 말하면 "굳셈과 부드러움이 교류하기 시작한" 것이다. 감(坎☵)과 진(震☳) 두 괘의 형체로 말하면 "험난함 속에서 움직이는" 모습이다.
굳셈과 부드러움이 교류하기 시작했지만 서로 통하여 뜻을 펼치지 못하니, 어렵고 혼란스럽기 때문에 어려움이 생겨난다고 했다. 또 험난함 속에서 움직이는 것도 어렵고 혼란스러운 뜻이 된다.
크게 형통할 수 있지만 올바름을 지켜야 한다는 말은 "우레와 비의 움직임이 혼돈 속에 가득 찼기" 때문이다. 음양이 비로소 교류하기 시작했지만 어려움과 혼돈 속에서 서로 통하고 뜻을 펼치지 못하다가 서로 화합과 융합을 이루게 되면, 우레가 치고 비가 내려 하늘과 땅 사이에 가득 차게 되고 사물을 낳고 이루어진다. 혼돈 속에서도 크게 형통할 수 있는 길이 있다.

所以能大亨, 由夫貞也. 非貞固安能出屯? 人之處屯, 有致大亨之道, 亦在夫貞固也. 上文言天地生物之義, 此言時事. '天造'謂時運也. '草', 草亂无倫序. '昧', 冥昧不明. 當此時運, 所宜建立輔助, 則可以濟屯. 雖建侯自輔, 又當憂勤兢畏, 不遑寧處, 聖人之深戒也.

크게 형통할 수 있는 까닭은 올바름을 굳게 지켰기 때문이다. 올바름을 굳게 지키지 못했다면 어떻게 혼돈에서 벗어날 수 있겠는가?

혼돈에 처한 사람이 크게 형통할 수 있는 길이 있으니 또한 올바름을 굳게 지키는 데 달려 있다.
앞의 글에서 하늘과 땅이 만물을 낳는 뜻을 말했고 여기서는 구체적인 때의 일을 말했다. '천조(天造)'는 때의 운동을 말한다. '초(草)'는 혼란하여 질서가 없는 것이다. '매(昧)'는 어두워 밝지 못한 것이다. 이러한 때의 흐름에 처했을 경우 마땅히 도와줄 수 있는 세력을 만들어야만 혼돈을 해결할 수 있다.
도와줄 수 있는 세력을 세워 힘을 빌렸더라도 또한 근심하고 노력하고 신중하고 두려워하며 성급하고 안일하게 처신해서는 안 되니, 성인이 깊게 경계한 것이다.

集說

● 孔氏穎達曰 : "'草', 謂草創. '昧', 謂冥昧. 言天造萬物於草創之始, 如在冥昧之時也. 於此草昧之時, 王者宜建立諸侯, 以撫恤萬方之物, 而不得安居無事."[4]

공영달이 말했다. "'초(草)'는 시작한다는 말이다. '매(昧)'는 어둡다는 말이다. 하늘이 만물을 창조하기 시작할 때 마치 어두운 때 있는 것과 같다. 이 시작하여 어두운 때 왕은 마땅히 제후들을 세워 만방의 사물을 어루만지고 편안하게 아무런 일도 하지 않아서는 안 된다."

4) 공영달(孔穎達), 『주역주소(周易註疏)』 권1.

● 王氏安石曰："難生也，'動乎險中'也，此雲雷之時也. 故曰雲雷屯. 卒至於'雷雨之動滿盈'，然後能免乎險而屯難解，'大亨貞'. 要屯之終而爲言也."

왕안석(王安石)[5]이 말했다. "어려움이 생겨 '험난함 속에서 움직이니' 이것은 구름과 우레의 때이다. 그러므로 구름과 우레가 혼돈이다. 결국 '우레와 비의 움직임이 세상에 가득하게 된' 뒤 위험에서 나오고 혼돈과 어려움이 풀어지니, '크게 형통하되 올바름을 지킨다.' 혼돈의 끝을 가지고 말했다."

● 『朱子語類』問："'剛柔始交而難生'，『程傳』以雲雷之象爲始交，謂震始交於下，坎始交於中，如何?"
曰："'剛柔始交'，只指震言，所謂震一索而得男也，此三句各有所指. '剛柔始交而難生'，是以二體釋卦名義. '動乎險中大亨貞'，

5) 왕안석(王安石, 1021~1086)：북송(北宋)시대 사상가, 정치가, 문필가로서 임천(臨川：현 강서성 무주시 임천구〈撫州市臨川區〉) 사람이다. 자는 개보(介甫)이고 호는 반산(半山)이다. 1042년 진세에 급제하여 벼슬은 양주첨판(揚州簽判), 은현지현(鄞縣知縣), 서주통판(舒州通判) 등을 역임하고, 1069년참지정사(參知政事)가 되어 변법(變法) 즉 신법(新法)을 주도하였으나. 구당파의 반대로 1074년 파직되었다. 1년 뒤 송 신종(神宗)이 재상에 재임용하여 신법(新法)을 시행하였으나, 또 파직되어 1086년 마침내 신법이 폐지되었다. 문학으로는 당송팔대가의 한 사람으로서, 특히 그의 시(詩)는 왕형공체(王荊公體)라는 하나의 문체를 이루었다. 경학(經學) 방면으로도 당시에 통유(通儒)라고 불릴 정도로 경전에 두루 해박하였으며, 특히 북송대의 의경변고학풍(疑經變古學風)을 촉진하는 데에 기여하였다. 저서로 『왕임천집(王臨川集)』, 『임천집습유(臨川集拾遺)』이 전해지고 있다.

是以二體之德釋卦辭, '雷雨之動滿盈, 天造草昧, 宜建侯而不寧', 是以二體之象釋卦辭, 只如此看甚明, 緣後來說者交雜混了, 故覺語意重復."[6]

『주자어류』에서 말했다. "'굳셈과 부드러움이 처음 교제하여 어려움이 생긴다'는 말에 대해 『정전(程傳)』은 구름과 우레의 상으로 처음 교제한다고 여기고 진(震☳)괘는 아래에서 비로소 교제하고 감(坎☵)괘는 가운데서 비로소 교제한다고 했는데 무슨 말입니까?"

대답했다. "'굳셈과 부드러움이 처음 교제한다'는 것은 단지 진(震)괘를 가리켜 말한 것이니, '진(震)괘는 첫 번째로 구하여 남자가 된다'[7]는 말이다. 이 세 구절은 각각 가리키는 것이 있다. '굳셈과 부드러움이 처음 교제하여 어려움이 생긴다'는 것은 두 괘의 형체로 괘명의 뜻을 해석한 것이다. '험난함 가운데 움직여 크게 형통하고 올바름을 지킨다'는 말은 두 괘에 드러난 형체의 덕으로 괘사를 해

6) 『주자어류(朱子語類)』 70권, 3조목.

7) 『주역』「설괘전」: "건(乾)은 하늘이므로 부(父)라 칭하고, 곤(坤)은 땅이므로 모(母)라 칭하고, 진(震)은 첫 번째로 구하여 남(男)을 얻었으므로 장남(長男)이라 이르고, 손(巽)은 첫 번째로 구하여 여(女)를 얻었으므로 장녀(長女)라 이르고, 감(坎)은 두 번째로 구하여 남(男)을 얻었으므로 중남(中男)이라 이르고, 리(離)는 두 번째로 구하여 여(女)를 얻었으므로 중녀(中女)라 이르고, 간(艮)은 세 번째로 구하여 남(男)을 얻었으므로 소남(少男)이라 이르고, 태(兌)는 세 번째로 구하여 여(女)를 얻었으므로 소녀(少女)라 이른다.[乾, 天也, 故稱乎父, 坤, 地也, 故稱乎母, 震一索而得男, 故謂之長男. 巽一索而得女, 故謂之長女, 坎再索而得男, 故謂之中男, 離再索而得女, 故謂之中女, 艮, 三索而得男, 故謂之少男, 兌, 三索而得女, 故謂之少女.]"라고 하였다.

석한 것이다. '우레와 비의 움직임이 세상에 가득 차 있어 시세의 흐름이 혼란하고 어두운 때이므로 제후를 세우고 편안하게 있지 못한다'는 말은 두 괘에 드러난 형체의 상으로 괘사를 해석한 것이니 이렇게 보면 아주 분명하다. 나중에 말하는 자들이 섞여 혼란스러워 했고, 이 때문에 말뜻이 중복되었음을 깨달아야 한다."

● 蔡氏清曰:"草雜亂則不定矣, 故下云天下未定. 昧晦冥則不明矣, 故下云名分未明. 名分不獨謂君臣上下, 如父子夫婦昆弟之類皆是也. 立君統治者, 君臣, 人道之綱也."

채정(蔡清)이 말했다. "처음에 혼잡하면 안정되지 않기 때문에 아래에서 천하가 아직 안정되지 않았다고 했다. 어두우면 밝지 못하기 때문에 아래에서 명분이 밝지 못하다고 했다. 명분은 임금과 신하, 위아래 지위만을 말하는 것이 아니라 부자(父子)와 부부(夫婦), 형제 등의 부류가 모두 이에 해당한다. 군주를 세워 통치하는 것이니 군주와 신하는 인도의 강령이다."

● 何氏楷曰:"震之未動, 坎氣爲雲, 雲上雷下鬱結而未成雨, 所以爲屯. 動則雲化爲雨, 雷上雨下, 屯之鬱結者變而爲解, 而未亨者果'大亨'矣."[8)]

하해(何楷)가 말했다. "진(震)괘가 아직 움직이지 않았고 감(坎)괘의 기운이 구름이므로 구름이 위에 있고 우레가 아래에 있고 뭉쳐서 아직 비가 되지 않았기 때문에 혼돈이다. 움직이면 구름이 변해

8) 하해(何楷), 『고주역정고(古周易訂詁)』 권1.

비가 되고, 우레가 올라가고 비가 내리니 혼돈의 뭉쳐짐이 변하고 풀려 형통하지 않는 것이 과연 '크게 형통한다.'"

案

『本義』以"動乎險中"釋"大亨貞", "雷雨之動"以下釋"建侯". 『程傳』則以"動乎險中"屬上句, 總釋卦名, 而以"雷雨之動滿盈"一句釋"大亨貞". 今觀屯稱雲雷, 解稱雷雨, 則屯之時猶未解也. 夫子欲明"元亨"之義, 故變雲雷言雷雨, 以見屯之必解, 則觀其動也, 而屯之"元亨"可知矣. 然動者亨之機爾, 其醞釀絪縕以滿盈其氣, 又足以見貞固之義. 『程傳』說可從, 故王氏何氏同.

『주역본의』에서 "위험 속에서 움직인다"는 것으로 "크게 형통하고 올바름을 지킨다"를 해석했고, "우레와 비의 움직임" 이하로 "제후를 세운다"는 것을 해석했다.
『정전』은 "위험 속에서 움직인다"는 것을 위의 구절에 속하게 하여 총체적으로 괘명(卦名)을 해석했고, "우레와 비의 움직임이 세상에 가득찼다"는 한 구절로 "크게 형통하고 올바름을 지킨다"는 구절을 해석했다.
지금 준(屯)괘가 구름과 우레를 칭하고 해(解)괘는 우레와 비를 칭하는 것을 보면 혼돈의 때는 아직 풀리지 않았다. 공자는 "크게 형통한다"는 뜻을 밝히고 싶었기 때문에 구름과 우레가 변하여 우레와 비가 됨을 말하여 혼돈이 반드시 풀린다는 점을 드러내었으니, 그 움직임을 보면 준(屯)괘의 "크게 형통한다"는 뜻을 알 수 있다. 그러나 움직임은 형통함의 기미일 뿐이니 끓어오르고 섞여 그 기운이 가득 찼으니 올바름을 굳게 지키는 뜻을 볼 수 있다. 『정전』의 말은 따를 수 있기 때문에 왕안석과 하해가 같다.

4. 몽蒙☶☵괘

蒙, 山下有險. 險而止, 蒙.

몽괘는 산 아래에 위험이 있는 모습이다. 위험이 있어 멈추는 것이 어리석음이다.

本義

以卦象卦德釋卦名, 有兩義.

괘의 상(象)과 괘의 덕(德)으로 괘의 이름을 해석하였으니, 두 가지 뜻이 있다.

'蒙, 亨', 以亨行時中也. '匪我求童蒙, 童蒙求我', 志應也. '初筮告', 以剛中也. '再三瀆, 瀆則不告', 瀆蒙也. 蒙以養正, 聖功也.

'어리석음은 형통할 수 있다'는 것은 형통할 수 있는 도로 가므로 때를 얻고 중도를 이루었기 때문이다. '내가 어리석은 어린 아이를 구하는 것이 아니라 어리석은 어린 아이가 나를 찾는다'는 것은 뜻이 응했기 때문이다. '처음 묻거든 알려주라'는 말은 굳세면서도 알맞음을 이루었기 때문이다. '두 번 세 번 물으면 모독하는 것이니 모독하면 알려주지 않는다'는 것은 자신이 어리석은 사람을 모독하는 일이기도 하다. 어린 아이일 때 올바름을 기르는 것이 성인(聖人)이 되는 공부이다.

本義

以卦體釋卦辭也. 九二以可亨之道, 發人之蒙, 而又得其時之中, 謂如下文所指之事, 皆以亨行而當其可也. '志應'者, 二剛明, 五柔暗, 故二不求五而五求二, 其志自相應也. '以剛中'者, 以剛而中, 故能告而有節也. 瀆, 筮者二三, 則問者固瀆, 而告者亦瀆矣. '蒙以養正', 乃作聖之功, 所以釋利貞之義也.

괘체(卦體)로써 괘사(卦辭)를 해석하였다. 구이효가 형통할 수 있는 도(道)로 사람의 어리석음을 계발시키고 또 그 때의 알맞음을 얻었으니, 아래 문장에서 가리키는 일처럼 모두 형통하여 그것이 옳음이 마땅하다.

'뜻이 응한다'는 것은 구이효는 굳세되 밝고 육오효는 부드럽되 어둡기 때문에 구이효가 육오효에게 구하지 않고 육오효가 구이효에게 그 뜻이 서로 호응하는 뜻이다. '굳세면서 알맞음을 이루었다'는 것은 굳세고 중도(中道)에 맞기 때문에 알려주는 데 절도가 있다는 말이다. '모독한다'는 것은 점치는 자가 두 번 세 번 점을 치면 묻는 자도 진실로 모독하고 알려주는 자도 모독한다.
'어린 아이일 때 올바름을 기르는' 것이 성인이 되는 공부이니, 이는 '올바름을 굳게 지키는 것이 이롭다'는 뜻을 해석한 것이다.

程傳

'山下有險', 內險不可處, 外止莫能進, 未知所爲, 故爲昏蒙之義. '蒙亨, 以亨行時中也', 蒙之能亨, 以亨道行也. 所謂亨道時中也. '時', 謂得君之應. '中', 謂處得其中. 得中則時也.

'산 아래에 위험이 있다'는 말은 안으로는 위험한 장애를 느껴 처신할 수가 없고, 밖으로는 멈추어 서서 나아갈 수가 없어 어찌할 바를 모르기 때문에 어둡고 어리석다는 의미이다.
'어리석음은 형통할 수 있다. 형통할 수 있는 도로 가니 때를 얻고 중도(中道)를 이루었기 때문이다.' 어리석음이 형통할 수 있는 이유는 바로 형통할 수 있는 도로 가기 때문이다. 형통할 수 있는 도라고 하는 것이 바로 때를 얻고 중도를 이룬 것이다.[1]

---

1) 때를 얻고 중도를 이룬 것이다 : '시중(時中)'을 해석한 말이다. 여기서는 일반적인 의미의 시중(時中)과는 달리 「단전」의 '시중'을 정이천이 해석한 방식대로 번역한 것이다. 정이천은 군주의 호응을 얻은 것을 '시(時)'로 풀고 처신하는 데에 중도를 이룬 것을 '중(中)'으로 풀고 있다.

여기서 '때[時]'는 군주의 호응을 얻은 것을 말한다. '알맞음[中]'은 처신하는 데 마땅한 중도(中道)를 이루었다는 말이다. 하지만 중도를 이룸이 곧 때를 얻는 것이다.

'匪我求童蒙, 童蒙求我, 志應也.' 二以剛明之賢處於下, 五以童蒙居上. 非是二求於五, 蓋五之志應於二也. 賢者在下, 豈可自進以求於君? 苟自求之, 必無能信用之理. 古之人所以必待人君致敬盡禮而後往者, 非欲自爲尊大, 蓋其尊德樂道, 不如是不足與有爲也.

'내가 어리석은 어린 아이를 구하는 것이 아니라 어리석은 어린 아이가 나를 찾는다는 것은 뜻이 서로 호응했기 때문이다.'
구이효는 굳세고 밝은 현자로서 낮은 지위에 처했고 육오효는 어리석은 어린이로서 높은 지위에 자리했다. 구이효가 육오효를 구하려 가는 것이 아니니 육오효의 뜻이 구이효에 응했기 때문이다.
현자가 낮은 지위에 있을 때 어찌 스스로 경솔하게 먼저 나아가 군주에게 구하겠는가? 구차하게 먼저 구한다면, 신뢰를 받을 리가 반드시 없다. 옛날 사람들은 반드시 군주가 공경을 다하고 예를 다하여 먼저 오기를 기다린 다음에 그 군주에게로 나아간 것은 스스로 존귀하고 위대하다고 생각하는 오만 때문이 아니라, 덕을 존중하고 도를 즐겼기 때문이니, 이와 같이 행하지 않는 군주와 함께 정치를 펼칠 수는 없다.

初筮謂誠一而來求決其蒙, 則當以剛中之道, 告而開發之. 再三, 煩數也. 來筮之意煩數, 不能誠一, 則瀆慢矣, 不當告也.

告之必不能信受, 徒爲煩瀆, 故曰瀆蒙也. 求者告者皆煩瀆矣. 卦辭曰"利貞", 「彖」復 伸其義, 以明不止爲戒於二, 實養蒙之道也. 未發之謂蒙, 以純一未發之蒙而養其正, 乃作聖之功也. 發而後禁, 則扞格而難勝. 養正於蒙, 學之至善也. 蒙之六爻, 二陽爲治蒙者, 四陰皆處蒙者也.

처음 묻는 것은 진실하고 한결같은 마음으로 와서 그 어리석음을 깨우쳐 주기를 바라는 것이니 마땅히 굳세고 알맞은 도리로 알려주고 일깨워 계몽시켜준다. 두 번 세 번이란 빈번한 것이다. 와서 물으려는 뜻이 빈번하여 진실하고 한결같을 수 없으면 모독하는 것이니 마땅히 알려주지 말아야 한다. 알려준다고 해도 반드시 신임을 받을 수가 없을 뿐 아니라 도리어 모독하게 되므로, 어리석은 사람을 모독하는 것이라고 했다. 묻는 사람이나 알려주는 사람이나 모두 모독을 당한다.

괘사(卦辭)에서 "올바름을 지키는 것이 이롭다"라고 했는데, 「단전」에서는 다시 그 뜻을 펴서 구이효를 경계했을 뿐 아니라 실제로 어리석음을 기르는 방도를 밝혔다. 아직 깨우치지 못한 것을 어리석음이라 하니 순수하고 깨우치지 못한 어리석은 어린 아이일 때 그 올바름을 기르는 것이 성인을 이루는 공부가 된다.

무엇인가를 안 뒤에 금지하면 저항하여 감당할 수 없게 된다. 어리석은 어린 아이일 때 올바름을 기르는 것이 가장 좋은 배움이다. 몽괘의 여섯 효에서 구이효와 상구효 두 양효(陽爻)는 어리석음을 다스리는 자들이고 나머지 네 개의 음효(陰爻)는 어리석음에 처한 사람들이다.

集說

● 『朱子語類』云 : "'蒙以養正聖功也', 蓋言蒙昧之時, 先自養教正當了, 到那開發時, 便有作聖之功. 若蒙昧之中, 已自不正, 他日何由會有聖功?"2)

『주자어류』에서, 말했다. "'어린 아이일 때 올바름을 기르는 것이 성인(聖人)이 되는 공부이다'라고 했으니, 이는 어리석을 때 먼저 스스로 올바르고 마땅한 것을 기르고 배워 깨닫게 될 때 성인의 공을 이룬다는 말이다. 어둡고 어리석을 때 스스로 올바르지 못하면 나중에 어떻게 성인이 되는 공이 있을 수 있겠는가?"

● 胡氏炳文曰 : "『程傳』云, 亨道卽時中也. 『本義』謂九二以可亨之道, 發人之蒙, 而又得其時之中, 蓋蒙豈無可亨之道, 但恐亨之不得乎時之中耳. 『本義』謂如下文所指之事, 蓋謂志未應而遽欲亨之, 非時中也. 再三瀆而亦告之, 非時中也. 蒙宜養正, 過此而後養之, 非時中也."3)

호병문(胡炳文)이 말했다. "『정전』에서 형통할 수 있는 도는 때[時]와 알맞음[中]이라고 했다. 『주역본의』에서는 구이효가 형통할 수 있는 도리로 사람들의 어리석음을 깨우치고 또 그 때의 적당함을 얻었다고 말했다. 어리석음이 어찌 형통할 수 있는 도가 없겠는가? 형통함이 때의 적당함을 얻지 못했을까를 근심할 뿐이다. 『주역본의』는 아래 글에서 가리키는 일과 같은 것을 말했으니 뜻이 호응하지 않았는데도 성급하게 형통하려는 것을 말하니, 때에 적당하지

2) 『주자어류(朱子語類)』 70권, 21조목.

3) 호병문(胡炳文), 『주역본의통석(周易本義通釋)』 권1.

않는 것이다. 두 번 세 번 모독하는데도 알려주는 것은 때에 적당하지 않다. 어리석음은 마땅히 올바름을 길러야 하니 이것이 지난 뒤에 기르려고 한다면 때에 적당하지 않다."

● 俞氏琰曰 : "聖者無所不通之謂, 童蒙之時, 便當以正道涵養其正性, 是乃作聖之功也. 古之人, 含德之厚, 比於赤子, 大人之所以爲大人者, 不失其赤子之心而已. 童蒙之時, 情竇未開, 天眞未散, 粹然一出於正, 所謂赤子之心是也. 涵養正性, 全在童蒙之時. 若童蒙之時, 無所養而失其正, 則他日欲望其作聖, 不可得矣."[4]

유염(俞琰)이 말했다. "성인은 통하지 않음이 없음을 말하니 어릴 때는 마땅히 정도(正道)로 그 올바른 본성을 함양하고 수양하면 성인을 이루는 공이 된다. 옛 사람들은 덕을 함양한 두터움이 어린 아이에 비견되니 대인이 대인이 되는 까닭은 그 어린 아이의 마음을 잃지 않았을 뿐이기 때문이다. 어릴 때는 정(情)이 드나드는 구멍[5]이 뚫리지 않았지만 천진난만함이 없어지지 않고 순수함이 올바름에서 나오니 어린 아이의 마음[6]이라고 하는 말이 이것이다.

4) 유염(俞琰), 『주역집설(周易集說)』 권14.
5) 정(情)이 드나드는 구멍 : 『예기(禮記)』「예운(禮運)」, "그러므로 예의(禮義)라는 것은 …… 천도에 통달하고 인정을 따르는 커다란 구멍이다.[故禮義也者 所以達天道順人情之大竇也.]"라고 하였고, 공영달은 소(疏)에서 "구멍이 뚫리면 사람이 출입하듯이 예의라는 것 또한 사람이 출입하는 것이다. 그러므로 천도에 통달하고 인정을 따르는 커다란 구멍이라고 했다.[孔穴開通, 人之出入, 禮義者亦是人之所出入, 故云'達天道順人情之大竇也'.]"라고 주석하고 있다. 나중에 정두(情竇)는 정감이 발생하거나 혹은 남녀사이에 사랑의 정이 싹트는 것을 가리킨다.

올바른 본성을 함양하고 어린 아이 때 온전하게 한다. 만약 어린 아이 때 함양하지 못하여 그 올바름을 잃으면 훗날 성인이 되려고 해도 할 수 없다."

● 林氏希元曰 : "養蒙發蒙原非二事. 對前日之蒙言, 則曰發, 對後日之作聖言, 則曰養. 利貞之語, 實蒙上文, 如咸恒'利貞'之例, 非發蒙之後, 又別出養蒙之義也."[7]

임희원(林希元)이 말했다. "어린 아이를 기르고 어리석음을 깨우치는 것은 원래 두 가지 일이 아니다. 이전 날의 어리석음을 가지고 말하면 깨우친다고 하고 나중에 성인이 되는 것을 가지고 말하면 기른다고 한다. 올바름을 지키는 것이 이롭다는 말은 실제로 몽(蒙)이라는 위의 글자에 있어서 함(咸)괘[8]와 항(恒)괘[9]의 '이정(利貞)'과 같은 예이니, 어리석음을 깨달은 후에 또 따로 어리석음을 기르는 뜻이 나오는 것은 아니다."

6) 『맹자』「이루상」: "대인(大人)이란 어린 아이의 마음을 잃지 않은 자이다.[大人者, 不失其赤子之心者也]"라고 하였다.

7) 임희원(林希元), 『역경존의(易經存疑)』 권1.

8) 『주역』「함(咸)괘」: "咸, 亨, 利貞, 取女吉.[함은 형통함이니 곧으면 이롭고 여자를 취함이 길하다.]"라고 하였다.

9) 『주역』「항(恒)괘」: "恒, 亨, 无咎, 利貞, 利有攸往.[항은 형통함이니 허물이 없고 곧으면 이로우며, 가는 바 이로움이 있다.]"라고 하였다.

5. 수需䷄괘

需, 須也, 險在前也. 剛健而不陷, 其義不困窮矣.

수란 기다림으로 위험한 장애가 앞에 있는 모습이다. 강건하나 위험에 빠지지는 않으니 그 의리가 곤란과 궁핍에 빠지지는 않는다.

本義

此以卦德釋卦名義.

이는 괘의 덕(德)으로 괘 이름의 뜻을 해석하였다.

程傳

需之義, 須也. 以險在於前, 未可遽進, 故需待而行也. 以乾之剛健, 而能需待不輕動, 故不陷於險, 其義不至於困窮也. 剛健之人, 其動必躁, 乃能需待而動, 處之至善者也. 故夫子贊之云"其義不困窮矣".

수(需)의 뜻은 기다림이다. 위험한 장애가 앞에 있으니, 성급하게 나아갈 수 없으므로 기다린 후에 행한다. 건(乾)의 강건한 자질인데도 기다리면서 경솔하게 행동하지 않을 수 있기 때문에, 위험에 빠지지 않으니 그 의리가 곤란과 궁핍에 빠지지 않는다.
강건한 자질을 지닌 사람은 그 마음의 움직임이 반드시 조급한데도 기다리면서 움직일 수 있으니 가장 좋게 처신하는 자이다. 그래서 공자가 그 "의리상 곤란과 궁핍에 빠지지 않는다"고 칭찬했다.

集說

● 王氏申子曰 : "需者, 坎險在前, 須而後進也. 惟剛則內有所主, 故能需. 惟健則動不可禦, 故能濟."[1]

왕신자(王申子)가 말했다. "수(需)는 감(坎)괘의 위험이 앞에 있으니 기다린 뒤에 나아간다. 굳세기만 하면 안으로 주인이 있기 때문에 기다릴 수가 있다. 오직 강건하면 움직여 제어할 수 없기 때문에 건널 수 있다.

● 蔡氏清曰 : "以剛遇險, 而不遽進以陷於險者. 蓋陰柔不能寧耐, 乾剛則沈毅不苟, 而能寧耐, 所謂乾天下之至健也. 德行恒易以知險."[2]

채청(蔡清)이 말했다. "지극히 굳세면서 위험을 만났으니 성급하게

1) 왕신자(王申子), 『대역집설(大易集說)』「수(需)괘」.
2) 채청(蔡清), 『역경몽인(易經蒙引)』 권1 상.

나아가서 위험에 빠지지 않는다. 음의 부드러움으로하면 편안히 인내할 수가 없고 강건하면 침착하고 견고하여 구차하지 않아 편안하게 인내할 수 있으니 건(乾)은 세상에서 지극히 강건함이라는 것이다. 덕행은 항상 편안하면서 위험을 안다."

"需, 有孚, 光亨, 貞吉." 位乎天位, 以正中也. "利涉大川." 往有功也.

"기다림은 믿음을 가지고 있어 빛나고 형통하며 올바름을 지키고 있어 길하다"고 한 것은 천자의 지위에 처하여 정중(正中)을 이루었기 때문이다. "큰 강을 건너는 것이 이롭다"는 것은 가면 공을 세우기 때문이다.

本義

以卦體及兩象釋卦辭.

괘체(卦體)와 두 상(象)으로 괘사(卦辭)를 해석하였다.

程傳

五以剛實居中, 爲孚之象, 而得其所需, 亦爲有孚之義. 以乾剛而至誠, 故其德光明而能亨通, 得貞正而吉也. 所以能然者, 以居天位而得正中也. 居大位, 指五. 以正中, 兼二言, 故云正中. 旣有孚而貞正, 雖涉險阻, 往則有功也, 需道之至善也. 以乾剛而能需, 何所不利?

구오효는 굳세고 충실한 자질로 중(中)의 위치에 자리하여 믿음을 가진 모습이고 기다리는 것을 얻었으니 또한 진실한 믿음이라는 뜻이다. 강건한 자질을 가지고 지극히 성실함으로 행하기 때문에 그 덕이 크게 빛나고 형통할 수 있고 올바름을 굳게 지키고 있어 길하다. 그렇게 할 수 있는 까닭은 천자의 지위에 자리하여 정중(正中)을 얻었기 때문이다. 천자의 지위에 자리한 것은 구오효를 가리킨다. 정중(正中)은 구이효를 겸하여 말했으므로 정중(正中)이라고 했다. 마음속에 진실한 믿음을 가졌고 올바름을 굳게 지키고 있어 어려움과 고난일지라도 헤치고 나가면 공을 이루니, 기다림의 방도가 가져올 수 있는 최선이다. 강건하면서도 기다릴 수 있으니, 어떤 것인들 이롭지 않겠는가?

集說

● 谷氏家杰曰 : "此卦合坎乾成需. 惟乾易而知險, 故曰剛健, 曰正中. 見有天德者, 能需也."

곡가걸(谷家杰)이 말했다. "이 괘는 감(坎☵)괘와 건(乾☰)괘가 합하여 수(需䷄)괘가 되었다. 오직 강건하고 편안하면서 위험을 알기 때문에 강건하다고 하고 정중(正中)을 얻었다고 했다. 천덕(天德)을 가진 사람은 기다릴 수 있음을 드러냈다."

6. 송訟䷅괘

訟, 上剛下險, 險而健, 訟.

송괘는 위는 강하고 아래는 험하며, 험한데도 강건한 것이 다툼이다.

本義

以卦德釋卦名義.

괘의 덕(德)으로 괘 이름의 뜻을 해석했다.

程傳

訟之爲卦, 上剛下險, 險而又健也. 又爲險健相接, 內險外健, 皆所以爲訟也. 若健而不險, 不生訟也, 險而不健, 不能訟也. 險而又健, 是以訟也.

송괘의 모습은 위는 굳세고 아래는 막힌 것이 있어 막힌 것이 있는데도 또 강건하다. 또 막힌 것과 강건함이 서로 접해 있는 것과 안으로 막힌 것이 있는데 겉으로 강건한 것이 모두 다툼이 될 수 있다.[1)]

강건하면서 막힘이 없다면 다툼이 생겨나지 않고, 아랫사람이 음험하지만 윗사람이 강건하지 못하면 다툴 수가 없다. 막힘이 있고 또 강건하므로 다툼이 된다.

集說

● 毛氏璞曰 : "上剛下險, 以彼此言之. 險而健, 以一人言之."

모박(毛璞)이 말했다. "위는 강하고 아래는 험하다는 것은 저 사람과 이 사람으로 말하였다. 막히고 강건하다는 말은 한 사람으로 말한 것이다."

1) 모두 다툼이 될 수 있다 : 정이천은 두 가지로 나누어 설명하고 있다. 하나는 윗사람과 아랫사람의 관계이고 하나는 한 사람의 심리적 상태이다. 『주역전의대전』「송(訟)괘」「단전」, 숭산조씨(嵩山晁氏) : "윗사람은 강폭한 태도로 아랫사람을 누르지만, 아랫사람이 막히지 않았다면 반드시 다툼이 일어나는 것은 아니고, 아랫사람이 음험한 태도로 윗사람을 위험에 빠뜨리지만 윗사람이 강하지 않으면 반드시 다툼이 일어나는 것은 아니다. 겉으로는 강건하지만 안으로는 막히지 않았다면 반드시 송사가 일어나는 것은 아니고, 안으로는 막혔는데 밖으로는 강건하지 않다면 반드시 송사를 할 수 있는 것은 아니다.[上以剛陵下, 下不險, 則未必訟. 下以險陷上, 上不剛, 則未必訟. 外健而內不險, 未必生訟, 內險而外不健, 未必能訟.]"라고 하였고, 『주역전의대전』「송(訟)괘」「단전」, 운봉호씨(雲峰胡氏) : "상하로 나누어 말하면 본래 다툼은 합당하지 않다. 윗사람이 강하여 권세로 아랫사람을 누르고, 아랫사람이 음험하면 그 정황을 처음에는 예측할 수 없기 때문이다. 한 사람으로 말하면 마음은 막혔는데 겉으로는 강한 것이고 두 사람으로 말하면 자신은 막혔는데 상대는 강건한 것이다(下以分言, 本不當訟. 上剛以勢陵下也, 下險其情始不可測矣. 以一人言, 內險而外健, 以二人言, 己險而彼健也.]"라고 하였다.

“訟, 有孚窒惕中吉”, 剛來而得中也. “終凶”, 訟不可成也. “利見大人”, 尙中正也, “不利涉大川”, 入於淵也.

“다툼은 믿음이 있으나 막혀서 두려우니 알맞으면 길하다”는 것은 굳셈이 와서 알맞음을 얻는 것이다. “끝가지 가면 흉하다”고 한 것은 다툼은 끝까지 가서는 안 되는 일이기 때문이다. “대인을 만나면 이롭다”고 한 것은 숭상함이 중정(中正)이기 때문이다. “큰 강을 건너면 이롭지 않다”고 한 것은 깊은 연못으로 들어가기 때문이다.

本義

以卦變卦體卦象釋卦辭.

괘의 변(變)과 괘의 체(體)와 괘의 상(象)으로 괘사(卦辭)를 설명했다.

程傳

訟之道固如是. 又據卦才而言, 九二以剛自外來而成訟, 則二乃訟之主也. 以剛處中, 中實之象, 故爲有孚, 處訟之時, 雖有孚信, 亦必艱阻窒塞而有惕懼. 不窒則不成訟矣. 又居險陷之中, 亦爲窒塞惕懼之義. 二以陽剛自外來而得中, 爲以剛來訟而不過之義, 是以吉也. 卦有更取成卦之由爲義者, 此是也. 卦義不取成卦之由, 則更不言所變之爻也.

다툼의 방도는 분명 이와 같다. 또 괘의 자질로 말하면 구이효는 굳셈으로 밖에서 와서 다툼을 이루니, 구이효가 다툼의 주된 효이다. 구이효는 굳셈으로 알맞음의 위치에 처했으니 마음속에 확신으로 꽉 찬 모습이므로 믿음이 있다고 했다.

다툼에 휘말릴 때는 믿음을 가지고 있다고 해도 반드시 어려움과 막힘이 있으니 두려움과 근심이 있다. 막히지 않았다면 다툼이 이루어지지 않는다. 또 험난함 가운데 자리하니, 또 막히고 두려워하고 근심하는 뜻이다.

구이효는 양의 굳센 자질로 밖으로부터 와서 중도(中道)를 이루니, 굳셈이 와서 다투지만 과도하게 다투지는 않는다는 뜻이라서 길하다.

괘에는 그 괘가 이루어진 이유를 다시 취하여 뜻으로 삼는 경우가 있는데, 이 괘가 그러하다. 괘의 뜻에 괘가 이루어진 이유를 취하지 않으면 변한 효를 다시 말하지 않는다.

據卦辭, 二乃善也, 而爻中不見其善. 蓋卦辭取其有孚得中而言, 乃善也. 爻則以自下訟上爲義, 所取不同也. 訟非善事, 不得已也, 安可終極其事? 極意於其事, 則凶矣, 故曰"不可成也". 成, 謂窮盡其事也. 訟者, 求辯其是非也. 辯之當, 乃中正也, 故利見大人, 以所尙者中正也. 聽者非其人, 則或不得其中正也. 中正大人, 九五是也. 與人訟者, 必處其身於安平之地. 若蹈危險, 則陷其身矣, 乃"入於深淵"也. 卦中有中正險陷之象.

괘사(卦辭)에 근거하면 구이효는 좋지만, 효 가운데는 그 좋음을 볼 수가 없다. 괘사는 믿음을 가지고 알맞음을 얻은 것을 취하여 말했으니, 바로 그것이 좋음이다. 효사(爻辭)에서는 아랫사람으로서 윗사람과 다투는 것을 가지고 뜻을 삼았으니 취한 바가 다르기 때문이다.
송사(訟事)는 좋은 일이 아니라 부득이한 일이니 어찌 그 일을 끝까지 할 수 있겠는가? 그 일을 끝까지 하려는 의도가 있다면 흉하게 되므로, "끝까지 가서는 안 된다"고 했다.
'성(成)'이라는 말은 그 송사를 끝까지 다한다는 것이다. 송사는 그 옳고 그름을 분별해주기를 구하는 것이다. 분별함의 마땅한 기준이 바로 중정(中正)이므로, 대인을 만나봄이 이로우니, 그 대인이 숭상하는 것이 바로 중정(中正)이다. 송사를 판결하는 사람이 적절한 사람이 아니면 중정(中正)을 얻지 못할 수도 있다. 중정(中正)한 대인은 곧 구오효가 그러하다.
타인과 다툴 때는 반드시 자신이 안정되고 편안한 곳에 처해야 한다. 위험한 곳에 발을 들여놓게 되면 그 위험에 빠질 수 있으니, 이것이 "깊은 연못에 빠지는" 것이다. 괘 가운데 중정(中正)을 이루더라도 위험에 빠지는 모습이 있다.

集說

● 孔氏穎達曰 : "'剛來而得中', 輔嗣必以爲九二者, 凡上下二象, 在於下象者則稱來. 故賁卦云'柔來而文剛', 是離下艮上而稱柔來. 今此雲'剛來而得中', 故知九二也. 且凡云來者, 皆據異類而來. 九二在二陰之中, 故稱來. 若於爻辭之中, 亦有從下卦向上卦稱來也. 故需上六'有不速之客三人來', 謂下卦三陽. 然需上六陰爻, 陽來詣之, 亦是非類而稱來也."[2]

공영달(孔穎達)이 말했다. "'굳셈이 와서 알맞음을 얻었다'는 것을 보사(輔嗣 : 王弼)는 반드시 구이효로 여겼으니, 상과 하의 두 상에서 아래의 상에 있으므로 왔다고 했다. 그러므로 비(賁)괘에서 '부드러움이 와서 굳셈을 꾸민다'고 했으니 이는 리(離☲)괘가 아래에 있고 간(艮☶)괘가 위에 있어 부드러움이 온다고 일컬었다. 지금 '굳셈이 와서 알맞음을 얻었다'는 말은 그러므로 구이효임을 알 수 있다. 대체로 온다고 말할 때는 모두 다른 종류에 근거하여 온 것이다. 구이효는 두 음 가운데 있기 때문에 온다고 칭했다. 효사 가운데에서처럼 또한 하괘(下卦)에서 상괘(上卦)로 향하여 온다고 칭한 경우도 있다. 그러므로 수(需)괘 상육효에서 '부르지 않은 손님 세 사람이 온다'고 했는데 이는 하괘의 세 양을 말한다. 그러나 수(需)괘 상육효는 음효인데 양효가 오는 것 역시 부류가 아닌 것을 온다고 일컬었다."

● 劉氏牧曰 : "剛來, 謂二也, 性本剛, 好勝而訟也. 來居柔, 能屈其性也. 處中位, 不失中道也."

유목(劉牧)[3]이 말했다. "굳셈이 온다는 것은 구이효이니 성질이 본

---

2) 공영달(孔穎達), 『주역주소(周易註疏)』 권1.

3) 유목(劉牧, 1011~1064) : 자는 선지(先之) 혹은 목지(牧之)이고 호는 장민(長民)이다. 원래는 항주(杭州) 임안(臨安) 사람이었는데, 조부의 공적으로 인해 서안(西安 : 현 절강성 구현〈衢縣〉) 사람이 되었다. 범중엄(範仲淹)을 스승으로 모시고, 손복(孫復)에게서 『춘추』를 배웠으며, 석개(石介)와도 친분이 두터웠다. 역학방면으로는 범악창(範諤昌)의 역학을 이어받아 진단(陳摶)의 「하도」·「낙서」 상수학을 전승하였다. 벼슬은 범중엄과 부필(富弼) 등의 추천으로 연주(兗州) 관찰사를 거쳐 태상박사(太常博士)까지 역임하였다. 역학 방면의 저술에는 『괘덕통론(卦德通

래 굳세고 이기는 것을 좋아하고 다툰다. 와서 부드러움에 자리하니 그 성질을 죽일 수 있다. 알맞은 자리에 처하여 중도를 잃지 않는다."

● 王氏安石曰 : "「彖」言乎其才也, 訟有孚窒惕中吉, 此言九二之才也. '終凶', 此言上九之才也. '利見大人', 言九五之才也. '不利涉大川', 言一卦之才也."

왕안석(王安石)이 말했다. "「단전」은 그 자질로 말하니 '다툼은 믿음이 있으나 막혀 두려우니 알맞으면 길하다'는 것은 구이효의 자질이다. '끝까지 가면 흉하다'는 것은 상구효의 자질이다. '대인을 만나면 이롭다'는 것은 구오효의 자질이다. '큰 강을 건너면 이롭지 않다'는 것은 한 괘의 자질이다."

● 蔡氏清曰 : "'訟不可成', 以理言之, 揚人之惡也, 煩上之聽也, 損己之德也, 增俗之偷也. 又人己之間, 俱廢其業, 雖得不償失也, 此豈君子之所樂成者哉! 謂之'不可成', 見其宜惕中也."[4]

채청(蔡清)이 말했다. "'다툼은 끝까지 해서는 안 된다'는 것은 이치로 말한 뜻이니 사람들의 악함을 드러내는 것은 윗사람의 명령을 번거롭게 하는 일이고, 자신의 덕을 덜어내는 것은 세속의 투기심을 증가시키는 일이다. 또 남과 자신 사이에 벌어진 사안을 모두 없애면 보답하지도 잃지도 않겠지만, 이것이 어찌 군자가 즐거워하

論)』, 『신주주역(新注周易)』, 『주역선유유론구사(周易先儒遺論九事)』, 『역수구은도(易數鉤隱圖)』 등이 있다.

4) 채청(蔡清), 『역경몽인(易經蒙引)』 권1 상.

는 이름이겠는가! '끝까지 가서는 안 된다'고 한 것은 마땅히 두려워하고 중도를 지키라는 뜻을 드러낸 말이다."

案

「彖傳」中有言剛柔往來上下者, 皆虛象也. 先儒因此而卦變之說紛然, 然觀泰否卦下"小往大來""大往小來"云者, 文王之辭也. 果從何卦而往, 何卦而來乎? 亦云有其象而已耳. 故依王孔註疏作虛象者近是.

「단전」에서 굳셈과 부드러움이 가고 오고 올라가고 내려오는 것을 말한 경우가 있는데 모두 허상(虛象)이다. 이전의 유학자들은 이것을 바탕으로 괘변(卦變)의 학설이 분분하였는데 태(泰)괘와 비(否)괘 아래 "작은 것이 가고 큰 것이 온다"거나 "큰 것이 가고 작은 것이 온다"고 말하는 것을 보면 문왕의 말이다. 과연 어느 괘로부터 가서 어느 괘로부터 온다는 말인가? 또한 그 상이 있을 뿐이다. 그러므로 공영달의 주소에 의지하여 허상(虛象)으로 삼는 것이 가장 가깝다.

7. 사師䷆괘

師, 衆也. 貞, 正也. 能以衆正, 可以王矣.

사는 군중이다. 정은 올바름이다. 사람들을 좌지우지 하여 바르게 하면 왕이 될 수 있다.

本義

此以卦體釋師貞之義. 以, 謂能左右之也. 一陽在下之中, 而五陰皆爲所以也. 能以衆正, 則王者之師矣.

이는 괘체(卦體)로 '사정(師貞)'의 뜻을 해석한 것이다. '이(以)'는 좌지우지함을 이른다. 하나의 양(陽)이 하괘(下卦)의 가운데 있어 다섯 음(陰)이 모두 좌지우지 당한다. 사람들을 좌지우지하여 바르게 하면 왕(王)의 군대이다.

程傳

能使衆人皆正, 可以王天下矣. 得衆心服從而歸正, 王道止於是也.

군중들을 모두 올바르게 할 수 있다면, 천하의 왕이 될 수 있다. 군중의 마음이 복종하고 올바름으로 돌아오니, 왕도(王道)는 여기에서 그친다.

剛中而應, 行險而順, 以此毒天下而民從之, 吉又何咎矣.

굳세면서도 알맞음을 얻고 올바른 상대와 호응하며, 험난한 길을 가지만 인심을 따른다. 천하를 고통스럽게 하는데도 백성은 복종하니, 길하고 또 무슨 허물이 있겠는가?

本義

又以卦體卦德釋"丈人吉無咎"之義. 剛中, 謂九二, 應, 謂六五應之. "行險", 謂行危道. 順, 謂順人心. 此非有老成之德者不能也. 毒, 害也. 師旅之興, 不無害於天下, 然以其有是才德, 是以民悅而從之也.

또 괘체(卦體)와 괘덕(卦德)으로 "장인(丈人)이라야 길하고 허물이 없다"는 뜻을 해석하였다. 굳세면서도 알맞음을 얻는 자는 구이효를 말하고 호응하는 사람은 육오효를 말한다.
"험난한 길을 간다"는 위험한 방도를 행하는 것을 말한다. 따른다는 것은 인심을 따른다는 말이다. 이는 노련하게 완성한 덕이 있는 자가 아니면 할 수 없다. 독(毒)은 해를 끼치는 것이다.
군대를 일으키는 데 천하에 해가 없지 않으나 이러한 재주와 덕이 있기 때문에 백성들이 기뻐하여 따른다.

程傳

言二也. 以剛處中, 剛而得中道也. 六五之君爲正應, 信任之專也. 雖行險道, 而以順動, 所謂義兵, 王者之師也. 上順下險, "行險而順也". 師旅之興, 不無傷財害人, 毒害天下, 然而民心從之者, 以其義動也. 古者東征西怨, 民心從也. 如是故吉而無咎, 吉, 謂必克. 無咎謂合義, "又何咎矣", 其義故無咎也.

구이효를 말한다. 굳셈으로 알맞은 자리에 처하니, 굳세면서도 중도(中道)를 얻었다. 육오효의 군주가 올바른 호응 상대이니, 그로부터 전적인 신임을 얻는다. 험난한 길을 갈지라도 이치에 따라 움직이니, 이른바 의로운 군대로서 왕의 군사이다.

위로 곤(坤)괘는 이치를 따르는 순종을 상징하고 아래의 감(坎)괘는 험난한 길을 상징하므로 "험난한 길을 가지만 이치를 따른다"는 의미이다.[1)]

---

1) 『주역전의대전(周易傳義大全)』, 진재서씨(進齋徐氏 : 徐幾) : "이것은 장군의 도이다. 강직하지 못하면 위세와 위엄이 없어 군중을 복종시키기에는 부족하고, 과도하게 강직하면 포악하여 군중을 마음으로 품을 수 없다. 그러나 강직하면서도 중도를 이룬 재능이 있더라도 군주의 전폭적인 신임을 얻지 못했다면 또한 공을 이룰 수가 없다. 이것이 사괘에서 '강직하면서도 중도를 얻고 올바른 상대와 호응한다'는 점을 중요시 하는 것이다. 군사는 흉한 것이고, 전쟁은 위험한 일이라서, 부득이해서 군사를 일으키고 군중을 동원하는 것이니, 폭력을 금하고 혼란을 없애야 한다. 이것이 사괘에서 험난한 길을 가지만 이치를 따른다는 점을 귀하게 여기는 것이다.[此爲將之道. 蓋不剛, 則无威嚴而不足以服衆, 過剛, 則暴而无以懷之. 有剛中之才而信任不專, 亦不能有成功. 此師所以貴乎剛中而應也. 兵凶器, 戰危事, 不得已而興師動衆, 禁暴除亂, 此師所以貴乎行險而順也.]"라고 하였다.

군대를 일으키는 데 재물을 허비하고 인명(人命)을 해쳐 천하에 해를 끼치는 일이 없지 않으나 민심(民心)이 따르는 것은 의(義)에 따라 움직이기 때문이다. 옛날에 동쪽을 정벌하면 서쪽의 나라가 원망함은 민심이 따른 것이다. 이렇기 때문에 길하고 허물이 없는 것이다.

길함은 반드시 승리함을 이르고 허물이 없는 것은 반드시 의(義)에 합함을 이른다. "또 무슨 허물이 있겠는가?"라는 말은 의리상 허물이 없는 것이다.

集說

● 遊氏酢曰 : "用師之道, 將以正天下之不正也, 故師謂之征. 己則不正, 其能正人乎? '剛中而應', 任將之道也. '行險而順', 興師之義也. 仰順乎天, 無違天以干時, 俯順乎人, 無咈人以從欲. 興師之順如此, 故能以衆正. 以衆正之, 則人皆知其欲正己而已, 天下孰不趨於正哉!"[2]

유초(遊酢)가 말했다. "군사를 사용하는 도는 천하의 올바르지 못함을 바로잡으려는 것이기 때문에 군사는 정벌을 말한다. 자신이 올바르지 못한데 남을 바로잡을 수 있겠는가? '강직하면서 중도를 이루어 호응한다'는 말은 장군의 책임을 맡은 도이다. '험난한 길을 가면서도 따른다'는 것은 군사를 일으키는 뜻이다. 우러러 하늘에 따르고 천리(天理)를 어기지 않으면서 때를 다루며, 굽어보아 사람을 따르고 인심을 어기지 않으면서 원하는 것을 따른다. 군사를 일

2) 유초(游酢), 『유치산집(游廌山集)』 권2.

으키는 데 이렇게 따르기 때문에 군중을 좌지우지 하여 바르게 한다. 군중을 좌지우지하여 바르게 하면 사람들 모두는 자신을 바르게 하려는 것일 뿐이라는 점을 아니, 세상에 누가 올바름을 좇지 않겠는가!"

● 胡氏炳文曰 : "毒之一字, 見得王者之師, 不得已而用之. 如毒藥之攻病, 非有沈屙堅癥, 不輕用也, 其指深矣."[3]

호병문(胡炳文)이 말했다. "독(毒)이라는 한 글자를 통해 왕의 군사가 부득이하여 사용된다는 점을 알 수 있다. 독약이 병을 고치듯이 고질병과 암덩어리가 아니면 경솔하게 사용되어서는 안 되니 그 의미가 깊다."

3) 호병문(胡炳文), 『주역본의통석(周易本義通釋)』 권1.

8. 비比䷇괘

比, 吉也.

친밀한 협력은 길하다.

本義

此三字疑衍文.

이 세 글자는 잘못 붙여진 글이다.

比, 輔也, 下順從也.

친밀한 협력은 보좌하는 일이니, 아랫사람이 순종하는 것이다.

本義

此以卦體釋卦名義.

이는 괘의 체(體)로 괘 이름의 뜻을 해석한 것이다.

程傳

"比吉也", 比者吉之道也. 物相親比, 乃吉道也. "比輔也", 釋比之義, 比者相親輔也. 下順從也, 解卦所以爲比也. 五以陽居尊位, 群下順從以親輔之, 所以爲比也.

"친밀한 협력은 길하다"는 것은 친밀한 협력은 길할 수 있는 방도라는 말이다. 사람들이 서로 친밀하게 협력하는 것이 바로 길한 방도이다. "친밀한 협력이란 보좌하는 일이다"라는 말은 협력의 뜻을 풀이한 것으로 협력이란 서로 친밀하게 보좌하는 일이다.

"아랫사람이 복종한다"는 말은 괘가 친밀한 협력이 되는 이유를 해석한 것이다. 구오효는 양(陽)의 자질로 존귀한 지위에 자리하고 많은 아랫사람들이 순종하여 그를 친밀하게 보좌하니, 이 때문에 친밀한 협력이 된다.

集說

● 孔氏穎達曰："'比吉也'者, 言相親比而得吉也. '比輔也'者, 釋比所以得吉. '下順從'者, 謂衆陰順從九五也."[1]

공영달(孔穎達)이 말했다. "'친밀한 협력은 길하다'는 서로 친밀하게 협력하여 길함을 얻는다는 말이다. '협력은 보좌하는 일이다'라는 말은 협력이 길함을 얻는 까닭을 해석한 것이다. '아랫사람이 순종한다는 것은 여러 음들이 구오효에 순종한다는 말이다."

● 『朱子語類』云："'比吉也', 也字羨, 當云'比吉. 比輔也, 下順從也.' '比輔也', 解比字, '下順從也', 解吉字."[2]

『주자어류』에서 말했다. "'친밀한 협력은 길하다'는 말에서 '야(也)'라는 글자는 불필요한 말이니, 마땅히 '比吉, 比輔也, 下順從也'라고 해야 한다. '친밀한 협력은 보좌하는 일이다'라는 말은 '비(比)'를 해석한 것이고 '아랫사람이 순종한다'는 말은 '길(吉)'자를 해석한 것이다."

● 楊氏啟新曰："'下順從'以卦體言, 實則兼上下衆陰, 不曰上下而曰下者, 以九五爲主也. 至不寧方來, 則曰上下應, 前是尊上之辭, 後是擧衆之辭."

양계신(楊啟新)이 말했다. "'아랫사람이 순종한다'는 것은 괘체(卦體)로 말했지만 실제로는 위아래 모든 음들을 아울러 위와 아래라

1) 공영달(孔穎達), 『주역주소(周易注疏)』 권1.
2) 『주자어류(朱子語類)』 70권, 71조목.

고 하지 않고 아랫사람이라고 한 것은 구오효를 위주로 했기 때문이다. '편안하지 못해야 비로소 온다'는 말에 이르러 '위와 아래가 호응한다'고 했으니, 전자는 윗사람을 존중하고, 후자는 군중들을 모두 거론한 말이다."

“原筮元永貞無咎”, 以剛中也. “不寧方來”, 上下應也. “後夫凶”, 其道窮也.

“근원적으로 판단하되 성숙한 지도력과 지속적 일관성과 도덕적 확고함을 갖추었다면, 허물이 없다”는 말은 굳세면서 알맞음을 이루었기 때문이다. “편안하지 못해야 비로소 온다”는 것은 위와 아래가 호응하기 때문이다. “뒤늦게 오는 사람은 흉하다”는 말은 그러한 방도는 결국 곤궁해지기 때문이다.

本義

亦以卦體釋卦辭. “剛中”, 謂五. 上下, 謂五陰.

또한 괘의 체(體)로 괘사(卦辭)를 해석하였다. “굳세면서 알맞음을 이루었다”는 것은 구오효를 말하고 위와 아래는 다섯 음(陰)을 말한다.

程傳

推“原筮”決相比之道, 得“元永貞”而後可以“無咎”. 所謂“元永貞”, 如五是也. 以陽剛居中正, 盡比道之善者也. 以陽剛當尊位爲君德, 元也. 居中得正, 能永而貞也. 卦辭本泛言比道. 「彖」言“元永貞”者, 九五以剛處中正是也.

“근원적으로 판단하여” 서로 협력하는 방도를 결정하되 “성숙한 지도력과 지속적인 일관성과 도덕적 확고함을 가진" 사람을 얻은 뒤에야 "허물이 없을 수" 있다. "성숙한 지도력과 지속적인 일관성과 도덕적 확고함"을 가진 사람이란 구오효와 같은 사람이 그러하니, 양의 굳셈으로 중정(中正)에 자리하고, 친밀한 도에 최선을 다하는 사람이다.

양의 굳센 자질로 존귀한 지위에 자리하여 군주의 덕을 이루는 것이 성숙한 지도력이다. 중(中)의 위치에 자리하여 올바름을 얻으니 지속적인 일관성을 유지하면서 그 올바름을 굳세게 지킬 수 있는 것이다.

괘사는 친밀한 도를 폭넓게 말했고 「단전」에서는 "성숙한 지도력과 지속적인 일관성과 도덕적 확고함"을 가진 사람을 말했으니 구오효가 강한 자질로 중정(中正)에 처한 것이 바로 그러하다.

人之生, 不能保其安寧, 方且來求附比. 民不能自保, 故戴君以求寧. 君不能獨立, 故保民以爲安. 不寧而來比者, 上下相應也. 以聖人之公言之, 固至誠求天下之比, 以安民也. 以後王之私言之, 不求下民之附, 則危亡至矣. 故上下之志, 必相應也. 在卦言之, 上下群陰比於五, 五比其衆, 乃上下應也. 衆必相比, 而後能遂其生. 天地之間, 未有不相親比而能遂者也. 若相從之志, 不疾而後, 則不能成比, 雖夫亦凶矣. 無所親比, 困屈以致凶, 窮之道也.

사람은 자신의 안녕을 보존할 수 없어야 비로소 와서 의지하면서 친밀함을 구한다. 백성은 스스로 보존할 수 없으므로 군주를 추대하여 안녕을 구하고 군주는 혼자 설 수 없으므로, 백성을 보호하여 안정을 이룬다. 편안하지 못해서 와서 협력을 구하는 것은 위와 아래가 서로 호응하는 것이다.
성인의 공심(公心)으로 말하면, 지극히 성실함으로 세상의 협력을 구하여 백성을 안정시킨다. 후왕(後王)의 사의(私意)로 말하면 백성의 도움을 구하지 않으면 위험과 패망에 이른다. 그러므로 위와 아래의 뜻이 반드시 서로 호응하는 것이다.
괘의 모양으로 말하면 위와 아래의 모든 음(陰)효가 구오효에게로 와서 친밀하게 보좌하고 구오효는 그 군중들과 협력하여 도우니 위와 아래가 서로 호응한다. 사람들은 반드시 서로 친한 후에 그 삶을 이룰 수 있다. 천지 사이에 서로 친밀하지 않은데도 삶을 이룬 사람은 없다. 서로 따르는 뜻이 병들지 않았는데도 친하지 않았다면 비록 지아비일지라도 흉하다. 친밀한 바가 없고 피곤하게 굴종하여 흉함에 이르면 궁색한 도이다.

集說

● 胡氏炳文曰："凡應字, 多謂剛柔兩爻相應. 此則謂上下五陰應乎五之剛, 又一例也. 師比皆一陽五陰. 師之應, 謂五應二, 將之任專也. 比之應, 則謂上下應五, 君之分嚴也."[3]

호병문(胡炳文)이 말했다. "'응(應)'이란 글자는 대부분 굳셈과 부드러움 두 효가 서로 호응하는 것을 말한다. 이는 위 아래 다섯 음효가 구오효의 굳셈에 호응하는 것이니 또 하나의 예이다. 사(師䷆)괘와 비(比䷇)괘는 모두 하나의 양효에 다섯 음효이다. 사괘의 호응은 육오효가 구이효에 호응하는 것을 말하니 장군이 임무가 전일

3) 호병문(胡炳文), 『주역본의통석(周易本義通釋)』 권1.

한 것이다. 비괘의 호응은 위와 아래가 구오효에 호응하는 것이니 군주의 본분이 엄중하다."

9. 소축小畜☴☰괘

小畜, 柔得位而上下應之, 曰小畜.

소축은 부드러움이 지위를 얻어 위와 아래가 호응하기 때문에 작은 것으로 길들여 키움이라고 한다.

本義

以卦體釋卦名義. "柔得位", 指六居四. "上下", 謂五陽.

괘의 체(體)로 괘 이름의 뜻을 해석하였다. "부드러움이 지위를 얻었다"는 육(六)이 사(四)의 위치에 자리한 것을 가리키고 '위와 아래'는 다섯 양(陽)을 이른다.

程傳

言成卦之義也. 以陰居四, 又處上位, "柔得位"也. 上下五陽皆應之, 爲所畜也. 以一陰而畜五陽, 能系而不能固, 是以爲

小畜也.「彖」解成卦之義, 而加'曰'字者, 皆重卦名文勢當然. 單名卦唯革有'曰'字, 亦文勢然也.

괘가 성립한 뜻을 말했다. 음(陰)의 자질로 사(四)의 위치에 자리 잡고 또 윗자리에 처했으니, "부드러운 자가 지위를 얻은" 것이다. 위아래 다섯 양(陽)효가 모두 그에 호응하니, 제지하여 키우는 일이다. 하나의 음이 다섯 양을 제지하여 묶어놓을 수는 있지만 견고하게 묶어놓을 수는 없으므로, 작은 것에 의해 길들여 키우는 것이 된다. 「단전」에서 괘가 성립한 뜻을 해석하면서, '왈(曰)'자를 덧붙인 것은 모두 괘의 이름을 중복한 것이니 문세(文勢)가 당연하다. 한 글자로 된 괘 가운데 오직 혁(革)괘에서 '왈(曰)'자가 있으니, 또한 문세가 그러하기 때문이다.

集說

● 胡氏瑗曰:"小畜卦有二義, 六四以一陰得位, 體無二陰以分其應, 故上下五陽皆應之, 是小者能畜矣. 三陽在下而並進, 四以一陰獨當其路, 是小有所畜也. 此二義也."[1)]

호원(胡瑗)이 말했다. "소축괘는 두 가지 뜻이 있다. 육사효는 하나의 음으로 지위를 얻었고, 괘체(卦體)는 두 음으로 그 호응을 나누지 않았기 때문에 위와 아래 다섯 양이 모두 호응하니 작은 것이 키울 수 있다. 세 양(陽)이 아래에서 함께 나아가고 육사효는 하나의 음으로 그 길을 홀로 감당하니 작은 것이 키움이 있다. 이것이 두 번째 뜻이다."

1) 호원(胡瑗),『주역구의(周易口義)』권3.

健而巽, 剛中而志行, 乃亨.

강건하고 공손하며 굳세면서 알맞음을 이루고 뜻이 행해지므로 마침내 형통하다.

本義

以卦德卦體而言, 陽猶可亨也.

괘의 덕(德)과 괘의 체(體)로 말했으니 양(陽)이 오히려 형통할 수 있다.

程傳

以卦才言也, 內健而外巽, 健而能巽也. 二五居中, 剛中也. 陽性上進下復乾體, 志在於行也. 剛居中, 爲剛而得中, 又爲中剛, 言畜陽則以柔巽, 言能亨則由剛中. 以成卦之義言, 則爲陰畜陽. 以卦才言, 則陽爲剛中. 才如是, 故畜雖小而能亨也.

괘의 자질로 말하면 내괘인 건괘는 강건하고 외괘인 손괘는 공손하니, 강건하면서도 공손할 수가 있다. 구이효와 구오효는 가운데 자리에 위치하고 있으니, 굳세면서 알맞음을 이루었다.

양(陽)의 성질은 위로 올라가려하는데 아래로 내려와 다시 건(乾)의 형체를 이루었으니, 나아가 행하려는 데 뜻이 있다. 굳셈이 알맞은 위치에 자리한 것은 굳세면서 알맞음을 이룬 것이니, 또 중강(中剛)이다.

양을 길들여 키우는 것으로 말하면 유손(柔巽)한 태도를 지녔기 때문이고, 형통할 수 있는 것으로 말하면, 강중(剛中)한 덕 때문이다. 괘가 성립한 뜻으로 말하면 음이 양을 제지하는 것이고, 괘의 자질 구조로 말하면 양이 강중(剛中)한 것이니, 자질이 이와 같기 때문에, 길들이고 키우는 것이 비록 작지만 형통할 수 있다.

密雲不雨, 尚往也, 自我西郊, 施未行也.

구름이 빽빽이 모였지만 비가 내리지 않는 것은 여전히 가려고 하기 때문이고, 나의 서쪽 교외로부터 왔다는 것은 베풂을 시행할 수 없기 때문이다

本義

"尚往", 言畜之未極其氣猶上進也.

"여전히 가려고 한다"는 저지함이 지극하지 아니하여 그 기운이 여전히 위로 나아감을 말한다.

程傳

畜道不能成大, 如密雲而不成雨. 陰陽交而和則相固而成雨. 二氣不和, 陽尚往而上, 故不成雨. 蓋自我陰方之氣先倡, 故不和而不能成雨, 其功施未行也. 小畜之不能成大, 猶西郊之雲不能成雨也.

길들이는 도가 크게 이루어질 수 없으니 빽빽한 구름이 비를 내리지 못하는 것과 같다. 음과 양이 교류하여 조화하면 서로 엉켜 비가 내린다.
두 기운이 조화를 이루지 못하면, 양은 여전히 올라가려 하므로 비가 내리지 않는다. 내 쪽의 음의 기운이 먼저 부르기 때문에 조화를 이루지 못하여 비를 내리지 못하니, 그 공의 베풂을 모두에게 시행하지 못한다.

작은 것에 의해 길들여지는 것이 크게 이룰 수 없음은 서쪽 교외에서 온 구름이 비를 내리지 못하는 것과 같다.

集說

● 王氏逢曰 : "四以陰盛, 有密雲之象. 以柔止健, 不能固陽, 足以不雨. 西郊陰地, 臣之類也."

왕봉(王逢)[2]이 말했다. "육사효는 음으로 성대하여 빽빽한 구름의 모습이 있다. 부드러움으로 강건한 것을 제지하여 양을 견고하게 할 수 없어 비를 내리지 못한다. 서쪽 교외는 음의 땅이니 신하의 부류이다."

● 楊氏時曰 : "卦五陽而一陰, 則一陰爲之主. 四以陰居陰, '柔得位'也, 爲一卦之主, 而上下應之, 以陰畜陽也. 陽大而陰小, 小者畜也. 此以六四一爻言之也. 合一卦之才, 則三陽健而進, 一陰體巽而上行, 九五剛得中, 與之合志, 則志行矣, 是以亨也."

2) 왕봉(王逢) : 자는 원길(原吉)이고 호는 최한원정(最閑園丁), 최현원정(最賢園丁)이고 또 오계자(梧溪子), 석모산인(席帽山人)이라고 칭한다. 강음(江陰) 사람이다. 원명(元明) 시대 시인이다. 연릉(延陵) 진한경(陳漢卿)으로부터 시를 배우고 명성을 날렸다. 관직에 올랐으나 병이 깊어 사직했다. 송강(松江)을 유람하며 오계정사(悟溪精舍)를 청룡강(青龍江) 부근 청용진(青龍鎭)에 지었다. 왕봉의 이름이 원(園)이라서 최한원(最閑園)이고 사는 곳이 한한초당(閑閑草堂)이다.

양시(楊時)[3]가 말했다. "괘는 다섯 양에 하나의 음이니 하나의 음이 주인이다. 육사효는 음으로 음의 위치에 자리하여 '부드러움이 지위를 얻어' 한 괘의 주효가 되고 위와 아래가 호응하니 음으로 양을 제지한다. 양은 크고 음은 작아서 작은 것이 기른다. 이는 육사효 한 효로 말한 것이다. 한 괘의 자질을 합하면 세 양이 강건하여 전진하고 한 음의 체질이 공손하여 위로 향하니 구오효가 굳세면서 알맞음을 얻어 그와 함께 뜻을 합하면 뜻이 행해지기 때문에 형통하다."

● 項氏安世曰:"陰陽之理, 畜極則亨. 畜之小者, 雖未遽亨, 及其成也, 終有亨理. 以六爻言之, 一柔得位, 五陽應之. 能係其情, 未能全制之也, 故爲小畜. 以二卦言之, 健而能巽, 不激不亢, 其勢必通. 二五皆剛中, 同心同德, 其志必行, 故有亨理, 凡陰閉之極, 則陽氣蒸而成雨. '密雲不雨'者, 陰方上往, 未至於極也. '自我西郊'者, 方起於此, 未至於彼也. 此皆言所畜之小. 然謂之'尙往', 則非不往, 謂之未行, 則非不行, 亨固在其中矣. 此

3) 양시(楊時, 1053~1135) : 자는 중립(中立)이고, 호는 구산(龜山)이며, 시호는 문정(文靖)이다. 북송 검남 장락(劍南將樂 : 현 복건성 장락현) 사람이다. 신종(神宗) 희녕(熙寧) 9년(1076)에 진사에 급제하였지만, 관직에 나가지 않고 10년 동안 칩거하다가 형주교수(荊州敎授), 우간의대부(右諫議大夫), 국자감좨주(國子監祭酒), 공부시랑(工部侍郞), 용도각직학사(龍圖閣直學士) 등을 역임하였다. 정호(程顥) · 정이(程頤) 형제에게 사사(師事)했는데, 특히 형 정호의 신임을 받았다. 민학(閩學)의 창시자로서, 유초(游酢), 여대림(呂大臨), 사량좌와 함께 정문사선생(程門四先生)으로 불렸다. 그의 학문 계통에서 주희 · 장식(張栻) · 여조겸(呂祖謙) 등 뛰어난 학자가 많이 배출되었다. 저서에 『구산집(龜山集)』, 『구산어록(龜山語錄)』, 『이정수언(二程粹言)』 등이 있다.

於人事爲以臣畜君，終當感悟之象."[4]

항안세(項安世)[5]가 말했다. "음양의 이치는 기르는 것이 극한에 이르면 형통하다. 기르는 것이 작은 것은 급작스럽게 형통하지 않지만 그 완성에 이르면 결국에는 형통할 이치가 있다.
여섯 효로 말하면 하나의 부드러움이 지위를 얻고 다섯 양이 호응한다. 그 정에 얽매일 수 있어 온전하게 제지할 수 없기 때문에 작은 것으로 길들임이다. 두 괘로 말하면 강건하면서 공손할 수 있어 격렬하지 않고 오만하지 않아 그 형세가 반드시 통한다. 구이효와 구오효는 모두 굳세면서 알맞음을 얻어 마음을 함께 하고 덕을 함께 하여 그 뜻이 반드시 행하기 때문에 형통할 이치가 있다. 음의 닫힘이 극한에 이르면 양기(陽氣)가 끓어올라 비가 된다.
'빽빽한 구름인데 비가 오지 않는다'는 음이 위로 올라갔으나 극한에 이르지 못한 것이다. '나의 서쪽 교외에서 왔다'는 이쪽에서 일어났으나 저쪽에는 이르지 못한 것이다. 이는 모두 제지한 것이 작은 것이다. 그러나 '여전히 간다'라고 했으니 가지 않는 것이 아니고, 가지 못했다고 했으니 가지 않는 것이 아니라 형통함은 그 가

4) 항안세(項安世), 『주역완사(周易玩辭)』 권1.
5) 항안세(項安世, 1129~1208) : 자는 평부(平父)이고, 호는 평암(平庵)이며, 송대 강릉(江陵 : 현 호북성 소속) 사람이다. 효종(孝宗) 순희(淳熙) 2년(1175) 진사에 급제하여 소흥부교수(紹興府教授)가 되었는데, 당시 절동제거(浙東提擧)를 맡고 있던 주희(朱熹)를 만나 서로 강론하였다. 주희가 간관(諫官)으로 조정에 추천한 적이 있으며, 비서성정자(秘書省正字), 교서랑(校書郞), 지주통판(池州通判) 등을 역임했다. 경원(慶元) 연간에 상소를 올려 주희(朱熹)를 유임하라고 했다가 탄핵을 받고 위당(僞黨)으로 몰려 파직되었다. 나중에 복직되어 여러 벼슬을 거쳤다. 저서에는 『주역완사(周易玩辭)』, 『항씨가설(項氏家說)』, 『평암회고(平庵悔稿)』 등이 있다.

운데 있다. 이는 인간사에서 신하가 군주를 제지하는 일이니 결국에는 감동하여 깨우치는 상(象)이 있다."

● 蔡氏清曰 : "『本義』'其氣猶上進'也, 當以旣雨旣處來照看. 此句全就雲雨說. 不然, 用不得氣字."[6]

채청(蔡清)이 말했다. "『주역본의』에서 '그 기(氣)가 여전히 위로 나아간다'는 것은 마땅히 '비가 내려 스스로 처한다'[7]는 상구효로 조명해 보아야 한다. 이 구절은 전적으로 구름과 비를 가지고 말했다. 그렇지 않다면 기(氣)라는 글자를 쓸 수 없다."

6) 채청(蔡清), 『역경몽인(易經蒙引)』 권1 상.

7) 『주역』「소축(小畜)괘」: "上九, 旣雨旣處, 尙德載, 婦貞厲.[상구효는 비가 내려 스스로 처함은 덕을 숭상하여 오래도록 쌓인 것이니, 부인이 올바름을 고집하면 위태롭다.]"라고 하였다.

10. 리履☰괘

履, 柔履剛也.

리는 부드러움이 굳셈에게 밟히는 것이다.

本義

以二體釋卦名義.

두 괘의 체(體)로 괘 이름을 해석하였다.

集說

● 王氏申子曰 : "履以六三成卦. 三之象, 下迫於二陽之進, 上躡乎三陽之剛."[1]

왕신자(王申子)가 말했다. "리(履)괘는 육삼효로서 괘를 이룬다. 육

1) 왕신자(王申子), 『대역집설(大易緝說)』 권1.

삼효의 모습은 아래로 두 양의 나아감에 핍박받고 위로는 세 양의 강함에 밟혀 있다."

● 胡氏炳文曰 : "『本義』謂二體, 見得是以兌體之柔, 履乾體之剛, 非指六三以柔而履剛也."[2]

호병문(胡炳文)이 말했다. "『주역본의』에서 두 괘체(卦體)를 말하여 태(兌☱)괘 형체의 부드러움으로 건(乾☰)괘 형체의 굳셈에 밟혀 있음을 드러냈으니, 육삼효가 부드러움으로 굳셈을 밟고 있음을 가리키는 것이 아니다.

案

王氏胡氏二說不同, 然當兼用, 其義乃備.

왕씨와 호씨 두 사람의 말이 다르지만 마땅히 겸해 써야 그 뜻이 완비된다.

2) 호병문(胡炳文), 『주역본의통석(周易本義通釋)』 권1.

說而應乎乾. 是以履虎尾不咥人亨.

강건한 것을 기뻐하면서 호응한다. 그래서 호랑이 꼬리를 밟더라도 사람을 물지 않으니, 형통하다.

本義

以卦德釋「彖辭」.

괘의 덕(德)으로 「단전」의 말을 해석하였다.

程傳

兌以陰柔履藉乾之陽剛, 柔履剛也. 兌以說順應乎乾剛而履藉之, 下順乎上, 陰承乎陽, 天下之正理也. 所履如此, 至順至當. 雖履虎尾, 亦不見傷害. 以此履行, 其亨可知.

태(兌☱)괘가 음의 부드러운 성질로 위의 건(乾☰)괘에서 양의 굳센 것 아래 밟혀 깔렸으니, 부드러움이 굳셈에게 밟혔다. 태괘가 기뻐서 순종하는 태도로 건괘의 굳셈에 호응하여 밟히고 깔리니, 아랫사람이 위 사람을 따르는 것이고, 음(陰)이 양(陽)을 잇는 것이니, 세상의 올바른 이치이다.

도리를 이행하는 것이 이와 같다면 지극히 순조롭고 지극히 마땅하다. 호랑이 꼬리를 밟더라도 손상을 당하거나 피해를 입지 않는다. 이렇게 도리를 이행하면 형통하다는 것을 알 수 있다.

集說

● 遊氏酢曰："卦以一柔進退履衆剛, 故有'履虎尾'之象. 然而'不咥人亨'者, 說而應乎乾故也. 夫敬以和, 何事不行! 君子之所履, 苟在於是, 則雖暴人之前無虞矣."[3)]

유초(游酢)가 말했다. "괘는 하나의 유함이 나아가고 물러나 여러 강함에게 밟히는 것이기 때문에 '호랑이 꼬리를 밟는다'는 모습이 있다. 그러나 '사람을 물지 않아 형통하다'는 것은 기쁘게 건(乾)에 호응했기 때문이다. 경(敬)으로 조화하면 어떤 일이든 행하지 못하겠는가! 군자가 이행하는 것이 진실로 여기에 있으니 비록 포악한 사람 앞일지라도 근심이 없다."

● 項氏安世曰："以兌說而應乎乾, 則所行無忤. 履雖危而不傷, 莊周曰, '虎媚養己者順也', 惟柔順而說, 則'履虎尾'而'不咥人', 且有能亨之理."[4)]

항안세(項安世)가 말했다. "태(兌☱)괘의 기쁨으로 건(乾☰)괘에 호응했으니 거스르는 것이 없다. 밟힌 것이 위태롭지만 상해를 받지 않는다. 장주(莊周)가 '호랑이가 자기를 길러 주는 사람에게 잘 보이려는 것은 순종해서이다'라고 했는데 오직 유순(柔順)하고 기뻐하면 '호랑이 꼬리를 밟더라도' '사람을 물지 않고' 또 형통할 수 있는 이치가 있다."

3) 유초(游酢), 『유치산집(游廌山集)』 권2.
4) 항안세(項安世), 『주역완사(周易玩辭)』 권1.

● 胡氏炳文曰："說而應乎乾，亦是以下體之兌，應上體之乾. 若蒙曰'志應'，師曰'剛中而應'，是剛柔兩爻自相應. 比小畜上下應，是一爻爲主，而衆爻應之."

호병문(胡炳文)이 말했다. "기뻐하면서 건(乾)에 호응함도 하체의 태(兌☱)괘가 상체의 건(乾☰)괘에 호응하는 것이다. 예를 들어 몽(蒙)괘의 '뜻이 호응한다'[5]와 사(師)괘의 '하면서도 중(中)을 얻는다'[6]는 강(剛)과 유(柔) 두 효가 원래 서로 호응하는 것이다. 비(比)괘와 소축(小畜)괘는 위와 아래가 호응하니 한 효가 주된 것이고 여러 효가 호응한다.

---

5) 『주역』「몽(蒙)괘」："彖曰，蒙，山下有險，險而止，蒙. 蒙亨，以亨行時中也. 匪我求童蒙，童蒙求我，志應也.[「단전」에서 말했다. 몽괘는 산 아래에 위험이 있는 모습이니, 위험이 있어 멈추는 것이 어린 아이의 어리석음이다. '어리석음은 형통할 수 있다'는 것은 형통할 수 있는 도(道)로 가니, 때를 얻고 중도를 이루었기 때문이다. '내가 어리석은 어린 아이를 구하는 것이 아니라 어리석은 어린 아이가 나를 찾는다'는 것은 뜻이 응했기 때문이다.]"라고 하였다.

6) 『주역』「사(師)괘」："剛中而應，行險而順.[강하면서도 중(中)을 얻고 올바른 상대와 호응하며, 험난한 길을 가지만 이치를 따른다.]"라고 하였다.

剛中正, 履帝位而不疚, 光明也.

굳세면서 중정(中正)을 지킨 태도로 제왕의 지위를 이행하여 허물이 없으니 그 덕이 빛나리라.

本義

又以卦體明之, 指九五也

또 괘의 체(體)로 밝혔으니, 구오효를 가리킨다.

程傳

九五以陽剛中正, 尊履帝位, 苟無疚病, 得履道之至善光明者也. '疚'謂疵病, 夬履是也. '光明', 德盛而輝光也.

구오효는 양의 굳셈으로 중정(中正)을 이루고 제왕의 지위를 존귀하게 이행하여 진실로 병폐가 없으며 지극히 훌륭하게 도리를 이행했으니 그 덕이 빛나는 자이다.
'구(疚)'는 흠과 병폐를 말하니, 구오효의 '쾌리(夬履)'가 그러하다.
'광명(光明)'이란 덕이 성대하여 밝게 빛나는 것이다.

集說

● 張氏浚曰 : "九五履乾正位, 曰'剛中正.' 剛健不息, 體大中至正之道, 以君臨天下, '履帝位而不疚'也. 君臨天下者, 其可危爲大. 蓋人君以一身撫馭海內, 使所履一不正, 而蹈於非禮, 則政令紀綱弛於上, 讒賊寇攘起於下. 穆王命君牙曰, '心之憂危, 若蹈虎尾, 涉於春冰'是也."[7]

장준(張浚)[8]이 말했다. "구오효는 건(乾☰)괘의 올바른 지위를 밟아 '굳세면서 중정(中正)을 지킨다'고 했다. 강건하여 쉼이 없어 큰 중(中)과 지극한 정(正)의 도를 체득하여 군주로서 천하에 임하니 '제왕의 지위를 이행하여 허물이 없다.' 군주가 천하에 임하였으니 그 위태로움이 클 수 있다. 군주는 한 몸으로 세상을 위로하면서 다스리니 이행하는 것이 하나라도 옳지 않게 되고 예가 아닌 것을 밟으면 정령(政令)의 기강이 위에서 해이해지고 아첨하는 도적과 노략질이 아래에서 일어난다. 목왕(穆王)이 군아(君牙)에게 명령하기를 '마음에 근심하고 위태롭게 여기는 것이 마치 호랑이 꼬리를 밟는 듯하고 봄에 살얼음을 건너는 듯하다'[9]고 한 말이 바로

7) 장준(張浚), 『자암역전(紫巖易傳)』 권1.

8) 장준(張浚, 1097~1164) : 자는 덕원(德遠)이고, 세칭 자암선생(紫巖先生)으로 불렸으며, 시호는 충헌(忠獻)이다. 송대 한주 면죽(漢州綿竹 : 현 사천성 소속) 사람이다. 휘종(徽宗) 정화(政和) 8년(1118)에 진사(進士)에 급제하여, 벼슬은 추밀원편수관(樞密院編修官), 시어사(侍禦史), 예부시랑(禮部侍郎), 지추밀원사(知樞密院事), 상서우복야(尙書右僕射) 등을 지냈다. 남송 시대 금(金)나라의 침입에 대항한 명장이며 명재상으로도 유명하다. 학문적으로는 주희와 교류한 장식(張栻)의 아버지고, 초정(譙定)의 문인이며, 정이(程頤)와 소식(蘇軾)의 재전제자(再傳弟子)로서 특히 『역』에 정통하였다. 저서에는 『자암역전(紫巖易傳)』, 『역해(易解)』, 『서해(書解)』, 『시해(詩解)』, 『춘추해(春秋解)』, 『중용해(中庸解)』, 『장위공집(張魏公集)』 등이 있다.

9) 『서(書)』「주서 · 군아」, "惟予小子, 嗣守文武成康遺緖, 亦惟先王之臣, 克左右, 亂四方, 心之憂危, 若蹈虎尾, 涉于春冰.[소자(小子)가 문왕(文

이것이다."

王)·무왕(武王)·성왕(成王)·강왕(康王)이 남기신 전통을 이어 지킴은 또한 선왕(先王)의 신하들이 능히 자우(左右)[보좌]하여 사방(四方)을 다스리기 때문이니, 마음에 근심하고 위태롭게 여김이 범의 꼬리를 밟는 듯하며 봄에 살얼음을 건너는 듯하다.]"라고 하였다.

11. 태泰䷊괘

'泰, 小往大來吉亨', 則是天地交而萬物通也, 上下交而其志同也. 內陽而外陰, 內健而外順, 內君子而外小人, 君子道長, 小人道消也.

"소통의 때는 작은 것이 가고 큰 것이 오니, 길하여 형통하다"는 하늘과 땅이 교류하여 모든 것이 소통하고, 위와 아래가 교류하여 그 뜻이 같아지는 것이다. 양이 안에서 자리 잡고 음이 밖에서 자리 잡으며 안으로는 강건하고 겉으로는 유순하고, 군자가 안에 있고 소인이 밖에 있으며 군자의 도가 자라나고 소인의 도가 줄어든다.

程傳

"小往大來", 陰往而陽來也, 則是天地陰陽之氣相交, 而萬物得遂其通泰也. 在人則上下之情交通, 而其志意同也. 陽來居內, 陰往居外, 陽進而陰退也. 乾健在內, 坤順在外, 爲"內健而外順", 君子之道也. 君子在內, 小人在外, 是"君子道長, 小人道消", 所以爲泰也. 旣取陰陽交和, 又取君子道長. 陰陽交

和, 乃君子之道長也.

"작은 것이 가고 큰 것이 온다"는 말은 음이 가고 양이 오는 것이니, 하늘과 땅, 음과 양의 기운이 서로 사귀어 모든 사물이 안정을 이룬다는 것이다. 인간사에서는 위와 아랫사람들의 정(情)이 서로 교류하고 소통하여, 그 뜻이 같게 되는 것이다. 양이 와서 안에 자리 잡고, 음이 가서 밖에 자리 잡으니, 양은 나아가고 음은 물러난다. 건(乾)의 강건함이 안에 있고 곤(坤)의 유순함이 밖에 있으니, "안으로는 강건하고 겉으로는 유순하니", 이것이 군자의 도리이다. 군자가 안에 있고, 소인이 밖에 있으니, 이것이 "군자의 도가 자라나고 소인의 도가 줄어들어" 안정을 이루는 것이다.
음양(陰陽)이 교류하여 조화를 이루는 의미를 이미 취했고, 또 군자의 도가 자라나는 것을 취했다. 음과 양이 교류하여 조화를 이룸이 바로 군자의 도가 자라나는 것이다.

集說

● 孔氏穎達曰: "所以得名爲泰者, 由天地氣交, 而生養萬物, 物得大通, 故云泰也. 上下交而其志同, 以人事象天地之交也. 內陽外陰據其象, 內健外順明其性, 此就卦爻釋'小往大來吉亨'也. '內君子而外小人, 君子道長, 小人道消', 更就人事之中, 釋'小往大來吉亨'也."[1]

공영달(孔穎達)이 말했다. "괘가 태평성대라는 이름을 얻은 까닭은

1) 공영달(孔穎達), 『주역주소(周易注疏)』 권1.

천지의 기가 교류하여 만물을 낳고 길러 만물이 크게 소통하기 때문에 태평의 시대이다. 윗사람과 아랫사람이 교제하여 그 뜻이 같게 되어 인간사에서 하늘과 땅의 교제로 상징했다. 안으로 양이고 밖으로 음인 것은 그 모습에 준거했고 안으로 강건하고 밖으로 유순한 것은 그 성질을 밝혔으니 이것이 괘효를 '소통의 때는 작은 것이 가고 큰 것이 오니, 길하여 형통하다'고 해석한 것이다. '군자가 안에 있고 소인이 밖에 있으며 군자의 도가 자라나고 소인의 도가 줄어든다'는 것은 인간사 가운데 '작은 것이 가고 큰 것이 오니, 길하여 형통하다'를 해석하였다.

● 項氏安世曰："泰否「彖」皆具三義. 第一段, 以重卦上下爲義, 於陰陽二氣, 無所抑揚, 但貴其交而已. 第二段, 以卦體內外爲義, 雖在內在外, 各得其所, 要是重內輕外, 則已於陰陽有所抑揚矣. 第三段, 以六爻消長爲義, 至此則全是好陽而惡陰, 以陽長陰消爲福, 則不止於抑揚而已. 否「彖」依此推之, 大抵諸卦皆然. 如小畜之「彖」, '柔得位而上下應之', 是統論六爻五陽一陰也. '健而巽', 卻以兩卦言之. '剛中而志行', 又以九二九五兩爻言之. 故彖之義無所不備, 不可以一說通也."[2]

항안세(項安世)가 말했다. "태(泰)괘와 비(否)괘 「단전」에는 모두 세 가지 뜻이 구비되어 있다. 첫 번째, 상괘와 하괘가 거듭된 것으로 뜻을 삼았으니, 음양 두 기운이 억압하거나 드러냄 없이 교제하는 것을 귀하게 여겼을 뿐이다. 두 번째는 내괘와 외괘를 뜻으로 삼았으니 안에 있거나 밖에 있거나 각각 그 마땅한 장소를 얻어 안을 중시하고 밖을 경시하였으니 이미 음양에 억압하거나 드러내는

2) 항안세(項安世), 『주역완사(周易玩辭)』 권1.

것이 있다. 세 번째 여섯 효의 자라나고 줄어듦으로 뜻을 삼았으니 여기에 이르러 양을 좋아하고 음을 미워하여 양이 자라나고 음이 줄어드는 것을 복으로 삼았으니 억압하고 드러내는 것에 그치지 않았다. 비(否)괘 단전은 이것에 근거하여 추론하였으니 모든 괘가 그러하다. 예를 들어 소축(小畜)괘의 「단전」에서 '유함이 자리를 얻어 위와 아래가 호응한다'고 했으니 여섯 효에서 다섯 양효와 하나의 음효를 통괄적으로 논했다. '강건하면서 공손하다'고 했으니 오히려 두 괘로 말한 것이다. '굳세면서 부드러움을 얻어 뜻을 행한다'고 했으니 또 구이효와 구오효 두 효를 가지고 말했다. 그러므로 「단전」의 뜻은 갖추어지지 않음이 없으니 한 가지 설로 통할 수 없다."

● 邱氏富國曰:"天地之形不可交而以氣交, 氣交而物通者, 天地之泰也. 上下之分不可交而以心交, 心交而志同者, 人事之泰也. 陰陽以氣言, 健順以德言, 君子小人以類言, 內外, 釋往來之義. 陰陽健順君子小人, 釋小大之義."[3]

구부국(邱富國)[4]이 말했다. "하늘과 땅의 형체가 교접할 수 없어 기(氣)로 교제하고 기가 교제하여 사물이 통하는 것이 하늘과 땅의 소통이다. 윗사람과 아랫사람의 본분이 교제할 수 없어 마음으로

3) 구부국(丘富國), 『주역집해(周易輯解)』 권1.
4) 구부국(丘富國): 자는 행가(行加)이고, 남송 건안(建安: 현 복건성 건구〈建甌〉) 사람이다. 주자의 문인으로 주자의 역학사상을 주로 계승 발전시켰다. 이종(理宗) 순우(淳祐) 7년(1247)에 진사에 급제하여 벼슬은 단주첨판(端州僉判)을 역임했다. 남송이 망하자 은거하고 벼슬하지 않았다. 저서에는 『주역집해(周易輯解)』, 『역학설약(易學說約)』, 『경세보유(經世補遺)』 등이 있다.

교제하고 마음이 교제하여 뜻이 같아지는 것이 인간사의 소통이다. 음양은 기로 말하고 건순(健順)은 덕으로 말하고 군자와 소인은 부류로 말하고 안과 밖은 가고 오는 뜻을 해석한 것이다. 음양, 건순, 소인과 군자는 크고 작음의 뜻을 해석하였다."

● 王氏應麟曰:"君子道盛, 小人自化. 故舜湯擧皐伊, 而不仁者遠. 玉泉喻氏云, 泰小人道消, 非消小人也, 化小人爲君子也."[5]

왕응린(王應麟)[6]이 말했다. "군자의 도가 성대하면 소인은 저절로 교화된다. 그러므로 순임금과 탕왕은 고요와 이윤을 등용하여 불인한 사람들을 멀리했다. 옥천(玉泉) 유씨(喻氏)는 '태(泰)괘는 소인의 도가 소멸하는 것이지 소인을 소멸시키는 일이 아니니, 소인을 교화하여 군자가 되게 한다."

● 喬氏中和曰:"有陽必有陰, 有君子必有小人. 必欲絕而去之, 有是哉! 善養身者, 化痰邪爲氣血, 善治國者, 化盜賊爲良民而已矣."

---

5) 왕응린(王應麟), 『곤학기문(困學紀聞)』 권1.
6) 왕응린(王應麟, 1223~1296) : 자는 백후(伯厚)이고, 호는 심녕거사(深寧居士)이다. 남송(南宋) 때의 학자로서 박학하고 경사백가(經史百家), 천문지리 등에 조예가 깊었다. 장고제도(掌故制度)에 익숙하고 고증에 능했다. 저서로는 『곤학기문(困學紀聞)』, 『옥해(玉海)』, 『시고(詩考)』, 『시지리고(詩地理考)』, 『한예문지고증(漢藝文志考證)』, 『옥당류고(玉堂類稿)』, 『심녕집(深寧集)』, 『삼자경(三字經)』 등이 있다. 그중에서 『옥해』 200권은 남송에서 가장 완비된 『유서類書)』 곧 백과사전이다.

교중화(喬中和)[7]가 말했다. "양이 있으면 반드시 음이 있고 군자가 있으면 반드시 소인이 있다. 반드시 끊어 없애버리려 하지만 이런 일이 있을 수 있겠는가! 몸을 잘 수양하는 일은 병을 다스려 기혈(氣血)로 만드는 것이고 나라를 잘 다스리는 일은 도적을 교화하여 양민을 만드는 것일 뿐이다."

7) 교중화(喬中和) : 자는 환일(還一)이다. 명(明)대 순덕부(順德府) 내구(內丘) 사람으로, 숭정(崇禎) 연간에 등용되어 벼슬은 태원부(太原府) 통판(通判)에 이르렀다. 저서에 『설역(說易)』, 『설주(說疇)』, 『도서연(圖書衍)』, 『대역변통(大易通變)』, 『원운보(元韻譜)』 등이 있다.

12. 비否䷋괘

“否之匪人, 不利君子貞. 大往小來”, 則是天地不交, 而萬物不通也, 上下不交, 而天下無邦也. 內陰而外陽, 內柔而外剛, 內小人而外君子, 小人道長, 君子道消也.

“정체는 인간의 길이 아니고, 군자가 올바름을 지키기에 이롭지 않다. 큰 것이 가고 작은 것이 온다”는 것은 하늘과 땅이 교류하지 않아 만물이 소통되지 않으며, 위와 아래가 교류하지 않아 세상에 나라가 없다는 말이다. 안에는 음이 자리하고 밖에 양이 자리하며, 안에는 부드러움이 자리하고 밖에 굳셈이 자리하며, 안에 소인이 자리하고 밖에 군자가 자리하니, 소인의 도는 자라나고 군자의 도는 줄어든다.

程傳

夫天地之氣不交, 則萬物无生成之理. 上下之義不交, 則天下无邦國之道. 建邦國所以爲治也. 上施政以治民, 民戴君而從命, 上下相交, 所以治安也. 今上下不交, 是天下无邦國之道

也. 陰柔在內, 陽剛在外, 君子往居於外, 小人來處於內, 小人道長, 君子道消之時也.

하늘과 땅의 기운이 교류하지 않으니, 만물이 생성될 이치가 없다. 윗사람과 아랫사람의 뜻이 교류하지 않으니, 세상에 나라의 도가 없다. 나라를 세우는 것은 세상을 다스리기 위해서이다. 윗사람이 정치를 시행하여 백성을 다스리고 백성은 군주를 모시고 명령을 따라 위와 아래가 교류해야 다스려져 안정을 이룬다. 그러나 지금은 위와 아래가 교류하지 않으니, 이는 세상에 나라의 도가 없는 것이다. 음의 부드러움은 안에 자리하고, 양의 굳셈은 밖에 자리하며 군자는 나가서 밖에 자리하고 소인은 와서 안에 처하니, 소인의 도가 자라나고 군자의 도는 줄어드는 때이다.

集說

● 胡氏瑗曰 : "內柔而外剛者, 小人之體也. 『語』曰, '色厲而內荏', 外有嚴厲之色, 內有柔荏之心, 此所以反君子之道也."[1)]

호원(胡瑗)이 말했다. "안으로 부드러움이 자리하고 밖으로 굳셈이 자리한 것은 소인의 형체이다. 『논어』에서 '얼굴빛은 위엄이 있으면서 마음이 유약하다'[2)]고 했으니 겉으로는 엄격한 얼굴빛이지만 안으로는 유약한 마음이 있어 이는 군자와 반대되는 도이다."

1) 호원(胡瑗), 『주역구의(周易口義)』 권3.

2) 『논어』「양화」 : "얼굴빛은 위엄이 있으면서 마음이 유약한 것을 소인에게 비유하면 벽을 뚫고 담을 넘는 도적과 같을 것이다.[色厲而內荏, 譬諸小人, 其猶穿窬之盜也與.]"라고 하였다.

● 李氏過曰："否泰反其類, 故否之辭皆與泰反."[3]

이과(李過)[4]가 말했다. "비(否)괘와 태(泰)괘는 그 종류가 반대되기 때문에 비괘의 말들은 모두 태괘와 반대된다."

● 吳氏綺曰："六十四卦, 獨乾坤泰否四卦言陰陽. 乾坤, 陰陽也. 惟泰否二卦, 內外皆得乾坤之全體, 故亦以陰陽言也."

오기(吳綺)[5]가 말했다. "64괘에서 유독 건(乾☰)괘, 곤(坤☷), 태(泰䷊)괘, 비(否䷋)괘만 음양을 말했다. 건곤이 음양이다. 오직 태괘와 비괘 두 괘에서 안과 밖은 모두 건과 곤의 온전한 형체를 얻었기 때문에 또한 음과 양으로 말했다."

3) 이과(李過), 『서계역설(西谿易說)』 권10.

4) 이과(李過) : 송(宋)대 강소성 흥화(興化) 사람으로 자는 계변(季辨)이다. 20여 년의 노력을 쏟아 부어 『서계역설(西溪易說)』을 저술했다. 풍의(馮椅)는 『후재역학(厚齊易學)』에서 그의 의견이 새로운 경지를 개척한 점이 많다고 평가하였다. 영종(寧宗) 경원(慶元) 4년(1198)에 쓴 자서(自序)가 남아있다.

5) 오기(吳綺, 1619~1694) : 자는 원차(園次)이고 풍남(豊南)이며 호는 기원(綺園)이고 또 청옹(聽翁)이라고도 한다. 청(淸)대 학자이며 사인(詞人)으로 강도(江都) 사람이다. 순치(順治) 11년(1645) 공생(貢生)이 되고 홍문원중서사인(弘文院中書舍人)에 천거되어 병부주사(兵部主事), 무선사원외랑(武選司員外郞) 등을 역임했다. 사(詞)와 시(詩)로 유명하다. 『임혜당집(林蕙堂集)』이 있다.

13. 동인同人䷌괘

同人, 柔得位得中而應乎乾, 曰同人.

"동인은 부드러움이 올바른 지위를 얻어 중도를 이루어 강건함에 호응하니 동인이라고 한다."

本義

以卦體釋卦名義. 柔, 謂六二, 乾, 謂九五.

괘의 체(體)로 괘 이름의 뜻을 해석하였다. 유(柔)는 육이효를 말하고, 건(乾)은 구오(九五)를 이른다.

程傳

言成卦之義. "柔得位", 謂二以陰居陰, 得其正位也. 五中正而二以中正應之, "得中而應乎乾"也. 五剛健中正, 而二以柔順中正應之, 各得其正, 其德同也, 故爲同人. 五, 乾之主, 故云"應乎乾". 「象」取天火之象, 而「彖」專以二言.

괘가 이루어진 뜻을 말했다. "부드러움이 올바른 지위를 얻었다"는 말은 육이효가 음(陰)의 자질이면서 음(陰)의 위치에 자리했기 때문에 그에 걸맞는 올바른 지위를 얻었다는 말이다. 구오효는 중정(中正)을 이루었는데 육이효가 중정으로써 구오효에 호응하니 "중도(中道)를 이루어 강건함에 호응하는" 것이다.

구오효는 강건하면서도 중정을 이루었고 육이효는 유순하면서도 중정을 이루어 그에 호응하니 각각 그 올바름을 얻었고 그 덕을 함께 하기 때문에 동지와의 연대이다. 구오효는 위의 건괘의 주효이므로 "강건함에 호응한다"고 했다.

「상전」에서는 하늘과 불의 상징을 취하고, 「단전」에서는 두 효의 관계로 말했다.

集說

● 項氏安世曰 : "同人以一柔爲主, 徒柔不能以同乎人也, 必以天德行之, 故雖'得位得中', 而必'應乎乾', 乃可謂之同人. 至於'利涉大川', 則又曰此'乾行也', 明非柔之所能辦也. 凡卦之以柔爲主者皆然. 履之六三, 不能以自亨也, 必曰'應乎乾', 是以'履虎尾不咥人亨'. 小畜之六四, 不能以自亨也, 必曰'剛中而志行乃亨'. 大有之六五, 不能以自亨也, 必曰'應乎天而時行, 是以元亨'. 凡此皆柔爲卦主. 而其濟也必稱乾焉, 此乾之所以爲大與."[1]

항안세(項安世)가 말했다. "동인(同人)괘는 하나의 부드러움이 주효이지만 부드러움이 사람들을 함께 하도록 할 수 없어 반드시 천

1) 항안세(項安世), 『주역완사(周易玩辭)』 권1.

덕(天德)으로 행해야 하기 때문에 '지위를 얻고 중도를 얻었더라도' 반드시 '건(乾)에 호응해야' 동인(同人)이라고 할 수 있다. '큰 강을 건너는 것이 이롭다'에 이르러 또 이 '건으로 행한다'고 했으니 부드러움이 주관할 수 있는 것이 아님을 밝혔다. 괘에서 부드러움이 주효가 된 것은 모두 그러하다. 리(履☰)괘의 육삼효는 스스로 형통할 수 없어 반드시 '건(乾)에 호응한다'고 했으니, 그래서 '호랑이 꼬리를 밟더라고 사람이 물리지 않아 형통하다.' 소축(小畜☰)괘의 육사효는 스스로 형통할 수 없어 반드시 '강하면서 중도를 이루어 뜻을 행하니 형통한다'라고 했다. 대유(大有☰)괘의 육오효는 스스로 형통할 수 없어 반드시 '하늘에 호응하여 때에 맞게 행하니 그래서 크게 형통한다'고 했다. 이는 모두 부드러움이 괘의 주효가 되는 것이다. 그것을 해결하는 사안에서 반드시 건(乾)을 칭했으니, 이 건이 위대하게 되는 까닭이다."

案

『傳』義皆以乾爲專指九五, 然若專指二五之應, 恐不得謂之"同人於野"矣. 蓋乾者陽爻之通稱, 一陰虛中, 與五陽相應, 此卦所以爲同人也. 不言上下應者, 蓋陰陽居上體而爲卦主, 則可言上下應, 如比如小畜如大有是也. 若在下體, 則但言應而已, 蒙師履及此卦是也.

『정전』의 뜻은 모두 건(乾)을 오로지 구오효를 가리키는 것으로 여겼는데, 육이효와 구오효가 호응하는 것을 가리킨다면 아마도 "광야에서 사람과 함께 한다"고 말할 수 없다. 건(乾)은 양효를 통칭하는 것인데 하나의 음이 마음을 비우고 중도를 이루어 다섯 양과 서로 호응하니, 이것이 괘가 동인(同人)이 되는 까닭이다.
위와 아래가 호응한다고 말하지 않았으니 음양이 상체에 자리하여 괘의 주효가 되고 위와 아래가 호응한다고 말할 수 있는 것은 비(比䷇)괘와 소축(小畜䷈)괘, 대유(大有䷍)괘가 그러하다. 하체에서 단지 호응하는 것만을 말했다면 몽(蒙䷃)괘와 사(師䷆)괘, 리(履䷉)괘와 이 괘가 그러하다.

同人曰.

本義

衍文.

잘못 덧붙여진 글자이다.

程傳

此三字羨文.

이 세 글자는 잘못 연결된 글이다.

集說

孔氏穎達曰 : “稱‘同人曰’, 猶言同人卦曰也.”[2]

공영달(孔穎達)이 말했다. “‘동인왈(同人曰)’이라고 일컬은 것은 동인괘에서 말했다고 한 것과 같다.”

2) 공영달(孔穎達), 『주역주소(周易注疏)』 권1.

"同人於野亨, 利涉大川", 乾行也. 文明以健, 中正而應, 君子正也. 唯君子爲能通天下之志.

"동지와의 연대는 광야에서 이루면 형통하다. 큰 강을 건너는 것이 이롭다"는 것은 건乾의 행함이다. 문명(文明)하면서 강건하고 중정(中正)의 도로 호응하니 군자의 올바름이다. 오직 군자라야 천하의 뜻과 통할 수 있다.

本義

以卦德卦體釋卦辭. 通天下之志, 乃爲大同. 不然, 則是私情之合而已, 何以致亨而利涉哉!

괘의 덕(德)과 괘의 체(體)로 괘사(卦辭)를 해석하였다. 천하의 마음을 통하여야 대동(大同)이 된다. 그렇지 않으면 이는 사사로운 정으로 합한 것일 뿐이니, 어찌 형통함을 이루어 이롭게 건너겠는가!

程傳

至誠無私, 可以蹈險難者, 乾之行也. 無私, 天德也. 又以二體言其義. 有文明之德而剛健, 以中正之道相應, 乃君子之正道也. 天下之志萬殊, 理則一也. 君子明理, 故能通天下之志. 聖人視億兆之心猶一心者, 通於理而已. 文明則能燭理, 故能明大同之義, 剛健則能克己, 故能盡大同之道. 然後能中正合乎乾行也.

지극히 성실함으로 행하고 사사로움 없이 장애와 어려움을 극복할 수 있는 것은 건(乾)이 행한다. 사사로움이 없는 것은 하늘의 덕이다. 또 두 괘의 형체로 그 의미를 말했다.
이(離☲)괘에서 문명(文明)한 덕을 가지고 있고 건(乾☰)괘에서 강건함이 있어 중정(中正)의 도로 서로 호응하니, 군자의 정도(正道)이다. 세상 사람들이 지향하는 뜻은 매우 다양하지만 그것의 이치는 하나로 연결되어 있다. 군자는 그 이치에 밝기 때문에 세상 사람들의 뜻을 이해할 수 있다. 성인이 수많은 사람들의 마음을 하나의 마음처럼 보는 것은 이 이치에 통달했기 때문일 뿐이다.
문명(文明)한 덕이 있으면 이치를 밝힐 수 있기 때문에 대동(大同)의 의리(義理)를 밝힐 수 있으며, 강건하면 자신을 극복할 수가 있기 때문에 대동의 도를 다할 수 있다. 그런 뒤에 중정(中正)을 이루어 건(乾)의 행함에 부합할 수 있다.

案

上專以"乾行"釋"於野""涉川"者, 但取剛健無私之義也. 下釋"利貞", 則兼取明健中正之義. 蓋健德但主於無私而已. 必也有文明在於先, 而所知無不明, 有中正在於後, 而所與無不當. 然後可以盡無私之義, 而爲君子之貞也.

위에서는 "건(乾)이 행한다"는 것으로 "광야에서"와 "강을 건넌다"는 구절을 해석했는데 강건하고 사사로움이 없는 뜻만을 취했다. 아래에서 "올바름이 이롭다"를 해석했으니 밝고 강건하고 중정(中正)을 이룬 뜻을 겸하여 취했다.
강건한 덕은 사사로움이 없다는 뜻이 주될 뿐이다. 반드시 문명(文

明)한 덕이 앞서 있어야 앎에 밝지 않음이 없고, 중정(中正)이 뒤에 있어야 함께 하는 데 합당하지 않음이 없다. 그런 뒤에 사사로움이 없다는 뜻을 다할 수 있고 군자의 올바름이 된다.

14. 대유大有䷍괘

大有, 柔得尊位大中, 而上下應之, 曰大有.

대유는 부드러운 것이 존귀한 지위를 얻고 가장 알맞은 자리에서 위와 아래가 호응하므로 거대한 소유라고 했다.

本義

以卦體釋卦名義, 柔謂六五, 上下謂五陽.

괘의 체(體)로 괘 이름의 뜻을 해석하였다. 유(柔)는 육오효를 말하고 위와 아래는 다섯 양(陽)을 말한다.

程傳

言卦之所以爲大有也. 五以陰居君位, "柔得尊位"也. 處中, 得大中之道也. 爲諸陽所宗, "上下應之"也. 夫居尊執柔, 固衆之所歸也, 而又有虛中文明大中之德, 故上下同志應之, 所以爲大有也.

괘가 왜 대유인지를 말했다. 육오효가 음(陰)의 자질로 군주의 지위에 자리하니, "부드러운 것이 존귀한 지위를 얻은" 것이다. 알맞은 자리에 있으니 큰 중도(中道)를 얻는다.

여러 양효들의 종주(宗主)가 되니, "위와 아래가 호응하는" 것이다. 존귀한 지위에 자리하면서도 부드러운 태도를 지니면 실로 군중들이 모이고 또 마음을 텅 비우고 문명(文明)하며 큰 중도의 덕을 지녔기 때문에 위와 아래가 뜻을 함께 하면서 호응하니, 거대한 소유가 된다.

集說

● 蘇氏軾曰 : "謂五也, 大者皆見有於五, 故曰大有."[1]

소식(蘇軾)이 말했다. "오(五)라고 했는데, 큰 것이 모두 오효에서 드러나기 때문에 대유(大有)라고 한다.

● 郭氏忠孝曰 : "'柔得尊位大中', 謙以居之, 不自滿假者也. 以一柔而應五剛, 所謂所寶唯賢, '光天之下, 萬邦黎獻, 共唯帝臣.' 不如是, 不足以爲尙賢也."

곽충효(郭忠孝)[2]가 말했다. "'부드러움이 존귀한 지위를 얻고 가장

1) 소식(蘇軾), 『동파역전』「대유(大有)괘」.
2) 곽충효(郭忠孝, ?~1128) : 자는 입지(立之)이고, 호는 겸산(兼山)이다. 북송대 낙양(현 하남성 낙양시) 사람으로 곽규(郭逵)의 아들이고 곽옹(郭雍)의 아버지이다. 정이(程頤)에게 『역(易)』과 『중용(中庸)』을 배웠다. 부친의 음사(蔭仕)로 우반전직(右班殿直)에 올랐다가 진사가 된 뒤

알맞은 자리에 있다'는 것은 겸손하게 자리하여 스스로 오만하거나 거짓되지 않은 것이다. 하나의 부드러움으로 다섯의 굳셈에 호응하니 보배로운 것이 오직 현자이니 '천하에 빛나서 온 나라의 여러 백성 중에 어진 자가 함께 황제의 신하가 되려 할 것이다.'[3] 그렇지 않다면 현자를 숭상하기에는 부족하다."

● 楊氏萬里曰:"同人大有, 一柔五剛均也. 柔在下者, 曰得位, 曰得中, 曰應乎乾, 而爲同人, 我同乎彼之辭也. 柔在上者, 曰尊位, 曰大中, 曰上下應, 而爲大有, 我有其大之辭也."[4]

양만리(楊萬里)가 말했다. "동인(同人)괘와 대유(大有)괘는 하나의

벼슬은 하동로제거(河東路提擧), 군기소감(軍器少監)을 역임했다. 금나라가 영흥(永興)을 침공할 때 수성(守城)하다가 성이 함락되자 전사했다. 그의 역학사상은 순희(淳熙) 연간에 편찬된 『대역수언(大易粹言)』에 정호(程顥)와 정이(程頤), 장재(張載), 양시(楊時), 유초(游酢), 곽옹(郭雍) 등의 학설과 함께 실려 있다. 저서에 『중용설(中庸說)』, 『겸산역해(兼山易解)』, 『역서(易書)』, 『사학연원론(四學淵源論)』 등이 있다.

3) 『서경』「우서·익직」: "우(禹)가 말씀하기를 '아! 황제의 말씀이 옳기는 하오나 황제의 덕이 천하에 빛나 바다 모퉁이의 창생(蒼生)에게까지 이르게 하신다면 온 나라의 여러 백성 중에 어진 자가 함께 황제의 신하가 되려는 생각을 할 것이니, 황제께서는 이에 들어 쓸 뿐입니다. 아랫사람들이 펴서 아뢰거든 받아들이되 말로써 하시며 여러 사람을 밝히되 공으로써 하시며 수레와 의복으로 공을 표창하시면 누가 감히 사양하지 않으며 감히 공경히 응하지 않겠습니까. 황제께서 이렇게 하지 않으시면 부화뇌동하여 날로 공이 없음에 나아갈 것입니다.[禹曰,兪哉, 帝光天之下, 至于海隅蒼生, 萬邦黎獻, 共惟帝臣, 惟帝時擧. 敷納以言, 明庶以功, 車服以庸, 誰敢不讓, 敢不敬應. 帝不時, 敷同, 日奏罔功.]"라고 하였다.

4) 양만리(楊萬里), 『성재역전(誠齋易傳)』 권4.

부드러움이 다섯의 굳셈에 대적한다. 부드러움이 아래에 있는 것은 '지위를 얻었다'고 하고 '알맞음을 얻었다'고 하고 '건에 호응한다'고 하는 것은 동인(同人)괘이니 내가 저와 같다는 말이다. 부드러움이 위에 있어 존귀한 지위라 하고 가장 알맞음이라 하고 위와 아래가 호응한다고 하는 것은 대유(大有)괘이니 내가 그 큼을 소유한 말이다."

● 項氏安世曰 : "一陰在下, 勢不足以有衆, 能推所有以同乎人者也, 故名曰同人. 一陰在上, 人同乎我, 爲我所有者也, 故名曰大有. 「彖」於同人曰應乎乾, 明我應之也. 於大有曰上下應之, 明人應我也. 履卦柔在下, 亦曰應乎乾. 小畜柔在上, 亦曰上下應之. 此可以推卦例矣."[5)]

항안세(項安世)가 말했다. "하나의 음이 아래에 있어 세력이 군중을 갖기에는 부족하지만 가진 것을 미루어 사람들과 함께 할 수 있는 자이기 때문에 동인(同人)괘라고 한다. 하나의 음이 위에 있어 사람이 나와 함께 하여 나의 소유가 되기 때문에 대유(大有)괘라고 한다. 동인괘 「단전」에서 건(乾)에 호응한다고 하여 내가 호응한다는 것을 밝혔다. 대유(大有)괘에서는 위와 아래가 호응한다고 하여 사람들이 나에게 호응한다는 점을 밝혔다. 리(履)괘에서는 부드러움이 아래에 있어 또한 건이 호응한다고 했다. 소축(小畜)괘에서는 부드러움이 위에 있어 또한 위와 아래가 호응한다고 했다. 이것으로 괘의 사례를 추론할 수 있다."

5) 항안세(項安世), 『주역완사(周易玩辭)』 권3.

● 胡氏炳文曰："或曰，小畜亦五陽一陰之卦，主巽之一陰，則曰小．此主離之一陰，則曰大，何也？曰巽之一陰在四，欲畜上下五陽，其勢逆而難．離之一陰在五，而有上下五陽，其勢順而易．"[6]

호병문(胡炳文)이 말했다. "어떤 사람이 '소축(小畜)괘 역시 다섯 양에 하나의 음이 있는 괘이므로 손(巽☴)괘에서 하나의 음이 주된 것이니 소(小)이다. 이는 리(離☲)괘에서 하나의 음이 주된 것이니 대(大)이다'라고 하니 어떤가? 답하겠다. 손괘에서 하나의 음은 사효에서 위와 아래 다섯 양을 기르려고 하지만 그 세력이 거슬러서 어렵다. 리(離)괘에서 하나의 음은 오효에서 위와 아래 다섯 양을 가지고 있고 그 세력이 순하여 쉽다."

6) 호병문(胡炳文), 『주역본의통석(周易本義通釋)』 권1.

其德剛健而文明, 應乎天而時行, 是以元亨.

그 덕이 강건하면서도 문명(文明)하고, 하늘에 호응하고 때에 맞게 행하여, 크게 형통하다.

本義

以卦德卦體釋卦辭. 應天, 指六五也.

괘의 덕(德)과 괘의 체(體)로 괘사(卦辭)를 해석하였다. 하늘에 응한다는 것은 육오효를 가리킨다.

程傳

卦之德, 內剛健而外文明. 六五之君, 應於乾之九二. 五之性柔順而明, 能順應乎二. 二, 乾之主也, 是應乎乾也. 順應乾行, 順乎天時也, 故曰"應乎天而時行." 其德如此, 是以元亨也. 王弼云, "不大通何由得大有乎? 大有則必元亨矣." 此不識卦義. 離乾成大有之義, 非大有之義, 便有元亨, 由其才故得元亨. 大有而不善者, 與不能亨者有矣. 諸卦具"元亨利貞", 則「彖」皆釋爲大亨, 恐疑與乾坤同也. 不兼'利貞', 則釋爲'元'亨, 盡'元'義也, 元有大善之義. 有'元亨'者四卦, 大有蠱升鼎也. 惟升之「彖」誤隨它卦作'大亨'.

괘의 덕(德)은 안으로는 강건하고 밖으로는 문명(文明)하다. 육오효의 군주는 아래 강건한 구이효에 호응하고 있다. 육오효의 성질은 유순(柔順)하고 현명하여 구이효를 따르고 호응할 수 있다. 구이효는 건(乾)의 주인이니 건(乾)에 호응하는 것이다. 육오효가 건(乾)의 행함에 따르고 호응하는 것은 천시(天時)를 따르는 것이므로 "하늘에 호응하고 때에 맞게 행한다"고 했다. 그 덕이 이와 같으므로 크게 형통한다.

왕필(王弼)은 "크게 통하지 않는데, 어떻게 거대한 소유를 얻을 수 있는가? 거대하게 소유하면 반드시 크게 형통하다"고 했다. 이런 생각은 괘의 의미를 알지 못하는 것이다.[7)]

불을 상징하는 리(離)괘와 강건함을 상징하는 건(乾)괘가 합쳐져 거대한 소유라는 의미가 이루어졌으니, 이는 거대한 소유라는 괘의 의리에 크게 형통함이 있는 것이 아니라, 그 자질 때문에 크게 형통할 수 있다는 말이다. 왜냐하면 거대하게 소유하면서도 선하지 않은 경우와 형통할 수 없는 경우도 있기 때문이다.

여러 괘에서 "원형이정(元亨利貞)"이 보이면, 「단전」에서는 '원형'을 모두 크게 형통하다고 해석했으니, 아마도 건괘와 곤괘의 '원형이정' 의미와 같다고 의심할까 염려했기 때문이다. '이정(利貞)'이라는 말을 겸하지 않았다면 크게 형통하다는 뜻으로 해석하여 '원(元)'이

7) 알지 못하는 것이다. : 정이천이 왕필에게 무엇을 알지 못한다고 비판했는지 정확하지는 않으나 다음과 같은 이해 때문으로 생각된다. 왕필은 이 대유괘가 지천태(地天泰)괘처럼 하늘이 아래 있고 땅이 위에 있어 서로 크게 소통하지 않는데 어떻게 거대한 소유를 얻는가라고 질문하고 거대한 소유이기 때문에 크게 형통하다고 이해하였다. 그러나 거대한 소유라고 해서 반드시 형통한 것이 아니라, 대유괘의 자질 구조가 크게 형통할 수 있다는 말이다. 그 자질 구조가 안으로는 강건하고 밖으로는 문명이 드날릴 뿐 아니라 하늘에 호응하고 때에 맞게 행하는 것이다.

라는 뜻을 다했으니, '원'에는 크게 좋다는 의미가 있다.
'원형(元亨)'이라는 글이 들어간 괘는 4개가 있는데, 대유(大有)괘, 고(蠱)괘, 승(升)괘, 정(鼎)괘이다. 오직 승괘의 「단전」에서만 다른 괘를 잘못 따라서 '원형'이 아니라 '대형(大亨)'이라고 적혀 있다.

曰, "諸卦之'元'與乾不同, 何也?" 曰, "元之在乾, 爲元始之義, 爲"首出庶物"之義. 它卦則不能有此義, 爲善爲大而已." 曰, "元之爲大可矣. 爲善, 何也?" 曰, "元者物之先也, 物之先豈有不善者乎? 事成而後有敗, 敗非先成者也. 興而後有衰, 衰固後於興也. 得而後有失, 非得則何以有失也? 至於善惡治亂是非, 天下之事莫不皆然, 必善爲先." 故文言曰, "元者善之長也."

묻는다. "다른 괘의 '원(元)'의 의미가 건(乾)괘의 '원'과 다른 이유는 무엇입니까?"
답하였다. "건괘에서의 원은 시작의 의미가 있고 "여러 사물 가운데 으뜸으로 출중하다"는 의미도 있다. 다른 괘에서는 이런 뜻을 가질 수가 없고 좋고 크다는 의미를 가질 뿐이다."
묻는다. "원이라는 말이 크다는 의미는 가능하지만, 선(善)함의 의미가 되는 것은 무슨 이유입니까?"
대답하였다. "원이라는 말은 사물의 처음이니, 사물의 시초에 어찌 불선(不善)이 있겠는가? 일이 이루어진 후에 어그러짐이 있으니 어그러짐은 시초에서 먼저 이루어진 것이 아니다. 흥함이 있고 난 후에 쇠락이 있으니, 쇠락이란 분명 흥함보다 뒤에 있다. 얻은 후에야 잃음이 있으니, 얻지 않는다면 어찌 잃을 것이 있겠는가? 선과 악, 질서와 혼란, 옳음과 그름 등 세상의 모든 일은 모두 그렇지 않음이 없으니 반드시 선함이 먼저이다." 그래서 「문언전」에서는 "원이란 선함의 으뜸이다"라고 했다.

集說

● 王氏弼曰 : "德應於天, 則行不失時矣. 剛健不滯, 文明不犯, 應天則大, 時行無違, 是以元亨."[8)]

왕필(王弼)이 말했다. "덕이 하늘에 호응하면 행하는 데 때를 잃지 않는다. 강건하여 막힘이 없고 문명(文明)하여 범하는 일이 없어 하늘에 호응하면 크고 때에 맞게 시행하여 어김이 없으니 그래서 크게 형통하다."

● 項氏安世曰 : "同人大有兩卦, 皆以離之中爻爲主, 而以乾爲應者也. 同人離在下, 以德爲主, 故曰'應乎乾'者, 應其德也. 大有離在上, 以位爲主, 故曰'應乎天而時行'者, 應其命也. 履兌在下, 曰'應乎乾'. 大畜艮在上, 曰'應乎天', 亦卦例也."

항안세(項安世)가 말했다. "동인(同人䷌)괘와 대유(大有䷍)괘 두 괘는 모두 리(離☲)괘의 가운데 효를 주효로 하고 건(乾☰)괘에 호응하는 것이다. 동인괘는 리(離)괘가 아래에 있어 덕을 위주로 하기 때문에 '건(乾)괘에 호응한다'[9)]고 했으니 그 덕에 호응한다. 대유괘

---

8) 왕필(王弼), 『周易註』「대유(大有)괘」.

9) 『주역』「동인(同人)괘」: "彖曰, 同人, 柔得位, 得中而應乎乾, 曰同人. [「단전」에서 말했다. 동인(同人)은 부드러움이 올바른 지위를 얻었고, 중도(中道)를 얻고, 강건함에 호응하니, 동인(同人)이라고 한다.]"라고 하

는 리(離)괘가 위에 있어 지위를 위주로 하기 때문에 '하늘에 호응하고 때에 맞게 시행한다'[10]고 했으니 그 명령에 호응한다. 리(履☰)괘는 태(兌☱)괘가 아래에 있어 '건(乾)괘에 호응한다'[11]고 했다. 대축(大畜☶)괘는 간(艮☶)괘가 위에 있어 '하늘에 호응한다'[12]고 했으니 또한 괘의 사례이다."

案

卦辭未有不根卦名而繫者, 況柔中居尊, 能有衆陽! 是虛心下賢之君, 而衆君子皆爲之用, 其亨孰大於是哉? 「彖傳」又推卦德卦體以盡其縕, 其實皆不出乎卦名之中也. 『程傳』謂卦名未足以致"元亨", 由卦才而得"元亨"者, 恐非易之通例.

괘사(卦辭)에는 괘명(卦名)에 근거하여 붙여지지 않은 것은 없으니 부드러움이 알맞음을 얻어 존귀한 자리에 있는데, 여러 양을 소유할 수 있는데서는 말해 무엇 하겠는가! 이것은 마음을 비우고 현자에게 낮추는 군주이니 여러 군자가 모두 등용될 수 있어 그 형통함

였다.

10) 『주역』「대유(大有)괘」: "其德, 剛健而文明, 應乎天而時行, 是以元亨. [그 덕이 강건하면서도 문명(文明)하고, 하늘에 호응하고 때에 맞게 행하여, 크게 형통하다.]"라고 하였다.

11) 『주역』「리(履)괘」: "彖曰, 履, 柔履剛也, 說而應乎乾. 是以履虎尾, 不咥人, 亨.[「단전」에서 말했다. 이(履)는 부드러움이 굳셈에게 밟히는 것이니, 강건한 것을 기뻐하면서 호응한다. 그래서 호랑이 꼬리를 밟더라도, 사람을 물지 않으니, 형통하다.]"라고 하였다.

12) 『주역』「대축(大畜)괘」: "不可食吉, 養賢也. 利涉大川, 應乎天也.['집에서 밥을 먹지 않으면 길하다'는 것은 현명한 자를 양성하는 것이다. '큰 강을 건너는 것이 이롭다'는 것은 하늘에 순응하는 것이다.]"라고 하였다.

이 이보다 큰 것이 무엇인가?
「단전」에서 또 괘덕(卦德)과 괘체(卦體)를 미루어 온축된 의미를 다하였으나 그 실제는 모두 괘명 가운데서 벗어나지 않는다.
『정전』에서는 괘명은 "크게 형통하다"에 이르기에 족하지 않아 괘의 자질에서 "크게 형통하다"는 것을 얻을 수 있다고 했지만, 아마도 『역』의 통례(通例)는 아닌 듯하다.

15. 겸謙䷎괘

"謙, 亨", 天道下濟而光明, 地道卑而上行.

"겸손은 형통하다"는 것은 하늘의 도는 아래로 교류하여 빛이 밝게 빛나고 땅의 도는 스스로를 낮추어 위로 행한다.

本義

言謙之必亨.

겸손함이 반드시 형통함을 말했다.

程傳

濟當爲際, 此明謙而能亨之義. 天之道, 以其氣下際, 故能化育萬物, 其道光明, 下際, 謂下交也. 地之道, 以其處卑, 所以其氣上行交於天, 皆以卑降而亨也.

'제(濟)'는 마땅히 '제(際)'이어야 하니, 여기서 겸손하여 형통할 수 있는 의리를 밝히고 있다. 하늘의 도는 그 기운이 아래와 교류하므로 만물을 변화시켜 기르니, 그 도가 밝게 빛난다. '하제(下際)'란 아래와 교제한다는 말이다. 땅의 도는 낮은 곳에 처하여 그 기가 위로 행하여, 하늘과 교류하니, 모두 낮게 내려와 형통한다.

集說

● 項氏安世曰: "'天道下濟而光明, 地道卑而上行', 此以卦體釋卦辭也. 九三乾也, 降在下卦, 是'下濟而光明'也. 坤地道, 處勢至卑, 而升在上卦, 是'卑而上行'也. 下濟與卑, 皆釋謙字. 光明與上行, 皆釋亨字. 自人事言之, 尊者行之則有光, 卽'天道下濟而光明'也. 卑者行之則不可踰, 卽'地道卑而上行'也. 始雖謙下, 終必高明, 是有終也. 自天道虧盈以下, 皆極言謙之必有後福. 質之於天地神人之心, 以明有終之義也."[1)]

항안세(項安世)가 말했다. "'하늘의 도(道)는 아래로 교류하여 빛이 밝게 빛나고 땅의 도는 스스로를 낮추어 위로 행한다'는 것은 괘체(卦體)로 괘사(卦辭)를 해석하였다. 구삼효는 강건한 건(乾)인데 하괘(下卦)로 내려왔으니 '아래로 교류하여 빛이 밝게 빛나는' 것이다. 곤(坤)인 땅의 도는 형세에 대처함이 매우 낮지만 상괘(上卦)로 올라갔으니 '스스로를 낮추어 위로 행한다'는 것이다. 아래로 교류하고 스스로를 낮춤은 모두 겸(謙)이라는 글자를 해석한 것이다. 밝게 빛나고 위로 행한다는 것은 모두 형통하다는 뜻을 해석하였다. 인간사로 말하면 신분이 높은 사람이 행하여 빛이 있는 것이 '하늘의 도가 아래로 교류하여 빛이 있다'는 말이다. 신분이 낮은

1) 항안세(項安世), 『주역완사(周易玩辭)』 권3.

사람이 행하면 넘을 수 없으니 '땅의 도는 스스로를 낮추어 위로 행한다'는 뜻이다. 처음에 겸손하고 자신을 낮추면 결국에는 반드시 높아지고 밝아지니 이는 결국에 길하다는 것이다. '천도는 가득 찬 것을 덜어낸다'는 말 이하는 모두 겸손함은 반드시 복이 있음을 말한 것이다. 천지, 귀신, 사람의 마음에 물어 결국에는 길하다는 뜻을 밝혔다."

● 邱氏富國曰 : "凡卦以一陽爲主者, 「彖傳」皆以剛言. 復曰剛反, 豫曰剛應, 師比曰剛中, 剝曰變剛. 謙主九三, 而彖不言剛者, 謙無用於剛也. 用剛則不能謙矣. 三有剛而不用, 此其所以爲謙也."[2]

구부국(邱富國)이 말했다. "모든 괘에서 하나의 양효가 주효일 경우 「단전」에서 모두 굳셈으로 말했다. 예를 들어 복(復)괘에서는 '굳셈이 돌아온다'[3]고 했고, 예(豫)괘에서는 '굳셈이 호응을 얻는다'[4]고 했고 사(師)괘와 비(比)괘에서는 '굳세면서 알맞음을 이루었다'[5]고 했고 박(剝)괘에서는 '굳셈을 변화시켰다'[6]고 했다. 겸괘의

2) 구부국(邱富國), 『주역집해(周易輯解)』 권1.

3) 『주역』「복(復)괘」: "彖曰, 復亨, 剛反. 動而以順行, 是以出入無疾, 朋來無咎.['회복은 형통하다'는 것은 굳셈이 돌아왔기 때문이다. 움직여서 이치에 순종함으로써 행하기 때문에, 그래서 나가고 들어오는 데에 병이 없어서, 친구들이 와야 허물이 없다.]"라고 하였다.

4) 『주역』「예(豫)괘」: "彖曰, 豫, 剛應而志行, 順以動, 豫.[예괘는 굳셈이 호응을 얻어 뜻이 실행되고, 순종하여 움직이는 것이니, 기쁨이다.]"라고 하였다.

5) 『주역』「사(師)괘」: "굳세면서 알맞음을 얻고 올바른 상대와 호응하며, 험난한 길을 가지만 이치를 따른다(剛中而應, 行險而順.]"라고 하였다.

주효인 구삼효는 「단전」에서 굳셈을 말하지 않았는데 겸손은 굳셈을 쓸 일이 없기 때문이다. 굳셈을 쓰면 겸손할 수 없다. 구삼효는 굳셈이 있는 데도 쓰지 않으니 이것이 겸손하게 되는 까닭이다.”

● 蔡氏淵曰 : “‘下濟而光明’, 艮也. 艮有光明之「象」, 故艮之彖曰‘其道光明’, 謂艮陽止乎上, 陰不得而掩之, 故光明. ‘卑而上行’, 坤也.”

채연(蔡淵)이 말했다. “‘아래로 교제하여 빛이 밝게 빛난다’는 것은 간(艮☶)괘이다. 간괘에 빛이 밝게 빛나는 모습이 있기 때문에 간(艮䷳)괘의 「단전」에서 ‘그 도가 밝게 드러난다’[7]고 했으니 간(艮)괘의 양효가 위에서 멈추어 음효가 가릴 수 없기 때문에 밝게 빛난다. ‘스스로 낮추어 위로 행한다’는 것은 곤(坤)이다.”

「비(比)괘」: “原筮元永貞無咎, 以剛中也.[‘근원적으로 판단하되 성숙한 지도력과 지속적인 일관성과 도덕적 확고함을 갖추었다면, 허물이 없다’는 말은 굳세면서 알맞음을 이루었기 때문이다.]”라고 하였다.

6) 『주역』「박(剝)괘」: “彖曰, 剝, 剝也, 柔變剛也. 不利有攸往, 小人, 長也.[박이란 소멸하는 것이니, 부드러움이 굳셈을 변화시킨다. ‘함부로 나아가는 것은 이롭지 않다’는 것은 소인의 세력이 자라나기 때문이다.]”라고 하였다.

7) 『주역』「간(艮)괘」: “彖曰, 艮, 止也, 時止則止, 時行則行, 動靜不失其時, 其道光明.[간(艮)은 멈춤이니, 그쳐야 할 때 그치고, 가야할 때 가서, 움직임과 고요함에 그 때를 잃지 않으니, 그 도가 밝게 드러난다.]”라고 하였다.

天道虧盈而益謙, 地道變盈而流謙, 鬼神害盈而福謙, 人道惡盈而好謙. 謙尊而光, 卑而不可踰, 君子之終也.

하늘의 도는 가득 찬 것을 덜어내 겸손한 것에 보태준다. 땅의 도는 가득 찬 것을 변화시켜 겸손한 것으로 흐르게 한다. 귀신은 가득 찬 것을 해치고 겸손한 것에 복을 준다. 사람의 도는 가득 찬 것을 미워하고 겸손한 것을 좋아한다. 겸손은 높고 빛나며, 낮지만 넘을 수 없으니, 군자의 끝마침이다.

本義

變, 謂傾壞. 流, 謂聚而歸之. 人能謙, 則其居尊者, 其德愈光, 其居卑者, 人亦莫能過, 此君子所以有終也.

'변화'는 땅이 기울고 무너짐을 말한다. '흐른다'는 모든 물이 모여 돌아가는 것을 말한다. 사람이 겸손하면, 높은 곳에 자리한 자는 그 덕이 더욱 빛나고 낮은 곳에 자리한 자는 사람들이 또한 넘을 수 없으니, 이는 군자가 끝마침이 있는 것이다.

程傳

以天行而言, 盈者則虧, 謙者則益, 日月陰陽是也. 以地勢而言, 盈滿者傾變而反陷, 卑下者流注而益增也. 鬼神, 謂造化之跡. 盈滿者福害之, 謙損者福祐之. 凡過而損, 不足而益者, 皆是也. 人情疾惡於盈滿, 而好與於謙巽也. 謙者人之至德, 故聖人詳言, 所以戒盈而勸謙也. 謙爲卑巽也, 而其道, 尊大而光顯, 自處雖卑屈, 而其德實高不可加尙, 是不可踰也. 君子至誠於謙, 恒而不變, 有終也, 故尊光.

하늘의 운행으로 말하면 가득 찬 것은 덜어내고 겸손한 것은 보태주니 해와 달 그리고 음과 양이 그러하다. 땅의 형세를 가지고 말하면, 물이 가득 찬 것은 기울어져 변화하여 움푹 파인 곳으로 돌아가고, 낮은 것은 흘러 들어가게 하여 더욱더 증가시킨다.
귀신이란 음양이 조화(造化)한 흔적이다. 가득 찬 것은 재앙을 주어 해치고 겸손한 것은 복을 주어 도와준다. 지나치면 덜어내고 부족하면 더해주는 것이 모두 이것이다.
인간의 감정은 가득 찬 것을 미워하고 겸손한 것을 좋아한다. 겸손이란 인간의 지극한 덕이므로 성인은 상세하게 말했으니 이는 가득 참을 경계하고 겸손을 권면한 것이다. 겸손은 스스로 낮추고 공손한 것이지만 그 도가 높고 크며 빛이 환하게 드러나며 스스로 낮추고 굽혀 처신하지만 그 덕이 꽉 차고 높아 덧붙일 수 없으니, 넘을 수 없는 것이다. 군자는 겸손함에 지극히 진실하고 정성스러워 항상 그러하여 변하지 않는다면 끝마침이 있으므로 높고 빛난다.

集說

● 崔氏憬曰 : "若日中則昃, 月滿則虧, 損有餘以補不足, 天之道也. 高岸爲谷, 深谷爲陵, 是以'變盈而流謙', 地之道也. 朱門之家, 鬼闞其室, 黍稷非馨, 明德惟馨, 是其義矣. 滿招損, 謙受益, 人之道也."[8]

최경(崔憬)[9]이 말했다. "해가 중천에 뜨면 기울고 달은 가득차면 어그러지니 여유있는 것을 덜어 부족한 것을 보충하는 것이 하늘의 도이다. 높은 언덕이 계곡이 되고 깊은 계곡은 구릉이 되니 '가득찬 것을 변화시켜 겸손한 것으로 흐르게 하는' 것이 땅의 도이다. 주문(朱門)의 집안은 귀신이 그 집을 내려다보고 기장이 향기로운 것이 아니라 밝은 덕이 향기로우니 바로 그 뜻이다. 가득참은 덜어냄을 불러오고 겸손은 덧붙임을 받으니 사람의 도이다."

● 劉氏牧曰 : "降卑接下, 名譽益隆, 故其道光顯. 辭貌卑遜, 而志行剛正, 故雖卑退而'不可逾.'"

유목(劉牧)이 말했다. "자신을 낮추고 사람들을 대하면 명예는 더욱 올라가기 때문에 그 도는 밝게 드러난다. 말과 모습이 겸손하면서도 뜻을 굳세고 올바르게 행하기 때문에 낮추고 물러나더라도 그

8) 이정조(李鼎祚), 『주역집해(周易集解)』 권2.
9) 최경(崔憬) : 당(唐)대 역학가로서 그 생졸연대는 공영달의 뒤 이정조(李鼎祚)의 앞이다. 그의 역학은 역상(易象)과 역수(易數)를 중시하여, 왕필(王弼)의 『주역주(周易注)』를 묵수하지 않고 의리와 상수를 함께 다루었다. 순상(荀爽) · 우번(虞翻) · 마융(馬融) · 정현(鄭玄)의 역학에도 조예가 깊었다. 공영달의 『주역정의(周易正義)』가 관학으로서 학계를 지배할 때 그의 역학은 독창적으로 새로운 의의가 있다고 칭송되었으며, 특히 이정조(李鼎祚)에게 추앙받았다. 이로써 그의 역학은 한(漢)대 역학에서 송(宋)대 역학으로 옮겨가는 선구가 되었다고 평가받는다. 저작으로는 『주역탐현(周易探玄)』이 있었다고 하는데 전해지지 않고, 이정조(李鼎祚)의 『주역집해(周易集解)』에 그의 주장이 많이 보인다.

를 넘어설 수 없다."

● 『朱子語類』云 : "天道是就寒暑往來上說, 地道是就地形高下上說. 鬼神言害福, 是有些造化之柄. 各自主一事而言耳."[10]

『주자어류』에서 말했다. "천도(天道)는 추위와 더위가 가고 오는 것에서 말했고 지도(地道)는 땅의 형체가 높고 낮음에서 말했다. 귀신은 해로움과 복에서 말했으니 조화(造化)의 권력이 있는 것이다. 각각 주관하는 한 가지 일에서 말했을 뿐이다."

問 : "謙之爲義, 不知天地人鬼, 何以皆好尙之."
曰 : "太極中本無物, 若事業功勞, 於我何有? 觀天地生萬物而不言所利, 可見矣."[11]

물었다. "겸손의 뜻이 하늘과 땅, 인간과 귀신이 어째서 모두 좋아하는지 모르겠습니다."
대답했다. "태극 가운데는 본래 아무것도 없는데 사업과 공로와 노고가 나에게 어찌 있겠는가? 천지가 만물을 낳고도 이로움을 말하지 않는 것을 보면 알 수 있다."

又云 : "'謙尊而光, 卑而不可逾', 以尊而行謙, 則其道光, 以卑而行謙, 則其德不可逾. 尊對卑言, 伊川以謙對卑說非是. 聖人九卦引此一句, 看來大綱說."[12]

10) 『주자어류(朱子語類)』 70권, 152조목.
11) 『주자어류(朱子語類)』 70권, 153조목.

또 말했다. "'겸손하여 존귀하지만 빛나고 스스로 낮추어도 넘어설 수 없다'고 했으니 존귀한 자리로 겸손하게 행하면 그 도가 빛나고 낮은 자리로 겸손함을 행하면 그 덕을 넘어설 수 없다. 존귀한 지위는 낮은 지위를 상대해서 말했는데 이천(伊川)은 겸손함을 자신을 낮추는 것과 대비하여 말했으니 옳지 않다. 성인이 9괘에서 이 구절을 인용하였는데 대강 보고 말한 것이다."

● 蔡氏清曰 : "如日沒而升, 中而昃, 月晦而弦, 盈而蝕之類, 天非有意於虧之益之也. 若論至無心處則雖人道, 惡盈好謙, 初亦何容心於好惡哉? 在我者有以感召其好惡耳, 可不愼哉!"

채청(蔡清)이 말했다. "해가 지면 다시 뜨고 중천에 이르면 기울며 달이 그믐달이면 초생달이 되고 가득 차면 월식이 일어나는 것들과 같아 하늘은 줄이고 덧붙임에 뜻이 있는 것이 아니다. 지극히 무심한 곳에서 말하면 인도(人道)에서도 가득찬 것을 싫어하고 겸손한 것을 좋아하니, 애초에 어찌 좋고 싫어함에 마음을 둘 수 있겠는가? 나에게 있는 것이 그 좋아하고 미워하는 것을 불러들일 뿐이니 신중하지 않을 수 있겠는가!"

12) 『주자어류(朱子語類)』 70권, 155조목.

16. 예豫䷏괘

豫, 剛應而志行, 順以動, 豫.

예는 굳셈이 호응을 얻어 뜻이 실행되고 순종하여 움직이는 것이니 기쁨이다.

本義

以卦體卦德釋卦名義.

괘의 체(體)와 괘의 덕(德)으로 괘 이름의 뜻을 해석하였다.

程傳

"剛應", 謂四爲群陰以應, 剛得衆應也. "志行"謂陽志上行, 動而上下順從, 其志得行也. "順以動豫", 震動而坤順, 爲動而順理, 順理而動, 又爲動而衆順, 所以豫也.

"굳셈이 호응을 얻는다"는 구사효가 모든 음효에게 호응을 얻음이니, 굳셈이 여럿의 호응을 얻는 것이다. "뜻이 실행된다"는 양효의 뜻이 위로 나아가 행하여 위와 아래가 순종하니, 그 뜻이 실행되는 것이다. "순종하여 움직이는 것이니, 기쁨이다"라는 말은 진(震☳) 괘는 움직임을 뜻하고, 곤(坤☷)괘는 순종을 뜻하니 움직이는 데 천리(天理)를 따르는 것이고 천리를 따라 행하며 또 행하여 군중들이 순종하는 것이니, 그래서 기쁨이다.

集說

● 胡氏炳文曰: "建萬國, 聚大衆, 非順理而動, 使人心皆和樂而從, 不可也, 故二者皆繫之豫."[1)]

호병문(胡炳文)이 말했다. "만국을 세워 많은 군중이 모였으니 천리(天理)를 따라 움직이지 않으면 사람의 마음이 모두 화락하고 따르게 할 수 없기 때문에 두 가지가 모두 묶인 모습이다."

案

「彖傳」中凡稱卦德, 皆先內而後外, 而其文義又各不同. 其曰"而"者, 兩字並重. 如訟之"險而健", 旣險又健也. 小畜之"健而巽", 旣健又巽也. 大有"剛健而文明", 旣剛健而又文明也. 其曰"以"者, 則重在上一字. 如同人"文明以健", 重在文明字. 此卦"順以動", 重在順字. 其或以下一字爲重者, 則又變其文法, 復卦"動而以順行"之類.

1) 호병문(胡炳文), 『주역본의통석(周易本義通釋)』 권1.

「단전」 가운데 괘덕(卦德)을 칭한 것은 모두 내괘를 먼저하고 외괘를 뒤로 했지만 그 문장의 의미 또한 각각 다르다.

'이(而)'라고 말한 것은 두 글자가 아울러 중요하다. 예를 들어 송(訟)괘에서 "위험한데도 강건하다"[2]고 했으니 위험하고 또 강건하다. 소축(小畜)괘에서 "강건하고 공손하다"[3]고 했으니 강건하고 또 공손하다. 대유(大有)괘에서 "강건하고 문명하다"[4]고 했으니 강건하고 또 문명하다.

'이(以)'라고 말한 것은 중요한 것이 한 글자에 있다. 예를 들어 동인(同人)괘에서 "강건함으로 문명(文明)하다"[5]고 했으니 중요성은 문명하다는 것에 있다. 이 괘에서 "움직임으로 순종한다"고 했는데 중요성은 순종한다는 것에 있다. 간혹 '이(以)' 자 아래의 글자가 중요한 경우도 있으니 그 문법을 변화시킨 것으로 복괘의 "움직이되 순종함으로 행한다"고 하는 종류이다.

---

2) 『주역』「송(訟)괘」: "彖曰, 訟, 上剛下險, 險而健, 訟.[송괘는 위는 굳세고 아래는 위험하여, 위험한데도 강건한 것이 다툼이다.]"라고 하였다.

3) 『주역』「소축(小畜)괘」: "健而巽, 剛中而志行, 乃亨.[강건하고 공손하며, 굳세면서 알맞음을 이루고 행하는 것에 뜻을 두어, 마침내 형통하다.]"라고 하였다.

4) 『주역』「대유(大有)괘」: "其德, 剛健而文明, 應乎天而時行, 是以元亨.[그 덕이 강건하면서도 문명(文明)하고, 하늘에 호응하고 때에 맞게 행하여, 크게 형통하다.]"라고 하였다.

5) 『주역』「동인(同人)괘」: "文明以建, 中正而應, 君子正也.[강건함으로써 문명(文明)하고, 중정中正의 도로 호응하니, 군자의 올바름이다.]"라고 하였다.

豫順以動, 故天地如之, 而況建侯行師乎.

기뻐하여 움직임으로 순종하므로, 천지도 이와 같은데, 하물며 제후를 세우고 군사를 동원하는 것은 어떠하겠는가?

本義

以卦德釋卦辭.

괘의 덕(德)으로 괘사(卦辭)를 해석하였다.

程傳

以豫順而動, 則天地如之而弗違. 況建侯行師, 豈有不順乎? 天地之道, 萬物之理, 唯至順而已. 大人所以先天後天而不違者, 亦順乎理而已.

기뻐하고 순종하여 움직이니, 천지도 이처럼 그 이치를 어기지 않는데 하물며 제후를 세워 군사를 동원하는 데 어찌 순종하지 않겠는가?
천지의 도와 만물의 이치는 지극히 순종할 뿐이다. 대인(大人)이 하늘을 앞서거나 뒤따르더라도 어긋나지 않는 것[6]도 천리(天理)에 순

---

6) 대인이 하늘을 앞서거나 …… 어긋나지 않는 것 : 『주역』「건(乾)괘」「문언전」: "대인은 하늘과 땅과 그 덕을 합치하고, 해와 달과 그 밝음을 합치

종하기 때문일 뿐이다.

集說

● 吳氏曰愼曰:“順以動, 所謂行其所無事也. 天地如之, 猶云天且弗違. 得其民者, 得其心也. 故豫利建侯. 多助之至, 天下順之, 故豫利行師.”

오왈신(吳曰愼)이 말했다. “순종하여 움직인다는 것은 일삼지 않음을 행한다는 말이다. ‘하늘과 땅이 이와 같다’는 것은 ‘하늘도 어기지 않는다’고 말하는 것과 같다. 백성을 얻는 것은 민심을 얻는 일이기 때문에 기쁨은 제후를 세우는 데서 이롭다. 많은 도움이 이르러 천하가 순종하기 때문에 기쁨은 군사를 행하는데서 이롭다.”

하며, 사계절과 그 순서를 합치하며, 귀신과 그 길흉을 합치하여, 하늘을 앞서더라도 하늘이 어기지 않으며, 하늘을 뒤따르더라도 하늘의 때를 받든다. 하늘 또한 어기지 않는데 하물며 사람은 어떠하겠는가? 귀신은 어떠하겠는가?[夫大人者與天地合其德, 與日月合其明, 與四時合其序, 與鬼神合其吉凶, 先天而天弗違, 後天而奉天時. 天且弗違, 而況於人乎? 況於鬼神乎?]”라고 하였다.

天地以順動, 故日月不過, 而四時不忒, 聖人以順動, 則刑罰淸而民服, 豫之時義大矣哉!

천지는 이치에 순종하면서 움직이므로, 해와 달이 어긋나지 않게 운행하고 사계절이 한 치의 오차도 없이 순환하니, 성인이 이치에 순종하면서 움직인다면 형벌이 명백하여 백성들이 복종한다. 기쁨의 때와 의리가 위대하구나!

本義

極言之而贊其大也.

지극하게 말해서 그 큼을 찬미했다.

程傳

復詳言順動之道. 天地之運, 以其順動, 所以日月之度不過差, 四時之行不愆忒. 聖人以順動, 故經正而民興於善, 刑罰淸簡而萬民服也. 旣言豫順之道矣, 然其旨味淵永, 言盡而意有餘也. 故復贊之云, 豫之"時義大矣哉!" 欲人硏味其理, 優柔涵泳而識之也. "時義", 謂豫之時義. 諸卦之時與義用大者, 皆贊其"大矣哉". 豫以下十一卦是也, 豫遯姤旅言時義, 坎睽蹇言時用, 頤大過解革言時, 各以其大者也.

천리(天理)에 순종하여 움직이는 도를 다시 상세하게 말했다. 천지의 운행이 이치에 순종하여 움직이므로 해와 달의 도수(度數)가 어긋나지 않고 사계절의 운행이 어그러지지 않으며, 성인은 이치에 순종하여 움직이므로 법도가 바르게 이루어져 백성들이 선을 행하는 데 흥이 나고,[7] 형벌은 명백하고 간략해져 모든 백성들이 복종한다.

앞서 기뻐해서 순종하는 도리에 대해 말했는데, 그 의미가 매우 깊어 말은 다했지만 여운이 남아있기 때문에 다시 "기쁨의 때와 의리가 위대하구나!"라고 찬미했으니, 사람들이 그 이치를 연구하고 음미하여 조용히 탐색하고 깊이 젖어들어 깨닫게 하기 위함이다.

'시의(時義)'란 기쁨의 때와 의리를 말한다. 여러 괘에서 때와 의리와 작용이 큰 것은 모두 그 거대함을 찬미했으니, 예괘 이외에 11괘

7) 법도가 바르게 이루어져 …… 흥이 나고 : '법도가 바르게 이루어져'라는 말은 '경정(經正)'을 해석한 것이다. 이는 맹자의 말이다. 『맹자』「진심하」: "공자가 말했다. '사이비를 미워하니, 가라지를 미워하는 것은 벼싹을 어지럽힐까 두렵기 때문이고, 말재주가 있는 사람을 미워하는 것은 의(義)를 어지럽힐까를 두려워하기 때문이고, 말 잘하는 입을 가진 사람을 미워하는 것은 신(信)을 어지럽힐까 두려워하기 때문이고, 정나라 음악을 미워하는 것은 정악(正樂)을 어지럽힐까를 두려워하기 때문이고, 자주색을 미워하는 것은 붉은 색을 어지럽힐까를 두려워하기 때문이고, 향원을 미워하는 것은 덕(德)을 어지럽힐까를 두려워해서이다'라고 했다. 군자는 경(經)으로 돌아갈 뿐이다. 경이 바르게 되면 백성들은 선행을 하는 데에 흥이 나고, 백성들이 흥이 나면 사특함이 없어진다.[孔子曰, '惡似而非者, 惡莠, 恐其亂苗也, 惡佞, 恐其亂義也, 惡利口, 恐其亂信也, 惡鄭聲, 恐其亂樂也, 惡紫, 恐其亂朱也, 惡鄕原, 恐其亂德也.' 君子反經而已矣. 經正, 則庶民興; 庶民興, 斯無邪慝矣.]"라고 하였다. 여기서 주희는 '경(經)'을 '상(常)'이라 풀고 영원히 변하지 않는 상도(常道)라고 해석한다. 정이천은 상도(常道)를 상리(常理)와 동일한 의미로 해석하였다.

가 그러하다. 예(豫)괘 · 둔(遯)괘 · 구(姤)괘 · 여(旅)괘에서는 때와 의리를 말했고, 감(坎)괘 · 규(睽)괘 · 건(蹇)괘는 때와 쓰임을 말했고, 이(頤)괘 · 대과(大過)괘 · 해(解)괘 · 혁(革)에서는 때를 말해, 각각 그 큼을 찬미했다.

集說

● 項氏安世曰:"豫隨遯姤旅, 皆若淺事而有深意, 故曰'時義大矣哉!' 欲人之思之也. 坎睽蹇, 皆非美事, 而聖人有時而用之, 故曰'時用大矣哉!' 欲人之別之也. 頤大過解革, 皆大事大變也, 故曰'時大矣哉!' 欲人之謹之也."

항안세(項安世)가 말했다. "예(豫)괘 · 수(隨)괘 · 둔(遯)괘 · 구(姤)괘 · 여(旅)괘는 모두 얕은 일 같지만 깊은 뜻이 있기 때문에 '때와 의리가 위대하다!'고 하여 사람들이 생각하도록 했다. 감(坎)괘 · 규(睽)괘 · 건(蹇)괘는 모두 아름다운 일은 아니지만 성인이 때때로 사용하기 때문에 '때와 쓰임이 크구나!'라고 하여 사람들이 분별하도록 했다. 이(頤)괘 · 대과(大過)괘 · 해(解)괘 · 혁(革)괘에서는 모두 큰 일과 큰 변고이기 때문에 '때가 크구나!'라고 하여 사람들이 조심하도록 했다."

● 吳氏澄曰:"專言時者, 重在時字, 時義重在義字, 時用重在用字."[8]

8) 오징(吳澄), 『역찬언(易纂言)』 권3.

오징(吳澄)[9]이 말했다. "오로지 때만 말한 것은 그 중요성이 때라는 글자에 있고, 때와 의리를 말한 것은 중요성이 의리라는 글자에 있고, 때와 쓰임이라고 말한 경우는 중요성이 쓰임에 있다."

● 蔡氏淸曰 : "時之一字, 貫六十四卦皆有, 不止豫等諸卦耳. 有時則有義, 有義則有用. 單言時, 則義與用在其中矣. 言義未嘗無用, 言用未嘗無義, 各就所切而言."

채청(蔡淸)이 말했다. "때라는 한 글자는 64괘를 관통하여 모두 있어 예(豫)괘 등에 그치지 않을 뿐이다. 때가 있으면 의리가 있고 의리가 있으면 쓰임이 있다. 단지 때만 말했다면 의리와 쓰임은 그 가운데 있다. 의리를 말하고 쓰임을 말하지 않았거나 쓰임을 말하고 의리를 말하지 않은 것은 각각 절실함을 취해서 말하였다."

9) 오징(吳澄, 1249~1333) : 자는 유청(幼淸)이고, 세칭 초려선생(草廬先生)이라 한다. 송원(宋元)교체기 숭인(崇仁 : 현 강서성 소속) 사람으로 국자감사업(國子監司業) · 한림학사(翰林學士)를 역임하였다. 시호는 문정(文正)이다. 그의 학문은 주로 주희와 육구연의 사상을 절충하는 경향이 있으며, 특히 주희 이래의 도통(道統)을 은연중에 자임하고 있다. 저서는 『학기(學基)』, 『학통(學統)』, 『서 · 역 · 춘추 · 예기찬언(書 · 易 · 春秋 · 禮記纂言)』, 『오문정공집(吳文正公集)』, 『효경장구(孝經章句)』 등이 있고, 『황극경세서(皇極經世書)』, 『노자(老子)』, 『장자(莊子)』, 『태현경(太玄經)』, 『팔진도(八陣圖)』, 『곽박장서(郭璞葬書)』를 교정했다.

17. 수隨☱☳괘

隨, 剛來而下柔, 動而說, 隨.

수는 굳셈이 와서 부드러움에 자신을 낮추고, 움직이되 기뻐하는 것이 뒤따른다.

本義

以卦變卦德釋卦名義.

괘의 변(變)과 괘의 덕(德)으로 괘 이름을 해석하였다.

集說

● 孔氏穎達曰: "剛, 謂震也. 柔, 謂兌也. 震處兌下, 是剛來下柔. 震動而兌說. 既能下人, 動則喜說, 所以物皆隨從也."[1]

공영달(孔穎達)이 말했다. "굳셈은 진(震☳)괘를 말한다. 부드러움은 태(兌☱)괘를 말한다. 진괘가 태괘 아래에 있으니 굳셈이 와서

1) 공영달(孔穎達), 『주역주소(周易注疏)』 권1.

부드러움의 아래로 갔다. 진괘는 움직이고 태괘는 기뻐한다. 사람 아래로 내려갈 수 있고 움직이면 기뻐하니, 사물이 모두 따라하는 까닭이다.

● 胡氏瑗曰:"震以動, 其性剛. 兌以說, 其性柔. 今震在兌下, 是剛來而下於柔也. 猶聖賢君子, 以至剛之德, 至尊之位, 至貴之勢, 接於臣而下於民. 故賞罰號令一出於上, 則民皆說而隨於下也."[2)]

호원(胡瑗)이 말했다. "우레로 움직이니 그 성질이 굳세다. 연못으로 기뻐하니 그 성질이 부드럽다. 지금 진(震)괘가 태(兌)괘 아래에 있으니 굳셈이 와서 부드러움 아래로 갈다. 성현이나 군자와 같이 지극히 굳센 덕과 지극히 존귀한 지위와 지극히 귀한 세력으로 신하를 대접하고 백성에게로 가기 때문에 상벌(賞罰)과 명령이 위에서 일관되게 나오니 백성이 모두 기뻐하면서 아래에서 따른다."

● 王氏逢曰:"上能下下, 下之所以隨上. 貴能下賤, 賤之所以隨貴. 隨之義, 剛下柔也."

왕봉(王逢)[3)]이 말했다. "윗사람이 아래로 내려갈 수 있으니 아랫

2) 호원(胡瑗), 『주역구의(周易口義)』 권4.

3) 왕봉(王逢): 자는 원길(原吉)이고 호는 최한원정(最閑園丁), 최현원정(最賢園丁)이며 또 오계자(梧溪子), 석모산인(席帽山人)이라고도 칭한다. 강음(江陰) 사람이다. 원명(元明) 시대 시인이다. 연릉(延陵) 진한경(陳漢卿)으로부터 시를 배우고 명성을 날렸다. 관직에 올랐으나 병이 깊어 사직했다. 송강(松江)을 유람하며 오계정사(梧溪精舍)를 청룡강(青

사람이 윗사람을 따르는 까닭이다. 귀한 사람이 천한 사람에게 낮출 수 있으니 천한 사람이 귀한 사람을 따르는 까닭이다. 뒤따름의 뜻은 굳셈이 부드러움으로 내려가는 것이다."

● 王氏宗傳曰 : "陽剛非在下之物也. 今也得隨之義, 來下於陰柔, 則是能以上下下, 以貴下賤者也, 物安得不隨之乎? 動而說, 此有所動, 而彼無不說之謂也. 彼無不說, 則亦無不隨矣. 或曰, '易家以隨自否來, 蠱自泰來, 其義如何?' 曰, 非也. 乾坤重而爲泰否, 故隨蠱無自泰否而來之理. 世儒惑於卦變, 殊不知'八卦成列, 因而重之', 而內外上下往來之義, 已備乎其中. 自八卦旣重之後, 又焉有所謂內外上下往來之義乎!"[4]

왕종전(王宗傳)이 말했다. "양의 굳셈은 아래에 있는 것이 아니다. 지금은 뒤따름의 뜻이 되어 음의 부드러움에 내려왔으니 위에 있는 자가 아래로 내려오고 귀한 자가 천한 자에게로 내려온 것이니 사람들이 어찌 따르지 않겠는가? 움직이고 기뻐하니 여기서 움직이고 저기서 기뻐하지 않음이 없는 것을 말한다. 저쪽에서 기뻐하지 않음이 없으니 또한 따르지 않음이 없다. 어떤 사람이 말했다. '역학자들은 수(隨䷐)괘가 비(否䷋)괘에서 왔고 고(蠱䷑)괘가 태(泰䷊)괘에서 왔다고 하니 그 뜻은 어떠한가?' 대답했다. 아니다. 건괘와 곤괘가 중첩되어 태괘와 비괘가 되기 때문에 수괘와 고괘는 태괘와 비괘로부터 올 리가 없다. 세상의 유학자들은 괘변(卦變)에 미혹되어 '팔괘가 배열되고 그것을 바탕으로 해서 중첩된다'[5]는 것을 알

龍江) 부근 청용진(青龍鎭)에 지었다. 왕봉의 이름이 원(園)이라서 최한원(最閑園)이고 사는 곳이 한한초당(閑閑草堂)이다.

4) 왕종전(王宗傳), 『동계역전(童溪易傳)』 권9.

지 못하니 내괘와 외괘가 위 아래로 왕래하는 뜻이 그 가운데 갖추어졌다. 8괘로부터 중첩된 뒤에 또 어찌 내괘와 외괘가 위와 아래로 왕래하는 뜻이 있겠는가!"

● 蔣氏悌生曰 : "『程傳』謂說而動, 動而說, 皆隨之義. 『朱子語錄』云'但當言動而說, 不當言說而動.' 凡卦體卦德, 皆從內說出去."

장제생(蔣悌生)[6]이 말했다. "『정전(程傳)』은 기뻐하고 움직이며, 움직이고 기뻐하는 것이 모두 뒤따름의 뜻이라고 했다. 『주자어류(朱子語類)』에서는 '단지 움직이고 기뻐하는 것만을 말하고 기뻐하고 움직인다고 말해서는 안 된다'고 했다. 괘체와 괘덕은 모두 내괘에서 말했다."

案

王氏說 : "最足以破卦變之支離, 得易象之本旨."

왕씨(王氏 : 왕종전)가 말했다. "괘변(卦變)의 지리함을 타파해야 역상(易象)의 본래 뜻을 얻기에 가장 좋다."

5) 『주역』「계사하」: "8괘가 열을 이루니 상(象)이 그 가운데 있고, 그것을 바탕으로 중첩하니 효가 그 가운데 있고, 강(剛)과 유(柔)가 서로 미루니 변(變)이 그 가운데 있고, 말을 달아 명(命)하니 움직임이 그 가운데에 있다.[八卦成列, 象在其中矣, 因而重之, 爻在其中矣, 剛柔相推, 變在其中矣, 繫辭焉而命之, 動在其中矣.]"라고 하였다.
6) 장제생(蔣悌生) : 명나라 복건(福建) 복녕(福寧) 사람으로 자는 인숙(仁叔)이다. 홍무(洪武) 연간에 명경(明經)으로 천거되어 복주훈도(福州訓導)를 지냈다. 저서에 『오경려측(五經蠡測)』이 있다.

大亨貞無咎, 而天下隨時.

크게 형통하고 올바르고 허물이 없어, 천하가 때를 따른다.

本義

王肅本"時"作"之", 今當從之. 釋卦辭, 言能如是, 則天下之所從也.

왕숙본(王肅本)에 '시(時)'를 '지(之)'로 썼으니 이제 마땅히 이를 따라야 한다. 괘사(卦辭)를 해석하였으니, 이와 같이 하면 천하가 따르게 된다는 점을 말하였다.

程傳

卦所以爲隨, 以"剛來而下柔, 動而說"也. 謂乾之上九, 來居坤之下, 坤之初六, 往居乾之上. 以陽剛來下於陰柔, 是以上下下, 以貴下賤. 能如是, 物之所說隨也. 又下動而上說, 動而可說也, 所以隨也. 如是則可大亨而得正, 能大亨而得正, 則爲無咎. 不能亨, 不得正, 則非可隨之道, 豈能使天下隨之乎? 天下所隨者時也, 故云"天下隨時".

괘가 수괘가 된 까닭은 "굳셈이 내려와 부드러움에 낮추며, 움직이되 기뻐하기" 때문이다. 건괘의 상구효가 내려와 곤괘의 가장 아랫자리에 있고 곤괘의 초육효가 올라가 건괘의 가장 높은 자리에 있다.

양의 굳셈이 와서 음의 부드러움에게 낮추니 이는 윗사람으로서 아랫사람에게 낮추는 것이고 귀한 사람으로서 천한 사람에게 낮추는 것이다. 이와 같이 할 수 있다면 사람들이 기뻐하며 뒤따른다. 또 아래에서 움직여 위에서 기뻐하고, 움직여 기뻐할 수 있으니 뒤따름이다. 이와 같다면 크게 형통하고 올바름을 얻을 수 있는데, 크게 형통하고 올바름을 얻을 수 있다면 허물이 없다. 형통할 수 없고 올바를 수 없다면 뒤따를 수 있는 길이 아니니, 어떻게 세상 사람들을 뒤따르게 할 수 있겠는가? 세상 사람들이 따르는 것은 때이므로 "천하가 때를 따른다"고 했다.

集說

● 孔氏穎達曰: "大亨貞正, 無有咎害, 而天下隨之. 以正道相隨, 故隨之者廣. 若不以大亨貞無咎', 而以邪僻相隨, 則天下不從也."[7]

공영달(孔穎達)이 말했다. "크게 형통하고 올바르면 허물과 해로움이 없어 천하가 뒤따른다. 정도(正道)로 서로 뒤따르기 때문에 뒤따르는 것이 넓다. '크게 형통하고 올바름을 지켜 허물이 없지 않으면 사특함과 편벽됨이 서로 뒤따라 천하가 복종하지 않는다."

● 喬氏中和曰: "剛下柔而陽隨陰. 以我隨物, 則物自隨我, 而動罔不說, 此大亨之正道也. 人同此心, 天下有不隨之者哉!"

7) 공영달(孔穎達), 『주역주소(周易注疏)』 권1.

교중화(喬中和)[8]가 말했다. "굳셈이 부드러움 아래로 가고 양이 음을 따른다. 내가 남을 따르면 남도 저절로 나를 따라 움직여 기뻐하지 않음이 없으니 이것이 크게 형통하는 정도이다. 사람이 이 마음을 함께 하니 세상에 뒤따르지 않는 자가 있겠는가!"

8) 교중화(喬中和) : 명나라 순덕부(順德府) 내구(內丘) 사람으로 자는 환일(還一)이다. 숭정(崇禎) 연간에 발공(拔貢)되었다. 거듭 승진해서 태원부(太原府) 통판(通判)에 이르렀다. 저서에 『설역(說易)』과 『설주(說疇)』, 『도서연(圖書衍)』, 『대역변통(大易通變)』, 『원운보(元韻譜)』 등이 있다.

隨時之義大矣哉.
때를 따르는 의리는 크도다!

本義

王肅本"時"字在"之"字下, 今當從之.

왕숙본(王肅本)에 '시(時)'자가 '지(之)'자 아래에 있으니 이제 마땅히 이를 따라야 한다.

程傳

君子之道, 隨時而動, 從宜適變, "不可爲典要". 非造道之深, 知幾能權者, 不能與於此也, 故贊之曰"隨時之義大矣哉!" 凡贊之者欲人知其義之大, 玩而識之也. 此贊隨時之義大, 與豫等諸卦不同, 諸卦時與義是兩事.

군자의 도는 때에 따라 움직이되, 마땅함을 따르면서 상황에 적합하게 변화하여, "고정된 모범이 없다." 도를 몸 속 깊이 단련하고, 기미를 알며 주도면밀하게 헤아리는 자가 아니라면, 이런 경지에 이를 수가 없다. 그래서 "때를 따르는 의리는 크도다"라고 찬미했다. 그렇게 찬미한 것은 사람이 그 의리의 위대함을 알고, 음미하여 깨닫게 하기 위함이다.

"때를 따르는 의리는 크도다"라는 찬미는 예괘를 비롯하여 다른 괘들과 다른데, 다른 괘에서는 때의 의리가 아니라 때와 의리 두 가지 일이다.

18. 고蠱䷑괘

蠱, 剛上而柔下, 巽而止, 蠱.

고는 굳셈이 올라가고 부드러움이 내려가며, 공손하게 따라서 멈추는 것이 고이다.

本義

以卦體卦變卦德釋卦名義, 蓋如此則積弊而至於蠱矣.

괘의 체(體)와 괘의 변(變)과 괘의 덕(德)으로 괘 이름의 뜻을 해석하였으니, 이와 같으면 병폐가 쌓여 부패에 이를 것이다.

程傳

以卦變及二體之義而言. "剛上而柔下", 謂乾之初九, 上而爲上九, 坤之上六, 下而爲初六也. 陽剛, 尊而在上者也, 今往居於上. 陰柔, 卑而在下者也, 今來居於下. 男雖少而居上, 女雖長而在下, 尊卑得正, 上下順理, 治蠱之道也. 由剛之上,柔之下, 變而爲艮巽. 艮, 止也. 巽, 順也, 下巽而上止, 止於巽順也, 以巽順之道治蠱, 是以元亨也.

괘의 변화와 두 괘의 형체가 지닌 뜻으로 말했다. "굳셈이 올라가고 부드러움이 내려온다"는 말은 아래 건(乾☰)괘의 초구효가 올라가 위의 간(艮☶)괘 상구효가 되고, 위의 곤(坤☷)괘 상육효가 내려가 손(巽☴)괘 초육효가 되는 것을 말한다.
양의 굳셈은 존귀하여 윗자리에 있는 것인데 지금은 위로 가서 자리한다. 음의 부드러움은 자신을 낮추어 아랫자리에 있는 것인데 지금은 아래로 와서 아랫자리에 있다. 남자는 나이가 어리지만 위에 자리하고 여자는 나이가 많지만 아래에 있어 존귀함과 낮음이 올바름을 얻고 위와 아래가 이치를 따르니 부패를 다스리는 길이다. 굳셈이 올라가고 부드러움이 내려갔기 때문에 변하여 간(艮☶)괘와 손(巽☴)괘가 되었다. 위의 간괘는 멈춤을 뜻하고 아래의 손괘는 순종을 뜻한다. 아래에서 공손하게 순종하고 위에서 합당한 위치에서 멈추니, 공손하게 순종하는 데 멈추는 것이다. 공손하게 이치를 따르는 도리로 부패를 개혁하니 크게 형통할 수가 있다.

集說

● 集氏曰 : "'巽而止'者, 巽而不爲, 因循至壞者也."

집씨(集氏)가 말했다. "'공손하여 멈춘다'는 말은 공손하여 아무 것도 행하지 않아 그대로 따라 파괴에 이르는 것이다."

● 『朱子語類』云 : "剛上柔下, '巽而止', 此是言致蠱之由, 非治蠱之道."[9]

『주자어류(朱子語類)』에서 말했다. "굳셈이 위에 있고 부드러움이 아래에 있어 '공손하여 멈춘다.' 이는 부패에 이르는 연유를 말하는 것이지 부패를 다스리는 도가 아니다."

又云: "龜山說巽而止乃治蠱之道, 言當柔順而止, 不可堅正, 非唯不成道理, 且非易彖文義. 巽而止蠱, 猶順以動豫, 動而說隨, 皆言卦義."[10]

또 말했다. "구산(龜山) 양씨(楊氏)가 공손하여 멈추는 것이 부패를 다스리는 도라고 한 말은 마땅히 유순하게 순종하여 멈추어야지 견고하게 올바를 수는 없다고 한 것이니, 도리가 이루어지지 않을 뿐 아니라 『역』「단전」의 문장 뜻이 아니다. 공손하여 멈추는 것은 부패이니 순종하여 움직이는 것이 예(豫)괘이고 움직여 기쁜 것이 수(隨)괘인데 모두 괘의 뜻을 말한다."

● 俞氏琰曰: "巽固進退不決, 苟非艮之止, 亦未至於蠱. 唯其巽而止, 所以蠱也. 巽則無奮迅之志, 止則無健行之才, 於是事事因循. 苟且積弊, 而至於蠱, 故曰'巽而止蠱'. 蓋以卦德言致蠱之由, 非飭蠱之道也."[11]

유염(俞琰)[12]이 말했다. "공손하여 나아가고 물러남을 결정하지 못

9) 『주자어류(朱子語類)』 70권, 189조목.
10) 『주자어류(朱子語類)』 70권, 188조목.
11) 유염(俞琰), 『주역집설(周易集說)』 권14.

한 것은 간괘의 멈춤이 아니니 또한 부패에 이르지 않았다. 오직 공손하여 멈추어야 부패가 된다. 공손하면 분발하려는 뜻이 없고 멈추면 강건하게 행하는 자질이 없어 모든 일마다 그대로 따른다. 실로 폐단이 누적되어 부패에 이르기 때문에 '공손하여 멈추니 부패이다'라고 했다. 괘덕으로 부패에 이른 연유를 말하니 부패를 신칙하는 도가 아니다."

12) 유염(俞琰) : 자는 옥오(玉吾)이고, 호는 전양자(全陽子), 임옥산인(林屋山人), 석간도인(石澗道人) 등이다. 남송 말 원대 초기에 활동한 학자로 송대 오군(吳郡 : 현 강소성 소주〈蘇州〉) 사람이다. 어려서 가학을 익히고 젊어서는 기서(奇書)를 즐겨 연구하다가, 뒤늦게 과거시험 준비를 했다. 남송이 멸망하고 원대 조정이 들어서자 과거응시를 포기하고 은거하여 역학 연구에 전념하였다. 역학 관련 저술이 특히 많았는데, 대표적인 것으로 『주역집설(周易集說)』, 『독역거요(讀易擧要)』, 『역외별전(易外別傳)』 등이 있다.

蠱, 元亨而天下治也. "利涉大川", 往有事也. "先甲三日, 後甲三日", 終則有始天行也

부패는 크게 형통할 수 있고 세상이 다스려진다. "큰 강을 건너는 것이 이롭다"는 가서 일을 도모하는 것이다. "선갑(先甲) 3일 하며, 후갑(後甲) 3일 해야 한다."는 것은 끝마치면 시작이 있는 것으로 하늘의 운행이다.

本義

釋卦辭, 治蠱至於元亨, 則亂而復治之象也. 亂之終, 治之始, 天運然也.

괘사(卦辭)를 해석하였다. 부패를 다스려 크게 형통함에 이르면 혼란하였다가 다시 다스려지는 상(象)이다. 혼란의 끝이 다스림의 시작이니, 천운(天運)이 그러하다.

程傳

治蠱之道, 如卦之才, 則元亨而天下治矣. 夫治亂者, 苟能使尊卑上下之義正, 在下者巽順, 在上者能止齊安定之. 事皆止於順, 則何蠱之不治也? 其道大善而亨也, 如此則天下治矣. 方天下壞亂之際, 宜涉艱險以往而濟之, 是往有所事也. 夫有始則必有終, 旣終則必有始, 天之道也. 聖人知終始之道, 故

能原始而究其所以然, 要終而備其將然., '先甲後甲'而爲之慮, 所以能治蠱而致元亨也.

부패를 다스리는 방도가 괘의 자질과 같다면[13] 크게 형통하여 세상이 다스려진다. 혼란을 다스리는 자가 존비상하(尊卑上下)의 뜻을 올바르게 할 수 있다면 아랫사람들이 공손하게 순종하고 위에 있는 자는 합당한 자리에 멈추어 가지런히 하고 안정시킬 수 있다. 모든 일이 이치에 따르는 것에 합당하게 멈춘다면 무슨 부패인들 다스려지지 않겠는가? 그 방도가 크게 좋고 형통하니 이와 같다면 세상이 다스려진다.

천하가 부패하고 혼란할 때는 마땅히 어려움과 장애를 건너 일을 행하면서 다스려야 하니, 이것이 가서 일을 도모하는 것이다.

시작이 있다면 반드시 그 끝이 있고 그 끝이 있으면 또 다시 새로운 시작이 있으니 이것이 하늘의 도이다. 성인은 이러한 시작과 끝의 도리를 알기 때문에 시작을 근원적으로 탐구하여 어떤 일이 일어나게 된 원인을 궁구하고 그 끝을 예측하여 앞으로 일어날 일을 대비한다. '선갑후갑'을 통해서 사려하게 하니, 부패를 다스려 크게 형통할 수 있는 이유이다.

---

13) 괘의 자질과 같다면 : 위는 간괘로 멈춤이고 아래는 손괘로 공손이다. 그것을 '공손하게 순종하는 데 멈추는 것'이라고 정이천은 설명한다. 윗사람은 합당한 위치에서 멈추고 아랫사람은 공손하게 순종한다. 그리고 공손하면서 이치를 따르는 도리로 다스린다는 의미가 있다.

集說

● 楊氏萬里曰："蠱，壞矣. 而曰'元亨而天下治'，何也? 蓋亂爲治根，蠱爲飭源，雖然亂不自治，蠱不自飭，不植不立，不振不起，故利於濟大難，'往有事'也."

양만리(楊萬里)가 말했다. "고(蠱)는 부패하는 것이다. '크게 형통하고 천하가 다스려진다'고 말한 것은 무엇 때문인가? 혼란은 다스림의 뿌리고 부패는 신칙의 근원이니 혼란이 저절로 다스려지지 않고 부패가 저절로 신칙되지 않더라도 심지 않으면 서지 않고 진흥시키지 않으면 일어나지 않기 때문에 큰 어려움을 건너는 데 이로우니, '가서 도모하는 일이 있다.'"

● 『朱子語類』云："'蠱元亨而天下治'，言蠱之時如此，必須是大善亨通而後天下治."[14]

『주자어류(朱子語類)』에서 말했다. "'부패는 크게 형통하고 천하가 다스려진다'고 했는데 부패의 때가 이러하니 반드시 크게 형통한 뒤에 천하가 다스려진다."

● 胡氏炳文曰："諸卦皆言往有功，蠱獨曰'往有事.' 蠱者事也，事雖已治，不可以無事視之也. 前事過中而將壞，卽當爲自新之圖，後事方始而尙新，卽當致丁寧之意. 亂之極而治之始，雖天運然也，亦人事致然也."[15]

14) 『주자어류(朱子語類)』 70권, 193조목.
15) 호병문(胡炳文), 『주역본의통석(周易本義通釋)』 권1.

호병문(胡炳文)이 말했다. "여러 괘는 모두 가면 공이 있다고 말했는데 고(蠱)괘에서는 유독 '가서 일을 도모함이 있다'고 했다. 고(蠱)는 일이니 일이 이미 다스려졌더라도 아무 일도 없는 것으로 볼 수는 없다. 앞에 일이 중간을 지나가면 파괴되니 마땅히 새롭게 할 수 있는 것을 도모해야 하고 나중 일은 비로소 시작되어 새롭게 되니 마땅히 간곡한 뜻을 다해야 한다. 혼란이 지극하면 다스림의 시작이니 천운(天運)이 그러할지라도 또한 인간사도 그러하다."

● 龔氏煥曰 : "蠱卦辭言先甲後甲, 巽卦辭言先庚後庚. 事壞而至蠱, 則當復始. 甲者事之始, 故蠱「彖傳」以先甲後甲, 爲終則有始地. 事久而有弊, 不可以不更. 庚者事之變, 故巽爻辭以先庚後庚爲無初有終也. 夫事之壞而新之, 是謂'終則有始'. 事之弊而革之, 是謂無初有終. 終則有始, 如創業之君, 新一代之法度也. 無初有終, 如中興之主, 革前朝之弊事也."[16]

공환(龔煥)[17]이 말했다. "고(蠱)괘 괘사(卦辭)에서 '선갑후갑(先甲後甲)'을 말했고 손(巽)괘 괘사에서 '선경후경(先庚後庚)'을 말했다. 일이 무너져 부패에 이르면 마땅히 다시 시작해야 한다. 갑(甲)이란 일의 시작이기 때문에 고(蠱)괘의 「단전」에서 '선갑후갑'으로 해서 결국에는 시작이 있다. 일이 오래되면 낡게 되어 갱신하지 않을

16) 정정조(程廷祚), 『대역택언(大易擇言)』.

17) 공환(龔煥) : 자는 유문(幼文)이고, 천봉선생(泉峯先生)이라고 불렸다. 원(元)대 임천(臨川)사람이다. 요응중(饒應中)에게 사사하여 본체를 밝히고 실천에 옮기는 데 힘썼다. 당시 아직 과거제도가 시행되지 못했는데, 시행되면 반드시 정자와 주자의 학문을 법식으로 삼아야 한다고 주장했다. 과연 뒤에 그의 말대로 시행되었다.

수 없다. 경(庚)은 일의 변혁이기 때문에 손(巽)괘의 효사에서 '선경후경'으로 삼아 시작은 없지만 결말이 있는 것을 삼았다. 일이 무너져 새롭게 함은 '끝나면 시작이 있다'는 것을 말한다. 일이 부패되어 변혁함은 시작은 없지만 결말이 있는 것을 말한다. 끝나면 시작이 있는 것은 창업의 군주와 같아 한 시대의 법도를 새롭게 한다. 시작은 없지만 결말이 있는 것은 중흥의 군주와 같아 이전 조정의 부패한 일들을 변혁하는 것이다."

● 俞氏琰曰 : "'往有事'者, 當蠱壞之時, 宜涉艱險而往有攸濟, 不可處之於無事之域也. 文子云, '流水之不腐, 以其逝故也. 戶樞之不蠹, 以其運故也.' 大抵器欲常用, 久不用則蠹生. 體欲常動, 久不動則病生. 蠱之時, 止而不動, 則天下之事, 終於蠱而已矣, 故勉之使往, 不宜坐視其弊而弗救也."[18]

유염(俞琰)이 말했다. "'가서 도모하는 일이 있다'는 것은 부패하는 때 험난함을 건너가 다스림이 있어야만 하니 아무 일도 하지 않는 것에 처해서는 안 된다. 문자가 '흘러가는 물은 썩지 않으니 흘러가기 때문이다. 문짝의 지도리는 좀먹지 않으니 움직이기 때문이다'고 했다.[19] 대체로 기물을 항상 쓰려고 하지만 오래 사용하지 않으면 좀이 생긴다. 몸은 항상 움직이려고 하지만 오랫동안 움직이지 않으면 병이 생긴다. 부패의 때에 멈추어 움직이지 않으면 세상의 일들이 결국에는 부패할 뿐이기 때문에 힘써 가려고 하니 그 폐단을 좌시하고 구제하지 않으려 하면 마땅하지 않다."

18) 『주역집설(周易集說)』 권14.
19) 『자화자(子華子)』「북궁의문(北宮意問)」.

19. 임臨䷒괘

臨, 剛浸而長.

임(臨)은 강함이 점차로 나아가 자라난다.

本義

以卦體釋卦名.

괘의 체(體)로 괘의 이름을 해석했다.

集說

● 王氏應麟曰 : "『陰符經』云, '天地之道浸, 故陰陽勝.' 愚嘗讀易之臨曰'剛浸而長', 遯曰'浸而長也', 自臨而長爲泰, 自遯而長爲否. 浸者漸也, 聖人之戒深矣."[1]

1) 왕응린(王應麟), 『곤학기문(困學紀聞)』 권1.

왕응린(王應麟)[2]이 말했다. "『음부경』에서 '천지의 도가 침범하기 때문에 음양이 승(勝)한다'고 했다. 생각하건데 『역』의 임(臨)괘에서 '굳셈이 점차 나가 자라난다'고 했고 돈(遯)괘에서 '침범하여 자라난다'고 했으니 임(臨䷒)괘에서 자라나 태(泰䷊)괘가 되고 돈(遯䷠)괘에서 자라나 비(否䷋)괘가 된다. 침범한다는 것은 점차로 자라난다는 뜻이니 성인이 경계함이 깊다."

● 張氏清子曰:"自復一陽生, 積而至臨, 則二陽長矣, 故曰'剛浸而長'. 遯者臨之反也, 臨「彖」曰'剛浸而長', 遯「彖」不曰'柔浸而長', 而止曰'小利貞浸而長', 易不爲小人謀也."

장청자(張清子)가 말했다. "복(復䷗)괘에서 하나의 양이 생겨나 누적되어 임(臨䷒)에 이르면 두 양이 자라나기 때문에 '굳셈이 점차 나가 자라난다'고 했다. 돈(遯)괘는 임괘의 반대이므로 임괘 「단전」에서 '굳셈이 점차 나가 자라난다'고 했고, 돈괘 「단전」에서 '부드러움이 점차 나가 자라난다'고 했으니, 단지 '조금 바로잡는 것이 이롭다는 것은 점차 나가 자라나기 때문이다'고 말했다. 『역』은 소인을 위해 도모하지 않는다."

---

2) 왕응린(王應麟, 1223~1296) : 자는 백후(伯厚)이고, 호는 심녕거사(沈寧居士)이다. 남송(南宋) 때의 학자로서 박학하고 경사백가(經史百家) · 천문지리 등에 조예가 깊었다. 장고제도(掌故制度)에 익숙하고 고증에 능했다. 저서로는 『곤학기문(困學紀聞)』, 『옥해(玉海)』, 『시고(詩考)』, 『시지리고(詩地理考)』, 『한예문지고증(漢藝文志考證)』, 『옥당류고(玉堂類稿)』, 『심녕집(深寧集)』 · 『삼자경(三字經)』 등이 있다. 그 중에서 『옥해』 200권은 남송에서 가장 완비된 『유서類書)』 곧 백과사전이다.

說而順, 剛中而應.

기뻐하며 순종하고, 굳세면서 알맞게 되어 호응한다.

本義

又以卦德卦體言卦之善.

또 괘의 덕(德)괘와 괘의 체(體)로 괘의 좋음을 말하였다.

案

"剛浸而長, 說而順, 剛中而應", 皆釋卦名也. 蓋"剛浸而長", 則陽道方亨. 有說順之德, 則人心和附. 剛中得應, 則上下交叫志同. 此其所以德洋及於天下, 而足以有臨也. 此亦如泰之取義, 兼交泰與消長兩意, 見正道之盛大. 故夫子釋之曰"臨者大也". 若但以臨爲陵逼小人之義, 則於卦爻之辭多有所難通者.

"임(臨)은 굳셈이 점차로 나아가 자라나고, 기뻐하면서 순종하여 굳세면서도 알맞게 되어 호응한다"는 말은 모두 괘명(卦名)을 해석했다. "굳셈이 점차로 나아가 자라나니" 양의 도가 형통한다.
기뻐하고 순종하는 덕이 있으니 사람의 마음이 조화하고 붙는다.
굳세면서도 알맞게 되어 호응하니 위와 아래가 교제하고 뜻을 함께 한다. 이것이 덕이 천하에 미쳐 충분하게 세상에 임할 수 있는 까닭이다.

이는 또한 태(泰)괘의 뜻을 취한 것과 같아 교제하여 태평한 것과 줄어들고 자라난다는 두 가지 뜻을 겸해서 정도가 성대한 것을 드러냈다. 그러므로 공자가 해석하여 "임하는 것은 크다"고 했다. 단지 임(臨)괘를 소인을 핍박하는 뜻으로 여긴다면 괘효사에 통하기 어려운 부분이 많다.

大亨以正, 天之道也
크게 형통하고 올바르니, 하늘의 도이다.

本義

當剛長之時, 又有此善, 故其占如此也.

굳셈이 자라나는 때 또 이런 좋음이 있기 때문에 그 점(占)이 이러하다.

程傳

浸, 漸也. 二陽長於下而漸進也. 下兌, 上坤, 和說而順也. 剛得中道而有應助, 是以能大亨而得正, 合天之道. 剛正而和順, 天之道也. 化育之功所以不息者, 剛正和順而已. 以此臨人臨事臨天下, 莫不大亨而得正也. 兌爲說, 說乃和也, 夬「彖」云"決而和".

'침(浸)'은 점차로 스며드는 뜻이다. 두 양효가 아래에서 자라나 점차로 나아간다. 아래가 태(兌☱)괘이고 위가 곤(坤☷)괘이므로, 기뻐하면서 순종하는 모습이다. 굳셈이 중도를 얻어 호응과 도움을 얻으니, 이것이 크게 형통하여 올바름을 얻을 수 있는 것으로 하늘의 도에 부합한다. 굳셈이 올바르고 조화하며 순종하니, 하늘의 도이다.

변화하고 자라나게 하는 공로가 끊이지 않는 것은 굳셈이 올바르고 조화롭고 순종하기 때문일 뿐이다. 이것으로 사람들에게 임(臨)하고 사업에 임하고 세상에 임한다면 크게 형통하여 올바름을 얻지 않음이 없다. 태(兌)괘란 기쁨으로 기쁨이 곧 조화이니, 쾌(夬)괘의 「단전」에서 "마음이 툭 터져 조화한다."라고 했다.

至於八月有凶, 消不久也.

"8월에 이르면, 흉함이 있다"는 것은 오래지 않아 양의 기운이 줄어든다는 말이다.

本義

言雖天運之當然, 然君子宜知所戒.

비록 천운(天運)의 당연함이나 군자가 마땅히 경계할 줄 알아야 함을 말하였다.

程傳

臨二陽生, 陽方漸盛之時, 故聖人爲之戒云. 陽雖方長, 然"至於八月", 則消而凶矣. 八月, 謂陽生之八月. 陽始生於復, 自復至遯凡八月, 自建子至建未也. 二陰長而陽消矣, 故云"消不久"也. 在陰陽之氣言之, 則消長如循環, 不可易也. 以人事言之, 則陽爲君子, 陰爲小人, 方君子道長之時, 聖人爲之誡, 使知極則有凶之理而虞備之, 常不至於滿極, 則無凶也.

임(臨)괘는 아래에서 두 양효가 생겨나, 양이 점차로 성대해질 때이므로, 성인이 미리 경계하여 양이 자라나고 있지만 "8월에 이르면", 줄어들어 흉하게 된다. 8월이란 양이 생겨난 후 8개월이 됨을 말한다.

양이 처음 복(復䷗)괘에서 생겨나고 복괘에서 돈(遯䷠)괘에 이르는 것[3]이 8개월이니, 건자월(建子月 : 11월)부터 건미월(建未月 : 6월)에 이르러, 두 음이 자라나 양이 줄어들므로, "오래지 않아 양의 기운이 줄어든다"고 했다.

음양의 기운으로 말하면, 줄어들고 자라나는 것이 순환하므로 바꿀 수는 없다. 인간사로 말하면, 양은 군자이고 음은 소인이니 군자의 도가 자라날 때 성인이 미리 경계하여 극한에 이르면 흉해질 수 있는 이치가 있다는 점을 알아 미리 근심하고 방비하게 한 것이니, 항상 꽉 찬 극한에 이르지 않는다면 흉함이 없다.

集說

● 孔氏穎達曰 : "陽長之卦, 每卦皆應'八月有凶'. 但此卦名臨, 是盛大之義, 故於此卦特戒之耳. 若以類言之, 則陽長之卦, 至其終末皆有凶也."[4]

---

3) 복괘에서 돈(遯)괘에 이르는 것 : 괘기설은 한(漢)나라의 맹희(孟喜)는 괘기설(卦氣說)을 주장했는데, 주역의 괘로 1년 절기의 변화를 해설하면서 64괘를 1년의 4계절, 12월, 24절기, 72후에 배당했다. 이것이 괘기(卦氣)이다. 맹희는 또 12벽괘(辟卦)을 말한다. 12벽괘는 1년의 12달을 역의 64괘 중 12괘로서 구분하여 나타내는 방법이다. 아래 표와 같다. 복괘에서 돈괘까지가 8개월이다.

復	臨	泰	大壯	夬	乾	姤	遯	否	觀	剝	坤
䷗	䷒	䷊	䷡	䷪	䷀	䷫	䷠	䷋	䷓	䷖	䷁
子월	丑월	寅월	卯월	辰월	巳월	午월	未월	申월	酉월	戌월	亥월

4) 공영달(孔穎達), 『주역주소(周易注疏)』 권1.

공영달(孔穎達)이 말했다. "양이 자라나는 괘는 매 괘 모두 '8월에 이르면 흉함이 있다'에 호응한다. 이 괘의 이름이 임(臨)이고 성대하다는 뜻이기 때문에 이 괘에서 특별하게 경계했을 뿐이다. 만약 종류로서 말한다면 양이 자라나는 괘는 종말에 이르러 모두 흉함이 있다."

● 陸氏振奇曰 : "日陽象, 月陰象. 八, 少陰之數. 七, 少陽之數. 故言陰來之期曰八月, 言陽來之期曰七日."

육진기(陸振奇)[5]가 말했다. "해는 양의 모습이고 달은 음의 모습이다. 8은 소음(少陰)의 수이다. 7은 소양(少陽)의 수이다. 그러므로 음이 오는 기일을 8월이라 하고 양이 오는 기일을 7일이라 한다."

案

八月七日, 說者多鑿. 陸氏之說, 最爲得之. 蓋陽數窮於九, 則退而生少陰之八, 陰數窮於六, 則進而生少陽之七, 七八者陰陽始生之數也. 若拘拘於卦氣月候之配, 則震旣濟之七日, 與夫三日三年十年之類, 皆多不可通者矣.

8은 월이고 7은 일인데 말하는 사람들은 천착이 많다. 육씨의 말이 가장 좋다.
양의 수는 9가 궁극이므로 물러나 소음의 8이 생기고, 음의 수는

5) 육진기(陸振奇) : 자는 용성(庸成)이고 명(明)대 전당(錢塘 : 현 절강성 항주〈杭州〉) 사람이다. 만력(萬曆) 34년(1606)에 거인(擧人)이 되었다. 저서에 『역개(易芥)』가 있다.

6이 궁극인데 나아가 소양의 7이 생기니 7, 8은 음양의 시작과 생겨나는 수다.
괘기(卦氣)의 절후 배치에 구구하게 집착하게 되면 진(震)괘와 기제(旣濟)괘의 7일과 3일, 3년, 10년의 종류들은 모두 통할 수가 없다.

20. 관觀䷓괘

大觀在上, 順而巽, 中正以觀天下.

크게 보이는 것으로 위에 있어, 유순하면서 겸손하고, 중정(中正)을 이룬 덕으로 세상에 보인다.

本義

以卦體卦德釋卦名義.

괘의 체(體)와 괘의 덕(德)으로 괘 이름의 뜻을 해석하였다.

程傳

五居尊位, 以剛陽中正之德, 爲下所觀, 其德甚大, 故曰"大觀在上". 下坤而上巽, 是能順而巽也, 五居中正, 以巽順中正之德, 爲觀於天下也.

구오효는 존귀한 지위에 있으면서 양의 굳세고 중정(中正)을 이룬 덕으로 아랫사람들이 우러러 보는 자이니 그 덕이 매우 크므로, "크게 보이는 것이 위에 있다"고 했다.
아래로는 곤(坤☷)괘이고 위로는 손(巽☴)괘이니, 이는 유순하면서 공손할 수 있는 것이다. 구오효는 중정(中正)의 위치에 자리하고 유순하면서 중정을 이룬 덕으로 세상에 보여주는 모습이 된다.

集說

● 趙氏彥肅曰:"'大觀在上', 統謂二陽, '中正以觀天下', 獨擧九五."[1)]

조언숙(趙彥肅)[2)]이 말했다. "'크게 보이는 것으로 위에 있다'는 것은 두 양효를 통괄적으로 말하였다. '중정(中正)을 이룬 덕으로 세상에 보인다'는 오직 구오효만 거론한 것이다."

● 楊氏啟新曰:"順以宅心, 堯舜之溫恭克讓, 文王之徽柔懿恭是也. 巽以制事, 通人情, 酌物理, 隨物付物, 因時制宜者也, '巽,

1) 조언숙(趙彥肅), 『부재역설(復齋易說)』 권2.
2) 조언숙(趙彥肅) : 자는 자흠(子欽)이고 호는 복재(復齋)이다. 송(宋) 태조의 후예이고 일찍이 진사(進士)로 천거되었다. 저작으로는 『광잡학변(廣雜學辨)』, 『사관례혼례궤식도(士冠禮婚禮饋食圖)』 등이 있는데 주희가 높이 평가했다. 오직 『역』을 논하는데 주희와 합치하지 않아서 『주자어류』에서는 그 학설이 정미하다고 말하여 의미를 취한 것이 많다. 조언숙이 말하는 『역』은 상수(象數)에서 의리(義理)를 구하는 것이라서 6획을 중시한다. 『복재역설(復齋易說)』이 있다.

德之制也', 非巽何以使萬事各得其宜."

양계신(楊啟新)이 말했다. "순종하여 마음을 안정시키니 요순(堯舜)의 온화하고 공경함[3]과 문왕(文王)의 아름다운 부드러움과 아름다운 공손함[4]이 이것이다. 공손함으로 일을 제어하여 인정에 통하고 물리를 헤아려 사물을 따라 사물 그대로 처리하니 때에 맞게 마땅함을 제어하는 것이다. '손(巽☴)괘는 덕의 제어이다'[5]라고 했으니 공손함이 아니라면 어떻게 모든 일이 그 마땅함을 얻게 할 수 있겠는가?"

---

3) 『서경』「우서 · 순전」: "曰若稽古帝舜, 曰重華協于帝, 濬哲文明, 溫恭允塞, 玄德, 升聞, 乃命以位.[옛 제순(帝舜)을 상고하건대 거듭 빛남이 제요(帝堯)에게 합하시니, 깊고 명철하고 문채나고 밝으시며 온화하고 공손하고 성실하고 독실하시어 그윽한 덕(德)이 올라가 알려지시니, 제요(帝堯)가 마침내 직위(職位)를 명하셨다.]"라고 하였다.

4) 『서경』「주서 · 무일」: "徽柔懿恭, 懷保小民, 惠鮮鰥寡, 自朝, 至于日中, 昃, 不遑暇食, 用咸化萬民.[아름답게 부드럽고 아름답게 공손하시어 소민(小民)들을 품어 보호하시며, 환과(鰥寡)들에게 은혜를 입혀 생기가 나게 하시어, 아침부터 해가 중천에 뜰 때와 해가 기울 때에 이르도록 한가히 밥먹을 겨를도 없으시어 만민(萬民)들을 모두 화합하게 하셨습니다.]"라고 하였다.

5) 『주역』「설괘전」.

“觀, 盥而不薦, 有孚顒若”, 下觀而化也.

“관은 손만 씻고 제사음식을 올리지 않았을 때처럼 하면, 신뢰를 가지고, 우러러 본다”는 말은 아랫사람들이 우러러보고 교화되는 것이다.

本義

釋卦辭

괘사(卦辭)를 해석하였다.

程傳

爲觀之道, 嚴敬如始盥之時, 則下民至誠瞻仰而從化也. “不薦”, 謂不使誠意少散也.

세상에 보이는 도리에 대해 엄숙하고 공경하기를 제사 올리기 시작하는 때처럼 하면, 백성들이 지극히 성실함으로 우러러보면서 따르고 교화된다. “제사음식을 올리지 않았을 때처럼 한다”는 것은 정성스런 뜻이 조금도 흩어지지 않게 한다는 말이다.

集說

● 虞氏翻曰 : “孚, 信. 盥, 有威容貌. 容止可觀, 進退可度, 則下觀其德而順其化. 『詩』曰, '顒顒卬卬, 如圭如璋.' 君德之義也."[6]

우번(虞翻)[7]이 말했다. "부(孚)는 믿음이다. 관(盥)에는 위엄있는 용모가 있다. 용모가 볼만하고 진퇴가 헤아릴 만하면 아랫 사람이 그 덕을 보고 그 교화를 따른다. 『시경』에서 '공경하고 우러러보아 규(圭)와 같고 장(璋)과 같다'[8]고 했으니 군자의 덕이라는 뜻이다."

● 朱氏震曰 : "祭之初, 迎尸入廟, 天子浴手而後酌酒, 浴謂之盥. 酌酒獻尸, 尸得之灌地而祭, 謂之祼. 祼之後, 三獻而薦腥, 五獻而薦熟, 謂之薦. 盥者, 未祼之時, 精神專一, 誠意未散, 不言之信, 發而爲敬順之貌. 顒, 顒如也, 故下觀而化, 莫不有敬順之心也."[9]

주진(朱震)[10]이 말했다. "제사의 초기에 시동을 맞이하고 묘에 들어가 천자는 손을 씻고 술을 붓는다. 손을 씻는 것을 관(盥)이라고

6) 이정조(李鼎祚), 『주역집해(周易集解)』 권5.

7) 우번(虞翻, 164~233) : 중국 후한 말기에서 삼국시대의 인물로, 자는 중상(仲翔)이며 양주(楊州) 회계군(會稽郡) 여요현(餘姚縣) 출신이다. 『역경(易經)』에 밝은 학자이다.

8) 『시경』「대아 · 생민지십 · 권아(卷阿)」 : "공경하고 우러러보아 규(圭)와 같고 장(璋)과 같으며 훌륭한 명예가 있고 훌륭한 위의가 있는지라 개제(豈弟)한 군자(君子)를 사방에서 기강(紀綱)으로 삼으리라.[顒顒卬卬, 如圭如璋, 令聞令望, 豈弟君子, 四方爲綱.]"라고 하였다.

9) 주진(朱震), 『한상역전(漢上易傳)』 권2.

10) 주진(朱震, 1072~1138) : 자는 자발(子發)이고, 당시 한상선생(漢上先生)이라 불리었다. 송대 형문군(荊門軍 : 현 호북성 소속) 사람으로 한림학사(翰林學士)를 여러 번 역임하였다. 저서는 『한상역전(漢上易傳)』이 있다.

한다. 술을 따라 시동에게 올리면 시동은 땅에 뿌리고 제사를 드리니 관(祼)이라 한다. 관(祼) 이후에 세 번 술을 올리고 생선을 올리고 다섯 번 술을 올리고 익힌 고기를 올리니 천(薦)이라 한다. 관(盥)은 관(祼)하기 전에 정신을 집중하고 정성을 모아 말하지 않는 믿음이 일어나 공경하고 순종하는 모습이다. 옹(顒)은 우러러 보는 것이기 때문에 아래에서 보고 교화되니 공경하고 순종하는 마음이 없지 않다."

● 王氏申子曰:"觀示天下之道, 其誠意精一. 常如始盥之時, 則觀感之下, 莫不從化, 蓋有不動而敬不言而信之妙."[11]

왕신자(王申子)가 말했다. "천하의 도를 세상에 보여주는 데 그 정성이 하나로 집중한다. 항상 제사를 드리기 전에 손을 씻을 때처럼 하면 보고 감동받은 아랫사람들이 교화되지 않음이 없으니 움직이지 않았는데 공경하고 말하지 않았는데 믿는 신묘함이 있다."

11) 왕신자(王申子), 『대역집설(大易緝說)』 권5.

觀天之神道, 而四時不忒, 聖人以神道設教, 而天下服矣.

하늘의 신묘한 도를 보면 사계절이 어긋나지 않으니, 성인이 이 신묘한 도로 가르침을 세워 세상이 복종한다.

本義

極言觀之道也. "四時不忒", 天之所以爲觀也. 神道設教, 聖人之所以爲觀也.

관(觀)의 도(道)를 지극하게 말했다. "사계절이 어긋나지 않는다"는 하늘이 보여주는 것이다. 신도(神道)로 가르침을 베푸는 일은 성인이 보여주는 것이다.

程傳

天道至神, 故曰神道. 觀天之運行, 四時無有差忒, 則見其神妙. 聖人見天道之神, 體神道以設教, 故天下莫不服也. 夫天道至神, 故運行四時, 化育萬物, 無有差忒. 至神之道, 莫可名言. 唯聖人默契, 體其妙用, 設爲政教, 故天下之人, 涵泳其德而不知其功, 鼓舞其化而莫測其用, 自然仰觀而戴服, 故曰"以神道設教而天下服矣".

천도(天道)는 지극히 신묘하므로, 신도(神道)라고 했다. 하늘의 운행을 보면 사계절이 조금도 어그러지지 않고 운행되니, 그 신묘함을 본다. 성인은 천도의 신묘함을 보고 그 신묘한 도를 체득하여 가르침을 펼치므로, 세상 사람들이 모두 복종한다.

천도가 지극히 신묘하므로 사계절을 운행하고 만물을 낳고 기르는데 조금의 오차도 없다. 지극히 신묘한 도리는 말로 규정할 수 없고 오직 성인이 묵묵히 그에 부합하고 신묘한 작용을 체득하여 정치와 가르침을 세웠으므로, 세상 사람들이 그 덕에 푹 젖어들면서도 그 효과가 어떻게 이루어졌는지를 모르고 그 교화에 고무되면서도 그것이 어떻게 작용했는지를 추측하지 못하니 저절로 우러러보고 탄복한다. 그래서 "신묘한 도로 가르침을 세우니 세상이 복종한다"고 말했다.

集說

● 虞氏翻曰 : "聖人'退藏於密''以神明其德', 故'設教而天下服矣.'"[12]

우번(虞翻)이 말했다. "성인이 '은밀함에 물러가 감추어'[13] '그 덕을

12) 이정조(李鼎祚), 『주역집해(周易集解)』 권5.

13) 『주역』「계사상」: "그러므로 시초(蓍草)의 덕은 둥글어 신묘(神妙)하고 괘의 덕은 네모져 지혜로우며, 육효의 뜻은 변역(變易)하여 길흉을 알려준다. 성인이 이로써 마음을 깨끗이 씻어 은밀함에 물러가 감추며, 길흉간에 백성과 더불어 근심을 함께 하여 신(神)으로써 미래를 알고 지혜로써 지나간 일을 보관하니, 그 누가 이에 참여하겠는가. 옛날에 총명하고 예지하며 신무(神武)하고 죽이지 않는 자일 것이다.[是故, 蓍之德, 圓而神, 卦之德, 方以知, 六爻之義, 易以貢, 聖人以此洗心退藏於密, 吉凶,

신명케 하기' 때문에 '가르침을 세워 천하가 복종한다.'"

● 王氏弼曰 : "統說觀之爲道, 不以刑制使物, 而以觀感化物. 神則無形者也, 不見天之使四時, 而四時不忒. 不見聖人使百姓, 而百姓自服也."[14)]

왕필(王弼)이 말했다. "관(觀)의 도를 총체적으로 말하면 형벌로 사물을 제어하지 않고 관(觀)으로 사물을 감동시키고 교화하는 것이다. 신묘함은 형체가 없는 것이니 하늘이 사계절을 부리는 모습을 볼 수 없지만 사계절은 어기지 않는다. 성인이 백성을 부리는 것이 보이지 않지만 백성은 저절로 복종한다."

● 楊氏時曰 : "古人聽以交神而接人, 其道一主於誠, 故曰明則有禮樂, 幽則有鬼神. 幽明本無二理, 故所以感之者一. 聖人以神道設教, 所謂神道, 誠意而已. 誠意, 天德也."[15)]

양시(楊時)가 말했다. "옛 사람은 들어서 신과 교접하여 사람을 대접하는 데 그 도가 정성에 하나로 집중하기 때문에 밝으면 예악(禮樂)이 있고 어두우면 귀신(鬼神)이 있다. 어둡고 밝은 것은 본래 두 이치가 아니기 때문에 감응하는 것은 하나이다. 성인이 이 신묘한 도로 가르침을 세우니 신묘한 도란 정성스러운 뜻일 뿐이다. 정성스러운 뜻이 하늘의 덕이다."

與民同患, 神以知來, 知以藏往, 其孰能與於此哉? 古之聰明叡知神武而不殺者夫.]"라고 하였다.

14) 왕필(王弼), 『주역주(周易註)』 권2.

15) 양시(楊時), 『구산집(龜山集)』 권11, 「경사소문(京師所聞)」.

● 『朱子語類』云 : "聖人以神道設教, 即是'盥而不薦'之義."[16]

『주자어류(朱子語類)』에서 말했다. "성인이 신묘한 도로 가르침을 세운다는 것은 '손을 깨끗이 씻고 제사물을 올리지 않는다'는 뜻이다."

又云 : "天之神道, 只是自然運行底道理, 四時自然不忒, 聖人神道, 亦是有教人自然觀感處."[17]

또 말했다. "하늘의 신도(神道)는 저절로 운행하는 도리일 뿐이니 사계절이 저절로 어긋나지 않는다. 성인의 신도(神道) 또한 사람들이 저절로 보고 감동하게 하는 곳이 있다."

● 吳氏澄曰 : "常人以言設教, 則有聲音. 以身設教, 則有形跡. 聖人妙天道於不測, 其應捷如影響. 蓋所存者神, 故所過者化也."[18]

오징(吳澄)[19]이 말했다. "보통 사람들은 말로 가르침을 세우니 소

16) 『주자어류(朱子語類)』 70권, 204조목.
17) 『주자어류(朱子語類)』 70권, 209조목.
18) 오징(吳澄), 『역찬언(易纂言)』 권3.
19) 오징(吳澄, 1249~1333) : 자는 유청(幼淸)이고, 세칭 초려선생(草廬先生)이라 한다. 송원(宋元)교체기 숭인(崇仁 : 현 강서성 소속) 사람으로 국자감사업(國子監司業) · 한림학사(翰林學士)를 역임하였다. 시호는 문정(文正)이다. 그의 학문은 주로 주희와 육구연의 사상을 절충하는 경향이 있으며, 특히 주희 이래의 도통(道統)을 은연중에 자임하고 있다. 저서는 『학기(學基)』, 『학통(學統)』, 『서 · 역 · 춘추 · 예기찬언(書 · 易 · 春秋 · 禮記纂言)』, 『오문정공집(吳文正公集)』, 『효경장구(孝經章句)』

리가 있다. 몸으로 가르침을 세우면 형체와 흔적이 있다. 성인은 예측하지 못하는 곳에서 천도(天道)를 신묘하게 체득하여 그 호응하는 것이 민첩하여 마치 그림자나 메아리와 같다. 보존하는 것이 신묘하기 때문에 지나가는 사람들이 교화된다."

● 楊氏啟新曰 : "聖人設教, 誠於此, 動於彼. 不顯之德, 篤恭之妙, 與上天之載無聲無臭者同一機, 而其動物之妙, 丕變之感, 有非人所能測者, 故曰神道設教."

양계신(楊啟新)이 말했다. "성인이 가르침을 세우는 데 여기에서 정성을 다하면 저쪽에서 감동한다. 드러나지 않은 덕이고 독실하게 공경한 신묘함이 하늘의 소리가 없고 냄새가 없는 것과 동일하게 작동하여 그 감동시키는 미묘함과 큰 변화의 감응은 사람이 예측할 수 있는 것이 아니기 때문에 신묘한 도로 가르침을 세운다고 했다."

등이 있고, 『황극경세서(皇極經世書)』, 『노자(老子)』, 『장자(莊子)』, 『태현경(太玄經)』, 『팔진도(八陣圖)』, 『곽박장서(郭璞葬書)』를 교정했다.

21. 서합噬嗑☲☳괘

頤中有物, 曰噬嗑.

턱 사이에 사물이 있으므로 서합이라고 하였다.

本義

以卦體釋卦名義.

괘의 체(體)로 괘 이름의 뜻을 해석하였다.

集說

王氏宗傳曰 : "『易』之立卦, 其命名立象, 各有所指. 鼎, 井, 大過棟橈, 小過飛鳥, 若此類者, 遠取諸物也. 艮背, 頤頤, 噬嗑, 頤中有物, 若此類者, 近取諸身也."[1]

1) 왕종전(王宗傳), 『동계역전(童溪易傳)』 권9.

왕종전(王宗傳)[2]이 말했다. "『역』에서 괘를 만드는 데 괘명의 이름을 정하고 괘상을 세우는 데 각각 그 가리키는 것이 있다. 솥과 우물이 있고 대과(大過)괘는 대들보의 휘어짐이며 소과(小過)괘는 나는 새이니 이런 부류는 멀리 사물에서 취했다. 간(艮)괘는 등이고 이(頤)괘는 턱이며 서합(噬嗑)괘는 턱 사이에 있는 사물이니 이런 부류는 가까이 몸에서 취했다."

2) 왕종전(王宗傳) : 자는 경맹(景孟)이고, 송대 영덕(寧德 : 현 복건성 영덕시) 사람이다. 1181년에 진사에 급제하여 소주교수(韶州教授)를 역임하였다. 왕필의 의리역학을 추종하여 상수역학을 배척하였다. 저서에는 『동계역전(童溪易傳)』이 있다.

噬嗑而亨, 剛柔分, 動而明, 雷電合而章, 柔得中而上行, 雖不當位, 利用獄也.

깨물어 합하여 형통한 것이다. 굳셈과 부드러움이 나뉘고 진동하여 밝으며 우레와 번개가 합하여 빛난다. 부드러움이지만 가운데 자리를 얻어 위로 행하니, 합당한 지위는 아니지만 송사를 사용하는 것이 이롭다.

本義

又以卦名卦體卦德二象卦變釋卦辭.

괘의 이름과 괘의 체(體)와 괘의 덕(德)과 두 가지 상(象)과 괘의 변(變)으로 괘사(卦辭)를 해석하였다.

程傳

"頤中有物", 故爲噬嗑. 有物間於頤中則爲害, 噬而嗑之, 則其害亡, 乃亨通也, 故云"噬嗑而亨". "剛柔分, 動而明, 雷電合而章", 以卦才言也. 剛爻與柔爻相間, 剛柔分而不相雜, 爲明辯之象. 明辨, 察獄之本也. "動而明", 下震上離, 其動而明也. "雷電合而章", 雷震而電耀, 相須並見, "合而章"也. 照與威並行, 用獄之道也. 能照則無所隱情, 有威則莫敢不畏. 上旣以二象言其動而明, 故複言威照並用之意.

"턱 사이에 사물이 있으므로" 서합이다. 사물이 턱 사이에 있으면 해가 되는데 깨물어 합하면 그 해로움이 없어져 형통하게 되기 때문에 "깨물어 합하여 형통한 것이다"라고 했다.

"굳셈과 부드러움이 나뉘고 진동하여 밝으며 우레와 번개가 합하여 빛난다"고 했는데 괘의 자질 구조로 말한 것이다. 굳센 효와 부드러운 효가 서로 벌어져 있고 굳셈과 부드러움이 나뉘어 서로 뒤섞이지 않으니, 분명하게 분별할 수 있는 모습이다. 분명하게 분별하는 것은 송사를 살피는 근본 태도이다.

"진동하여 밝다"는 것은 아래가 우레를 상징하는 진(震☳)괘이고 위가 불을 상징하는 이(離☲)괘이므로 진동하여 밝다. "우레와 번개가 합하여 빛난다"는 우레가 진동하고 번개가 빛나는 것이니, 서로 함께 드러나서 "합하여 빛난다"는 뜻이다. 밝게 비추는 명철함과 우레의 위엄이 함께 드러나니 송사를 처리하는 방도이다.

밝게 비출 수 있으면 감추어진 실정이 없고, 위엄이 있으면 두려워하지 않은 자가 없게 된다. 위에서 두 괘의 상징으로 진동하여 밝다고 말했으므로, 다시 위엄과 밝게 비추는 명철함이 함께 작용하는 뜻을 말했다.

六五以柔居中, 爲用柔得中之義. "上行", 謂居尊位. "雖不當位", 謂以柔居五爲不當. 而利於用獄者, 治獄之道, 全剛則傷於嚴暴, 過柔則失於寬縱. 五爲用獄之主, 以柔處剛而得中, 得用獄之宜也. "以柔居剛爲利用獄, 以剛居柔爲利否?" 曰剛柔, 質也, 居, 用也. 用柔非治獄之宜也.

육오효는 부드러운 자질로 가운데에 자리했으니, 유연하게 행하며 중도(中道)를 얻은 뜻이다.

"위로 행한다"는 것은 존귀한 지위에 자리했다는 말이다. "합당한 지위가 아니다"는 것은 유약한 자질로 군주의 자리에 있으므로 합당하지 않다는 말이다.
송사를 사용하는 것이 이로운 이유는 송사를 처리하는 방도가 오로지 강경하기만 하면 엄격하고 포악한 태도에서 문제가 발생하고, 과도하게 유연하기만 하면 관대하고 허술한 태도에서 실수를 일으킬 수가 있기 때문이다.
육오효는 송사를 처리하는 주체로 부드러운 자질로 굳센 위치에 처하여 중도를 얻었으니 송사를 처리하는 마땅함을 얻었기 때문이다. "부드러운 자질로 굳센 위치에 자리하는 것으로 송사를 처리하는 것은 이로운 것이고, 굳센 자질로 부드러운 위치에 자리하는 것으로 송사를 처리하는 것은 이롭지 않다는 것입니까?" 이렇게 대답하겠다. 굳세거나 부드러움은 자질이고, 어떤 위치에 자리하느냐 하는 것은 그 자질이 현실적으로 작용한 것이다. 유연한 태도를 보이는 것은 송사를 처리하는 합당한 태도가 아니다.

集說

● 崔氏憬曰: "物在頤中, 隔其上下, 因齧而合, 乃得其亨焉. 以喻人於上下之間, 有亂群者, 當用刑法之, 故言'利用獄'."[3]

최경(崔憬)[4]이 말했다. "사물이 턱 속에 있으면 턱의 위 아래가 가

3) 이정조(李鼎祚), 『주역집해(周易集解)』 권2.
4) 최경(崔憬): 당(唐)대 역학가로서 그 생졸연대는 공영달의 뒤 이정조(李鼎祚)의 앞이다. 그의 역학은 역상(易象)과 역수(易數)를 중시하여, 왕필(王弼)의 『주역주(周易注)』를 묵수하지 않고 의리와 상수를 함께 다루

로막혀 씹어서 합치한 후에 형통하다. 사람에 비유하면 위 아래 사이에서 혼란을 일으키는 무리가 있으면 형법을 사용하기 때문에 '형벌을 사용하면 이롭다'고 했다."

● 石氏介曰 : "大凡柔則言上行, 剛則言來. 柔下剛上, 定體也. 剛來, 如訟無妄渙等, 剛體本在上而來下. 上行, 如晉睽鼎噬嗑等, 柔體本在下, 今居五位爲上行."

석개(石介)[5]가 말했다. "대체로 부드러움은 위로 올라간다고 하고 굳셈은 온다고 한다. 부드러움이 아래로 내려가고 굳셈이 올라가는 것이 정해진 체질이다. 굳셈이 온다는 것은 송(訟)괘[6]와 무망(無

었다. 순상(荀爽) · 우번(虞翻) · 마융(馬融) · 정현(鄭玄)의 역학에도 조예가 깊었다. 공영달의 『주역정의(周易正義)』가 관학으로서 학계를 지배할 때 그의 역학은 독창적으로 새로운 의의가 있다고 칭송되었으며, 특히 이정조(李鼎祚)에게 추앙받았다. 이로써 그의 역학은 한(漢)대 역학에서 송(宋)대 역학으로 옮겨가는 선구가 되었다고 평가받는다. 저작으로는 『주역탐현(周易探玄)』이 있었다고 하는데 전해지지 않고, 이정조(李鼎祚)의 『주역집해(周易集解)』에 그의 주장이 많이 보인다.

5) 석개(石介, 1005~1045) : 자는 수도(守道)이고 혹은 공조(公操)이다. 곤주(兗州) 봉부(奉符) 사람이다. 북송(北宋) 초기 학사이며 사상가이다. 송대 이학(理學)의 선구자이다. 태산서원(泰山書院)과 조래(徂徠書书院)을 창건하여 『역』과 『춘추(春秋)』를 가르쳐서 의리(義理)를 중시했다. 세상에서는 조래선생(徂徠先生)이라 부른다. 태산(泰山)학파의 창시자이다. 이정(二程)과 주희(朱熹)에게 영향을 미쳤다. 천성(天聖) 8년에 진사(進士)가 되었으며 국자감직강을 역임했다. 손복(孫復), 호원(胡瑗)과 함께 북송 삼선생(三先生)으로 불린다. 백성을 천하 국가의 근본으로 여겼다. 저작은 『조래집(徂徠集)』이 있다.

6) 『주역』「송(訟)괘」: "彖曰, 訟有孚窒惕中吉, 剛來而得中也.['다툼은 믿

妄)괘[7]와 환(渙)괘[8] 등이니 굳셈의 체질은 본래 위에 있어 아래로 온다. 위로 올라가는 것은 진(晉)괘[9]와 규(睽)괘[10]와 정(鼎)괘[11]와 서합(噬嗑)괘 등이니 부드러움의 체질은 본래 아래에 있다가 지금 다섯 번째 위치에 자리하니 위로 올라간 것이다."

● 朱氏震曰:"六五柔中, 不當位也. 施於用獄, 無若柔中之爲利. 蓋人君止於仁, 不以明斷稱. 以皋陶寧失不經, 曾子哀矜而勿喜之言觀之, 則不在明斷審矣."[12]

음이 있으나 막혀서 두려우니 중(中)하면 길하다'는 것은 굳셈이 와서 중(中)을 얻는 것이다.]"라고 하였다.

7) 『주역』「무망(無妄)괘」: "象曰, 無妄, 剛自外來, 而爲主於內.[진실함은 굳셈이 밖에서 와서 안에서 주인이 된다.]"라고 하였다.

8) 『주역』「환(渙)괘」: "彖曰, 渙, 亨, 剛來而不窮, 柔得位乎外, 而上同.['흩어짐이 형통하다'는 것은 굳센 것이 와서 궁해지지 않고, 부드러운 것이 밖에서 자리를 얻어, 위와 함께 하기 때문이다.]"라고 하였다.

9) 『주역』「진(晉)괘」: "彖曰, 晉, 進也, 明出地上, 順而麗乎大明, 柔進而上行, 是以康侯用錫馬蕃庶晝日三接也['진(晉)'은 나아감이니, 밝음이 땅 위로 나와, 순종하면서 큰 밝음에 붙어 있고, 부드러움이 나아가 위로 행한다. 이 때문에 나라를 안정시키는 제후에게 말을 하사하기를 많이 하고, 하루에 세 번 접견하는 것이다.]"라고 하였다.

10) 『주역』「규(睽)괘」: "說而麗乎明, 柔進而上行, 得中而應乎剛. 是以小事吉.[기뻐하고 밝음에 붙으며, 부드러움이 나아가 위로 가서, 중(中)을 얻어 굳셈에 호응한다. 그래서 작은 일에 길한 것이다.]"라고 하였다.

11) 『주역』「정(鼎)괘」: "巽而耳目聰明, 柔進而上行, 得中而應乎剛, 是以元亨.[겸손하여 귀와 눈이 총명하며, 부드러움이 나아가 위로 올라가고, 중도를 얻었으며 굳셈에게 호응해서, 크게 형통한 것이다.]"라고 하였다.

12) 주진(朱震), 『한상역전(漢上易傳)』 권2.

주진(朱震)[13]이 말했다. "육오효는 부드러움이 중도를 이루었지만 지위가 합당하지 않다. 형벌을 시행하는 것이 부드러움이 중도를 얻은 이로움만 같지 않다. 군주는 인(仁)에 멈추어 밝은 결단으로 칭하지는 않는다. 고요가 '차라리 떳떳한 법대로 하지 않은 실수를 범하겠다'[14]고 한 것이나 증자가 '불쌍히 여기고 기뻐하지 말아야 한다'[15]는 말을 통해 보면 밝은 결단과 판단에 있지 않다."

13) 주진(朱震, 1072~1138) : 자는 자발(子發)이고, 당시 한상선생(漢上先生)이라 불리었다. 송대 형문군(荊門軍 : 현 호북성 소속) 사람으로 한림학사(翰林學士)를 여러 번 역임하였다. 저서는 『한상역전(漢上易傳)』이 있다.

14) 『서경』「우서 · 대우모」: "고요(皐陶)가 말했다. '황제의 덕이 잘못됨이 없으시어 아랫사람에게 임하되 간략함으로써 하고 무리들을 어거하되 너그러움으로써 하시며, 벌은 자식에게 미치지 않고 상은 자손 대대로 미치게 하시며, 과오로 지은 죄는 용서하되 큼이 없고 고의로 지은 죄는 형벌하되 작음이 없으시며, 죄가 의심스러운 것은 가볍게 형벌하시고 공이 의심스러운 것은 중하게 상주시며, 무고한 사람을 죽이기보다는 차라리 떳떳한 법대로 하지 않은 실수를 범하겠다 하시어 살려주기를 좋아하는 덕이 민심에 흡족하십니다. 이 때문에 백성들이 유사(有司)를 범하지 않는 것입니다.[皐陶曰, 帝德, 罔愆, 臨下以簡, 御衆以寬, 罰弗及嗣, 賞延于世, 宥過無大, 刑故無小, 罪疑, 惟輕, 功疑, 惟重, 與其殺不辜, 寧失不經, 好生之德, 洽于民心, 玆用不犯于有司.]"라고 하였다.

15) 『논어』「자장」: "맹씨(孟氏)가 양부(陽膚)를 사사(士師)로 임명하자, 양부가 증자(曾子)에게 옥사(獄事) 처리에 관하여 물으니, 증자가 말했다. '윗사람이 도리를 잃어 백성들이 이반된 지가 오래 되었다. 만일 잘못을 범한 실정을 파악했으면 불쌍히 여기고 기뻐하지 말아야 한다.[孟氏使陽膚爲士師, 問於曾子, 曾子曰, 上失其道, 民散, 久矣, 如得其情, 則哀矜而勿喜.]"라고 하였다.

● 趙氏汝楳曰："體卦之畫，則寬嚴胥濟．體卦之德，則明清善聽．體卦之象，則獄不淹宿．噬以剛動而能嗑，「象」言'利用獄'，疑當以剛能斷制．而聖人歸之六五之柔，其哀矜惟良之義乎！大君在上，三又而後制刑，德雖柔，於獄則利．"[16]

조여매(趙汝楳)[17]가 말했다. "괘의 획을 체험하면 관대함과 엄격함이 서로 다스린다. 괘의 덕을 체험하면 밝고 잘 듣는다. 괘의 상을 체험하면 형벌은 지체하지 않는다. 씹어서 강함으로 움직이면 합치할 수 있으니, 「단전」에서 '형벌을 사용하면 이롭다'는 것은 마땅히 강함으로 결단해야 한다는 말이다. 성인은 이 내용을 육오효의 부드러움에 귀결시켰으니 '가엽게 여기며'[18] '선량한 자가 옥사를 결정한다'[19]는 뜻이 아닌가! 군주가 윗자리에서 세 번을 용서한[20] 뒤

16) 조여매(趙汝楳), 『주역집문(周易輯聞)』 권2.

17) 조여매(趙汝楳) : 송(宋)대 종실(宗室)로서, 명주(明州) 은현(鄞縣 : 현 절강성 영파시〈寧波市〉)에서 살았고, 조선상(趙善湘)의 아들이다. 이종(理宗) 보경(寶慶) 2년(1226) 진사에 급제하고, 호부시랑(戶部侍郞), 강회안무제치사(江淮安撫制置使) 등을 역임했다. 천수군공(天水郡公)에 봉해졌다. 역상(易象)에 정통했다. 저서에 『주역집문(周易輯聞)』, 『역아(易雅)』, 『역서총서(易敍叢書)』, 『서종(筮宗)』 등이 있다.

18) 『서경』「주서 · 여형」: "황제(皇帝)께서 여러 형벌을 받은 자의 무죄를 가엾게 여기시어 사나움을 갚되 위엄으로써 하여 묘민(苗民)을 끊어서 대를 이어 하국(下國)에 있지 못하게 하였다.[皇帝哀矜庶戮之不辜, 報虐以威, 絶苗民, 無世在下.]"라고 하였다.

19) 『서경』「주서 · 여형」: "벌금으로 징계함이 죽는 것은 아니나 사람들이 지극히 괴로워하니, 말 잘하는 자가 옥사를 결단할 것이 아니라 선량한 자가 옥사를 결단하여야 알맞음에 있지 않음이 없을 것이다. 말을 어긋남에 살펴 따르려 하지 않으면서 따르며 가엾게 여기고 공경하여 옥사를 결단하며 형서(刑書)를 밝게 열어 서로 점쳐야 모두 거의 중정(中正)할 것이다. 형과 벌을 살펴서 능하게 하여야 옥사가 이루어짐에 백성들이

에 형벌을 제어하니 덕이 비록 부드럽더라도 형벌에서는 이롭다."

● 兪氏琰曰 : "噬嗑倒轉爲賁, 亦有'頤中有物'之象. 而以爲賁, 何耶? 曰, 凡噬者必下動, 賁無震, 故不得爲噬嗑也. 夫頤而中虛, 則無事於噬而自可合. 今有物焉, 則窒塞矣. 苟不以齒決之, 烏得而合? 故噬已則嗑. 嗑則窒者去而上下亨通. 故文王曰'噬嗑亨'. 孔子添一而字. 蓋謂噬而嗑之則亨, 不噬則不嗑, 不嗑則不亨也."[21]

유염(兪琰)이 말했다. "서합(噬嗑䷔)괘를 뒤집으면 비(賁䷕)괘이니 또한 '턱 속에 사물이 있다'는 상이 비(賁)괘가 되는 것은 무엇 때문인가? 이렇게 답하겠다. 씹는 것은 반드시 아래에서 움직이는데 비괘에는 진(震☳)괘가 없으니 씹어 없앨 수가 없다. 턱은 가운데가 텅 비어 씹지 않고 저절로 합치할 수 있다. 지금 사물이 있어 막혔다. 이빨로 자르지 않는다면 어떻게 합하겠는가? 그러므로 씹어서 합치한다. 합하면 막힌 것이 제거되어 위와 아래가 형통하다. 그러므로 문왕은 '서합은 형통하다'고 했다. 공자는 거기에 '이(而)'라는

믿으며, 위로 올림에 군주가 믿을 것이니, 형벌을 결단한 내용을 갖추어 올리되 두 형벌을 겸하여 올려라.[罰懲, 非死, 人極于病, 非佞, 折獄, 惟良, 折獄, 罔非在中. 察辭于差, 非從惟從, 哀敬折獄, 明啓刑書, 胥占, 咸庶中正. 其刑其罰, 其審克之, 獄成而孚, 輸而孚, 其刑, 上備, 有幷兩刑.]"라고 하였다.

20) 세 번을 용서한 : 『예기(禮記)』「왕제(王制)」, "삼공이 옥사를 이루고 왕에게 고하니 왕이 세 번 용서한 뒤에 형벌을 제어했다.[三公以獄之成告於王, 王三又然後制刑.]"라고 하였다. 정현은 "우(又)는 마땅히 용서할 유(宥)이어야 한다.[又, 當作宥.]"고 주석했다.

21) 유염(兪琰), 『주역집설(周易集說)』 권14.

한 글자를 덧붙였다. 깨물어 합하면 형통하고 깨물지 않으면 합치하지 않고 합치하지 않으면 형통하지 않기 때문이다."

22. 비賁䷕괘

賁, 亨.

꾸미는 것은 형통하다.

本義

亨字疑衍.

형(亨)은 잘못 붙여진 글자이다.

柔來而文剛, 故亨. 分剛上而文柔, 故小利有攸往, 天文也.

부드러움이 와서 굳셈을 꾸미기 때문에 형통하고, 굳셈이 나뉘어져 위로 올라가 부드러움을 꾸미므로, "나아갈 바가 있는 것이 조금 이롭다."고 했으니, 천문이다.

本義

以卦變釋卦辭. 剛柔之交, 自然之象, 故曰天文. 先儒說"天文上當有剛柔交錯四字", 理或然也.

괘의 변(變)으로 괘사(卦辭)를 해석하였다. 굳셈과 부드러움이 교제하는 것은 저절로 그러한 상(象)이기 때문에 천문(天文)이라 했다. 이전 유학자들은 "천문 위에 마땅히 '강유교착(剛柔交錯)' 네 글자가 있어야 한다"고 했는데, 이치가 그럴 듯하다.

集說

● 蘇氏軾曰 : "易有剛柔往來上下相易之說, 而其最著者, 賁之「彖傳」也. 故學者沿是爭推其所從變, 曰, 泰變爲賁, 此大惑也. 一卦之變爲六十三, 豈獨爲賁也哉! 徒知泰之爲賁, 又烏知賁之不爲泰乎? 凡易之所謂剛柔往來相易者, 皆本諸乾坤也. 乾施一陽於坤, 以化其一陰, 而生三子, 凡三子之卦有言剛來者, 明此本坤也, 而乾來化之. 坤施一陰於乾, 以化其一陽, 而生三女, 凡三女之卦有言柔來者, 明此本乾也, 而坤來化之. 非是卦也, 則無是言也."[1]

소식(蘇軾)이 말했다. "『역』에서 굳셈과 부드러움이 가고 오고 올라가고 내려가 서로 바뀌는 말이 있는데 그것이 가장 잘 드러난 것은 비(賁)괘의 「단전」이다. 그러므로 배우는 사람은 이 쟁론을 거슬러 그 변화가 일어난 근거를 추론하면서 '태(泰䷊)괘가 변하여 비(賁䷕)가 되었다'고 하는데 이는 큰 미혹이다. 한 괘의 변화가 63괘가 되니 어찌 유독 비괘가 되겠는가! 태괘가 비괘가 되는지는 알겠지만 또 어찌 비괘가 태괘가 되지 않는지를 알겠는가?
『역』에서 강(剛)과 유(柔)가 가고 와서 서로 변하는 것은 모두 건(乾☰)괘와 곤(坤☷)괘에 근본한다. 건괘가 하나의 양을 곤괘에 주어 하나의 음을 변화시켜 세 남자 자식을 낳으니 세 남자 자식의 괘에 굳셈이 온다고 말하는 것은 이것이 곤괘에 근본하고 건에 와서 변했다는 점을 밝힌 것이다. 곤이 하나의 음을 건괘에 주어 하나의 양을 변화시켜 세 여자 자식을 낳으니 세 여자 자식의 괘에서 부드러움이 온다고 말한 것은 이것이 건괘에 근본하여 곤에 와서 변했다는 점을 밝혔다. 이 괘가 아니었다면 이런 말이 없었을 것이다."

● 胡氏炳文曰 : "'柔來而文剛', 是以剛爲主也. 剛往文柔, 必曰'分剛上而文柔'者, 亦以剛爲主也. 故『本義』於柔文剛, 則曰陽得陰助, 於剛文柔, 而不曰陰得陽助. 蓋一陰下而爲離, 則陰爲陽之助, 而明於內. 一陽上而爲艮, 則陽爲陰之主, 而止於外, 是知皆以剛爲主也."[2]

1) 소식(蘇軾), 『동파역전(東坡易傳)』 권3.
2) 호병문(胡炳文), 『주역본의통석(周易本義通釋)』 권1.

호병문(胡炳文)이 말했다. "'부드러움이 와서 굳셈을 꾸민다'는 것은 굳셈을 주효로 삼았다. 굳셈이 가서 부드러움을 꾸민다면 반드시 '굳셈이 분리하여 위로 가서 부드러움을 꾸민다'고 했을 것이니 또한 굳셈을 주효로 삼았다. 그러므로 『주역본의』에서 부드러움이 굳셈을 꾸몄다면 '양이 음의 도움을 얻었다'[3]고 했고 굳셈이 부드러움을 꾸몄을 경우 음이 양의 도움을 얻었다고 말하지 않았다. 하나의 음이 내려가 리(離☲)괘가 되었으니 음이 양의 도움이 되어 안에서 밝고, 하나의 양이 위로 올라가 간(艮☶)괘가 되었으니 양이 음의 주인이 되어 밖에서 멈추었기 때문이다. 이는 모두 굳셈을 위주로 한다는 것을 알 수 있다."

● 何氏楷曰 : "剛爲質, 柔爲文, '柔來''文剛', 是本先立矣. 而文行焉, 故亨. '分剛上而文柔'者, 非以剛爲文也. 分剛畫居上, 而柔始得成其文. 不然, 無質之文非文已."[4]

3) 『주역본의(周易本義)』 비(賁)괘 : "비(賁䷕)는 꾸밈이다. 괘(卦)가 손(損䷨)괘로부터 온 것은 부드러움이 삼효에서 와서 이효를 꾸미고 굳셈이 이효에서 올라가 삼효를 꾸미며 기제(旣濟䷾)괘로부터 온 것은 부드러움이 상효에서 와서 오효를 꾸미고 굳셈이 오효에서 올라가 상효를 꾸미며, 또 안은 리(離☲)괘이고 밖은 간(艮☶)괘이니, 문명(文明)하면서 각각 그 분수를 얻은 상(象)이 있다. 그러므로 비(賁)라 한 것이다. 점치는 자는 부드러움이 와서 굳셈을 꾸며 양(陽)이 음(陰)의 도움을 얻고, 리(離)가 안에서 밝으므로 형통한 것이고, 굳셈이 올라가 부드러움을 꾸미고 간(艮)이 밖에 멈춰 있으므로 가는 바를 두는 것이 조금 이로운 것이다.[賁, 飾也. 卦自損來者, 柔自三來而文二, 剛自二上而文三, 自旣濟而來者, 柔自上來而文五, 剛自五上而文上, 又內離而外艮, 有文明而各得其分之象, 故爲賁. 占者以其柔來文剛, 陽得陰助而離明於內, 故爲亨, 以其剛上文柔而艮止於外, 故小利有攸往.]"라고 하였다.

하해(何楷)가 말했다. "굳셈은 바탕이고 부드러움은 꾸밈이라서 '부드러움이 와서"굳셈을 꾸미니' 근본이 먼저 서고 꾸밈이 행해졌기 때문에 형통하다. '굳셈이 나뉘어 올라가 부드러움을 꾸민다'는 것은 굳셈으로 꾸밈이 아니다. 굳센 획이 나뉘어 위에 자리하여 부드러움이 비로서 꾸밈을 이룬다. 그렇지 않으면 바탕이 없는 꾸밈이니 꾸밈이 아닐 뿐이다."

● 張氏振淵曰 : "'柔來"文剛', 是當質勝之餘, 而以文濟之. '剛上"文柔', 是當文勝之後, 而以質救之. 二者皆以質爲主."

장진연(張振淵)이 말했다. "'부드러움이 와서' '굳셈을 꾸민다'는 것은 바탕이 과도한 나머지 꾸밈으로 다스린 것이다. '굳셈이 올라가서' '부드러움을 꾸민다'는 말은 꾸밈이 과도한 뒤에 바탕으로 구제한 것이다. 두 가지는 모두 바탕을 위주로 한다."

案

"亨"與"小利有攸往", 皆指文而言之. 故"柔來而文剛"者, 見剛當以柔濟之, 而後可通也. "剛上""文柔"者, 見柔當以剛節之, 而柔之道不可純用以行也. 何氏張氏質文之說極明.

"형통하다"와 "나아갈 바가 있는 것이 조금 이롭다"는 것은 모두 꾸밈을 가리켜 말했다. 그러므로 "부드러움이 와서 굳셈을 꾸민" 것은 굳셈을 보면 마땅히 부드러움으로 다스린 뒤에 통할 수 있다. "굳셈이 올라가" "부드러움을 꾸민다"는 것은 부드러움을 보면 마땅

4) 하해(何楷), 『고주역정고(古周易訂詁)』 권1.

히 굳셈으로 조절하니 부드러움의 방도는 순수하게 사용하여 행할 수가 없다. 하씨[하해]와 장씨[장진연]의 바탕과 꾸밈의 말이 가장 분명하다.

又案

“剛上”“文柔”而曰“分”者, 本於內之誠實, 以爲節文之則, 乃是由中而分出者, 故曰“分”也.

“굳셈이 올라가” “부드러움을 꾸민다”는 말에서 “나뉜다”는 것은 마음속의 성실함에 근본하여 조절하고 꾸미는 원칙으로 삼는 것이니 마음으로부터 나뉘어 나왔기 때문에 “나뉜다”고 했다.

文明以止, 人文也.

문명하여 적절한 데 멈추는 것이 인문이다.

本義

又以卦德言之. 止, 謂各得其分.

또 괘의 덕(德)으로 말하였다. 지(止)는 각각 그 분수를 얻는 것을 말한다.

程傳

卦爲賁飾之象, 以上下二體, 剛柔交相爲文飾也. 下體本乾, 柔來文其中而爲離, 上體本坤, 剛往文其上而爲艮, 乃爲山下有火, 止於文明而成賁也. 天下之事, 無飾不行, 故賁則能亨也. "柔來而文剛, 故亨", 柔來文於剛, 而成文明之象, 文明所以爲賁也. 賁之道能致亨, 實由飾而能亨也. "分剛上而文柔, 故小利有攸往", 分乾之中爻, 往文於艮之上也. 事由飾而加盛, 由飾而能行, "故小利有攸往".

이 괘가 꾸민 장식의 모습이 되는 것은 위와 아래 두 괘의 형체를 보면 강(剛)과 유(柔)가 교류하여 서로 꾸민 장식이 되기 때문이다. 하체(下體)는 본래 건(乾☰)괘인데 부드러움이 와서 그 가운데를 꾸며 주어 이(離☲)괘가 되었고, 상체(上體)는 본래 곤(坤☷)괘인데 굳셈이 가서 그 위를 꾸며 주어 간(艮☶)괘가 되었으니, 이것이 산 아래 불이 있는 모습이 되고, 문명(文明)의 덕에 멈추어 비(賁䷕)괘가 되었다.

세상의 모든 일은 꾸민 장식이 없다면 실행되지 못하기 때문에 꾸미면 형통할 수 있다. "부드러움이 와서 굳셈을 꾸미므로 형통하다"라는 말은 부드러움이 와서 굳셈을 꾸며 주어 문명(文明)한 모습이 되었고, 문명(文明)한 것이 비괘가 되었다. 꾸미는 도가 형통할 수 있는 것은 진실한 바탕이 꾸민 장식으로 인하여 형통할 수 있기 때문이다.

"굳셈이 나뉘어 위로 올라가 부드러움을 꾸며 주므로 나아갈 바가 있는 것이 조금 이롭다"고 했는데, 이는 본래 건(乾☰)괘의 가운데 효가 나뉘어 간(艮☶)괘의 가장 위의 자리에 가서 꾸며준다는 말이다.

어떤 일이든 꾸민 장식으로 인하여 성대하게 될 수 있고 꾸민 장식으로 인하여 실행될 수 있으므로, "나아갈 바가 있는 것이 조금 이롭다."

夫往而能利者, 以有本也. 賁飾之道, 非能增其實也, 但加之文彩耳. 事由文而顯盛, 故爲"小利有攸往". 亨者亨通也, 往者加進也. 二卦之變, 共成賁義. 而「彖」分言上下各主一事者, 蓋離明足以致亨, 文柔又能小進也. "天文也, 文明以止人文也", 此承上文言陰陽剛柔相文者, 天之文也, 止於文明者, 人之文也. 止, 謂處於文明也. 質必有文, 自然之理, 理必有對待, 生生之本也. 有上則有下, 有此則有彼, 有質則有文. 一不獨立, 二則爲文, 非知道者孰能識之? 天文, 天之理也.

人文, 人之道也.

일을 진행해 나아가 이로울 수 있는 것은 근본이 있기 때문이다. 꾸미는 도는 그 실질을 증가시킬 수 있는 것이 아니라 거기에 아름다운 문채를 더해줄 수 있을 뿐이다.
어떤 일이든 꾸밈을 통하여 겉으로 성대함이 드러나므로 "나아갈 바가 있는 것이 조금 이롭다." '형(亨)'이란 형통하다는 말이다. '나아간다'는 말은 일을 더 진행해 나아간다는 뜻이다.
두 괘의 변화가 모두 꾸미는 뜻이 되어 「단전」에서는 상괘와 하괘로 나누어 말해 각각 한 가지 일을 주도했는데, 이는 이(離☲)괘의 밝음이 형통함에 이를 수 있고 부드러움을 꾸며주는 것도 조금 더 일을 진행해 나아갈 수 있게 하기 때문이다.
"천문이고, 그 문명(文明)에 멈추는 것이 인문이다"라고 했으니, 윗글을 이어 음양과 강유가 서로 꾸미는 것이 천문이고, 문명(文明)에 멈추는 것이 인문이라는 말이다. "멈춘다"는 것은 문명(文明)한 덕에 처한다는 말이다. 바탕은 반드시 꾸밈이 있는 것이 자연의 이치이다. 이 자연의 이치에는 대대(待對)[5]하는 바가 있는 것이 살리고 또 살리려는 근본이다.[6]

5) 대대(待對) : 짝이 되어 의지하는 것을 의미한다. 상생(相生)하면서도 상극(相剋)하는 관계이다.
6) 살리고 또 살리려는 근본이다 : 끊임없이 생성이 이루어지며 변화가 일어나는 것을 의미한다. 그것이 바로 역(易)이다. 『역』「계사상」:"한번 음하고 한번 양하는 것을 도라고 한다. 그것을 잇는 것이 선이고 그것을 이루는 것이 성(性)이다. 인자는 그것을 보고 인(仁)이라 하고, 지자는 그것을지(知)라고 하지만 일반 백성은 매일 그것을 사용하면서도 알지 못하므로, 군자의 도가 드물다. 인에서 드러나지만, 작용 속에서 감추어져서, 만물을 고무하지만 성인과 함께 근심하지는 않으니, 그 성대한 덕과 위

위가 있으면 아래가 있고 이것이 있으면 저것이 있고 바탕이 있으면 꾸밈이 있다. 하나로는 홀로 설 수 없고 둘이 되면 서로 꾸밈을 이루니, 도를 아는 사람이 아니라면 이런 점을 누가 깨달을 수가 있겠는가? 천문은 하늘의 이치이고 인문은 사람의 길이다.

集說

● 孔氏穎達曰 : "文明, 離也, 以止, 艮也. 用此文明之道, 裁止於人, 是人之文, 德之教."[7]

공영달(孔穎達)이 말했다. "문명(文明)은 리(離☲)괘이고 그친다는 것은 간(艮☶)괘이다. 이 문명의 도를 사용하여 사람을 마름질하고 멈추게 하니 인간의 문(文)이고 덕(德)의 가르침이다."

● 胡氏允曰 : "君臣父子兄弟夫婦朋友, 粲然有禮以相接者, 文之

대한 일들은 지극하구나! 풍부하게 소유한 것이 위대한 일이고, 매일 새롭게 하는 것이 성대한 덕이다. 끊임없이 낳고 낳는 것이 역(易)이며, 그 모습을 이룬 것이 건(乾)이고, 그 모범을 본받는 것이 곤(坤)이며, 수(數)를 극진하게 하여 다가올 일을 아는 것이 점(占)이며, 변통하는 것이 사업이고, 음양을 예측할 수 없는 것이 신(神)이다.[一陰一陽之謂道. 繼之者善也, 成之者性也. 仁者見之謂之仁, 知者見之謂之知, 百姓日用而不知, 故君子之道鮮矣. 顯諸仁, 藏諸用, 鼓萬物而不與聖人同憂, 盛德大業至矣哉! 富有之謂大業, 日新之謂盛德. 生生之謂易, 成象之謂乾, 效法之謂坤, 極數知來之謂占, 通變之謂事, 陰陽不測之謂神.]" 라고 하였다.

7) 공영달(孔穎達), 『주역주소(周易注疏)』 권1.

明也. 截然有分以相守者, 文之止也. 是則卦中離明而艮止者也."

호윤(胡允)이 말했다. "군주와 신하, 부모와 자식, 형제, 남편과 아내, 친구 관계에서 명백하게 예로써 서로 대접하는 것이 문(文)의 밝음이고, 확실하게 분수로 서로 지키는 것이 문(文)의 멈춤이다. 이를 괘에서 보면 리(離☲)괘가 밝음이고 간(艮☶)괘가 멈춤이다."

● 王氏應麟曰:"大畜爲學, 賁爲文. 能止健而後可以爲學, 文明以止而後可以爲文者, 篤實而已. 不以篤實爲本, 則學不足以成德, 文不足以明理."[8]

왕응린(王應麟)이 말했다. "대축(大畜)괘는 배움이고 비(賁)괘는 꾸밈이다. 강건함을 적절하게 그칠 수 있은 뒤에 배울 수 있고 문명(文明)하여 그친 뒤에 꾸밀 수 있는 것은 돈독한 바탕의 진실일 뿐이다. 돈독한 바탕의 진실을 근본으로 하지 않는다면 배워서 덕을 이루기에 부족하고 꾸며서 이치에 밝기에는 부족하다."

● 何氏楷曰:"止者限而不過之謂. 一文之一止之而文成. 禮以節文爲訓, 卽此意."[9]

하해(何楷)가 말했다. "그친다는 것은 한도에서 넘어서지 않음을 말한다. 한번 꾸미고 한번 멈추어 문(文)이 이루어진다. 예를 조절하고 꾸민다고 가르침을 붙이는 것이 이러한 뜻이다."

---

8) 왕응린(王應麟), 『곤학기문(困學紀聞)』 권1.
9) 하해(何楷), 『고주역정고(古周易訂詁)』 권1.

觀乎天文, 以察時變. 觀乎人文, 以化成天下.

천문을 관찰하여, 때가 변하는 것을 살핀다. 인문을 관찰하여 세상의 일에 영향을 미쳐 이룬다.

本義

極言賁道之大也.

꾸미는 도의 큼을 지극하게 말했다.

程傳

天文, 謂日月星辰之錯列, 寒暑陰陽之代變. 觀其運行, 以察四時之遷改也. 人文, 人理之倫序. 觀人文以教化天下, 天下成其禮俗, 乃聖人用賁之道也. 賁之象, 取山下有火, 又取卦變"柔來""文剛""剛上""文柔". 凡卦有以二體之義及二象而成者. 如屯取動乎險中與雲雷, 訟取上剛下險與天水違行是也. 有取一爻者, 成卦之由也. 柔得位而上下應之曰小畜, 柔得尊位大中而上下應之曰大有是也. 有取二體又取消長之義者, 雷在地中復, 山附於地剝是也.

천문(天文)이란 해와 달과 별과 별자리가 섞여 배열되고 추위와 더위 및 음과 양이 교대하면서 변하는 것을 말한다. 그 운행을 관찰하여 사계절이 바뀌는 것을 살핀다.
인문(人文)이란 사람 이치의 조리와 순서이다. 인문을 관찰해서 세상을 교화하고 세상이 그 예교와 풍속을 완성하니 성인이 꾸밈을 사용하는 방도이다.

비괘의 모습은 산 아래에 불이 있는 모습을 취했고 또 괘의 변화를 취하여 "부드러움이 와서" "굳셈을 꾸미고", "굳셈이 위로 올라가" "부드러움을 꾸민" 것이다. 대체로 괘에는 두 괘의 형체 뜻과 두 괘의 상징으로 이루어진 것이 있다. 예를 들어 준(屯䷂)괘는 험난함 가운데 움직이는 것과 구름과 우레의 모습을 취했고, 송(訟䷅)괘는 위는 강하고 아래는 험난한 것과 하늘과 물이 따로 가는 모습을 취했다.

한 효가 괘를 이룬 이유를 취한 경우도 있다. 부드러움이 지위를 얻어 위와 아래가 호응하는 것을 취한 것을 소축(小畜䷈)괘라고 하고, 부드러움이 존귀한 지위를 얻어 크게 중도(中道)를 이루어 위와 아래가 호응하는 것을 취한 것을 대유(大有䷍)괘라고 한다.

또 두 괘의 형체가 지닌 뜻과 줄어들고 자라나는 뜻을 취한 경우가 있으니, 우레가 땅속에 있는 것이 복(復䷗)괘가 되고, 산이 땅에 붙어 있는 것이 박(剝䷖)괘가 되는 데, 바로 이것이다.

有取二象兼取二爻交變爲義者, 風雷益兼取損上益下, 山下有澤損, 兼取損下益上是也. 有旣以二象成卦, 復取爻之義者, 夬之剛決柔, 姤之柔遇剛是也. 有以用成卦者, 巽乎水而上水井, 木上有火鼎是也. 鼎又以卦形爲象. 有以形爲象者, 山下有雷頤, 頤中有物曰噬嗑是也. 此成卦之義也.

두 괘의 모습을 취하고 아울러 두 효가 교류하여 변한 것으로 뜻을 취한 경우가 있다. 바람과 우레가 상징하는 익(益䷩)괘는 위를 덜어 아래를 보태주는 뜻을 아울러 취했고, 산 아래에 연못이 있는 모습인 손(損☶☱)괘는 아래를 덜어 위를 보태주는 뜻을 아울러 취했다.
두 괘의 상징으로 괘를 이룬 것과 다시 효의 뜻을 취한 경우가 있으니, 쾌(夬☱☰)괘의 굳셈이 부드러움을 제거하는 것과 구(姤☰☴)괘의 부드러움이 굳셈을 만나는 것이 이에 해당한다.
각 요소의 작용으로 괘를 이룬 경우가 있으니, 물에 들어가 우물에서 물을 퍼 올리는 작용이 우물을 뜻하는 정(井☵☴)괘이고, 나무 위에서 불이 타오르는 작용이 솥을 뜻하는 정(鼎☲☴)괘이다. 정(鼎)괘는 또 괘의 형체 자체가 솥의 모습이 된다.
형체가 괘의 모습이 되는 경우가 있으니, 산 아래에 우레가 있는 것이 턱의 모습인 이(頤☶☳)괘이고 턱 안에 사물 있는 것이 서합(噬嗑☲☳)괘인데, 이런 경우이다. 이것이 괘가 이루어진 뜻이다.

如"剛上柔下", "損上益下", 謂剛居上, 柔在下, 損於上, 益於下. 據成卦而言, 非謂就卦中升降也. 如訟無妄云"剛來", 豈自上體而來也? 凡以柔居五者, 皆云"柔進而上行", 柔居下者也, 乃居尊位, 是進而上也, 非謂自下體而上也. 卦之變皆自乾坤, 先儒不達, 故謂賁本自泰卦, 豈有乾坤重而爲泰, 又由泰而變之理.

예를 들어 "굳셈이 올라가고 부드러움이 올라간다"는 말이나 "위를 덜어 아래를 보태준다"는 말은 굳셈이 위에 자리하고 부드러움이 아래에 있는 것이고 위에서 덜어 아래에 보태주는 것이니, 괘가 이루어지는 것에 근거하여 말한 것이지, 괘 가운데 음양이 올라가고 내려가는 뜻을 취하여 말한 것은 아니다.
예를 들어 송(訟)괘나 무망(無妄)괘에서 "굳셈이 온다"고 한 것이 어찌 상체(上體)로부터 오는 것이겠는가? 부드러움이 오(五)의 자리에 있는 것에 대해 모두 "부드러움이 나아가 위로 올라간다"고 했으니, 부드러움은 본래 아랫자리에 있는 것인데 존귀한 지위에 자리하고 있다면, 이는 나아가 올라간 것이지 하체(下體)로부터 올라간 것을 말하는 것이 아니다.

괘의 변화는 모두 건(乾☰)괘와 곤(坤☷)괘로부터 왔는데 이전의 유학자들은 이러한 점을 깨닫지 못했으므로, 비(賁䷕)괘는 본래 태(泰䷊)괘였다고 말하니, 어찌 건(乾)괘와 곤(坤)괘가 중첩되어 태(泰)괘를 이루고 다시 태괘로부터 변화할 이치가 있겠는가?

下離本乾, 中爻變而成離, 上艮本坤, 上爻變而成艮. 離在內, 故云"柔來". 艮在上, 故云"剛上". 非自下體而上也. 乾坤變而爲六子, 八卦重而爲六十四, 皆由乾坤之變也.

아래 이(離☲)괘는 본래 건(乾☰)괘의 가운데 효가 변화하여 이괘가 된 것이고, 위의 간(艮☶)괘는 본래 곤(坤☷)괘의 상효가 변화하여 간괘가 된 것이다. 이괘가 아래의 내괘(內卦)에 자리했으므로 부드러움이 온다고 했고, 간괘가 위의 외괘(外卦)에 자리였으므로 굳셈이 올라간다고 했던 것이지, 아래 괘의 형체로부터 올라간 것은 아니다.

건괘와 곤괘가 변화하여 여섯 자식이 되었고 8괘가 중첩되어 64괘가 되었으니, 이는 모두 건괘와 곤괘의 변화로부터 유래한 것이다.

23. 박剝䷖괘

剝, 剝也. 柔變剛也.

박은 소멸함이니, 부드러움이 굳셈을 변화시킨다.

本義

以卦體釋卦名義. 言柔進於陽, 變剛爲柔也.

괘의 체(體)로 괘 이름의 뜻을 해석하였다. 부드러움이 양(陽)에게 나아가 굳셈을 변화시켜 부드러움으로 만든 것을 말한다.

集說

● 陳氏友文曰 : "夬「彖」曰'剛決柔', 而剝曰'柔變剛', 何也? 君子之去小人, 聲其罪與天下共棄之, 名正言順, 故曰決. 小人之欲去君子, 辭不順理不直, 必萋菲浸潤以侵蝕之, 故曰變. 一字之間, 君子小人之情狀皦然矣."

진우문(陳友文)이 말했다. "쾌(夬)괘 「단전」에서 '굳셈이 부드러움을 척결한다'[1]고 했고, 박(剝)괘에서는 '부드러움이 굳셈을 변화시킨다'고 한 것은 무엇 때문인가? 군자가 소인을 제거하는 것은 그 죄를 성토하고 천하와 함께 버리는 것으로 명분이 바르고 말이 순리에 맞기 때문에 척결한다고 했다. 소인이 군자를 제거하려는 것은 말이 순리에 맞지 않고 이치가 곧지 않고, 아첨하고[2] 참소하여[3] 갉아먹기 때문에 변화시킨다고 했다. 한 글자의 차이로 군자와 소인의 정상이 밝게 드러난다."

---

1) 『주역』「쾌(夬)괘」「단전」: "夬, 決也, 剛決柔也, 健而說, 決而和.[쾌(夬)는 과감하게 결단하여 척결하는 것이므로, 굳셈이 부드러움을 척결하는 것이니, 강건하되 기뻐하며 척결하면서도 화합한다.]"라고 하였다.

2) 아첨하고 : 처비(萋菲)를 해석한 말이다. 꽃의 문채가 혼란한 것을 말한다. 아부하는 말을 비유한다. 『시경』「소아 · 소민지십 · 항백(巷伯)」: "萋兮斐兮, 成是貝錦, 彼譖人者, 亦已大甚![조금 문채(文彩)가 있는 것으로 이 패금(貝錦)을 이루도다. 저 남을 참소하는 자여 또한 너무 심하도다.]"라고 하였다.

3) 참소하여 : 침윤(浸潤)을 해석한 말이다. 『논어』「안연」: "자장(子張)이 밝음을 묻자, 공자가 말했다. '서서히 젖어 드는 참소와 피부로 받는 하소연이 행해지지 않는다면 밝다고 이를 만하다. 서서히 젖어 드는 참소와 피부로 받는 하소연이 행해지지 않는다면 멀다고 이를 만하다.[子張問明, 子曰, 浸潤之譖, 膚受之愬, 不行焉, 可謂明也已矣. 浸潤之譖과 膚受之愬, 不行焉, 可謂遠也已矣.]"라고 하였다.

"不利有攸往", 小人長也. 順而止之, 觀象也. 君子尚消息盈虛, 天行也.

"함부로 나아가는 것은 이롭지 않다"는 것은 소인의 세력이 자라나기 때문이다. 때에 따라 적절하게 멈추는 것은 박괘의 모습을 관찰했기 때문이다. 군자가 자라남과 줄어듦, 가득 참과 텅 빔의 과정을 중요시하는 것은 하늘의 운행이기 때문이다.

本義

以卦體卦德釋卦辭.

괘의 체(體)와 괘의 덕(德)으로 괘사(卦辭)를 해석하였다.

程傳

君子當剝之時, 知不可有所往, 順時而止, 乃能觀剝之象也. 卦有順止之象, 乃處剝之道, 君子當觀而體之. "君子尚消息盈虛, 天行也", 君子存心消息盈虛之理而能順之, 乃合乎天行也. 理有消衰, 有息長, 有盈滿, 有虛損, 順之則吉, 逆之則凶. 君子隨時敦尚, 所以事天也.

군자가 소멸의 때에 처하여 함부로 행동하는 것은 이롭지 않다는 점을 안다면 때를 따르면서 행동을 적절하게 멈추니, 이것은 박괘의 모습을 관찰한 것이다.

괘에는 때를 따르는 모습과 적절하게 멈추는 모습이 있으니 이것이 소인들이 군자를 소멸시키려는 때를 대처하는 방도이므로 군자는 그것을 잘 관찰하여 체득해야만 한다.

"군자는 자라남과 줄어듦, 가득 참과 텅 빔의 과정을 중요시하는 것은 하늘의 운행이기 때문이다"라는 말은 군자는 자라나고 줄어들며 가득 차고 텅 비는 과정의 이치를 마음속에 명심하고 그것에 따를 수 있으니, 그것이 곧 하늘의 운행에 부합한다는 말이다.

이치에는 줄어들어 없어지는 경우도 있고 번성하여 자라나는 경우도 있고 가득 차는 경우도 있고 텅 비는 경우도 있으니, 그것에 순행하면 길하고 그것에 역행하면 흉하다. 군자가 때를 따라 하늘의 이치에 부합하도록 성실하게 행하는 것이 바로 하늘을 섬기는 것[4]이다.

---

4) 하늘을 섬기는 것 : '사천(事天)'을 번역한 말이다. 『맹자』「진심상(盡心上)」: "마음속에 있는 이치를 온전하게 이해하는 것이 그 본성을 아는 것이다. 그 본성을 알면 하늘을 안다. 그 본성의 마음을 잡고 그 본성을 기르는 것이 하늘을 섬기는 것이다.[盡其心者, 知其性也. 知其性, 則知天矣. 存其心, 養其性, 所以事天也.]"라고 하였다.

24. 복復䷗괘

復, 亨, 剛反.

"회복은 형통하다"는 것은 강함이 돌아왔기 때문이다.

本義

剛反則亨.

강함이 돌아오면 형통하다.

動而以順行, 是以出入無疾, 朋來無咎.

움직이고 순종하여 행하기 때문에 나가고 들어오는 데 병이 없어 친구들이 와야 허물이 없다.

本義

以卦德而言.

괘의 덕(德)으로 말하였다.

集說

● 孔氏穎達曰 : "'復亨'者, 以陽復則亨, 故以亨連復而釋之也. '剛反, 動而以順行'者, 旣上釋復亨之義, 又下釋'出入無疾朋來無咎'之理."[1)]

공영달(孔穎達)이 말했다. "'회복은 형통하다'는 것은 양(陽)이 회복하면 형통하기 때문에 형통하다는 말을 회복에 이어 해석했다. '강함이 돌아와 움직이고 순종하여 행하는' 것은 위에서 회복하면 형통하다는 뜻을 해석하고, 또 아래에서 '나가고 들어오는 데 병이 없어 친구들이 와야 허물이 없는' 이치를 해석했다."

---

1) 공영달(孔穎達), 『주역주소(周易注疏)』 권5.

● 潘氏夢旂曰："剝以順而止，復以順而行，君子處道消之極，至道長之初，未嘗一豪之不以順也."[2)]

반몽기(潘夢旂)가 말했다. "박괘는 순종하여 멈추고 복괘는 순종하여 행하니 군자는 도가 소멸하는 극한에 처하고 도가 자라나는 시작에 이르러 조금이라도 순종으로 하지 않는 적이 없다."

2) 반사조(潘士藻), 『독역술(讀易述)』 권5.

“反復其道, 七日來復”, 天行也.

“그 도가 되돌아와 회복하기를 반복하여, 7일 만에 와서 회복한다”는 것은 하늘의 운행이다.

本義

陰陽消息, 天運然也.

음양이 줄어들고 자라나는 것은 하늘의 운행이 그러하다.

集說

● 侯氏行果曰 : “五月天行至午, 陰升也. 十一月天行至子, 陽升也. 天地運往, 陰陽升復, 凡曆七月, 故曰‘七日來復’, 此天之運行也. 「豳詩」曰, ‘一之日觱發, 二之日栗烈.’ 一之日, 周之正月也, 二之日, 周之二月也. 則古人呼月爲日明矣.”[3]

후행과(侯行果)[4]가 말했다. “5월에 하늘의 운행은 오(午)에 이르러

3) 이정조(李鼎祚), 『주역집해(周易集解)』 권6.

4) 후행과(侯行果) : 일명 후과(侯果)라고 하며, 당(唐)대 상곡(上谷 : 현 하북성 장가구시〈張家口市〉) 사람이다. 당 중엽 유명한 18학사(十八學士) 가운데 한 사람으로, 벼슬은 국자사업(國子司業), 대황태자독(待皇太子讀) 등을 역임하였다. 『역(易)』과 노장학 연구에 뛰어났다고 하는데, 저술은 이미 전해지지 않고 이정조(李鼎祚)의 『주역집해(周易集

음(陰)이 올라간다. 10월에 하늘의 운행은 자(子)에 이르러 양(陽)이 올라간다. 천지가 운행해 가서 음양은 올라갔다 회복하는 데 7개월을 거치기 때문에 '7일만에 와서 회복한다'고 했으니, 이것은 하늘의 운행이다. 『시경』「빈(豳)」에 '일양(一陽)의 날에는 바람이 차갑고 이양(二陽)의 날에는 기온이 차갑다'[5]고 했다. 일양의 날은 주(周)나라 정월이고 이양의 날은 주나라의 2월이다. 그러한즉 옛 사람들은 달을 해로 불렀음이 분명하다."

解)』에 그의 글이 보인다. 또 황석(黃奭)의 『황씨일서고(黃氏逸書考)』 가운데 『후과역주(侯果易注)』 한 권이 실려 있다.

5) 『시경』「국풍 · 빈(豳) · 칠월(七月)」: "칠월(七月)에 대화심성(大火心星)이 서쪽으로 내려가거든 구월(九月)에는 옷을 만들어 주느니라. 일양(一陽)의 날에는 바람이 차갑고 이양(二陽)의 날에는 기온이 차가우니, 옷이 없고 갈옷이 없으면 어떻게 해를 마치리오. 삼양(三陽)의 날에 가서 쟁기를 수선하고 사양(四陽)의 날에 발꿈치를 들고 밭갈러 가거든, 우리 처자식과 함께 저 남쪽 이랑으로 밥을 내가니 전준(田畯)이 와서 기뻐하느니라.[七月流火, 九月授衣. 一之日觱發, 無衣無褐, 何以卒歲. 三之日于耜, 四之日舉趾. 同我婦子, 饁彼南畝. 田畯至喜.]"라고 하였다.

利有攸往, 剛長也.

"나아갈 바를 두는 것이 이롭다"는 것은 양이 자라기 때문이다.

本義

以卦體而言, 旣生則漸長矣.

괘의 체(體)로 말하였으니, 이미 생기면 점점 자라난다.

集說

● 項氏安世曰 : "剝曰'不利有攸往小人長也', 復曰'利有攸往剛長也', 『易』之意, 凡以爲君子謀也."[6]

항안세(項安世)가 말했다. "박괘에서 '나아가는 것은 이롭지 않다는 것은 소인의 도가 자라기 때문이다'라고 하고, 복괘에서 '나아가는 것이 이로운 것은 굳셈이 자라나기 때문이다'[7]라고 했으니, 『역』의 뜻은 군자를 위하여 도모하는 것이다."

● 邱氏富國曰 : "'剛反', 言剝之一剛, 窮上反下而爲復也. '剛

6) 항안세(項安世), 『주역완사(周易玩辭)』 권5.
7) 『주역』「박(剝)괘」「단전」: "'함부로 나아가는 것은 이롭지 않다'는 것은 소인의 세력이 자라나기 때문이다.[不利有攸往, 小人長也.]"라고 하였다.

長', 言復之一陽, 自下進上, 爲臨爲泰, 以至爲乾也. 以其旣去而來反也, 故亨. 以其旣反而漸長也, 故利有攸往. '剛反', 言方復之初. '剛長', 言已復之後."[8]

구부국(邱富國)이 말했다. "'굳셈이 돌아왔다'는 것은 박괘의 하나의 굳셈이 위에서 궁극에 이르러 아래로 돌아와서 회복했다는 말이다. '굳셈이 자라난다'는 것은 복(復䷗)괘의 하나의 양이 아래로부터 위로 나아가 임(臨䷒)괘가 되고 태(泰䷊)괘가 되어 건(乾䷀)에 이른 것을 말한다. 이미 갔다가 와서 회복하기 때문에 형통하다. 이미 회복했다가 점차로 자라나기 때문에 나아가는 것이 이롭다. '굳셈이 돌아왔다'는 것은 회복되는 초기를 말하고, '굳셈이 자라난다'는 것은 이미 회복한 뒤를 말한다."

8) 구부국(丘富國), 『주역집해(周易輯解)』 권2.

復其見天地之心乎.

회복하는 곳에서 천지의 마음을 볼 것이다!

本義

積陰之下, 一陽復生, 天地生物之心, 幾於滅息, 而至此乃復可見. 在人則爲靜極而動, 惡極而善, 本心幾息而復見之端也. 程子論之洋矣, 而邵子之詩亦曰, "冬至子之半, 天心無改移, 一陽初動處, 萬物未生時, 玄酒味方淡, 大音聲正希, 此言如不信, 更請問包羲", 至哉言也! 學者宜盡心焉.

누적된 음(陰)의 아래에 하나의 양(陽)이 다시 생기니, 천지가 만물을 낳는 마음이 거의 없어져 줄어들었다가 여기에 이르러 다시 회복되는 것을 볼 수 있다. 사람에게서는 고요함이 지극해졌다가 움직이고, 악함이 지극하게 되었다가 선해져서 본심이 거의 없어졌다가 다시 나타나는 단서이다.

정자(程子)가 논한 것이 상세하고, 소자(邵子)의 시(詩)에 또한 "동지(冬至)의 자시(子時) 반에 천심(天心)은 바뀌지 않았다. 하나의 양(陽)이 처음 움직이니, 만물이 아직 생기지 않은 때이다. 현주(玄酒)는 맛이 담담하고 대음(大音)은 소리가 희미하다. 이 말을 만일 믿지 않거든, 다시 복희(伏羲)에게 물어 보라" 하였으니, 지극하다, 이 말씀이여! 배우는 자는 마땅히 마음을 다해야 한다.

程傳

"復亨", 謂剛反而亨也. 陽剛消極而來反, 旣來反, 則漸長盛而亨通矣. 動而以順行, 是以出入無疾, 朋來無咎. 以卦才言其所以然也. 下動而上順, 是動而以順行也. 陽剛反而順動, 是以得出入無疾, 朋來而無咎也. 朋之來亦順動也.

"회복은 형통하다"는 것은 굳셈이 되돌아와 형통하다는 말이다. 양이 굳셈이 소멸되어 극한에 이르러 다시 돌아오니, 돌아오면 점차로 자라나 성대해져 형통하다. 움직여 이치에 순종함으로 행하기 때문에, 그래서 나가고 들어오는 데 병이 없어, 친구들이 와야 허물이 없다. 이는 괘의 자질로 그것이 그렇게 된 원인을 말하였다. 괘의 자질은 아래에서 움직이고 위에서 순종하니, 이것이 "움직여 이치에 순종함으로 행한다"는 말이다. 양의 굳셈이 되돌아오고 순종하면서 움직이니, 그래서 나가고 들어오는 데 병이 없고 친구들이 와야 허물이 없을 수 있다. 친구가 온다는 말 또한 순종하면서 움직이는 것이다.

其道反復往來, 迭消迭息. 七日而來復者, 天地之運行如是也. 消長相因, 天之理也. 陽剛君子之道長, 故利有攸往. 一陽復於下, 乃天地生物之心也, 先儒皆以靜爲見天地之心, 蓋不知動之端乃天地之心也. 非知道者孰能識之?

그 도는 되돌아와 회복하여 가고 오며, 줄어들었다가 자라난다. 7일 만에 와서 회복한다는 것은 천지의 운행이 이와 같다는 말이다. 줄어들고 자라나는 것은 서로 바탕으로 삼으니, 하늘의 이치이다. 양의 굳센 군자의 도가 자라나기 때문에 갈 바를 두는 것이 이롭다.

하나의 양이 아래에서 회복되는 것이 곧 천지가 만물을 낳는 마음이다. 이전의 유학자들은 모두 고요함에서 천지의 마음을 볼 수 있다[9]고 했는데, 움직임이 일어난 단서가 곧 천지의 마음임을 알지 못했기 때문이다. 도를 아는 자가 아니라면 누가 이것을 깨닫겠는가?

集說

● 程子曰 : "'復其見天地之心', 皆謂至靜能見天地之心, 非也. 復之卦下面一畫, 便是動也, 安得謂之靜? 自古儒者皆言靜見天地之心, 惟某言動而見天地之心. 或曰, '莫足於動上求靜否?' 曰, '固是. 然最難.'"[10]

정자(程子 : 程頤)[11]가 말했다. "'복괘에서 천지의 마음을 본다'는

9) 고요함에서 천지의 마음을 볼 수 있다 : 왕필, 『주역주(周易注)』「복괘」 : "복귀란 근본으로 돌아가는 것을 말한다. 천지는 근본을 마음으로 삼는다. 움직이는 것이 그치면 고요해진다. 그러나 고요함이 움직임과 짝하는 것은 아니다. 말이 그치면 침묵한다. 그러나 침묵이 말과 짝하는 것은 아니다. 그러한즉 천지가 커서 만물을 풍부하게 가지고 있어 우레가 치고, 바람이 불어 운행하며 변화하고 다양하게 변하여, 적연하고 무(無)에 이르니, 이것이 그 근본이다. 그러므로 움직임이 땅속에서 그치면, 이에 천지의 마음이 드러난다.[復者, 反本之謂也. 天地以本爲心者也. 凡動息, 則靜, 靜非對動者也. 語息, 則默, 默非對語者也. 然則天地雖大, 富有萬物, 雷動風行, 運化萬變, 寂然至无, 是其本矣. 故動息地中, 乃天地之心見也.]"라고 하였다.

10) 『하남정씨유서』 권18, 「유승수편(元承手編)」.

11) 정이(程頤, 1033~1107) : 자는 정숙(正叔)이고, 호는 이천(伊川)이다. 송대 낙양(洛陽 : 현 하남성 낙양) 사람으로서 형 정호(程顥)와 함께 이정

것에 대해 모두 지극히 고요함에서 천지의 마음을 본다고 말하지만 잘못이다. 복괘의 제일 아래 한 획은 움직임이니 어찌 고요함이라고 말할 수 있겠는가? 옛날부터 유학자들은 고요함에서 천지의 마음을 본다고 했는데 오직 나만 움직여 천지의 마음을 본다고 말한다. 어떤 사람이 묻는다. '움직임에서 고요함을 구하는 것이 아닙니까?' 대답했다. '그러하다. 그러나 가장 어렵다.'"

又曰 : "'復其見天地之心', 一言以蔽之, 天地以生物爲心."

또 말했다. "'복괘에서 천지의 마음을 본다'는 것은 한마디로 말하면 천지는 만물을 살리는 것을 마음으로 삼는다."

● 張子曰 : "復言'見天地之心', 咸恒大壯言'天地之情'. 心發乎微, 情發乎顯."[12]

장자(張子 : 張載)[13]가 말했다. "복괘에서 '천지의 마음을 본다'고

(二程)이라 불린다. 15세 무렵에 형과 함께 주돈이에게 배운 적이 있으며, 18세에는 태학에 유학하면서 「안자호학론(顔子好學論)」을 지었는데 호원(胡瑗 : 호는 안정〈安定〉)이 그것을 경이롭게 여겼다고 한다. 벼슬은 비서성교서랑(秘書省校書郞) · 숭정전설서(崇政殿說書) 등을 역임하였으나, 거의 30년을 강학에 힘 쏟아 북송 신유학의 기반을 정초하였다. 이정의 학문은 '낙학(洛學)'이라고 하며, 특히 정이의 학문은 주희에게 결정적으로 영향을 끼쳐 세칭 '정주학(程朱學)'이라고 하면 정이와 주희의 학문을 지칭한다. 저서는 『역전(易傳)』, 『경설(經說)』, 『문집(文集)』 등이 있다.

12) 『장자전서(張子全書)』 권9, 「역설상(易說上)」.

13) 장재(張載, 1020~1077) : 자는 자후(子厚)이고, 세칭 횡거선생(橫渠先

말했고, 함(咸)괘[14]와 항(恒)괘[15]와 대장(大壯)괘[16]에서 '천지의 정(情)'을 말했다. 마음은 미세한 데서 발현되고 정은 현저한 데서 발현한다."

● 『朱子語類』云 : "天地以生生爲德, '元亨利貞', 乃生物之心也. 但其靜而復, 乃未發之體, 動而通焉, 則已發之用. 一陽來復, 其始生甚微, 固若靜矣. 然動之機日長, 而萬物莫不資始焉. 此天命流行之初, 造化發育之始. 天地生生不已之心, 於是而可見

生)이라고 한다. 송대 대양(大梁 : 현 하남성 개봉〈開封〉) 사람으로 거주지는 미현 횡거진(郿縣橫渠鎭 : 현 섬서성 미현〈眉縣〉)이었다. 1057년 진사에 급제했고 운암령(雲巖令) · 숭정원교서(崇政院校書) 등을 역임하였다. 젊어서 병법을 좋아하여 범중엄에게 서신을 보냈다가 『중용』을 읽기를 권유받고, 얼마 뒤 『6경(六經)』에 전념하게 되었다. 특히 『역』과 『중용』을 중시하여 『정몽(正蒙)』, 『서명(西銘)』, 『역설(易說)』 등을 지었는데, 이로써 나중에 '관학(關學)'의 창시자가 되었다.

14) 『주역』「함(咸)괘」「단전」 : "天地感而萬物化生, 聖人感人心而天下和平, 觀其所感, 而天地萬物之情可見矣.[하늘과 땅이 감응하여 만물이 변화하여 생겨나고, 성인이 사람들의 마음을 감동시켜 세상이 화평해지니, 그 감응하는 것을 관찰하면 천지 만물의 실정을 볼 수 있다.]"라고 하였다.

15) 『주역』「항(恒)괘」「단전」 : "日月, 得天而能久照, 四時, 變化而能久成, 聖人, 久於其道而天下化成, 觀其所恒而天地萬物之情, 可見矣.[해와 달이 하늘을 따라 오래도록 비추며, 사계절이 변화하여 오래도록 이루며, 성인이 도(道)를 오래 지속하여 세상이 교화되어 풍속이 이루어지니, 그 오래 지속하는 것을 보면 천지 만물의 실정을 알 수 있다.]"라고 하였다.

16) 『주역』「대장(大壯)괘」「단전」 : "大壯利貞, 大者正也, 正大而天地之情, 可見矣.['강건함의 자라남은 올바름을 굳게 지키는 것이 이롭다'는 것은 큰 것이 올바른 것이니, 올바르고 커서 천지의 실정을 볼 수 있다.]"라고 하였다.

也. 若其靜而未發, 則此心之體, 雖無所不在, 然卻有未發見處. 此程子所以以動之端爲天地之心, 亦擧用以該其體爾."[17]

『주자어류(朱子語類)』에서 말했다. "천지는 낳고 낳는 것을 덕으로 삼으니 '원형이정(元亨利貞)'이 곧 만물을 낳는 마음이다. 단지 그 고요함에서 회복되는 것이 미발(未發)의 체(體)이고 움직여 통하면 이발(已發)의 용(用)이다. 하나의 양(陽)이 와서 회복하니 그 시작은 매우 미세한 곳에서 발생하여 진실로 마치 고요한 듯하다. 그러나 그 움직임의 기틀이 날로 자라나 만물이 그 시작을 바탕으로 삼지 않음이 없다. 이것이 천명(天命)이 유행하는 시초이고 조화가 발육하는 시초이다. 천지가 낳고 낳아 그침이 없는 마음은 여기에서 볼 수 있다. 만약 고요하여 미발한 상태라면 이것이 마음의 체(體)이고 있지 않은 곳이 없지만 발견되지 못한 곳이 있다. 이것이 정자(程子)가 움직임의 단서가 천지의 마음이라고 여기는 까닭이니 또한 용(用)을 들어서 그 체(體)를 아우르는 것이다."

又云 : "伊川與濂溪說復字亦差不同. 濂溪就回來處說, 伊川卻正就動處說. 如'元亨利貞'濂溪就利貞上說復字, 伊川就元字頭說復字. 以『周易』卦爻之意推之, 則伊川之說爲正. 然濂溪伊川之說, 道理只一般, 只是所指地頭不同. 王弼之說, 與濂溪同."[18]

또 말했다. "이천(伊川)과 염계(濂溪)가 말하는 복(復)이라는 글자는 다르다. 염계는 돌아오는 곳에서 말했고 이천은 움직이는 곳에서 말했다. 예를 들어 '원형이정(元亨利貞)'에서 염계는 '이정(利貞)'

17) 『주자어류(朱子語類)』 71권, 50조목.
18) 『주자어류(朱子語類)』 71권, 69조목.

에서 복(復)을 말했는데 이천은 원(元)에서 복(復)을 말했다. 『주역』 괘효사의 뜻을 미루어보면 이천의 말이 올바르다. 그러나 염계와 이천의 말은 도리에서 보면 마찬가지이고 가리키는 곳이 다를 뿐이다. 왕필의 말은 염계와 같다."

● 胡氏炳文曰 : "天地生物之心, 卽人之本心也, 皆於幾息而復萌之時見之."[19]

호병문(胡炳文)이 말했다. "하늘과 땅이 만물을 낳는 마음은 사람의 본심이다. 모두 거의 사라졌다가 다시 싹트는 때에 본다."

● 俞氏琰曰 : "'天地之心', 謂天地生萬物之心也. 天地生物之心, 無乎不在. 聖人於剝反爲復, 靜極動初, 見天地生物之心. 未嘗一日息, 非謂惟復卦見天地之心也. 或謂靜爲天地之心, 非也. 或又謂動爲天地之心, 亦非也."[20]

유염(俞琰)이 말했다. "천지의 마음은 하늘과 땅이 만물을 낳는 마음이다. 하늘과 땅이 만물을 낳는 마음은 없는 곳이 없다. 성인은 박(剝䷖)괘에서 돌아 복(復䷗)괘가 되어 고요함이 극한에 이르렀다. 움직임이 일어나는 시초에서 하늘과 땅이 만물을 낳는 마음을 보았다. 한 순간이라도 멈춘 적이 없었으니 오직 복괘에서만 천지의 마음을 본다고 말하는 것이 아니다. 어떤 사람은 고요함이 천지의 마음이라고 하지만 잘못이다. 어떤 사람은 또 움직임이 천지의 마음이라고 하지만 그것 또한 잘못이다."

19) 호병문(胡炳文), 『주역본의통석(周易本義通釋)』 권11.
20) 유염(俞琰), 『주역집설(周易集說)』 권16.

● 吳氏曰愼曰 : "天地以生物爲心, 所謂仁也. 復之一陽初動, 仁也. 故曰'復其見大地之心乎'"

오왈신(吳曰愼)이 말했다. "하늘과 땅이 만물을 낳는 것을 마음으로 삼으니 인(仁)이라는 것이다. 복(復)괘에서 하나의 양이 처음 움직이는 것이 인이다. 그러므로 '복괘에서 천지의 마음을 본다'고 했다.

案

天地之心, 在人則爲道心也. 道心甚微, 故曰"復, 小而辯於物". 於是而惟精以察之, 惟一以守之, 則道心流行, 而微者著矣. 顏子"有不善未嘗不知", 是其精也, "知之未嘗復行", 是其一也. 夫子以初爻之義當之者此也, 惟精惟一者, 所以執中而已矣. 二五皆中, 故二則"休復"而吉, 五則"敦復"而無悔. 初爻之外, 惟此兩爻最善. 三則"頻復"而厲者, 所謂人心危而難安也. 四之"中行"而獨者, 所謂道心微而難著也. 然皆能自求其心者也. 至於上六, 則不獨微而且迷, 不獨危而且敗, 迷而以至於敗. 則所謂天君者, 不能以自主矣. 故夫子咎之曰, 反君道也. 堯舜相傳之心學, 皆於復卦見之.

천지의 마음은 사람에게서 도심(道心)이다. 도심은 매우 미세하기 때문에 "복(復)괘는 미세하지만 사물에서 분별한다"[21]고 했다. 그

21) 『주역』「계사하」: "履, 和而至, 謙, 尊而光, 復, 小而辨於物, 恒, 雜而不厭, 損, 先難而後易, 益, 長裕而不設, 困, 窮而通, 井, 居其所而遷, 巽, 稱而隱.[리(履)괘는 조화하면서도 지극히 선함에 이르고, 겸(謙)괘는 존중하면서도 자신이 빛나고, 복(復)괘는 미세하지만 사물에서 분별하고, 항(恒)괘는 섞여 있으면서도 싫어하지 않고, 손(損)괘는 처음에는 어렵지만 나중에는 쉽고, 익(益)괘는 크고 넉넉하면서도 인위를 베풀지 않고,

래서 정밀하게 살피고 하나에 집중하여 지키면 도심이 유행하여 미세한 것이 드러난다.

안자(顔子)가 "불선함이 있으면 알지 못한 적이 없다"[22]는 것은 정밀하게 살피는 일이고, "알면 다시 행하지 않았다"는 것은 집중하여 지키는 일이다. 공자가 복(復)괘 초구효의 의미를 이에 해당시켰으니 정밀하게 살피고 집중하여 지키는 것이 중도를 잡는 것일 뿐이다.

육이효와 육오효는 모두 가운데이기 때문에 육이효는 "아름다운 회복이라서" 길하고, 육오효는 "돈독한 회복이라서" 후회가 없다. 초구효 이외에 이 두 효가 가장 좋다.

육삼효는 "빈번하게 회복하여" 위태로운 것은 인심(人心)이 위태로워 편안하기가 어렵다. 육사효는 "음효들 사이에서 행하지만" 홀로 회복하는 것은 도심이 미세하여 드러나기 어렵다. 그러나 모두 스스로 그 마음을 구한 자들이다. 상육효에 이르러 미세할 뿐 아니라 또한 미혹되고 위태로울 뿐 아니라 실패하여 미혹되고 실패에 이르렀으니, 천군(天君)이라고 하는 것이 스스로 주인이 될 수가 없다. 그러므로 공자가 허물하여 말하기를 '군도(君道)로 돌아가라'고 했다. 요순(堯舜)이 서로 전한 심학(心學)은 모두 복(復)괘에서 본다.

곤(困)괘는 궁하면서도 통하고, 정(井)괘는 제자리에 머물러 있으면서도 옮겨가고, 손(巽)괘는 일에 걸맞으면서도 드러나지 않는다.]"라고 하였다.

22) 『주역』「계사하」: "子曰, 顔氏之子, 其殆庶幾乎! 有不善, 未嘗不知, 知之, 未嘗復行也. 易曰, 不遠復, 无祇悔, 元吉.[공자가 말했다. '안씨(顔氏)의 아들은 거의 도에 가까울 것이다. 불선함이 있으면 알지 못한 적이 없고, 알면 다시 행하지 않았다. 역(易)에 이르기를 '멀리 가지 않고 회복하여 뉘우침에 이르지 않으니, 크게 선하고 길하다'고 했다.]"라고 하였다.

25. 무망無妄☰괘

無妄, 剛自外來, 而爲主於內. 動而健, 剛中而應, 大亨以正, 天之命也. "其匪正有眚, 不利有攸往." 無妄之往何之矣? 天命不祐行矣哉?

진실무망은 강함이 밖에서 와서 안에서 주인이 된다. 움직이되 강건하고 굳세면서 알맞음을 이루어 호응해서 올바름으로 크게 형통하니, 하늘의 명이다. "그것이 올바르지 않으면 재앙이 있고 함부로 가면 이롭지 않다"고 했는데, 진실무망에서 벗어나면 어디로 가겠는가? 천명이 돕지 않는 것을 어찌 행할 수 있겠는가?

本義

以卦變卦德卦體言卦之善如此, 故其占當獲大亨, 而利於正, 乃天命之當然也. 其有不正, 則不利有所往, 欲何往哉? 蓋其逆天之命, 而天不佑之, 故不可以有行也.

괘의 변(變)과 괘의 덕(德)과 괘의 체(體)로 괘의 선선함이 이와 같음을 말했기 때문에 그 점(占)이 마땅히 크게 형통함을 얻지만 올바름이 이로우니, 이는 바로 천명의 당연함이다. 올바르지 못함이 있으면 가는 곳을 두는 것이 이롭지 않으니, 어디로 가려 하는가? 천명(天命)을 거슬러 하늘이 돕지 않으므로 가려고 해서는 안 된다.

程傳

謂初九也. 坤初爻變而爲震, 剛自外而來也. 震以初爻爲主, 成卦由之, 故初爲無妄之主. 動以天爲無妄, 動而以天, 動爲主也. 以剛變柔, 爲以正去妄之象. 又剛正爲主於內, 無妄之義也. 九居初, 正也. 下動而上健, 是其動剛健也. 剛健, 無妄之體也. "剛中而應", 五以剛居中正, 二復以中正相應, 是順理而不妄也. 故其道大亨通而貞正, 乃天之命也. 天命, 謂天道也. 所謂無妄也.

초구효를 말한다. 곤(坤☷)괘의 초효가 변화하여 진(震☳)괘가 되었으니, 굳셈이 밖에서부터 온 것이다. 진(震☳)괘는 초효를 주효로 하여, 이것으로 말미암아 괘가 이루어졌기 때문에 초효가 무망괘의 주효이다. 하늘로써 움직여 진실무망함이니 움직이되 천도(天道)로 하여 움직임의 주인이 된다.

굳셈으로 부드러움을 변화시켰으니 올바름으로 올바르지 않는 것을 제거하는 모습이다. 또 굳세고 올바른 것이 안에서 주인이 되었으니, 진실무망의 뜻이다.

구(九)가 첫 번째 위치인 초효에 자리함은 올바른 것이다. 아래에서 움직이고 위에서 강건하니, 이는 그 움직임이 강건한 것이다. 강건하다는 것은 진실무망의 체질이다.

"굳세면서 올바름을 이루어 호응한다"는 말은 구오효가 강한 자질로 중정(中正)의 위치에 자리하고 구이효는 다시 중정으로 서로 호응하니, 이것이 이치를 따라 경거망동하지 않음이다. 그래서 그 도가 크게 형통하고 올바름을 굳게 지키니, 이는 하늘의 명이다. 천명(天命)이란 하늘의 도를 말하니 진실무망이다.

所謂無妄, 正而已. 小失於正, 則爲有過, 乃妄也. 所謂"匪正", 蓋由有往. 若無妄而不往, 何由有匪正乎. 無妄者, 理之正也, 更有往將何之矣? 乃入於妄也. 往則悖於天理, 天道所不佑, 可行乎哉?

진실무망이란 올바름일 뿐이다. 올바름에서 조금이라도 잃는 것이 있다면, 허물이 있게 되고 그것이 곧 거짓이다. "올바르지 않다"는 것은 함부로 갔기 때문이다. 진실무망하여 함부로 행동하지 않는다면 어째서 올바르지 않음이 있겠는가?
진실무망은 이치의 올바름인데 여기서 더 나아가면 어디로 가겠는가? 거짓에 빠지게 된다. 거기서 더 나아가면 천리(天理)에 어긋나게 되어 하늘의 도가 돕지 않는 것이니 어떻게 행할 수 있겠는가?

集說

● 王氏宗傳曰:"初九之剛, 乾一索於坤而得之, 是以爲震, 而無妄之外體又乾也, 則初九之剛, 實自乾來. 故曰'剛自外來'. 震以初爻爲主, 其在無妄則內體也, 故曰'爲主於內.'"[1)]

1) 왕종전(王宗傳), 『동계역전(童溪易傳)』 권12.

왕종전(王宗傳)이 말했다. "초구효의 강함은 건(乾☰)괘가 곤(坤☷)에서 한번 연결되어 얻어져 진(震☳)괘가 되었고, 무망의 외체(外體) 또한 건(乾☰)괘이니 초구효의 굳셈은 실제로 건에서 왔다. 그러므로 '굳셈이 밖에서 왔다'고 했다. 진(震☳)괘는 초효를 주효로 하니 그것이 무망(無妄䷘)괘에서는 내체(內體)이다. 그러므로 '안에서 주인이 된다'고 했다."

● 趙氏彦肅曰 : "'剛自外來', 寄象爾. 其實天之所賦, 我固有也."[2]

조언숙(趙彦肅)[3]이 말했다. "'굳셈이 밖에서 왔다'는 것은 상징에 따른 뜻일 뿐이다. 실제로는 하늘이 부여한 것이고 내가 본래 가졌다."

● 胡氏炳文曰 : "外卦爲乾, 震之剛自乾來也. 無妄釋'元亨利貞'與臨同. 命, 卽道也. '無妄之往', 程子以爲無妄而又往, 『本義』只順上文本意解, 擧首尾句而包中間也, 不可泥文而失意."[4]

호병문(胡炳文)이 말했다. "외괘는 건(乾☰)이고 진(震☳)괘의 굳

---

2) 조언숙(趙彦肅), 『복재역설(復齋易說)』 권2.

3) 조언숙(趙彦肅) : 자는 자흠(子欽)이고 호는 복재(復齋)이다. 송(宋) 태조의 후예이고 일찍이 진사(進士)로 천거되었다. 저작으로는 『광잡학변(廣雜學辨)』, 『사관례혼례괘식도(士冠禮婚禮饋食圖)』 등이 있는데 주희가 높이 평가했다. 오직 『역』을 논하는데 주희와 합치하지 않았지만 『주자어류』에서는 그 학설이 정미하다고 말하여 의미를 취한 것이 많다. 조언숙이 말하는 『역』은 상수(象數)에서 의리(義理)를 구하는 것이라서 6획을 중시한다. 『복재역설(復齋易說)』이 있다.

4) 호병문(胡炳文), 『주역본의통석(周易本義通釋)』 권11.

셈이 건괘로부터 온 것이다. 무망(無妄)을 '원형이정'으로 해석하는 것은 임(臨)괘와 같다. 명(命)은 도이다. '무망의 감'에 대해 정자(程子)는 무망하면서 또 나아가는 것으로 여겼으나 『주역본의』는 단지 위 문장의 본래 뜻을 따라 해석했는데 첫 구절과 끝 구절을 거론하면서 중간을 포괄했으니 문장을 섞어 뜻을 잃을 수는 없다."

● 何氏楷曰:"震初一剛, 其所從來, 卽乾之初畫. 無妄外乾內震, 初九得外卦乾剛初爻, 以爲內卦之主, 故曰'剛自外來而爲主於內.'"[5]

하해(何楷)가 말했다. "진(震☳)괘 초효의 굳셈이 온 것은 건(乾☰)괘 첫 번째 획이다. 무망괘의 외괘는 건괘이고 내괘는 진괘이니 초구효가 외괘인 건괘의 굳셈의 초효를 얻어 내괘의 주효가 되었기 때문에 '굳셈이 밖으로부터 와서 안에서 주인이 되었다'고 했다.

案

「彖」言剛來柔來, 未有言自外來者, 則王氏諸家謂指外卦乾體者信矣. 在卦爲震得乾最初之畫, 在人爲吾心得天最初之理, 此所以爲無妄也. 天理非由外鑠我者, 此特指卦象言之, 見自乾來之意. 趙氏之說是矣.

「단전」에서 굳셈이 오고 부드러움이 온다고는 했어도 밖에서 온다고 말한 경우는 없었으니 왕씨[왕종전] 등 여러 사람들이 외괘의 건괘를 가리킨 것은 믿을만하다.

5) 하해(何楷), 『고주역정고(古周易訂詁)』 권3.

괘에서 진(震)괘가 건괘의 최초의 획을 얻었고 사람에게서 나의 마음이 하늘의 최초의 이치를 얻었는데, 이것이 무망이 되는 것이다. 천리(天理)는 '밖으로부터 나를 녹여서 들어오는 것이 아니니'[6] 이것이 특별히 괘상(卦象)을 가리켜 말한 것으로 건괘로부터 왔다는 뜻을 본다. 조씨[조언숙]의 말이 옳다.

---

6) 『맹자』「고자상」: "측은지심(惻隱之心)을 사람이 모두 다 가지고 있으며, 수오지심(羞惡之心)을 사람이 모두 다 가지고 있으며, 공경지심(恭敬之心)을 사람이 모두 다 가지고 있으며, 시비지심(是非之心)을 사람이 모두 다 가지고 있으니, 측은지심(惻隱之心)은 인(仁)이고, 수오지심(羞惡之心)은 의(義)이고, 공경지심(恭敬之心)은 예(禮)이고, 시비지심(是非之心)은 지(智)이니, 인(仁)·의(義)·예(禮)·지(智)가 밖으로부터 나를 녹여서 들어오는 것이 아니고, 나에게 고유(固有)한 것이지만 사람들이 생각하지 못할 뿐이다.[惻隱之心, 人皆有之, 羞惡之心, 人皆有之, 恭敬之心, 人皆有之, 是非之心, 人皆有之, 惻隱之心, 仁也, 羞惡之心, 義也, 恭敬之心, 禮也, 是非之心, 智也, 仁義禮智非由外鑠我也, 我固有之也,弗思耳矣.]"라고 하였다.

26. 대축大畜☶☰괘

大畜, 剛健篤實輝光, 日新其德.

대축괘는 강건하고 독실하여 빛이 나서, 그 덕을 날로 새롭게 한다.

本義

以卦德釋卦名義.

괘의 덕(德)으로 괘 이름의 뜻을 해석하였다.

程傳

以卦之才德而言也. 乾體剛健, 艮體篤實, 人之才"剛健篤實", 則所畜能大. 充實而有輝光, 畜之不已, 則"其德""日新"也.

괘의 자질과 덕으로 말했다. 건(乾☰)괘의 체질은 강건하고 간(艮☶)괘의 체질은 순박하고 진실하다. 사람의 자질이 "강건하고 순박하여 진실하면" 축적하는 바가 크다.

마음속에 진실이 충만하여 빛이 나서 마음속에 축적하는 것이 그치지 않으면, 그 덕이 날로 새로워진다.

集說

● 鄭氏汝諧曰 : "畜有三義. 以蘊畜言之, 畜德也. 以畜養言之, 畜賢也. 以畜止言之, 畜健也. '剛健篤實輝光, 日新其德', 此蘊蓄之大者. 養賢以及萬民, 此畜養之大者. 乾天下之至健, 而四五能畜之, 此畜止之大者. 故「彖傳」兼此三者言之."[1]

정여해(鄭汝諧)가 말했다. "축(畜)은 세 가지 뜻이 있다. 쌓는 일로 말하면 덕을 쌓는 것이다. 기르는 일로 말하면 현자를 기르는 것이다. 제지하는 것으로 말하면 강건함을 제지하는 것이다.
'강건하며 독실하여 빛이 나서, 그 덕을 날로 새롭게 한다'는 말은 이 쌓는 일이 큰 것이다. 현자를 길러 온 백성에게 미치니 이것이 기르는 일이 큰 것이다. 건(乾)은 천하에 지극히 강건한 것이지만 육사효와 육오효가 제지할 수 있으니 이것이 제지하는 일이 큰 것이다. 그러므로 「단전」에서는 이 세 가지를 겸해서 말했다.

1) 정여해(鄭汝諧), 『역익전(易翼傳)』「상경(上經)」 하.

剛上而尙賢, 能止健, 大正也.

굳센 것이 위에 있고 현명한 자를 숭상하여, 강건한 것을 제지할 수 있음이 크게 올바르다.

本義

以卦變卦體釋卦辭

괘의 변(變)과 괘의 체(卦體)로 괘사(卦辭)를 해석하였다.

程傳

"剛上", 陽居上也. 陽剛居尊位之上, 爲尙賢之義. 止居健上, 爲能止健之義. 止乎健者, 非大正則安能? 以剛陽在上, 與尊尙賢德, 能止至健, 皆大正之道也.

"굳센 것이 위에 있다"는 말은 양이 가장 위에 자리한다는 뜻이다. 양의 굳센 자질의 사람이 위의 존귀한 지위에 자리하니 현자를 숭상하는 뜻이 된다. 제지하여 강건한 것 위에 자리하여 강건함을 제지할 수 있다는 뜻이다. 강건한 것을 제지하는 일이 크게 올바르지 않는다면 어떻게 할 수 있겠는가?
굳센 양의 자질로 가장 위의 자리에 있으면서 현명한 덕을 가진 사람을 존숭하고 지극히 강건한 사람을 멈추게 할 수 있는 것은 모두 크게 올바른 도이다.

集說

● 郭氏忠孝曰 : "大有, 有賢之卦也. 大畜, 畜賢之卦也. 故曰'剛上而尙賢.'"

곽충효(郭忠孝)가 말했다. "대유(大有)괘는 현자가 있는 괘이다. 대축(大畜)괘는 현자를 기르는 괘이다. 그러므로 '굳셈이 위에 있고 현자를 숭상한다'고 했다."

● 『朱子語類』云 : "'能止健', 不說健而止, 見得是艮來止這乾."[2)]

『주자어류(朱子語類)』에서 말했다. "'강건함을 제지할 수 있다'고 하고 모두 강건함이 멈춘다고 말하지 않았으니, 간(艮)괘에서 이 강건함을 제지한다는 것을 알 수 있다."

2) 『주자어류(朱子語類)』 71권, 91조목.

"不家食吉", 養賢也.

"집에서 밥을 먹지 않으면 길하다"는 현명한 자를 기르는 것이다.

本義

亦取尙賢之象.

또한 현자를 숭상하는 상(象)을 취하였다.

集說

● 梁氏寅曰: "養賢者, 亦取尙賢之象. 自剛上而言, 則謂之尙賢, 所以盡其禮也. 自'不家食'而言, 則謂之養賢, 聽以重其祿也."[3]

양인(梁寅)[4]이 말했다. "현명한 자를 기르는 것은 또한 현명한 자

3) 양인(梁寅), 『주역참의(周易參義)』 권3.

4) 양인(梁寅, 1309~1390) : 자는 맹경(孟敬)이고, 호는 양오경(梁五經) 또는 석문선생(石門先生)이다. 원말명초 강서 신유(江西新喩 : 현 강서성 신여시〈新餘市〉) 사람으로 대대로 농사를 지어 가난했다. 스스로 배우기를 게을리 하지 않아 오경(五經)에 정통했고, 백가(百家)의 학설을 두루 익혔다. 여러 차례 과거에 응시했지만 떨어졌다. 원나라 말에 일찍이 집경로유학훈도(集慶路儒學訓導)로 부름을 받아 2년 동안 있다가 사직하고 은거하여 학생들을 가르쳤다. 명나라 초기에 명유(名儒)로 불려 예

를 숭상하는 모습을 취했다. 굳셈이 위에 있자는 것으로 말하면 현명한 자를 숭상하는 것이니 그 예를 다하는 까닭이다. '집에서 밥을 먹지 않는다'는 것으로 말하면 현명한 자를 기르는 일이니 경청하여 녹봉을 무겁게 준다."

국(禮局)에서 각종 예제(禮制)에 대해 토론했는데, 논리가 정확하고 예리해 여러 학자들이 탄복했다. 예악서(禮樂書)를 찬수하고 벼슬을 내렸지만 사양하고 귀향하여 석문산(石門山)에서 학문을 강론했다. 저서에 『예서연의(禮書演義)』, 『주례고주(周禮考注)』, 『춘추고서(春秋考書)』 등이 있었지만 전해지지 않고, 『석문집(石門集)』과 『주역참의(周易參義)』, 『시연의(詩演義)』만 남아 있다.

"利涉大川", 應乎天也.

"큰 강을 건너는 것이 이롭다"는 것은 하늘에 순응하기 때문이다.

本義

亦以卦體而言.

또한 괘체(卦體)로 말하였다.

程傳

大畜之人, 所宜施其所畜, 以濟天下, 故不食於家則吉, 謂居天位享天祿也. 國家養賢, 賢者得行其道也. "利涉大川", 謂大有蘊畜之人, 宜濟天下之艱險也,「彖」更發明卦才云, 所謂能涉大川者, 以應乎天也. 六五, 君也. 下應乾之中爻, 乃大畜之君, 應乾而行也. 所以能應乎天, 無艱險之不可濟, 況其它乎?

크게 축적한 사람은 마땅히 그 축적한 바를 세상에 시행하여 천하를 구제해야 하기 때문에 집에서 밥을 먹지 않으면 길하니, 천자의 지위에 있으면서 천록(天祿)을 향유한다는 말이다.
나라와 집안이 현자를 양성하면 현자는 그 도를 세상에 시행할 수 있다. "큰 강을 건너면 이롭다"는 말은 크게 온축한 사람은 마땅히 세상의 어려움을 해결해야 한다는 말이다.

「단전」에서는 괘의 자질을 분명하게 밝혀 큰 강을 건널 수 있다고 했는데 하늘에 순응하기 때문이다. 육오효는 군주이다. 아래 건(乾☰)괘의 가운데 구이효와 호응하니, 크게 축적한 군주가 하늘에 호응하여 행하는 것이다. 행하는 바가 하늘에 순응할 수 있으면, 험난한 일일지라도 건너지 못할 것이 없으니, 하물며 다른 것은 어떻겠는가!

集說

● 胡氏炳文曰: "卦有乾體者, 多曰利涉大川, 健故也."[5]

호병문(胡炳文)이 말했다. "괘에 건(乾☰)의 형체가 있으면 대부분 큰 강을 건너는 것이 이롭다고 하는데 강건하기 때문이다."

案

"尙賢""止健"之義, 六爻中皆可見. 然夫子釋卦, 必以"剛健篤實"一句居首者, 蓋莫大於天德. 剛健者, 天德也. 人欲畜其天德, 非篤實則不能. 篤實者, 『論語』所謂重, 『大學』所謂靜, 『中庸』所謂暗. 雖至於達天德, 而必有以固其聰明聖智, 故篤實者, 學之所以成始成終, 如艮爲"萬物之所成終而所成始也". 此義最大, 故首發之.

"현자를 숭상하고" "강건함을 제지하는" 뜻은 여섯 효 가운데 모두 볼 수 있다. 그러나 공자는 괘를 해석하는 데 반드시 "강건하며 독

5) 호병문(胡炳文), 『주역본의통석(周易本義通釋)』 권11.

실하다"는 구절을 머리에 두었으니 하늘의 덕보다 큰 것은 없기 때문이다. 강건한 것이 하늘의 덕이다.

사람이 하늘의 덕을 기르고자 한다면 돈독하고 진실하지 않으면 불가능하다. 돈독하고 진실한 것은 『논어』에서 말하는 중후[重]이고[6] 『대학』에서 말하는 고요함[靜]이고[7] 『중용』에서 말하는 은은함[闇]이다.[8]

하늘의 덕에 이르렀다고 해도 반드시 그 총명함과 지혜를 견고하게 해야 하기 때문에 돈독하고 진실한 것은 배움에서 시작을 이루고 끝을 이룬다. 간(艮☶)괘가 만물의 끝을 이루고 시작을 이루는 것과 같다. 이 의미가 가장 크기 때문에 머리에서 말했다.

---

6) 『논어』「학이」: "군자가 중후하지 않으면 위엄이 없으니, 학문도 견고하지 못하다.[君子不重則不威, 學則不固.]"라고 하였다.

7) 『대학』「경1장」: "그칠 데를 안 뒤에 안정이 있으니, 안정한 뒤에 능히 고요하고, 고요한 뒤에 능히 편안하고, 편안한 뒤에 능히 생각하고, 생각한 뒤에 능히 얻는다.[知止而后有定, 定而后能靜, 靜而后能安, 安而后能慮, 慮而后能得.]"라고 하였다.

8) 『중용』 33장: "『시경(詩經)』에 이르기를 '비단옷을 입고 홑옷을 덧입는다.' 하였으니, 그 문채가 너무 드러남을 싫어해서이다. 그러므로 군자의 도(道)는 은은하되 날로 드러나고, 소인의 도는 선명하되 날로 없어지는 것이다. 군자의 도는 담박하되 싫지 않으며, 간략하되 문채 나며, 온화하되 조리가 있으니, 멂이 가까운 데로부터 시작함을 알며, 바람이 부터 일어남을 알며, 은미함이 드러남을 안다면, 더불어 덕(德)에 들어갈 수 있을 것이다.[詩曰, 衣錦尙絅, 惡其文之著也. 故君子之道, 闇然而日章, 小人之道, 的然而日亡, 君子之道, 淡而不厭, 簡而文, 溫而理, 知遠之近, 知風之自, 知微之顯, 可與入德矣.]"라고 하였다.

27. 이頤䷚괘

"頤, 貞吉", 養正則吉也. "觀頤", 觀其所養也. 自求口實, 觀其自養也.

"배양은 올바름을 지키면 길하다"는 것은 올바름을 배양하면 길하다는 말이다. "타인이 배양하는 것을 관찰하라"는 그가 배양하는 것을 관찰하라는 말이다. "스스로 음식을 구하는 것을 관찰해야 한다"는 말은 스스로 배양하는 것을 관찰하라는 말이다.

本義

釋卦辭.

괘사(卦辭)를 해석하였다.

程傳

"貞吉", 所養者正則吉也. "所養", 謂所養之人, 與養之之道. "自求口實", 謂其自求養身之道, 皆以正則吉也.

"올바름을 지키면 길하다"는 것은 배양하는 것이 올바르면 길하다는 말이다. "배양하는 것"은 배양하는 사람과 배양하는 방도를 말한다. "스스로 음식을 구하는" 것은 스스로 자신의 몸을 배양하는 방도를 말하니, 모두 정도(正道)로 하면 길하다.

集說

● 李氏舜臣曰:"古之觀人, 每每觀其所養, 而所養之大小, 則必以其所自養者觀之. 夫重道義之養而略口體, 此養之大者也. 急口體之養而輕道義, 此養之小者也. 養其大體, 則爲大人. 養其小體, 則爲小人. 天之賦予, 初無小大之別, 而人之所養各殊, 則其所成就者亦異."[1]

이순신(李舜臣)[2]이 말했다. "옛날에 사람을 볼 때 매번 그 배양한 것을 보았으니, 배양한 것의 크고 작음은 반드시 스스로 배양한 것으로 본다. 도의(道義)의 배양을 중시하고 입과 몸을 소략하게 하니 이것이 배양의 큰 것이다. 입과 몸의 배양에 급급하고 도의를 경시하니 이것이 배양의 작은 것이다. 그 대체(大體)를 배양하면 대인이 되고 소체(小體)를 배양하면 소인이 된다. 하늘이 부여해

1) 풍의(馮椅), 『후재역학(厚齋易學)』 권16, 「역집전(易輯傳)」 권11.
2) 이순신(李舜臣) : 송(宋)대 선정(仙井) 사람으로 자는 자사(子思)이고 호는 융산(隆山)이다. 건도(乾道) 2년(1166)에 진사에 급제하여 벼슬은 성도부교수(成都府敎授)를 역임하였다. 『역』 연구에 전념하였는데, 특히 주자에게 수학한 적이 있는 풍의(馮椅)와 친밀히 교류하였다고 한다. 저술로는 『역본전(易本傳)』 32권이 있었다고 하는데 전해지지 않고, 풍의(馮椅)의 『후재역학(厚齋易學)』에 그의 글이 소개되고 있다.

준 것은 처음에는 크고 작은 구별이 없지만 사람이 배양한 것에 각각 차이가 나니 성취한 것 또한 다르다."

● 谷氏家杰曰 : "觀頤者, 當於所養觀之, 又當於所養中自養處觀之."

곡가걸(谷家杰)이 말했다. "기르는 것을 볼 때는 마땅히 배양한 것에서 보아야 하고, 또 배양한 것 가운데 스스로 배양한 곳에서 보아야 한다."

案

李氏谷氏說, 皆得孟子考其善不善之意.

이씨[이순신]와 곡씨[곡가걸]의 말은 모두 맹자가 그 선함과 불선함을 고찰한 뜻을 얻었다.

天地養萬物, 聖人養賢, 以及萬民, 頤之時大矣哉!

천지는 만물을 배양하고 성인은 현자를 배양하여 모든 백성에게 영향을 미치니, 배양의 때는 크구나!

本義

極言養道而贊之.

배양의 도를 지극히 말하고 찬미했다.

程傳

聖人極言頤之道而贊其大. 天地之道, 則養育萬物, 養育萬物之道, 正而已矣. 聖人作養賢才, 與之共天位, 使之食天祿, 俾施澤於天下, 養賢以及萬民也. 養賢, 所以養萬民也. 夫天地之中, 品物之衆, 非養則不生. 聖人裁成天地之道, 輔相天地之宜, 以養天下, 至於鳥獸草木, 皆有養之之政. 其道配天地, 故夫子推頤之道, 贊天地與聖人之功, 曰"頤之時大矣哉!" 或云義, 或云用, 或止云時, 以其大者也. 萬物之生與養時爲大, 故云時.

성인은 배양의 방도를 극진하게 말하고 그 거대함을 찬미했다. 천지의 도는 만물을 배양하고 만물을 배양하는 방도는 바르게 하는 것일 뿐이다.

성인은 현자와 재능 있는 사람을 배양하여 그들과 하늘이 부여한 지위를 함께 하고 하늘이 내려준 녹봉을 먹게 하여, 세상에 은택을 베풀게 하니, 현자를 배양하여 백성들에게 그 영향력을 미치는 것이다. 현자를 배양하는 것이 곧 모든 백성들을 배양하는 것이다. 천지 가운데에 다양한 무리들을 배양하지 않으면 살아가지 못한다. 성인은 천지가 시행하는 방도를 마름질하여 완성하고, 천지의 마땅함을 법제화하여[3], 세상을 배양해서 새와 짐승 및 초목에까지 영향을 미치게 하니, 모두 배양하는 정치가 있다.
그 도가 천지에 짝하므로, 공자가 배양의 도를 미루어 천지와 성인의 공을 찬미하여 "배양의 때가 크구나!"라고 했다. 찬미를 할 때 어떤 경우는 '의리[義]'라 하고 어떤 경우는 '쓰임[用]'이라 하고 어떤 경우는 단지 '때[時]'라고 한 것은 그 큰 것을 가지고 말하였다. 만물을 낳고 배양하는 일은 때가 가장 위대하기 때문에 때라고 말한 것이다.

集說

● 趙氏汝楳曰 : "聖人之於萬民, 豈能家與之粟, 而人與之衣? 其急先務者, 亦曰養賢而已. 賢得所養, 則仁恩自及於百姓矣."[4]

조여매(趙汝楳)가 말했다. "성인이 모든 백성에게 어찌 집안에 곡식을 줄 수 있으며 사람에게 옷을 줄 수 있겠는가? 시급하게 먼저

3) 천지의 마땅함을 법제화하여 : 『주역』「태(泰)괘」: "象曰, 天地交, 泰, 后, 以財成天地之道, 輔相天地之宜, 以左右民.[하늘과 땅이 교류하는 것이 태괘의 모습이니, 군주는 이것을 본받아, 천지의 도를 마름질하고 완성하고, 천지의 마땅함을 법제화하여 백성들의 생활을 돕는다.]"라고 하였다.
4) 조여매(趙汝楳), 『주역집문(周易輯聞)』 권3.

힘써야 하는 것 또한 현자를 배양할 뿐이라고 했다. 현자들이 배양되면 인자한 은혜가 저절로 백성에게 미친다."

案

卦有曰"尙賢""養賢"者, 皆是六五上九相遇. 大有大畜頤鼎是也. 此卦頤爲養義, 而六五又賴上九之養以養人, 故曰"聖人養賢以及萬民"也.

괘에는 "현자를 숭상한다" "현자를 배양한다"고 말하는 부분이 있는데 모두 육오효와 상구효가 서로 만나는 것이다. 대유(大有)괘와 대축(大畜)괘,[5] 이(頤)괘[6]와 정(鼎)괘[7]가 그러하다.
이 괘에서 이(頤)는 배양한다는 뜻이니 육오효가 또 상구효의 배양에 의지하여 사람을 배양하기 때문에 "성인이 현자를 배양하여 모든 백성에게 미친다"고 했다.

---

5) 『주역』「대유(大有)괘」「단전」: "剛上而尙賢, 能止健, 大正也.[강한 것이 위에 있고 현자를 숭상하여, 강건한 것을 멈출 수 있는 것이 크게 올바른 것이다.]"라고 하였고, 「대축(大畜)괘」「단전」: "不可食吉, 養賢也. 利涉大川, 應乎天也.['집에서 밥을 먹지 않으면 길하다'는 것은 현자를 양성하는 것이다. '큰 강을 건너는 것이 이롭다'는 것은 하늘에 순응하는 것이다.]"라고 하였다.

6) 『주역』「이(頤)괘」「단전」: "天地養萬物, 聖人養賢以及萬民, 頤之時大矣哉![천지는 만물을 배양하고, 성인은 현자를 배양하여 모든 백성에게 영향을 미치니, 배양의 때는 크구나!]"라고 하였다.

7) 『주역』「정(鼎)괘」「단전」: "以木巽火, 亨飪也, 聖人, 亨以享上帝, 而大亨, 以養聖賢.[나무로써 불에 들어가는 것은 삶아서 음식을 만드는 것이니, 성인은 음식을 삶아서 상제에게 제사를 올리고, 크게 삶아 성현(聖賢)을 기른다.]"라고 하였다.

28. 대과大過䷛괘

大過, 大者過也.

큰 것의 지나침은 큰 것이 과도한 것이다.

本義

以卦體釋卦名義.

괘의 체(體)로 괘 이름의 뜻을 해석하였다.

程傳

大者過, 謂陽過也. 在事爲事之大者過, 與其過之大.

큰 것이 과도하다는 말은 양(陽)이 지나치다는 뜻이다. 인간사에서는 큰 일이 지나침과 과도함이 큰 것이 이에 해당한다.

集說

● 俞氏琰曰："大過, 謂陽之過也. 在人事則泛言萬事大者之過, 凡大者皆是, 非一端也."[1)]

유염(俞琰)이 말했다. "큰 것의 지나침은 양(陽)이 과도한 것이다. 인간사에서 모든 일의 큰 것이 과도한 것을 말하니, 큰 것은 모두 이것으로 한 가지 단서만을 지닌 것이 아니다."

1) 유염(俞琰), 『주역집설(周易集說)』 권16.

棟橈, 本末弱也.

대들보 기둥이 휘어졌다는 것은 뿌리와 끝이 약하다는 말이다.

本義

復以卦體釋卦辭. 本, 謂初. 末, 謂上. 弱, 謂陰柔.

다시 괘의 체(體)로 괘사(卦辭)를 해석하였다. 본(本)은 초육효를 말한다. 말(末)은 상육효를 말한다. 약(弱)은 음의 부드러움을 말한다.

程傳

謂上下二陰衰弱. 陽盛則陰衰, 故爲大者過. 在小過則曰小者過, 陰過也.

위와 아래의 두 음효가 쇠락하여 약해졌음을 말한다. 양(陽)이 번성하면 음(陰)은 쇠락하므로, 큰 것이 과도한 것이다. 소과(小過)괘에서는 "작은 것이 과도하다"라고 했는데 이는 음이 과도한 것이다.

集說

● 何氏楷曰 : "剛過始致本末之弱. 本末旣弱, 則亦不能獨支. 本末弱, 卽大過之象, 乃棟所由橈也."[2)]

하해(何楷)가 말했다. "굳셈이 과도하면 비로소 뿌리와 끝이 약해진다. 뿌리와 끝이 약해지면 또한 홀로 설 수 없다. 뿌리와 끝이 약해진 것이 대과(大過)괘이 모습이니 대들보 기둥이 휘어지는 이유이다."

2) 하해(何楷), 『고주역정고(古周易訂詁)』 권3.

剛過而中, 巽而說行, 利有攸往乃亨.

굳셈이 지나치지만 알맞음을 이루었고, 공손하면서 기쁘게 행동하므로, 나아가는 바가 있는 것이 이롭고 그래서 형통하다.

本義

又以卦體卦德釋卦辭.

또 괘의 체(體)와 괘의 덕(德)으로 괘사(卦辭)를 해석하였다.

程傳

言卦才之善也. 剛雖過而二五皆得中, 是處不失中道也. 下巽上兌, 是以巽順和說之道而行也. 在大過之時, 以中道巽說而行, 故利有攸往, 乃所以能亨也.

괘의 자질이 좋다는 것을 말하고 있다. 굳셈이 지나치지만 구이효와 구오효 모두 중도(中道)를 이루었으니, 이는 처신하는 데 중도를 잃지 않은 것이다.
아래로 손(巽☴)괘이고 위로는 태(兌☱)괘이니, 공손과 순종으로 조화하고 기뻐하는 방식으로 행한다. 큰 것이 과도한 때는 중도(中道)로 공손하고 기뻐하면서 행하므로, 일을 진행해 나가는 것이 이롭고, 이것이 형통할 수 있는 이유이다.

集說

● 朱氏震曰："剛過而中, 所謂時中也. 過, 非過於理也, 以過爲中也. 猶之治疾, 疾勢沈痼, 必攻之以瞑眩之藥. 自其治微疾之道視之, 則謂之過, 自藥病相對言之, 則謂之中. 大過之時, 君子過越常分以濟弱, 能達乎時中矣."[3]

주진(朱震)이 말했다. "굳셈이 지나치지만 알맞음을 이루었다는 것은 때에 적절하다는 시중(時中)을 말한다. 과도하다는 것이 이치에 과도한 것이 아니라 과도함으로 중(中)을 이룬 것이다. 병을 치료하는 것과 유사한데, 병의 증세가 깊고 고질병일 경우 반드시 명현(瞑眩)[4]의 약으로 치료해야 한다. 미세한 병을 치료하는 방법에서 보면 과도하다고 하지만 약과 병을 상대적으로 말하면 중(中)이라고 한다. 대과(大過)의 때에 군자는 상도(常道)의 본분을 과도하게 넘어서서 약함을 다스리니 시중(時中)에 도달할 수 있다."

● 項氏安世曰："棟橈二字, 以六爻之象言之, 中四爻強, 初上二爻弱, 有棟橈之象, 此禍變之大者也. '利有攸往亨', 以六爻之才言之, 中四爻剛雖大過, 而得時措之中, 初上二爻, 又能巽而說, 不失人心, 故利於有行, 雖遇大變而可以亨, 此才畧之大者也. 巽而說之下加行字者, 能以巽說而行, 是以利有攸往也."

항안세(項安世)가 말했다. "대들보 기둥은 여섯 효의 모습으로 말

3) 주진(朱震), 『한상역전(漢上易傳)』 권3.

4) 명현(瞑眩) : 약을 복용한 뒤에 고통과 어지럼증을 일으키는 강렬한 반응을 말한다. 『서경』「열명상(說命上)」: "약이 명현 현상을 일으키지 않으면 병을 치료하지 못한다.[若藥弗瞑眩, 厥疾弗瘳.]"라고 하였다.

한 것이니, 가운데 네 효는 강하고 초효와 상효 두 효는 약한 것이 대들보 기둥의 모습이고 이것이 재앙과 변고가 큰 것이다. '가는 것을 두는 것이 이롭고 형통하다'는 여섯 효의 자질로 말한 것이니, 가운데 네 효는 굳세어 과도함이 클지라도 때에 맞는 중(中)을 얻었고, 초효와 상효 두 효는 또 공손하여 기쁘게 할 수 있어 인심을 잃지 않기 때문에 행하는 것이 이롭고 큰 변고를 당하더라도 형통할 수 있으니, 이것이 재주와 모략이 큰 것이다. 공손하고 기쁘다는 말에 행한다는 말을 덧붙인 것은 공손함과 기쁨으로 행할 수 있다는 것이니, 그래서 가는 것을 둠이 이롭다."

又曰:"先言亨, 後言利有攸往者, 亨自亨, 利自利也. 今先言利有攸往, 後言亨者, 明亨因於往也. 故「彖」曰'利有攸往乃亨', 言往乃亨, 不往則不亨也."

또 말했다. "형통함을 먼저 말하고 나중에 가는 바를 둠이 이롭다고 한 것은 형통함은 본래 형통하고 이로운 것은 본래 이롭기 때문이다. 지금은 가는 바를 두는 것이 이롭다고 먼저 말하고 형통하다는 것을 나중에 말했으니 형통함은 가는 것에 원인이 있기 때문이다. 그래서 「단전」에서 '가는 바를 둠이 이로우니 곧 형통하다'고 했으니 가는 것이 형통하다는 말은 가지 않으면 형통하지 않다는 것이다."

大過之時大矣哉.

큰 것이 과도한 때는 크구나!

本義

大過之時, 非有大過人之材, 不能濟也, 故歎其大.

대과(大過)의 때는 보통 사람보다 크게 뛰어난 재주가 아니면 구제할 수 없기 때문에 큰 것을 감탄한 것이다.

程傳

大過之時, 其事甚大, 故贊之曰"大矣哉!" 如立非常之大事, 興不世之大功, 成絕俗之大德, 皆大過之事也.

큰 것이 과도한 때는 그 일이 매우 크기 때문에, 찬미하기를 "크다"고 했다. 예를 들어 비범한 큰 일을 세우고 세상에 보기 드문 큰 공을 일으키고 세속에서 보기 드문 큰 덕을 이루는 것이 모두 큰 것이 과도한 일이다.

集說

● 胡氏炳文曰："大過之事甚大, 無其時不可過, 有其時無其才, 愈不可過."[5)]

호병문(胡炳文)이 말했다. "대과(大過)의 일은 그 때가 과도할 수 없는 경우는 없지만, 그 때에 재주가 없어 과도할 수 없는 경우는 있다."

● 蔡氏淸曰 : "大過之時, 非時大過也. 人當大過之時也, 以其時事宜於大過也. 其理正小過所謂'過以利貞, 與時行'者也. 大過二字屬人."[6]

채청(蔡淸)[7]이 말했다. "대과(大過)의 때는 때가 크게 과도한 것이 아니다. 사람이 대과(大過)의 때를 당하여 그 때와 일로 대과에 마땅하게 하는 것이다. 그 이치는 소과(小過)괘에서 '과도하게 하되 올바름을 지킴이 이로운 것은 때에 따라 행하는 것이다'[8]라는 뜻이다. 대과(大過)는 사람에 속한다."

---

5) 호병문(胡炳文), 『주역본의통석(周易本義通釋)』 권11.

6) 채청(蔡淸), 『역경몽인(易經蒙引)』 권4.

7) 채청(蔡淸, 1453~1508) : 자는 개부(介夫)이고 별호는 허재(虛齋)이다. 명(明)대 진강(晉江) 사람으로, 31세에 진사에 급제하여 벼슬은 남경문선랑중(南京文選郎中), 강서제학부사(江西提學副使) 등을 역임하였다. 명대의 저명한 이학가(理學家)로서 주로 이정(二程)과 주희(朱熹)의 저술 연구를 통해 그들의 사상을 계승하였다. 특히 천주(泉州) 개원사(開元寺)에서 역학연구단체를 결성하여 90여 책을 출간하면서 청원학파(淸源學派)를 이루었다. 이정기(李廷機), 장악(張嶽), 임희원(林希元), 진침(陳琛) 등의 학자들이 그 학파의 주요 구성원이었다. 저술로는 『사서몽인(四書蒙引)』, 『역경몽인(易經蒙引)』, 『허재문집(虛齋文集)』 등이 있다.

8) 『주역』「소과(小過)괘」「단전」 : "過以利貞, 與時行也.[과도하게 하되 올바름을 지키는 것이 이로운 것은 때에 따라서 행하는 것이다.]"라고 하였다.

29. 감坎☵괘

習坎, 重險也.

습감은 잇달은 위험이다

本義

釋卦名義.

괘 이름의 뜻을 해석하였다.

集說

● 孔氏穎達曰 : "釋習坎之義. 險, 難也. 若險難不重, 不須便習. 今險難旣重, 是險之甚者. 若不便習, 不可濟也. 故注云, 習坎者, 習重險也."[1]

공영달(孔穎達)이 말했다. "습감(習坎)의 뜻을 해석했다. 위험은 어려움이다. 험난함이 거듭되지 않으면 분명하게 알 필요가 없다. 지금 험난함이 거듭되니 위험이 심한 자이다. 분명하게 알지 못하면 구제할 수 없다. 그러므로 주(注)에서 '습감(習坎)은 위험이 중복되는 것이다'라고 했다."

1) 공영달(孔穎達), 『주역주소(周易注疏)』 권5.

水流而不盈, 行險而不失其信.

물이 아래로 흘러가되 가득 차지 않았으며, 위험 속에서 행하지만 믿음을 잃지 않는다.

本義

以卦象釋有孚之義, 言內實而行有常也.

괘의 상(象)으로 '유부(有孚)'의 뜻을 해석하였으니, 안이 진실하고 행실에 떳떳함이 있음을 말하였다.

程傳

習坎者, 謂重險也. 上下皆坎, 兩險相重也. 初六云"坎陷", 是坎中之坎, 重險也. "水流而不盈", 陽動於險中而未出於險, 乃水性之流行, 而未盈於坎, 旣盈則出乎坎矣. "行險而不失其信", 陽剛中實, 居險之中, 行險而不失其信者也. 坎中實, 水就下, 皆爲信義, "有孚"也.

습감은 잇달은 위험을 말한다. 위와 아래가 모두 감(坎☵)괘이니, 두 가지 위험이 서로 중첩된 것이다.
초육효는 "깊은 구덩이"이라 했는데, 이는 위험 가운데 위험이 있는 것으로 잇달은 위험이다. "물이 아래로 흘러가되 가득 차지 않았다"는 말은 양(陽)효가 위험 속에서 움직이지만 아직 위험에서 빠져 나오지 못한 것을 상징하니, 물의 성질은 흘러내려가지만 아직 구덩이에 가득 차지 않아 가득 차면 구덩이에서 나온다. "위험 속에서 행하지만 믿음을 잃지 않는다"는 굳센 양의 자질과 마음속의 진실이 위험 가운데에 있으니, 위험 속에서 행하지만 그 믿음을 잃지 않는 것이다.
감괘의 가운데가 꽉 찬 것과 물이 아래로 내려가는 성질은 모두 신념의 뜻이 되어 믿음이 있다.

集說

● 『朱子語類』云 : "坎水只是平, 不解滿, 盈是滿出來."[2]

『주자어류(朱子語類)』에서 말했다. "웅덩이의 물은 평평하여 넘치지 않으니 가득하면 넘쳐흐른다."

● 胡氏炳文曰 : "'水'字當讀'流而不盈, 行險而不失其信'兩句, 皆指水言. 以水之內實行有常者, 釋卦辭有孚之義也."[3]

호병문(胡炳文)이 말했다. "'물'이라는 글자는 마땅히 '아래로 흘러가되 가득 차지 않았으며, 위험 속에서 행하지만 믿음을 잃지 않는다'는 두 구절로 읽어야 하니 모두 물을 가리켜 말했다. 물 안의 진실함으로 행하여 변함이 없는 자이니 괘사(卦辭)에서 '믿음이 있다'는 뜻으로 해석하였다."

2) 『주자어류(朱子語類)』 71권, 113조목.
3) 호병문(胡炳文), 『주역본의통석(周易本義通釋)』 권11.

● 兪氏琰曰 : "坎水, 流水也. 晝夜常流, 流則不盈, 故曰'水流而不盈'. 水之流迂回曲折, 不知更曆幾險, 而終至於海, 玆非'行險而不失其信'者乎!"[4]

유염(兪琰)이 말했다. "감(坎☵)괘의 물은 흐르는 물이다. 밤과 낮은 항상 흐르니, 흐르면 가득차지 않기 때문에 '아래로 흘러가되 가득 차지 않는다'고 했다. 물이 흘러 우회하고 구불구불 흘러 몇 번의 위험을 거쳤는지 알지 못한 채 결국에는 바다에 이르니, 이것이 '위험 속에서 행하지만 믿음을 잃지 않는다'는 뜻이다!"

● 梁氏寅曰 : "流而不盈, '時止則止'也. 盈而後進, '時行則行'也. 坎以能止爲信, 以能行爲功, 時止時行, 其君子處險之道與!"[5]

양인(梁寅)이 말했다. "'아래로 흘러 가득 차지 않으니 '그쳐야 할 때 그치는'[6] 것이다. 가득 찬 뒤에 나아가니, '가야할 때 가는'[7] 것이다. 감괘는 그칠 수 있어 믿음이 되고 행할 수 있어 공이 되니 그쳐야 할 때 그치고 행해야 할 때 행하는 것은 군자가 위험을 대처하는 도이구나!"

---

4) 유염(兪琰), 『주역집설(周易集說)』 권16.
5) 양인(梁寅), 『주역참의(周易參義)』 권3.
6) 『주역』「간(艮)괘」「단전」: "艮, 止也, 時止則止, 時行則行, 動靜不失其時, 其道光明.[간(艮)은 멈춤이니, 그쳐야할 때 그치고, 가야할 때 가서, 움직임과 고요함에 그 때를 잃지 않으니, 그 도가 밝게 드러난다.]"라고 하였다.
7) 『주역』「간(艮)괘」「단전」: "艮, 止也, 時止則止, 時行則行, 動靜不失其時, 其道光明.[간(艮)은 멈춤이니, 그쳐야할 때 그치고, 가야할 때 가서, 움직임과 고요함에 그 때를 잃지 않으니, 그 도가 밝게 드러난다.]"라고 하였다.

"維心亨", 乃以剛中也. 行有尚, 往有功也.

"오직 마음이 형통하다"는 것은 굳세면서 알맞음을 이루었기 때문이다. "나아가면 가상함이 있다"는 것은 나아가면 공이 있다는 말이다.

本義

以剛在中, "心亨"之象. 如是而往, 必有功也.

굳셈으로 알맞은 자리에 있는 것은 "마음이 형통한 상(象)이다. 이와 같이 하여 가면 반드시 공이 있다.

程傳

維其心可以亨通者, 乃以其剛中也. 中實爲有孚之象, 至誠之道, 何所不通? 以剛中之道而行, 則可以濟險難而亨通也. 以其剛中之才而往, 則有功, 故可嘉尙, 若止而不行, 則常在險中矣. 坎以能行爲功.

오직 그 마음이 형통할 수 있다는 것은 굳세면서 알맞기 때문이다. 가운데가 꽉 찬 것이 믿음이 있는 모습이다. 지극히 성실한 도가 어찌 통하지 않겠는가?
굳세면서 알맞는 방도로 행하면 험난한 위험을 해결하여 형통할 수 있다. 굳세면서 알맞는 재능으로 나아가면, 공이 있으므로 가상하게 여길 수 있지만, 만약 멈추어 행하지 않으면, 항상 위험 속에 있게 된다.

감(坎)라는 위험한 상황에서 행할 수 있는 것이 공을 이루는 일이다.

天險不可升也, 地險山川丘陵也, 王公設險以守其國, 險之時用大矣哉.

하늘의 험난함은 넘어설 수 없고, 땅의 험난함은 산과 강 그리고 언덕과 구릉이다. 왕공은 위험물을 설치하여 나라를 지키니, 위험물을 사용하는 때와 그 작용이 크구나!

本義

極言之而贊其大也.

지극하게 말하여 그 위대함을 찬미하였다.

程傳

高不可升者, 天之險也. 山川丘陵, 地之險也. 王公, 君人者, 觀坎之象, 知險之不可陵也. 故設爲城郭溝池之險, 以守其國, 保其民人. 是有用險之時, 其用甚大, 故贊其大矣哉. 山河城池, 設險之大瑞也. 若夫尊卑之辨, 貴賤之分, 明等威, 異物采, 凡所以杜絕陵僭限隔上下者, 皆體險之用也.

높아서 올라갈 수 없는 것이 하늘의 험난함이다. 산과 강 그리고 언덕과 구릉이 땅의 험난함이다.

왕공(王公)은 군주이니, 감(坎䷜)괘의 모습을 관찰하여 위험을 무시할 수 없는 것임을 안다. 그러므로 성곽과 성을 보호하는 연못의 위험물을 설치하여 나라를 지키고 백성을 보호한다. 이것이 위험한 방어 시설을 설치할 때가 있고, 그 사용이 매우 크므로 그 위대성을 찬미했다.

산과 강 그리고 성과 못은 설치한 위험물 가운데 큰 것들이다. 존귀함과 비천함을 구별하고 귀함과 천함을 구분하는 데 등급과 위엄을 밝히고 사물의 색채를 다르게 하여 능멸하고 참월하는 행위를 막아 단절하고 상하를 한계지어 막으니, 이는 모두 위험물을 사용하는 것을 본받았다.

集說

● 王氏應麟曰 : "下陽擧而虢亡, 虎牢城而鄭懼, 西河失而魏蹙, 大峴度而燕危. 故曰'設險以守其國.'"[8)]

왕응린(王應麟)이 말했다. "하양(下陽)이 일어나니 괵나라가 망했고,[9)] 호뢰(虎牢)가 성을 쌓자 정나라가 두려워했고,[10)] 서하(西河)

---

8) 왕응린(王應麟), 『곤학기문(困學紀聞)』 권1.

9) 괵(虢)나라는 서주(西周) 문왕(文王)의 동생 괵중(虢仲)의 봉지이다. 서괵(西虢)이라고 한다. 동생 괵숙(虢叔)의 봉지는 동괵(東虢)이라고 한다. 평왕(平王)이 동천(東遷)하자 서괵(西虢)은 상양(上陽)으로 옮겨서 남괵(南虢)이라고 한다. 주 왕실과 함께 서쪽으로 옮겨 유지된 괵나라 공실이 남괵(南虢)과 북괵(北虢)이다. 남괵은 상양(上陽) 땅에 자리를 잡았으며, 북괵은 지금의 산서성(山西省) 평육(平陸)인 하양(下陽) 땅에 자리를 잡았다.

10) 호뢰는 옛 고을의 이름이다. 춘추 시대에 정(鄭)나라에 속해 있었다. 형세가 험악한 요충지라서 역대로 군사적으로 중요한 진(鎭)이었다. 『목천자전(穆天子傳)』 권5 : "有虎在於葭中, 天子將至, 七萃之士曰高奔戎請

를 잃자 위나라가 위축되었고, 대현(大峴)을 넘어서니 연나라가 위태로워졌다.[11] 그러므로 '위험물을 설치하여 나라를 지킨다'고 했다."

● 俞氏琰曰 : "'時用', 謂有時乎用, 而非用之常也."[12]

유염(俞琰)이 말했다. "'때의 쓰임'은 쓰임에 때가 있는 것이지 항상 쓰이는 것이 아니다."

案

象辭發習險之義, 「彖傳」又發用險之義. "習險"者, 練習於艱難之事而無所避, 立身之大本也. 用險者, 自然有嚴峻之象而不可干, 禦物之大權也. 天之崇窿不可升, 地之修阻不可越, 此天地用險之著者. 在人則所謂忠信以爲甲冑, 禮義以爲干櫓, 皆此意也. 其大者則又莫如王公之設險守國. 蓋用天之道而刑賞之威, 莫敢以干犯, 因地之利, 而河山之固, 莫敢以窺伺. 險之用豈不大哉! 大抵八卦之德, 皆有其善. 坎之德險, 雖微與諸卦不同, 然以其用言之, 則亦與諸卦之德同歸矣.

괘사에서 습험(習險)의 뜻을 말하고 「단전」에서 또 위험을 쓰는 의미를 말했다. 습험(習險)은 험난한 일을 연습하여 피하는 것이 없

生搏虎, 必全之, 乃生搏虎而獻之天子. 天子命爲柙, 而畜之東虢, 是曰虎牢."

11) 대현(大峴)은 산 이름이다. 산동성(山東省) 임구현(臨朐縣) 동남쪽에 있으니 목릉관(穆陵關)이다.

12) 유염(俞琰), 『주역집설(周易集說)』 권16.

으니 몸을 세우는 큰 근본이다. 위험을 쓰는 것은 저절로 험준한 모습이 있어 간여할 수 없으니 사물을 제어하는 큰 권도이다.

하늘의 높음은 놀라갈 수 없고 땅의 험준함은 넘어설 수 없으니 이것이 하늘과 땅이 위험을 쓰는 일이 드러난 것이다. 사람에게서는 충신(忠信)으로 갑옷을 삼고 예의(禮義)로 방패를 삼는 것이 모두 이러한 뜻이다. 그 큰 것은 왕공(王公)이 위험을 설치하여 나라를 지키는 것만한 일이 없다. 하늘의 도를 사용하여 형벌과 상의 위험을 감히 범하지 않고 땅의 유리함을 따라 강과 산의 견고함을 감히 엿볼 수 없기 때문이니, 위험을 쓰는 것이 어찌 크지 않겠는가!

대체로 8괘의 덕은 모두 그 선함이 있다. 감(坎)괘의 덕인 위험은 응당 다른 괘와 다르지는 않지만 그 쓰임으로 말하면 또한 다른 괘의 덕과 동일하게 귀착된다.

30. 리離☲괘

離, 麗也. 日月麗乎天, 百穀草木麗乎土, 重明以麗乎正, 乃化成天下.

'리'란 붙어 있음이다. 해와 달이 하늘에 붙어 있고 온갖 곡식과 초목이 땅에 붙어 있다. 잇달은 밝음으로 올바름에 붙어 세상을 교화하여 완성한다.

本義

釋卦名義.

괘 이름의 뜻을 해석하였다.

程傳

離, 麗也, 謂附麗也. 如日月則麗於天, 百穀草木則麗於土, 萬物莫不各有所麗. 天地之中, 無無麗之物. 在人當審其所麗, 麗得其正, 則能亨也. "重明以麗乎正", 以卦才言也. 上下皆離, 重明也. 五二皆處中正, 麗乎正也. 君臣上下, 皆有明德而處中正, 可以化天下成文明之俗也.

'리(離)'란 붙어있음이니, 붙어 의지한다는 말이다. 해와 달이 하늘에 붙어 있고, 오곡백과와 초목은 땅에 붙어 있는 것과 같으니, 만물은 각각 붙어 의지하지 않음이 없다. 하늘과 땅 사이에 서로 붙어 의지하지 않는 사물은 없다. 사람의 경우 마땅히 그가 붙어 의지하는 것을 살펴야 하되, 붙어 의지하는 데 그 정도를 얻으면 형통할 수 있다.
"잇달은 밝음으로 올바름에 붙었다"는 괘의 자질로 말한 것이다. 위와 아래가 모두 리(離☲)괘이므로 잇달은 밝음이다. 육오효와 육이효는 모두 처신하는 데 중정(中正)을 이루어 올바름에 붙어 있다. 군주와 신하 및 윗사람과 아랫사람이 모두 현명한 덕을 가지고 처신하는 데 중정(中正)을 이루니 세상을 교화하여 문명(文明)한 세속을 완성한다.

集說

● 項氏安世曰: "'日月麗乎天'而成明, '百穀草木麗乎土'而成文. 故離爲文, 又爲明."[1)]

항안세(項安世)가 말했다. "'해와 달이 하늘에 붙어' 밝음을 이루고 '오곡백과와 초목이 땅에 붙어' 문양을 이룬다. 그러므로 리(離)괘는 문양이 되고 또 밝음이 된다."

1) 항안세(項安世), 『주역완사(周易玩辭)』 권6.

● 齊氏夢龍曰:“龜山楊氏云, 火無常形, 麗物而有形, 最得本旨. 人之生也, 得水爲精, 得火爲神. 其合也, 氣聚而形成於有, 其分也, 氣散而神泯於無. 蓋精所以爲形, 而神麗於形者也. 天地, 形之大者也. 日月麗天, 百穀草木麗土, 其神之發見而可見者也.”

제몽룡(齊夢龍)이 말했다. “구산양씨(龜山楊氏 : 楊時)[2]가 ‘화(火)는 일정한 형체가 없이 사물에 붙어 형체가 있다’고 했으니 본래의 뜻을 가장 잘 얻었다. 사람이 태어나 수(水)를 얻어 정수[精]가 되고 화(火)를 얻어 신(神)이 된다. 그것이 합하여 기가 모여 형체가 유(有)에서 이루어지고 그것이 나뉘어 기가 흩어져 신(神)이 무(無)에서 없어진다. 정수[精]는 형체가 되고 신(神)은 형체에 붙어 있다. 천지는 형체의 큰 것이다. 해와 달이 하늘에 붙어 있고 오곡백과와 초목이 땅에 붙어 있어 그 신(神)이 발현되는 것을 볼 수 있다.”

2) 양시(楊時, 1053~1135) : 자는 중립(中立)이고, 호는 구산(龜山)이며, 시호는 문정(文靖)이다. 북송 검남 장락(劍南將樂 : 현 복건성 장락현) 사람이다. 신종(神宗) 희녕(熙寧) 9년(1076)에 진사에 급제하였지만, 관직에 나가지 않고 10년 동안 칩거하다가 형주교수(荊州敎授), 우간의대부(右諫議大夫), 국자감좨주(國子監祭酒), 공부시랑(工部侍郞), 용도각직학사(龍圖閣直學士) 등을 역임하였다. 정호(程顥) · 정이(程頤) 형제에게 사사(師事)했는데, 특히 형 정호의 신임을 받았다. 민학(閔學)의 창시자로서, 유초(游酢), 여대림(呂大臨), 사량좌와 함께 정문사선생(程門四先生)으로 불렸다. 그의 학문 계통에서 주희 · 장식(張栻) · 여조겸(呂祖謙) 등 뛰어난 학자가 많이 배출되었다. 저서에 『구산집(龜山集)』, 『구산어록(龜山語錄)』, 『이정수언(二程粹言)』 등이 있다.

案

項氏齊氏說, 則是陽麗乎陰, 而以爲陰麗乎陽者, 非矣. 惟張子『正蒙』之說得之.

항씨[항안세]와 제씨[제몽룡]의 말은 양이 음에 붙어 있으니, 음이 양에 붙어 있는 것은 잘못되었다. 오직 장자(張子 : 張載)의 『정몽(正蒙)』의 말이 그 뜻을 얻었다.

柔麗乎中正, 故亨, 是以畜牝牛吉也.

부드러움이 중정(中正)에 붙었으므로 형통하고, 그래서 암소를 기르듯이 하면 길하다.

本義

以卦體釋卦辭.

괘의 체(體)를 가지고 괘사(卦辭)를 해석하였다.

程傳

二五以柔順麗於中正, 所以能亨. 人能養其至順, 以麗中正, 則吉, 故曰畜牝牛吉也. 或曰, 二則中正矣, 五以陰居陽, 得爲正乎? 曰, 離主於所麗. 五中正之位, 六麗於正位, 乃爲正也. 學者知時義而不失輕重, 則可以言易矣.

육이효와 육오효는 유순(柔順)함으로 중정(中正)에 붙었기 때문에 형통할 수 있다. 사람이 지극히 유순한 덕을 배양하여 중정(中正)을 이루는 데 붙을 수 있다면 길하므로, "암소를 기르듯이 하면 길하다"고 했다.

"육이효는 중정(中正)의 덕을 이루었지만, 육오효는 음의 자질로 양의 위치에 있는데 어떻게 올바름을 얻겠는가?" 이렇게 답하겠다. "리(離☲)괘는 주로 붙어 의지하는 것을 말한다. 오(五)라는 위치는 중정(中正)을 이루어야 할 지위인데, 육(六)이라는 음효가 올바른 위치에 붙어 의지하고 있으니, 그것이 바로 올바름이다. 배우는 사람이 때와 의리를 알아 경중(輕重)을 잃지 않는다면, 『역』을 말할 수 있다."

集說

● 項氏安世曰: "'重明以麗乎正', 此統論一卦之義, 以釋卦名也. '柔麗乎中正', 此以二五成卦之爻釋卦辭也."[3]

항안세(項安世)가 말했다. "'잇달은 밝음으로 올바름에 붙었다'는 것은 한 괘의 뜻을 전체적으로 논하여 괘명(卦名)을 해석했다. '부드러움이 중정에 붙었다'는 것은 육이와 육오로 괘를 이룬 효의 괘사(卦辭)를 해석했다."

● 胡氏炳文曰: "坎之剛中, 九五分數多, 故九五曰'坎不盈', 卦辭釋有孚. 亦曰'水流而不盈'. 離之中正, 六二分數多, 故卦辭曰'畜牝牛吉', 而六二爻辭亦曰'黃離元吉'"[4]

호병문(胡炳文)이 말했다. "감(坎☵)괘의 강중(剛中)은 구오효의 분수가 많기 때문에 구오효에서 '구오효는 구덩이가 가득 차지 않았다'고 했고, 괘사는 '믿음이 있다'는 것을 해석하여 또 '물이 흘러 가득 차지 않는다'고 했다. 리(離☲)괘의 중정(中正)은 구이효의 분

3) 항안세(項安世), 『주역완사(周易玩辭)』 권6.
4) 호병문(胡炳文), 『주역본의통석(周易本義通釋)』 권11.

수가 많기 때문에 괘사에서 '암소를 기르듯이 하면 길하다'고 했고 육이효의 효사 역시 '황색에 붙어 의지하는 것이니 크게 길하다'고 했다.

彖傳
단전
제10권

단하전彖下傳

31. 함咸䷞괘

咸, 感也.

함은 감응함이다.

本義

釋卦名義.

괘 이름의 뜻을 해석하였다.

集說

● 劉氏牧曰 : “卦以咸名, 而「彖傳」以感釋其義者, 聖人之微旨, 欲明感物之無心也.”[1)]

유목(劉牧)이 말했다. “괘를 함(咸)이라 이름하고 「단전」에서 감(感)

1) 이형(李衡), 『주역의해촬요(周易義海撮要)』 권4.

으로 해석한 것은 성인의 미묘한 뜻이니 사물과 감응하는 무심(無心)을 밝히려 한 것이다."

● 張子曰 : "萬物本一. 故一能合異. 以其能合異, 故謂之感. 若非有異, 則無合. 天地乾坤, 陰陽也. 二端故有感, 本一故能合."[2)]

장자(張子, 張載)가 말했다. "만물은 본래 하나이다. 하나였기 때문에 다른 것을 합할 수 있다. 다른 것을 합할 수 있기 때문에 감응한다고 말한다. 다름이 있지 않았다면 합할 수 없다. 하늘과 땅, 건과 곤은 음양이다. 두 가지 단서가 있기 때문에 감응이 있고 본래 하나이기 때문에 합할 수가 있다."

● 邱氏富國曰 : "咸者, 感也. 所以感者心也, 無心者不能感, 故咸加心而爲感. 有心於感者, 亦不能咸感, 故感去心而爲咸. 咸, 皆也. 唯無容心於感, 然後無所不感, 聖人以咸名卦, 而「彖」以感釋之, 所以互明其旨也."[3)]

구부국(邱富國)이 말했다. "함(咸)이란 감응함이다. 감응하는 것은 마음인데 마음이 없는 것은 감응할 수 없기 때문에 함(咸)이라는 글자에 마음 심(心)을 덧붙여 감응한다는 감(感)이 되었다. 감응하는 데 의도적인 마음이 있다면 또한 모두 감응할 수가 없기 때문에 감(感)이라는 글자에서 마음 심(心)자를 제거하여 함(咸)이 된다. 함(咸)이란 모두라는 뜻이다. 오직 감응하는 데 마음을 두지 않은 뒤에야 감응하지 않는 것이 없다. 성인이 함으로 괘를 이름하고

2) 장재(張載), 『장자전서(張子全書)』 권3, 「정몽(正蒙) · 지당(至當)」.
3) 구부국(丘富國), 『주역집해(周易輯解)』 권2.

「단전」에서 그것을 해석하였으니 서로 그 뜻을 밝힌 것이다."

● 王氏應麟曰 : "咸之感無心, 感以虛也. 兌之說無言, 說以誠也."[4]

왕응린(王應麟)[5]이 말했다. "함(咸☱☶)괘의 감응은 마음이 없으니 텅 빈 마음으로 감응하는 것이다. 태(兌☱☱)괘의 기쁨은 말이 없으니 진실무망함으로 기뻐하는 것이다."

4) 왕응린(王應麟), 『곤학기문(困學紀聞)』
5) 왕응린(王應麟, 1223~1296) : 자는 백후(伯厚)이고, 호는 심녕거사(沈寧居士)이다. 남송(南宋) 때의 학자로서 박학하고 경사백가(經史百家)·천문지리 등에 조예가 깊었다. 장고제도(掌故制度)에 익숙하고 고증에 능했다. 저서로는 『곤학기문(困學紀聞)』, 『옥해(玉海)』, 『시고(詩考)』, 『시지리고(詩地理考)』, 『한예문지고증(漢藝文志考證)』, 『옥당류고(玉堂類稿)』, 『심녕집(深寧集)』·『삼자경(三字經)』 등이 있다. 그중에서 『옥해』 200권은 남송에서 가장 완비된 『유서(類書)』 곧 백과사전이다.

柔上而剛下, 二氣感應以相與, 止而說, 男下女. 是以亨利貞, 取女吉也.

부드러움이 위에 있고 굳셈이 아래에 있어 두 기운이 감응하여 서로 함께하면서 멈추어 기뻐하며 남자가 여자에게 낮춘다. 이 때문에 형통하여 곧은 올바름이 이로우니, 여자를 취하면 길하다.

本義

以卦體卦德卦象釋卦辭. 或以卦變言"柔上剛下"之義, 曰"咸自旅來, 柔上居六, 剛下居五也", 亦通.

괘의 체와 괘의 덕과 괘의 상으로 괘의 말을 해석하였다. 혹은 괘의 변(變)으로 "부드러움이 위에 있고 굳셈이 아래에 있다"는 뜻을 "함(咸䷞)괘는 여(旅䷷)괘로부터 와서 부드러움이 올라가 상육(上六)효에 자리하고 굳셈이 내려와 오(五)효에 자리했다."고 하니, 또한 통한다.

程傳

咸之義感也. 在卦則柔爻上而剛爻下, 柔上變剛而成兌, 剛下變柔而成艮. 陰陽相交, 爲男女交感之義. 又兌女在上, 艮男居下, 亦柔上剛下也. 陰陽二氣相感相應而和合, 是'相與'也. '止而說', 止於說爲堅慤之意. 艮止於下, 篤誠相下也, 兌

說於上, 和說相應也. 以男下女, 和之至也. 相感之道如此, 是以能亨通而得正. 取女如是則吉也. 卦才如此, 大率感道利於正也.

함(咸)의 뜻은 감응이다. 괘에서 부드러운 효가 올라가고 굳센 효가 내려와서, 부드러움이 올라가 굳셈을 변화시켜 태(兌☱)괘가 되었고, 굳셈이 내려와 부드러움을 변화시켜 간(艮☶)괘가 되었다. 음과 양이 서로 교감하니 남자와 여자가 교제하여 감응하는 뜻이다. 또 태괘가 여자로 위에 있고, 간괘가 남자로 아래에 자리하니, 역시 부드러움이 위에 있고 굳셈이 아래 있는 것이다. 음과 양 두 기운이 서로 자극하고 서로 반응하여 조화하고 화합하니 이것이 "서로 함께 한다."는 말이다.
"멈추어 기뻐한다"는 것은 기쁨에서 멈추는 것이니, 굳세고 정성스러운 뜻이다. 간괘가 아래에서 멈춤은 돈독한 정성으로 서로 낮추고, 태괘가 위에서 기뻐함은 화합하고 기뻐하여 서로 호응하는 것이다. 남자로써 여자에게 자신을 낮추어 내려가는 것은 화합의 지극함이다. 서로 감동하는 도리가 이와 같으므로, 그래서 형통하여 올바름을 얻을 수 있다. 여자를 취할 때에 이와 같이 한다면 길하다. 괘의 자질이 이와 같으니 대체로 감응하는 도리는 그 이로움이 올바름에 있다.

集說

● 王氏肅曰: "山澤以氣通, 男女以禮感. 男而下女, 初婚之所以爲禮, 取女之所以爲吉也."[6]

왕숙(王肅)[7]이 말했다. "산과 연못은 기로 통하고 남자와 여자는 예로 감응한다. 남자는 여자에게 자신을 낮추니 처음의 혼례는 예가 되고 여자를 취하는 데에 길하게 된다."

● 馮氏當可曰 : "柔上剛下, 感應相與, 所以爲亨. 止而說, 所以利貞. 男下女, 所以取女吉也."[8]

풍당가(馮當可)[9]가 말했다. "부드러움이 위에 있고 굳셈이 아래에

6) 이정조(李鼎祚), 『주역집해(周易集解)』 권7.
7) 왕숙(王肅, 195~256) : 자는 자옹(子雍)이고, 삼국시대 위(魏)나라 동해군 담현(東海郡 郯縣 : 현 산동성 소속) 사람이다. 삼국시대 조위(曹魏)의 관리이자 경학자로 왕랑(王朗)의 아들이다. 사마소(司馬昭)의 장인으로 진(晉)나라 무제(武帝)의 외조부이며, 벼슬은 산기황문시랑(散騎黃門侍郞), 비서감(秘書監), 숭문관제주(崇文觀祭酒), 광평태수(廣平太守), 시중(侍中), 하남윤(河南尹) 등을 역임했다. 사후에 위장군(衛將軍)으로 추증되었고, 시호는 경후(景侯)이다. 부친인 왕낭(王朗)에게 금문학(今文學)을 배우고, 당대 대유학자인 송충(宋忠)을 사사하여 고금경전(今古經典)에 해박했다. 특히 고문학자(古文學者) 가규(賈逵), 마융(馬融)의 현실주의적 해석을 계승해서, 정현(鄭玄)의 참위설(讖緯說)을 혼합한 경전해석을 반박하였다. 또한 정현의 예학(禮學) 체계에 반대하여 『성증론(聖證論)』을 지었다. 그의 학설은 모두 위나라의 관학(官學)으로서 공인받았다. 저서로는 『공자가어(孔子家語)』, 『고문상서공굉국전(古文尙書孔宏國傳)』 등이 있다.
8) 풍의(馮椅), 『후재역학(厚齋易學)』 권35.
9) 풍당가(馮當可, 1100~1163) : 풍시행(馮時行)의 자는 당가(當可)이고 호는 진운(縉雲)이다. 송나라 휘종(徽宗) 선화(宣和) 6년 장원급제하여 봉절위(奉節尉), 강원현승(江原縣丞), 좌조봉의랑(左朝奉議郞) 등을 지냈다. 후에 항금(抗金)을 주장했다가 폐직되었다가 다시 기용되어 성도부

있어 감응하여 서로 함께 하니 형통하다. 멈추어 기뻐하니 올바름이 이롭다. 남자가 여자에게 자신을 낮추니 여자를 취하는 데 길하다."

● 王氏申子曰 : "止而說者, 謂艮止不動, 而意氣自相和說, 乃所謂感. 不止而動, 則是出於作爲, 非感也. 故六爻皆欲其靜."[10]

왕신자(王申子)가 말했다. "멈추어 기뻐하는 것은 간(艮)괘가 멈추어 움직이지 않아 기운이 서로 화합하고 기뻐하니 감응하는 것을 말한다. 멈추지 않고 움직이면 작위적인 마음에서 나와 감응하지 않는다. 그러므로 여섯 효는 모두 고요하려고 한다."

● 蔡氏清曰 : "卦體卦德卦象三段意, 皆歸於咸之一字內. 而所謂'亨利貞, 取女吉'者, 義蓋從此而出, 故『本義』以通釋卦名卦辭."[11]

채청(蔡清)이 말했다. "괘의 형체, 괘의 덕, 괘의 모습 세 가지의 뜻은 모두 함(咸)이라는 한 글자로 귀결된다. '형통하여 곧은 올바름이 이로우니, 여자를 취하면 길한 것이다'는 말은 그 뜻이 여기로부터 나오므로 『주역본의』에서 괘의 이름과 괘의 말을 전체적으로 해석했다."

노제형(成都府路提刑)까지 지냈다. 사천(四川) 아안(雅安)에서 서거했다. 『진운문집(縉雲文集)』과 『역륜(易倫)』이 있다.

10) 왕신자(王申子), 『대역집설(大易緝說)』 권6.

11) 채청(蔡清), 『역경몽인(易經蒙引)』 권5 상.

天地感而萬物化生, 聖人, 感人心而天下和平, 觀其所感而天地萬物之情, 可見矣.

천지가 감응하면 만물이 화생하고 성인이 인심을 감동시키면 천하가 화평하니, 감응하는 바를 보면 천지 만물의 실정을 볼 수 있다.

本義

極言感通之理.

감응하여 소통하는 이치를 극진하게 말하였다.

程傳

旣言男女相感之義, 復推極感道, 以盡天地之理, 聖人之用. 天地二氣交感, 而化生萬物, 聖人至誠以感億兆之心, 而天下和平. 天下之心所以和平, 由聖人感之也. 觀天地交感化生萬物之理, 與聖人感人心致和平之道, 則天地萬物之情可見矣. 感通之理, 知道者默而觀之可也.

남자와 여자가 서로 감응하는 뜻을 말했고, 다시 감응하는 도리를 지극하게 넓혀 천지의 이치와 성인의 작용을 다했다.

천지의 두 기운이 교감하여 만물을 변화시켜 생겨나게 하고, 성인은 지극히 성실함으로 세상 사람들의 마음을 감동시켜 세상을 조화롭고 평온하게 만든다. 세상 사람들의 마음이 조화롭고 평온하게 된 것은 성인이 감동시켰기 때문이다.
하늘과 땅이 교감하여 만물을 변화시켜 낳는 이치와 성인이 사람의 마음을 감동시켜 조화롭고 평온한 세상을 만드는 도리를 관찰하면 천지 만물의 실정을 볼 수 있다. 감동시켜 통하게 하는 이치는 도를 아는 자라야 묵묵히 관찰할 수 있다.

集說

● 張子曰: "能通天下之志者, 爲能感人心. 聖人同乎人而無我, 故和平天下, 莫盛於感人心."[12]

장자(張子, 張載)가 말했다. "세상의 뜻을 통할 수 있게 하는 자는 사람의 마음을 감동시킬 수 있다. 성인은 사람들과 같지만 자기를 내세우지 않기 때문에 세상을 조화롭고 평온하게 하니 사람의 마음을 감동시키는 데 성대하다."

● 鄭氏汝諧曰: "天地萬物雖異位, 其氣則一. 聖人億兆雖異勢, 其誠則一. 觀其所感, 而其情可見者, 感生於情也. 情出於正, 然後知感通之理."[13]

정여해(鄭汝諧)가 말했다. "천지와 만물은 지위가 달라도 그 기운

12) 장재(張載), 『장자전서(張子全書)』 권3, 「정몽(正蒙) · 지당(至當)」.
13) 정여해(鄭汝諧), 『역익전(易翼傳)』「하경(下經)」 상.

은 하나이다. 성인과 세상의 수많은 사람들은 형세가 달라도 그 진실무망함은 하나이다. 그 감응하는 바를 보고 그 실정을 알 수 있는 것은 감응이 정(情)에서 나오기 때문이다. 정(情)이 올바름에서 나온 뒤에야 감응하여 통하는 이치를 안다."

● 張氏清子曰 : "寂然不動, 性也, 感而遂通, 情也. 於其所感而觀之, 而天地萬物之情, 可得而見矣."

장청자(張清子)가 말했다. "고요하여 움직이지 않는 것이 성(性)이고 감응하여 비로소 통하는 것이 정(情)이다. 그 감응하는 곳에서 보면 천지와 만물의 실정을 알 수 있다."

32. 항恒䷟괘

恒, 久也. 剛上而柔下, 雷風相與. 巽而動, 剛柔皆應, 恒.

항은 오래함이다. 굳셈이 위에 있고 부드러움이 아래에 있어 우레와 바람이 서로 함께 한다. 겸손하고 움직이며 굳셈과 부드러움이 모두 호응하는 것이 항이다.

本義

以卦體卦象卦德釋卦名義. 或以卦變言剛上柔下之義, 曰, 恒自豐來, 剛上居二, 柔下居初也, 亦通.

괘의 체와 괘의 상과 괘의 덕으로 괘 이름의 뜻을 해석하였다. 또한 괘의 변으로 굳셈이 올라가고 부드러움이 내려오는 뜻을 말했다. 항(恒䷟)괘는 풍(豐䷶)괘에서 왔다고 하는데 굳셈이 올라가 이효에 자리하고 부드러움이 내려와 초효에 자리하므로 또한 통한다.

程傳

恒者, 長久之義也. 卦才有此四者, 成恒之義也. "剛上而柔下", 謂乾之初上居於四, 坤之初下居於初, 剛爻上而柔爻下也. 二爻易處則成震巽, 震上巽下, 亦剛上而柔下也. 剛處上而柔居下, 乃恒道也. "雷風相與", 雷震則風發, 二者相須, 交助其勢, 故云"相與", 乃其常也. "巽而動", 下巽順, 上震動, 爲以巽而動. 天地造化恒久不已者, 順動而已. 巽而動, 常久之道也. 動而不順, 豈能常也. "剛柔皆應", 一卦剛柔之爻皆相應. 剛柔相應, 理之常也. 此四者恒之道也, 卦所以爲恒也.

항(恒)은 오래 지속하는 뜻이다. 항(恒䷟)괘의 자질은 이 네 가지가 있으니, 항구성을 이룬 뜻이다. "굳셈이 위에 있고 부드러움이 아래에 있다"는 것은 건(乾☰)괘의 초효가 위로 올라가 구사효의 자리에 있어 진(震☳)괘가 되고, 곤(坤☷)괘의 초효가 아래로 내려가 초효 자리에 있어 손(巽☴)괘가 되는 것이니, 굳센 효가 위로 올라가고 부드러운 효가 아래로 내려왔다.

두 효가 자리를 바꾸면, 진(震)괘와 손(巽)괘가 되어, 진괘가 위에 있고 손괘가 아래에 있으니, 이 역시 굳셈이 위에 있고 부드러움이 아래에 있는 모습이다. 굳셈이 위에 자리하고 부드러움이 아래에 있는 것이 곧 항구성의 도이다.

"우레와 바람이 서로 함께 한다"고 했을 때 우레가 진동하면 바람이 일어나 두 가지가 서로 의존하고 세력이 일어나 교류하며 돕기 때문에 "서로 함께 한다." 그것이 오래 지속하는 일이 항구성이다. "공손하고 움직인다"는 말은 아래는 공손하고 유순하며 위는 진동하니 공손하면서 움직이는 것이다. 천지의 조화(造化)가 끊임없이 오래 지속하는 것은 순종하면서 움직이기 때문일 뿐이다. 공손하게 움직이는 것이 오래도록 지속하는 방도이다. 움직이는 데 이치에 순종하지 않는다면 어떻게 오래 지속할 수 있겠는가?
"굳셈과 부드러움이 모두 호응한다"는 것은 한 괘의 굳센 효와 부드러운 효가 모두 서로 호응한다는 것이니, 굳셈과 부드러움이 서로 호응하는 것이 이치의 상도(常道)이다. 이 네 가지가 오래도록 지속하는 도이니, 항괘가 항구성이 되는 까닭이다.

集說

● 鄭氏汝諧曰 : "咸與恒, 皆剛柔相應. 咸不著其義, 恒則曰剛柔皆應. 咸無心, 恒有位也. 有位而剛柔相應, 其理也. 無心而剛柔相應, 其私也. 能識時義之變易, 斯可言『易』矣."[1)]

정여해(鄭汝諧)가 말했다. "함(咸)괘와 항(恒)괘는 모두 강(剛)과 유(柔)가 서로 호응한다. 함괘는 그 뜻을 드러내지 않았지만 항괘는 강(剛)과 유(柔)가 모두 호응한다고 말했다. 함괘는 마음이 없고 항괘는 지위가 있다. 지위가 있으면서도 강(剛)과 유(柔)가 서로 호응하는 것이 그 이치이고, 마음이 없으면서도 강(剛)과 유(柔)가 서로 호응하는 것은 그 사사로움이다. 때의 의미가 변역하는 것을 알 수 있어야 『역』을 말할 수 있다.

1) 정여해(鄭汝諧), 『역익전(易翼傳』「하경(下經)」 상.

"恒亨無咎, 利貞", 久於其道也. 天地之道, 恒久而不已也.

"항구성은 형통하여 허물이 없으니 올바름을 굳게 지키는 것이 이롭다"는 그 도를 오래 지속하는 것이다. 천지의 도는 항구하여 그치지 않는다.

本義

恒固能亨且無咎矣. 然必利於正, 乃爲久於其道, 不正則久非其道矣. 天地之道, 所以常久, 亦以正而已矣.

항(恒)은 진실로 형통할 수 있고 또 허물이 없다. 그러나 반드시 올바름에 이로워야 도를 오래 지속할 수 있으니, 올바르지 않으면 도가 아닌 것을 오래 지속하는 것이다. 천지의 도가 오래 지속할 수 있는 것은 정도(正道)로 해서일 뿐이다.

程傳

恒之道, 可致亨而無過咎, 但所恒宜得其正, 失正則非可恒之道也. 故曰久於其道. 其道, 可恒之正道也. 不恒其德, 與恒於不正, 皆不能亨而有咎也. 天地之所以不已, 蓋有恒久之道. 人能恒於可恒之道, 則合天地之理也.

항구성의 도는 형통함에 이르러 허물이 없을 수가 있지만 그것을 오래 지속하는 데는 마땅히 올바름을 얻어야 하니, 올바름을 잃으면 오래 지속할 수 있는 도가 아니다. 그래서 "그 도를 오래 지속한다"고 했다. 그 도란 오래 지속할 수 있는 정도(正道)이다.

그 덕을 오래 지속하지 못하거나 올바르지 않는 것을 계속 유지하는 것은 모두 형통하지 못하여 허물이 있다. 천지가 그치지 않는 것은 오래 지속하는 정도(正道)가 있기 때문이다. 사람이 오래 지속할 수 있는 정도를 계속 유지할 수 있다면 천지의 이치에 부합한 것이다.

"利有攸往", 終則有始也.

"나아가는 바가 있는 것이 이롭다"는 것은 끝났다면 시작이 있기 때문이다.

本義

久於其道, 終也, 利有攸往, 始也. 動靜相生, 循環之理, 然必靜爲主也.

그 도를 오래 지속하는 것은 끝이고 나아가는 바가 있는 것이 이롭다는 시작이다. 움직임과 고요함이 상생하는 것이 순환의 이치지만 반드시 고요함이 주가 된다.

程傳

天下之理, 未有不動而能恒者也. 動則終而復始, 所以恒而不窮. 凡天地所生之物, 雖山嶽之堅厚, 未有能不變者也. 故恒非一定之謂也, 一定則不能恒矣. 唯隨時變易, 乃常道也. 故云利有攸往. 明理之如是, 懼人之泥於常也.

천하의 이치는 움직이지 않으면서 오래 지속할 수 있는 것은 없다. 움직이면 끝마쳐 다시 시작하니, 오래 지속하면서 끝이 없다. 천지가 낳은 것 가운데 산악(山嶽)처럼 견고하고 두터운 것일지라도 변화하지 않을 수 있는 것은 없다. 그러므로 항구성이란 한 가지로 고정된 것을 말하는 것이 아니니 한 가지로 고정되면 오래 지속할 수가 없다.
오직 때에 따라 변하고 바꾸는 것이 오래 지속할 수 있는 방법이다. 그래서 도이므로, "나아가는 바가 있는 것이 이롭다."고 했다. 이치가 이와 같음을 밝힌 것은 사람들이 항구성에 집착하는 것을 두려워했기 때문이다.

集說

● 朱氏震曰 : "易, 窮則變, 變則通, 通則久. 恒非一定而不變也. 隨時變易, 其恒不動, 故利有攸往."[2]

주진(朱震)이 말했다. "『역(易)』은 궁하면 변하고 변하면 통하고 통하면 오래 지속된다. 항구성은 하나로 고정되어 변하지 않는 것이 아니다. 때에 따라 변역해야 그 항구성이 움직이지 않는다. 그러므로 나아가는 바가 있는 것이 이롭다."

● 『朱子語類』云 : "恒非一定之謂. 一定則不能恒矣. 體之常, 所以爲用之變, 用之變, 乃所以爲體之常."[3]

2) 주진(朱震), 『한상역전(漢上易傳)』 권4.
3) 『주자어류』 72항, 22조목 : "常非一定之謂, '一定則不能恒矣'." 曰 : "物理之始終變易, 所以爲恒而不窮. 然所謂不易者, 亦須有以變通, 乃能不窮. 如君尊臣卑, 分固不易, 然上下不交也不得. 父子固是親親, 然所謂'命士以上, 父子皆異宮', 則又有變焉. 惟其如此, 所以爲恒. 論其體

『주자어류』에서 말했다. "항구성은 하나로 고정된 것을 말하는 것이 아니다. 하나로 고정되면 항구할 수 없다. 체(體)의 항구성이 용(用)의 변화가 되고 용(用)의 변화가 곧 체의 항구성이다."

● 趙氏汝楳曰: "所貴於攸往者, 謂事雖有終, 我行不已. 則終者, 復有始, 所以體天地之道也."[4]

조여매(趙汝楳)가 말했다. "나아가는 바가 귀하다는 것은 일이 비록 끝났지만, 내가 행하기를 그치지 않음을 말한다. 끝이 있는 것은 다시 시작이 있으니 천지의 도를 체득하는 근거이다."

則終是恒. 然體之常, 所以爲用之變; 用之變, 乃所以爲體之恒."

4) 조여기(趙汝棋), 『주역집문(周易輯聞)』 권4.

日月得天而能久照, 四時變化而能久成, 聖人久於其道而天下化成, 觀其所恒, 而天地萬物之情可見矣.

해와 달이 하늘을 따라 오래도록 비추며 사계절이 변화하여 오래도록 이루며 성인이 도를 오래 지속하여 세상이 교화되어 풍속이 이루어지니, 그 오래 지속하는 것을 보면 천지 만물의 실정을 알 수 있다.

本義

極言恒久之道.

오래 지속하는 도를 지극하게 말하였다.

程傳

此極言常理. 日月, 陰陽之精氣耳. 唯其順天之道, 往來盈縮, 故能久照而不已. "得天", 順天理也. 四時, 陰陽之氣耳. 往來變化, 生成萬物, 亦以得天, 故常久不已. 聖人以常久之道行之有常, 而天下化之以成美俗也. "觀其所恒", 謂觀日月之久照, 四時之久成, 聖人之道, 所以能常久之理. 觀此, 則天地萬物之情理可見矣. 天地常久之道, 天下常久之理, 非知道者孰能識之?

이는 오래 지속하는 이치를 지극하게 말하였다. 해와 달은 음양의 정기(精氣)일 뿐이다. 오직 하늘의 도를 따라 가고 오고 가득차고 줄어들므로 오래 비추어 그치지 않을 수 있다.
"하늘을 따른다"는 말은 천리(天理)를 따르는 것이다. 사계절은 음양의 기(氣)일 뿐이다. 가고 오고 변화하여 만물을 낳고 기르는 것 또한 하늘을 따르기 때문에 오래 지속하여 그치지 않는다. 성인은 오래 지속하는 방도로 행하여 항구성을 두어 천하가 교화되어 아름다운 풍속을 이룬다.
"오래 지속하는 것을 본다"는 말은 해와 달이 오래 비추고 사계절이 오래 이루어지며 성인의 도가 오래도록 지속할 수 있는 이치를 관찰하는 것이다. 이를 관찰하면 천지 만물의 실정과 이치를 알 수 있다. 천지가 오래 지속하는 도와 천하가 오래 지속할 수 있는 이치는 도를 아는 사람이 아니라면 누가 알 수 있겠는가?

集說

● 蘇氏軾曰 : "非其至情者, 久則厭矣."[5]

소식(蘇軾)[6]이 말했다. "지극히 진실한 자가 아니라면 오래되면 싫

5) 소식(蘇軾), 『동파역전(東坡易傳)』 권4.
6) 소식(蘇軾, 1037~1101) : 자는 자첨(子瞻), 화중(和仲)이고, 호는 동파거사(東坡居士), 설당(雪堂), 단명(端明), 미산적선객(眉山謫仙客), 소염경(笑髥卿), 적벽선(赤壁仙) 등이며, 북송 미주 미산(眉州眉山 : 현 사천성 미산〈眉山〉) 사람이다. 소순(蘇洵)의 아들이고 소철(蘇轍)의 형으로 대소(大蘇)라고도 불렸다. 송대 저명한 문필가로 당송팔대가(唐宋八大家)의 한 사람이다. 북송 인종(仁宗) 가우(嘉祐) 2년(1057) 진사에 급제

증 난다."

● 『朱子語類』云 : "物各有個情, 有個人在此. 決定是有個惻隱羞惡是非辭讓之情, 性只是個物事, 情卻多般, 或起或滅, 然而頭面卻只一般, 長長恁地. 這便是觀其所恒, 而天地萬物之情可見之義."[7]

『주자어류』에서 말했다. "사물에는 각각의 진실이 있다. 모든 사람에게 이것이 있는데 수오(羞惡)·측은(惻隱)·시비(是非)·사양(辭讓)의 정을 결정한다. 성(性)은 단지 하나의 사물이고, 정(情)은 도리어 다양해서 때로는 일어났다가 때로는 사멸되지만 그 출발점은 도리어 동일하면서 멀리멀리 흘러간다. 이것이 곧 '그 항구성을 보면 천지 만물의 정(情)을 볼 수 있다'는 뜻이다."

● 龔氏煥曰 : "利貞久於其道, 體常也. 利有攸往, 終則有始, 盡變也. 體常而後能盡變, 盡變亦所以體常. 天地萬物所以常久者, 以其能盡變也."

공환(龔煥)[8]이 말했다. "'올바름을 굳게 지키는 것이 이롭다'는 체

하여, 벼슬은 중서사인(中書舍人), 한림학사겸시독(翰林學士兼侍讀), 한림승지(翰林承旨), 예부상서(禮部尙書) 등을 역임했다. 저서에 『동파칠집(東坡七輯)』, 『동파역전(東坡易傳)』, 『동파서전(東坡書傳)』, 『동파악부(東坡樂府)』, 『논어설(論語說)』 등이 있다.

7) 『주자어류』 72항, 26조목.

8) 공환(龔煥) : 자는 유문(幼文)이고, 천봉선생(泉峯先生)이라고 불렸다. 원(元)대 임천(臨川)사람이다. 요응중(饒應中)에게 사사하여 본체를 밝

(體)가 오래 지속되는 것이다. '나아가는 바가 있는 것이 이로우니 끝나면 시작이 있다'는 변화를 다하는 것이다. 체(體)가 오래 지속된 뒤에 변화를 다할 수 있고 변화를 다하는 것 또한 체를 오래 지속시키는 일이다. 천지와 만물이 오래 지속될 수 있는 것은 변화를 다할 수 있기 때문이다."

● 陳氏琛曰 : "卽其恒久之理而觀之, 則天地萬物之情可見矣. 蓋大氣渾淪充塞, 而太極爲之綱維主張. 氣有參差, 而理無不一. 故天高地下, 萬物散殊, 不特其聲色貌象常久如此, 而其德性功用, 亦亙萬古而不易. 少有變易, 則爲怪異不祥矣. 此可見天地萬物之情, 皆有恒也."[9]

진침(陳琛)[10]이 말했다. "오래 지속하는 이치에서 관찰하면 천지 만물의 정을 볼 수 있다. 큰 기운은 뒤섞여 충만하지만 태극(太極)

히고 실천에 옮기는 데 힘썼다. 당시 아직 과거제도가 시행되지 못했는데, 시행되면 반드시 정자와 주자의 학문을 법식으로 삼아야 한다고 주장했다. 과연 뒤에 그의 말대로 시행되었다.

9) 정정조(程廷祚), 『대역택언(大易擇言)』 권17.

10) 진침(陳琛, 1477~1545) : 자는 사헌(思獻)이고, 호는 자봉선생(紫峰先生)이다. 명(明)대 복건(福建) 진강(晉江) 사람이다. 채청(蔡淸)의 수제자로 역학을 익혀서 왕선(王宣), 역시충(易時沖), 임동(林同), 조록(趙逯), 채열(蔡烈) 등과 함께 청원학파(淸源學派)의 주요 구성원이었으며, 명대 후기 복건주자학의 대표자 가운데 한 사람이었다. 정덕(正德) 12년(1517) 진사에 급제하여, 벼슬은 형부산서사주사(刑部山西司主事), 남경호부운남사주사(南京戶部雲南司主事), 남경이부고공랑중(南京吏部考功郎中) 등을 역임하였다. 저서에 『사서천설(四書淺說)』, 『역학통전(易學通典)』, 『정학편(正學編)』, 『자봉문집(紫峰文集)』 등이 있다.

이 법도가 되어 주재한다. 기는 차이가 있지만 이치는 하나가 아님이 없다. 그러므로 하늘은 높고 땅은 낮으며 만물이 다양하게 차이가 있지만 그 소리, 색, 모습, 형상이 이렇게 오래 항구할 뿐 아니라 그 덕성(德性)의 작용 또한 지속되어 만고를 통하여 바뀌지 않는다. 조그마한 변역이 있으면 괴이하여 상서롭지 않은 것이다. 이를 통해 천지 만물의 정이 모두 항구하다는 것을 알 수 있다."

案

釋利貞云"久於其道", 則居所不遷之謂也. 釋利有攸往云"終則有始", 則動靜不窮之謂也. 然兩義並行, 初不相悖. 動靜雖不窮, 而所謂居所不遷者, 未嘗變也. 然則天地之道, 恒久不已, 與終則有始之義, 一而已矣. 下文天地日月, 卽根此意而申明之. "日月得天而能久照"者, 恒久不已也. "四時變化而能久成"者, 終則有始也. 日月爲之體, 四時爲之用, 四時者日月之所爲, 合之皆天地之道也. 聖人久於其道, 如日月之得天而久照, 化天下而成之, 如四時之變化而久成, 此恒道之大者也. 推而廣之, 則凡在天地之閒者, 其情皆可見.

"올바름을 굳게 지키는 것이 이롭다"는 구절을 해석하여 "그 도를 오래 지속하는 것이다"라고 말했으니, 자리하여 옮기지 않음을 말한다. "나아갈 바가 있는 것이 이롭다"는 구절을 해석하여 "끝나면 시작이 있다"고 했으니 움직임과 고요함이 끝이 없음을 말했다. 그러나 두 가지 뜻이 함께 행해도 애초부터 서로 어긋나지 않는다. 움직임과 고요함이 끝이 없지만 자리하여 옮기지 않음이라 한 것은 변하지 않았다. 그러나 천지의 도는 항구하여 그치지 않아 끝나면 시작이 있다는 뜻과 한 가지일 뿐이다.

하늘과 땅 해와 달을 언급한 아래 문장은 이 뜻에 근본하여 더 넓게 밝힌 것이다. "해와 달이 하늘을 따라 오래도록 비춘다"는 항구하여 그치지 않는 것이다. "사계절이 변화하여 오래도록 이룬다."는 것은 끝나면 시작이 있다는 말이다. 해와 달이 체(體)가 되고 사계절이 용(用)이 되니, 사계절은 해와 달이 하는 것이지만 합하여 모두 천지의 도이다.

"성인이 그 도를 오래 지속하는 일"이 "해와 달이 하늘을 따라 오래도록 비추는" 것과 같고, "세상이 교화되어 풍속이 이루어지는 일"이 "사계절이 변화하여 오래도록 이루는" 것과 같으니 이것이 항구성의 도가 큰 것이다. 미루어 넓혀보면 천지 사이에 있는 것들이 그 정을 모두 알 수 있다.

33. 둔遯䷠괘

"遯亨", 遯而亨也. 剛當位而應, 與時行也.

"은둔은 형통할 수 있다"는 은둔하여 형통하다는 말이다. 굳셈이 지위에 합당하게 행동하여 호응하니, 때에 따라 행한다.

本義

以九五一爻釋亨義.

구오 한 효로 형통함의 뜻을 해석하였다.

程傳

小人道長之時, 君子遯退, 乃其道之亨也. 君子遯藏, 所以伸道也, 此言處遯之道. 自"剛當位而應"以下, 則論時與卦才, 尙有可爲之理也. 雖遯之時, 君子處之, 未有必遯之義. 五以剛陽之德, 處中正之位, 又下與六二以中正相應, 雖陰長之

時, 如卦之才, 尙當隨時消息. 苟可以致其力, 無不至誠自盡以扶持其道, 未必於遯藏而不爲, 故曰"與時行也".

소인의 도가 자라날 때 군자는 물러나는 것이 오히려 도의 형통함이다. 군자는 물러나 숨어야 자신의 도를 펼칠 수 있다. 이는 은둔에 처하는 도를 말한 것이다.

「단전」에서 "굳셈이 지위에 합당하게 행동하여 호응한다"는 이하의 말은 괘의 때와 괘의 자질을 논한 것이니, 여전히 어떤 조치를 취할 수 있는 이치가 있다는 말이다. 은둔의 때일지라도, 군자가 처신하는 데는 반드시 은둔해야만 하는 뜻만 있는 것은 아니다.

구오효는 굳건한 양의 덕으로 중정(中正)을 이룬 지위에 처하고, 또 아래의 육이효와 중정(中正)의 덕으로 서로 호응하는 관계에 있으니, 음(陰)이 자라나는 때일지라도 둔괘와 같은 자질에서는 마땅히 때에 따라 움츠러들고 펼쳐야 한다.

모든 힘을 다할 수 있다면, 지극히 성실함으로 스스로 최선을 다하지 않음이 없게 하여 그 도를 지탱해야지, 반드시 은둔하여 숨어서 아무런 조치도 취하지 않는 것이 아니므로, "때에 따라 행한다."고 말했다.

集說

● 孔氏穎達曰 : "此釋遯之所以得亨通之義. 小人之道方長, 君子非遯不通, 故曰遯而亨也."[1)]

1) 공영달(孔穎達), 『주역주소(周易注疏)』 권9.

공영달(孔穎達)[2]이 말했다. “이는 은둔이 형통을 얻는 뜻을 해석한 것이다. 소인의 도가 자라나려고 할 때 군자는 은둔하지 않으면 형통하지 않기 때문에 은둔하여 형통하다고 했다.”

又曰 : “釋所以能遯而致亨之由. 良由九五以剛而當其位, 有應於二, 非爲否亢. 遯不否亢, 卽是相時而動, 所以遯而得亨.”

또 말했다. “은둔하여 형통에 이를 수 있는 이유를 해석했다. 구오효가 굳셈으로 그 위치가 합당하고 육이효와 호응하여 답답하게 고립되지 않는다. 은둔하는 데 답답하게 고립되지 않으면 때에 협조하여 움직이니 은둔하여 형통함을 얻을 수 있다.”

● 郭氏忠孝曰 : “聖人進退皆道, 無入而不自得, 雖遯亦亨也. 與時行者, 時止則止, 時行則行, 是爲遯之義也.”

곽충효(郭忠孝)[3]가 말했다. “성인이 나아가고 물러나는 일이 모두

2) 공영달(孔穎達) : 공영달(孔穎達, 574~648)은 자는 중달(仲達)이고 시호는 헌공(憲公)이며, 기주 형수(冀州衡水 : 현 하북성 형수〈衡水〉) 사람이다. 동란의 와중에서 학문을 닦았으며 남북 2학파의 유학은 물론 산학(産學)과 역법(曆法)에도 정통했다. 당 태종(唐太宗)에게 중용되어, 벼슬은 국자박사(國子博士)를 거쳐 국자감의 좨주(祭酒) · 동궁시강(東宮侍講) 등을 역임하였다. 특히 문장 · 천문 · 수학에 능통하였으며, 위징(魏徵)과 함께 『수서(隋書)』를 편찬하였다. 당 태종의 명에 따라 고증학자 안사고(顔師古) 등과 더불어 오경(五經) 해석의 통일을 시도하여 『오경정의(五經正義)』 170권을 편찬하였다. 이는 위진 남북조 이래 경학의 집대성이라고 할 수 있다.

3) 곽충효(郭忠孝, ?~1128) : 자는 입지(立之)이고 하남(河南) 낙양(洛陽)

도이므로 어디를 가든 도를 얻지 않음이 없으니, 은둔할지라도 또한 형통하다. 때와 함께 행한다는 것은 그쳐야 할 때라면 그치고 행해야 할 때라면 행하니 이것이 은둔의 의미이다."

● 『朱子語類』問 : "遯亨遯而亨也, 分明是說能遯便亨, 更說剛當位而應, 與時行也, 是如何?"
曰 : "此其所以遯而亨也. 陰方微, 爲他剛當位而應, 所以能知時而遯, 是能與時行. 不然, 便是與時背也."

『주자어류』에서 물었다. "'둔형(遯亨), 은둔하여 형통하다는 말은 분명히 은둔할 수 있으면 곧 형통함을 설명한 것인데, 뒤에서 '굳셈이 그 지위가 합당하여 호응하고 때와 함께 행한다'고 설명한 것은 어째서 그런 것입니까?
대답했다. "이것이 은둔하여 형통하게 된 까닭이다. 음(陰)이 아직 미미하지만 다른 굳셈이 지위에 합당하고 호응하여 때를 알고 은둔하니, 이것이 때와 더불어 행할 수 있음이다. 그렇지 않으면 곧 때와 위배된다."

● 吳氏曰愼曰 : "非以剛當位而應爲猶可亨, 唯其當位而應, 能順時而遯, 所以亨也. 與時行, 謂時當遯而遯."

오왈신(吳曰愼)이 말했다. "굳셈으로 그 지위가 합당하여 호응함이

사람이다. 신종(神宗) 원풍(元豊) 연간에 진사(進士)가 되었고 휘종(徽宗) 선화(宣和) 연간에 하동로제거(河東路提擧)가 되었다. 금(金)나라와의 화친에 반대했다. 금나라가 침입해 왔을 때 사망했다. 정이(程頤)의 제자이다.

형통할 수 있다는 말이 아니라, 오직 그 지위가 합당하여 호응하고 때를 따라 은둔할 수 있음이 형통한 것이다. 때에 따라 행한다는 말은 때가 은둔함이 마땅하다고 하여 은둔하는 것이다.

小利貞, 浸而長也.

"조금이나마 바로 잡아야 이롭다"는 것은 침범해서 자라기 때문이다.

本義

以下二陰釋"小利貞".

아래 두 음으로써 "조금이나마 바로 잡아야 이롭다"를 해석하였다.

集說

● 胡氏瑗曰 : "君子所以不得大有爲於世, 而唯小利於貞者, 蓋以下之群陰浸長, 而小人之黨漸盛也."[4)]

호원(胡瑗)[5)]이 말했다. "군자는 크게 세상에 간여할 수 없고 오직

4) 호원(胡瑗), 『주역구의(周易口義)』 권6.

5) 호원(胡瑗, 993~1059) : 자는 익지(翼之)이고 시호는 문소(文昭)로서, 북송시대 태주 해릉(泰州海陵 : 현 강소성 태주시) 사람이다. 13살에 오경(五經)을 통독하고, 20세에 손복(孫復)과 석개(石介)를 산동성 태산(泰山) 서진관(棲眞觀)에서 배알하고 10년 동안 사사하였다. 30세에 귀향하여 7번 과거에 응시했으나 낙방하여, 안정서원(安定書院)을 짓고 후학배양에 힘썼다. 이에 세칭 안정선생으로 불렸다. 42세에 범중엄(范仲淹)의 천거로 교서랑(校書郎)이 되고, 태자중사(太子中舍), 광록시승(光

올바름을 지키는 것이 조금 이로운 것은 아래에 여러 음들이 침범하여 자라나고 소인들의 당파가 점차로 성대해지기 때문이다."

● 朱氏震曰 : "二陰浸長, 方之於否不利君子貞, 固有間矣. 然不可大貞, 利小貞而已. 先儒謂居小官, 幹小事, 其害未甚, 我志猶行. 蓋遯非疾世避俗, 長往不反之謂也. 去留遲速, 唯時而已. 非不忘乎君, 不離乎群, 消息盈虛, 循天而行者, 豈能盡遯之時義."[6)]

주진(朱震)이 말했다. "두 음이 침범하여 자라나 비(否䷋)괘의 '군자의 올바름은 이롭지 않다'는 것과 차이가 있다. 그러나 크게 올바르게 해서는 안 되지만 조금이나마 올바름을 지키는 것이 이로울 뿐이다. 이전의 학자들은 작은 관직에 머물고 작은 일을 처리하는 것은 그 해로움이 심하지 않고 나의 뜻을 오히려 행한다고 말한다. 왜냐하면 은둔은 세속을 싫어하여 피해서 멀리 가 돌아오지 않음을 말하는 것이 아니기 때문이다. 떠나거나 남거나 지체하거나 빨리 하는 것은 오직 때에 달렸을 뿐이다. 군주를 잊지 않고 무리를 떠나지 않는 것도 아니면서, 소식영허(消息盈虛)하여 하늘을 따르고 행하는 자가 어찌 은둔의 때와 의미를 다할 수 있겠는가?"

祿寺丞), 천장각시강(天章閣侍講), 태상박사(太常博士) 등을 역임하였다. 특히 관직 생활 중에도 강학에 힘을 쏟아 손복(孫復) · 석개(石介)와 함께 송초삼선생(宋初三先生)으로 추숭되어 송대 리학의 선구가 되었다. 저서에 『주역구의(周易口義)』, 『홍범구의(洪範口義)』, 『춘추구의(春秋口義)』, 『논어설(論語說)』 등이 있다.

6) 주진(朱震), 『한상역전(漢上易傳)』 권4.

● 張氏清子曰:“二陽爲臨, 二陰爲遯, 遯者臨之反對也. 臨之象曰剛浸而長, 遯之「象」則不曰柔浸而長, 而止曰浸而長.”

장청자(張淸子)가 말했다. “두 양은 임(臨䷒)괘가 되고 두 음은 둔(遯䷠)괘가 되어 둔괘는 임괘와 반대이다. 임괘의 「단전」에서 ‘굳셈이 침범하여 자라난다’고 했고 둔괘의 「단전」에서는 부드러움이 침범하여 자라난다고 하지 않고 단지 ‘침범하여 자라난다’고 했다.”

遯之時義大矣哉！

은둔의 때와 의리가 크구나!

本義

陰方浸長，處之爲難，故其時義爲尤大也.

음이 점차로 자라 어려움에 처하므로 그 때와 의미가 더욱 크게 된다.

程傳

當陰長之時，不可大貞，而尙小利貞者，蓋陰長必以浸漸，未能遽盛，君子尙可小貞其道. 所謂"小利貞"，扶持使未遂亡也. 遯者陰之始長，君子知微，故當深戒. 而聖人之意未便遽已也. 故有與時行利貞之教. 聖賢之於天下，雖知道之將廢，豈肯坐視其亂而不救? 必區區致力於未極之間，强此之衰，艱彼之進，圖其暫安，苟得爲之，孔孟之所屑爲也. 王允謝安之於漢晉是也. 若有可變之道，可亨之理，更不假言也，此處遯時之道也. 故聖人贊其時義大矣哉，或久或速，其義皆大也.

음(陰)이 자라나는 때는 크게 올바름을 주장하는 것은 옳지 않고 오히려 조금이나마 바로 잡는 것이 이롭다. 왜냐하면 음의 세력이 자라나면 반드시 침범하여 점차로 자라나지 급작스럽게 성대해질 수 없으므로 군자는 여전히 그 도를 조금 바로잡을 수 있다.

그래서 "조금이나마 바로잡는 것이 이롭다"는 것은 자신의 도를 지탱하고 패망하지 않게 하려는 뜻이다. 은둔의 때는 음이 자라나기 시작하니 군자는 그 미세한 기미(幾微)를 파악했으므로 마땅히 깊이 경계한 것이다.

성인의 뜻은 급작스럽게 그만두지 않는 데 있다. 그러므로 때에 따라 행하되 조금이나마 바로잡는 것이 이롭다는 가르침이 있다. 성현(聖賢)이 천하에 대해 앞으로 도가 없어지는 때가 올 것이라고 알고 있다면 어찌 그것을 좌시하고 구제하지 않으려 하겠는가?

반드시 극한의 상황에 치닫기 전에 절박하게 온 힘을 다하여 군자의 도가 쇠락하려는 것을 강성하게 하고 소인의 도가 전진해 나가려는 것을 어렵게 만들어서 잠시의 안정일지라도 도모하려고 하니, 할 수만 있다면 공자와 맹자가 기꺼이 하려고 했던 것이다.

왕윤(王允)[7]과 사안(謝安)[8]이 한나라와 진나라에 대해 한 것이 바로 이러한 것이다. 변통할 수 있는 방도와 형통할 수 있는 이치가 있다면 다시 말할 필요가 없으니 이것이 은둔해야 할 때 대처하는 도리이다. 그러므로 성인은 그 때와 그 의리가 크다고 찬미한 것이

---

7) 왕윤(王允, 137~192) : 중국 후한 말의 정치가이다. 자는 자사(子師)이고 병주(幷州) 태원군(太原郡) 기현(祁縣) 사람이다. 여포(呂布)를 움직여 전횡을 일삼던 동탁(董卓)을 죽였으나, 반격해온 동탁의 잔당에게 패하여 목숨을 잃었다.

8) 사안(謝安) : 중국 동진의 정치가이자 서예가이다. 자는 안석(安石)이며 허난성의 진군(陣郡) 양하(陽夏) 사람이다. 관직에 연연하지 않고, 회계(會稽) 동산(東山)에 살면서 풍류를 즐겼으나, 40세 이후에는 정치에 참여했다. 전진(前奏)의 부견(符堅)이 침입했을 때, 정토대도독이 되어 격퇴하고, 그 공에 의하여 태보(太保)로 승진했고, 도독십오주 군사(軍事)가 되었다. 사후에 태부(太傅)로 추증되고, 문정(文靖)이라 시호되었다.

니, 간혹 오래 머물거나 빨리 떠났던 공자의 행동[9]은 그 의미가 모두 큰 것이다.

集說

● 郭氏雍曰: "遯之小利貞, 睽之小事吉, 不知者遂以爲小而不思也. 故孔子明其大, 而後知小利貞小事吉者, 有大用存焉."[10]

곽옹(郭雍)[11]이 말했다. "둔(遯䷠)괘에서는 '조금이나마 바로 잡아

9) 공자의 행동: 『맹자』「공손추」 상, "각기 걸어간 길이 다르다. 섬길 만한 군주가 아니라면 섬기지 않고, 다스릴 만한 백성이 아니라면 다스리지 않고, 천하가 다스려지면 벼슬로 나아가고 혼란하면 물러나는 것이 백이이다. 어떠한 군주라도 섬기고, 어떤 백성도 다스리며, 잘 다스려져도 벼슬로 나아가고, 혼란해도 벼슬로 나아가는 것이 이윤이었다. 그러나 출사할 만할 때는 출사하고, 멈추어야 할 때는 멈추고, 오래 있어야 할 곳에서는 오래 있고, 빨리 떠나야 할 곳에서는 빨리 떠나는 것이 공자였다. 이들은 모두 옛날의 성인이다. 나는 이것을 잘 행하지는 못했지만, 내가 바라는 것은 공자를 배우는 것이다.[不同道. 非其君不事, 非其民不使; 治則進, 亂則退, 伯夷也. 何事非君, 何使非民, 治亦進, 亂亦進, 伊尹也. 可以仕則仕, 可以止則止, 可以久則久, 可以速則速, 孔子也. 皆古聖人也. 吾未能有行焉, 乃所願, 則學孔子也.]"라고 하였다.

10) 곽옹(郭雍), 『곽씨전가역설(郭氏傳家易說)』 권4.

11) 곽옹(郭雍, 1091~1187): 자는 자화(子和)이고, 호는 백운선생(白雲先生)이다. 남송 낙양(洛陽: 현 하남성 낙양시) 사람이다. 정이(程頤)의 제자인 곽충효(郭忠孝)의 둘째 아들로 가학을 계승했다. 벼슬길에 나아가지 않고 평생 섬주(陝州) 장양산(長楊山)에 은거하면서 역학과 의학에 정통했다고 한다. 『주역(周易)』에 대해서는 정이(程頤)의 학설을 계승·발전시켰다. 저서에 『곽씨전가역설(郭氏傳家易說)』, 『괘사지요(卦

야 이롭다'고 했고 규(睽☲)괘에서는 '작은 일에는 길하다'고 했는데 알지 못하는 자는 작은 것으로 여겨 생각하지 않는다. 그러므로 공자는 그 큼을 밝힌 뒤에 '조금이나마 바로 잡아야 이롭고', '작은 일에는 길하다'는 것에 큰 쓰임이 있음을 안다."

辭指要)』, 『시괘변의(蓍卦辨疑)』 등이 있고, 순희(淳熙) 초에 학자들이 곽씨 두 부자와 이정(二程), 장재(張載), 유초(游酢), 양시(楊時) 등 칠가(七家)의 설을 모아 『대역수언(大易粹言)』을 편집했다.

34. 대장大壯䷡괘

大壯, 大者壯也. 剛以動, 故壯.

대장은 큰 것이 강성한 것이다. 굳셈으로 움직이므로 왕성하게 자라난다.

本義

釋卦名義. 以卦體言, 則陽長過中, 大者壯也. 以卦德言, 則乾剛震動, 所以壯也.

괘 이름의 뜻을 해석하였다. 괘의 형체로 말하면 양(陽)이 자라나는 것이 가운데를 지나니 큰 것이 강성한 것이다. 괘의 덕으로 말하면 건(乾☰)은 굳세고 진(震☳)은 움직이니 강성한 까닭이다.

程傳

所以名大壯者, 謂大者壯也. 陰爲小, 陽爲大. 陽長以盛, 是大者壯也. 下剛而上動, 以乾之至剛而動, 故爲大壯. 爲大者

壯, 與壯之大也.

대장(大壯)이라고 이름 지은 까닭은 큰 것이 강성하기 때문이다. 음은 작은 것이고 양은 큰 것이다. 양이 성대하게 자라남이 큰 것이 강성하다는 말이다. 아래는 굳세고 위는 움직이니 건(乾☰)의 지극히 굳셈으로 움직이기 때문에 대장(大壯)이라 했다. 큰 것이 강성함과 강성함이 큰 것이 된다.

集說

● 項氏安世曰: "剛則不爲物欲所橈, 故其動也壯. 使以血氣而動, 安得壯乎?"[1]

항안세(項安世)가 말했다. "굳세면 사물의 욕심에 의해 휘둘리지 않기 때문에 그 움직임이 강성하다. 혈기에 의해 움직이게 된다면 어찌 강성할 수 있겠는가?"

案

大者, 謂陽也. 大者壯, 謂四陽盛長也. 此句止釋名卦之義. "剛以動故壯"一句, 非正釋卦名, 乃推明卦之善以起辭義耳. 凡曰故者皆同義. "順以說, 故聚", "明以動, 故豐"是也.

큰 것은 양이다. 큰 것이 강성함은 네 양이 성장하는 뜻이다. 이 구절은 단지 괘 이름의 뜻을 해석한 것이다.
"굳세어 움직이기 때문에 강성하다"는 한 구절은 괘의 이름을 바로

1) 항안세(項安世), 『주역완사(周易玩辭)』 권7.

해석한 것이 아니라 괘의 선함을 미루어 밝혀 괘사의 뜻을 일으켰을 뿐이다.

'그러므로'라고 말한 것은 모두 같은 뜻이다. "순종하면서 기뻐한다. 그러므로 함께 모인다."[2] "밝음으로 움직인다. 그러므로 풍요롭다."[3]는 말이 이것이다.

2) 『주역』「췌(萃)괘」: "「단전」에서 말했다. 췌(萃)는 함께 모이는 것이다. 순종하면서 기뻐하고 굳세면서도 중도를 이루어 호응한다. 그러므로 함께 모인다.[彖曰, 萃, 聚也. 順以說, 剛中而應. 故聚也.]"라고 하였다.

3) 『주역』「풍(豊)괘」「단전」: "풍요는 크다. 밝음으로 움직인다. 그러므로 풍요롭다.[豊, 大也, 明以動. 故豊.]"라고 하였다.

"大壯利貞", 大者正也. 正大而天地之情可見矣.
"강건함의 자라남은 올바름을 굳게 지키는 것이 이롭다"는 큰 것이 올바르다는 말이다. 올바르고 커서 천지의 실정을 볼 수 있다.

本義

釋利貞之義而極言之.

올바름을 굳게 지키는 뜻을 해석하여 지극히 말하였다.

程傳

大者旣壯, 則利於貞正. 正而大者道也. 極正大之理, 則天地之情可見矣. 天地之道, 常久而不已者, 至大至正也. 正大之理, 學者默識心通可也. 不云大正而云正大, 恐疑爲一事也.

큰 것이 강성하게 자라났다면 그 이로움은 굳센 올바름에 있다. 올바르고 큰 것이 도이다. 올바르고 큰 이치를 지극히 하면 천지의 실정을 볼 수 있다.
천지의 도가 오래도록 지속하면서 그치지 않는 것은 지극히 크고 지극히 올바르기 때문이다. 올바르고 큰 이치를 배우는 자는 묵묵히 깨달아 마음으로 통하면 된다.
크고 올바르다고 말하지 않고 올바르고 크다고 말한 것은 한 가지 일로 의심할 것을 걱정했기 때문이다.

集說

● 『朱子語類』問 : “如何見天地之情?”
曰 : “正大便見得天地之情. 天地只是正大, 未嘗有些子邪處.”[4]

『주자어류』에서 물었다. “어떻게 천지의 실정을 봅니까?”
대답했다. “올바르고 크게 되면 천지의 실정을 볼 수 있다. 천지는 올바르고 크니 조금이라도 사특한 곳이 있지 않다.”

● 胡氏炳文曰 : “心未易見, 故疑其辭曰‘復其見天地之心乎!’ 情則可見矣, 故直書之. 孟子養氣之論, 自此而出. 大者壯也, 卽是其爲氣也, 至大至剛, 大者正也, 卽是以直養而無害.”[5]

호병문(胡炳文)이 말했다. “마음은 쉽게 보지 못하기 때문에 그 괘사를 의심하여 ‘회복은 천지의 마음을 볼 수 있다’고 말했다. 정은 볼 수 있기 때문에 직접 썼다. 맹자의 기를 배양하는 일에 대한 논의는 이것으로부터 나왔다. 큰 것이 강성함은 그 기됨이 지극히 크고 지극히 굳센 것이고, 큰 것이 올바름은 곧음으로 배양하여 해로움이 없는 것이다.”

4) 『주자어류』 4권, 24조목.
5) 호병문(胡炳文), 『주역본의통석(周易本義通釋)』 권12.

35. 진晉䷢괘

晉, 進也.

진은 나아감이다.

本義

釋卦名義.

괘 이름의 뜻을 해석하였다.

集說

● 俞氏琰曰 : "晉以日之進言, 與升漸木之進不同. 日出地上, 其明進而盛. 升漸雖亦有進義, 而無明盛之象."[1)]

유염(俞琰)이 말했다. "진(晉䷢)괘는 해가 나아감으로 말했으니 승(升䷭)괘와 점(漸䷴)괘의 나무가 나아감과는 다르다. 해가 땅 위로 나와 그 밝음이 나아가 성대하다. 승괘와 점괘도 나아감의 뜻이 있지만 밝음이 성대한 모습은 없다.

1) 유염(俞琰), 『주역집설(周易集說)』 권17.

明出地上, 順而麗乎大明, 柔進而上行. 是以康侯用錫馬蕃庶, 晝日三接也.

밝음이 땅 위로 나와 순종하면서 큰 밝음에 붙어 있고 부드러움이 나아가 위로 행한다. 그래서 나라를 안정시키는 제후에게 말을 많이 하사하고 하루에 세 번 접견한다.

本義

以卦象卦德卦變釋卦辭.

괘의 상과 괘의 덕과 괘의 변화로 괘의 말을 해석하였다.

程傳

晉, 進也, 明進而盛也. 明出於地, 益進而盛, 故爲晉. 所以不謂之進者, 進爲前進, 不能包明盛之義. "明出地上", 離在坤上也. 坤麗於離, 以順麗於大明, 順德之臣上附於大明之君也. "柔進而上行", 凡卦, 離在上者, 柔居君位, 多云柔進而上行, 噬嗑睽鼎是也. 六五以柔居君位, 明而順麗, 爲能待下寵遇親密之義.

是以爲康侯用錫馬蕃庶, 晝日三接也. 大明之君, 安天下者也. 諸侯能順附天子之明德, 是康民安國之侯也, 故謂之康侯. 是以享寵錫而見親禮, 晝日之間, 三接見於天子也. 不曰

公卿而曰侯, 天子治於上者也, 諸侯治於下者也, 在下而順附於大明之君, 諸侯之象也.

진(晉)은 나아감이니, 밝음이 나아가 성대해진 것이다. 밝은 해가 땅에서 나와 더욱더 나아가 성대하므로, 진(晉)이다. 진(進)이라고 하지 않은 것은 진(進)은 앞으로 나아가는 것으로 밝음이 성대하다는 뜻을 포함할 수 없기 때문이다.

"밝음이 땅 위로 나아갔다"는 말은 이(離☲)괘가 곤(坤☷)괘 위에 있다는 것이다. 곤괘가 이괘에 달라붙은 모습은 순종하면서 큰 밝음에 달라붙어 있는 것이니, 순종하는 덕을 지닌 신하가 위로 크게 밝은 군주에게 붙어 있다. "부드러움이 나아가 위로 행한다"고 했는데, 다른 괘에서 이(離)괘가 위에 있는 경우는 부드러움이 군주의 지위에 자리하여 "부드러움이 나아가 위로 행한다"라고 말하는 경우가 많으니, 서합(噬嗑䷔)괘와 규(睽䷥)괘와 정(鼎䷱)괘가 그러하다.

육오효는 부드러움으로 군주의 지위에 자리하여 밝고 순종하고 따르게 하니 아랫사람을 대하는 데 총애하고 예우하고 친밀하게 할 수 있다는 뜻이 된다.

그래서 나라를 안정시키는 제후에게 말을 많이 하사하고, 하루에 세 번 접견하는 것이다. 크게 밝은 군주는 세상을 안정시키는 자이다. 제후는 천자의 밝은 덕에 순종하여 따를 수 있으니 이것이 백성을 편안히 하고 나라를 안정시키는 제후이므로 강후(康侯)라고 했다. 그래서 총애와 하사품을 향유하고 친히 예를 갖춘 대우를 받아 하루 사이에 세 번이나 천자를 접견하는 것이다.

공경(公卿)이라고 말하지 않고 후(侯)라고 한 것은 천자는 위에서 다스리는 자이고 제후는 아래에서 다스리는 자이니, 아래에 있으면서 크게 밝은 군주에게 순종하고 따르는 것이 제후의 모습이기 때문이다.

集說

● 崔氏憬曰："雖一卦名晉，而五爻爲主，故言柔進而上行也."[2]

최경(崔憬)[3]이 말했다. "한 괘의 이름이 진(晉)이지만 오효가 주효이므로 부드러움이 나아가 위로 행한다고 했다."

● 郭氏雍曰："順而麗乎大明，柔進而上行，康侯之德也．其德柔順而明，故下能康一國之民，而爲之主．上能致王者之寵，而錫馬蕃庶晝日三接也."[4]

곽옹(郭雍)이 말했다. "순종하면서 큰 밝음에 붙고 부드러움이 나

2) 이정조(李鼎祚), 『주역집해(周易集解)』 권7.

3) 최경(崔憬) : 당(唐)대 역학가로서 그 생졸연대는 공영달의 뒤 이정조(李鼎祚)의 앞이다. 그의 역학은 역상(易象)과 역수(易數)를 중시하여, 왕필(王弼)의 『주역주(周易注)』를 묵수하지 않고 의리와 상수를 함께 다루었다. 순상(荀爽)·우번(虞翻)·마융(馬融)·정현(鄭玄)의 역학에도 조예가 깊었다. 공영달의 『주역정의(周易正義)』가 관학으로서 학계를 지배할 때 그의 역학은 독창적으로 새로운 의의가 있다고 칭송되었으며, 특히 이정조(李鼎祚)에게 추앙받았다. 이로써 그의 역학은 한(漢)대 역학에서 송(宋)대 역학으로 옮겨가는 선구가 되었다고 평가받는다. 저작으로는 『주역탐현(周易探玄)』이 있었다고 하는데 전해지지 않고, 이정조(李鼎祚)의 『주역집해(周易集解)』에 그의 주장이 많이 보인다.

4) 곽옹(郭雍), 『곽씨전가역설(郭氏傳家易說)』 권4.

아가 위로 행하는 것이 강후(康侯)의 덕이다. 그 덕이 유순하고 밝기 때문에 아래로 한 나라의 백성을 편안하게 하여 주인이 될 수 있다. 위로 왕에게 정성을 다할 수 있는 자의 총애가 말을 많이 하사하고 하루에 세 번 접견하는 것이다."

● 項氏安世曰:"三女之卦, 獨離柔在上, 爲得尊位, 大中而行之, 故謂之上行. 巽在六四, 例謂之上合上同, 兌在上六, 例謂之上窮, 皆不得爲上行也."[5]

항안세(項安世)가 말했다. "세 여자를 상징하는 괘[6]에서 유독 이(離☲)괘만이 부드러움이 위에서 존귀한 지위를 얻고 크게 중도를 얻어 행하기 때문에 위로 행한다고 했다. 손(巽䷸)괘는 육사효에 있어 당연히 위로 합하고 위로 합치한다고 말하며, 태(兌䷹)괘는 상육효에 있어 당연히 위로 다했으니 모두 위로 행하지 못한다."

● 王氏申子曰:"六十四卦, 離上者八, 專取六五一爻, 以爲成卦之主者二:晉大有也. 大有曰, 柔得尊位大中而上下應之, 晉則曰, 柔進而上行, 是專以康侯之晉者, 當此一卦之義矣."[7]

왕신자(王申子)가 말했다. "64괘 가운데 이(離☲)괘가 위에 있는 것이 8개[8]인데 오로지 육오 한 효를 취하여 괘를 이룬 주효로 여긴

5) 항안세(項安世), 『주역완사(周易玩辭)』 권7.

6) 세 여자를 상징하는 괘:손(巽☴)괘는 장녀, 이(離☲)괘는 중녀, 태(兌☱)괘는 소녀를 말한다.

7) 왕신자(王申子), 『대역집설(大易緝說)』 권6.

8) 8개:대유(大有䷍), 서합(噬嗑䷔), 이(離䷝), 진(晉䷢), 규(睽䷥), 정(鼎

것은 두 개이니 진(晉䷢)괘와 대유(大有䷍)괘이다. 대유괘에서 '부드러움이 존귀한 지위를 얻어 큰 중도(中道)로 위와 아래가 호응한다'[9]고 했고, 진괘에서 '부드러움이 나아가 위로 행한다'고 했는데 이는 오로지 강후(康侯)의 나아감이니 이 한 괘의 뜻에 해당한다."

● 吳氏曰愼曰 : "晉咸彖傳, 文意正同. 卦彖數句, 在卦名之下, 卦辭之上, 是旣用以釋卦名, 而卽以之釋卦辭, 故用'是以'二字接下."

오왈신(吳曰愼)이 말했다. "진(晉)괘와 함(咸)괘의 「단전」은 글의 뜻이 동일하다.[10] 괘의 모습에 대한 여러 구절이 괘의 이름 아래와 괘의 말의 위에 놓여 있으니 괘의 이름을 해석하고 그것으로 괘의 말을 해석했기 때문에 '그래서'라는 말이 연접해 있다."

䷱), 여(旅䷷), 미제(未濟䷿).

9) 『주역』「대유(大有)괘」「단전」.

10) 『주역』「진(晉)괘」: "진(晉)은 나아감이니 밝음이 땅 위로 나와 순종하면서 큰 밝음에 붙어 있고 부드러움이 나아가 위로 행한다. 그래서 나라를 안정시키는 제후에게 말을 많이 하사하고, 하루에 세 번 접견하는 것이다.[彖曰, 晉, 進也, 明出地上, 順而麗乎大明, 柔進而上行, 是以康侯用錫馬蕃庶晝日三接也.]"라고 하였고, 「함(咸)괘」「단전」: "함(咸)은 감응하는 것이다. 부드러움이 올라가고 굳셈이 내려와 두 기운이 서로 자극하고 반응하여 서로 함께 하고, 멈추면서 기뻐하여 남자가 여자에게 내려간다. 그래서 형통하니 올바름을 굳게 지키는 것이 이롭고 여자를 취하면 길하다.[彖曰, 咸, 感也. 柔上而剛下, 二氣感應以相與, 止而說, 男下女, 是以亨利貞, 取女吉也.]"라고 하였다.

案

離之德, 爲麗爲明, 是明與麗皆離也. "順而麗乎大明", 蓋以順德爲本, 而爲大明所附麗. 則明者離, 而麗者亦離矣. 若曰以順而附麗於大明, 則麗字乃爲坤所借用, 其義不亦贅乎? 火之爲物, 不能孤行也, 必有所附. 猶人心之明, 不可孤行也, 必有所附. 離曰, "畜牝牛"者, 明附於順也. 睽旅之象亦然, 皆以說止爲主, 而明附之也. 此文義之誤, 不可不正.

이(離☲)괘의 덕은 붙음과 밝음이니 밝음과 붙음이 모두 이(離)이다. "순종하고 큰 밝음에 붙어 있다"는 말은 순종의 덕을 근본으로 하여 큰 밝음에 붙어 있는 것이다. 밝음은 붙어 있는 것이고 붙어 있는 것 역시 밝음이다.

만약 순종으로 큰 밝음에 붙어 있다고 말한다면 붙어 있다는 글자가 곧 곤(坤☷)괘에 의해 차용된 것이 되니 그 의미가 또한 불필요하지 않겠는가?

불이라는 것은 홀로 행할 수 없어 반드시 붙어 있어야 한다. 마음의 밝음도 홀로 행할 수 없어 반드시 붙어 있어야 한다.

이(離䷝)괘에서 "암소를 기르는 듯이 한다"[11]는 밝음이 순종에 붙어 있는 것이다. 규(睽䷥)괘[12]와 여(旅䷷)괘[13]의 「단전」에서도 그

11) 『주역』「이(離)괘」: "붙어 의지하는 데는 올바름을 굳게 지키는 것이 이롭고 형통하니, 암소를 기르듯이 하면, 길하다.[離, 利貞, 亨. 畜牝牛, 吉.]"라고 하였다.

12) 『주역』「규(睽)괘」「단전」: "기뻐하고 밝음에 붙으며, 부드러움이 나아가 위로 가서 알맞음을 얻어 굳셈에 호응한다. 그래서 작은 일에 길한 것이다.[說而麗乎明, 柔進而上行, 得中而應乎剛. 是以小事吉.]"라고 하였다.

13) 『주역』「여(旅)괘」: "'방랑은 조금 형통하다'고 한 것은 부드러움이 밖에서 알맞음을 얻고, 굳셈에 순종하며 합당한 위치에 멈추고 밝은 빛에

러하니 모두 기쁨과 멈춤을 주된 것으로 여겨 밝음이 붙어 있는 것이다. 이 글의 뜻이 잘못되었음을 바로잡지 않으면 안 된다.

붙어 있기 때문이다. 그래서 조금 형통하고, 방랑의 도가 올바르게 행해져서 길하다.[彖曰, 旅小亨, 柔得中乎外, 而順乎剛, 止而麗乎明, 是以小亨旅貞吉也.]"라고 하였다.

36. 명이明夷䷣괘

明入地中, 明夷.

밝음이 땅 속으로 들어간 것이 명이(明夷)이다.

本義

以卦象釋卦名.

괘의 모습으로 괘의 이름을 해석하였다.

集說

● 孔氏穎達曰："此就二象以釋卦名, 此及晉卦, 皆彖象同辭也."

공영달이 말했다. "이는 두 가지 모습으로 괘의 이름을 해석했으니 이것과 진(晉)괘에서 「단전」과 「상전」도 모두 같은 말이다[1]."

1) 「진(晉)괘」「단전」에 '明出地上'이 나오고 「상전」에서도 '明出地上'이 나오며 명이(明夷)괘 「단전」에서 '明入地中'이 나오고 「상전」에서도 '明入地中'이 나온다.

內文明而外柔順, 以蒙大難, 文王以之.

안으로 문명하면서 겉으로 유순하여 큰 환난을 만나니, 문왕이 그렇게 하였다.

本義

以卦德釋卦義. "蒙大難", 謂遭紂之亂而見囚也.

괘의 덕(德)으로 괘의 뜻을 해석하였다. "큰 환난을 만난다"는 주(紂)의 혼란을 만나 갇힘을 당한 것을 말한다.

程傳

明入於地, 其明滅也, 故爲明夷. 內卦離, 離者文明之象. 外卦坤, 坤者柔順之象. 爲人內有文明之德, 而外能柔順也. 昔者文王如是, 故曰"文王以之". 當紂之昏暗, 乃明夷之時, 而文王內有文明之德, 外柔順以事紂, 蒙犯大難, 而內不失其明聖, 而外足以遠禍患, 此文王所用之道也, 故曰"文王以之".

밝음이 땅속으로 들어가니 그 밝음이 소멸되었으므로 명이(明夷)이다. 내괘(內卦)는 이(離☲)괘이니 이(離)는 문명(文明)의 모습이다. 외괘(外卦)는 곤(坤☷)괘이니 곤坤은 유순한 모습이다.
사람으로 말하면 안으로 문명(文明)의 덕을 지니고 겉으로 유순하게 행할 수 있다. 옛날에 문왕이 이와 같았으므로 "문왕이 그렇게 하였다"고 했다. 폭군 주(紂)왕이 다스리던 암흑의 시기가 곧 명이(明夷)의 때인데 문왕은 안으로 문명의 덕을 지니고 겉으로 유순한 태도로 주왕을 섬겨, 큰 환난을 만나서도 안으로는 현명한 성인됨을 잃지 않으면서 밖으로 환난과 근심을 멀리할 수 있었다. 이것이 문왕이 사용한 방도이므로 "문왕이 그렇게 하였다"고 했다.

集說

● 王氏申子曰 : "明夷一卦, 大抵主商之末造言之."

왕신자(王申子)가 말했다. "명이(明夷) 한 괘는 대체로 상나라가 망하는 말기를 중심으로 말했다."

"利艱貞", 晦其明也. 內難而能正其志, 箕子以之.

"어려움을 알고 올바름을 굳게 지키는 이롭다"는 그 현명함을 감추는 것이다. 안에 있어 어렵지만 그 뜻을 올바르게 할 수 있으니, 기자가 그렇게 하였다.

本義

以六五一爻之義釋卦辭. "內難", 謂爲紂近親, 在其國內, 如六五之近於上六也.

육오(六五) 한 효의 뜻으로 괘의 말을 해석하였다. "안에 있어 어렵다"는 말은 주(紂)의 가까운 친척이 되어 나라 안에 있는 것을 말하니 육오(六五)효가 상육(上六)효와 가까운 것과 같다.

程傳

明夷之時, 利於處艱厄而不失其貞王, 謂能晦藏其明也. 不晦其明, 則被禍患. 不守其正, 則非賢明. 箕子當紂之時, 身處其國內, 切近其難, 故云"內難". 然箕子能藏晦其明, 而自守其正志, 箕子所用之道也, 故曰"箕子以之".

명이(明夷)의 때는 어려움에 처했어도 올바름을 잃지 않음이 이로우니 현명함을 감출 수 있는 것을 말한다. 현명함을 감추지 않으면 화(禍)와 근심을 당한다. 올바름을 지키지 않으면 현명한 사람이 아니다.

기자(箕子)[2]가 폭군 주왕의 때 몸이 그 나라 안에 처하여 환난에 매우 가까웠으므로 "안에 있어 어렵다"고 했다. 그러나 기자는 현명함을 감추고 그 올바른 뜻을 스스로 지킬 수 있었으니, 이것이 기자가 처신한 방도이므로 "기자가 그렇게 하였다"고 했다.

集說

● 胡氏炳文曰 : "六五爻辭曰'箕於之明夷利貞', 釋彖, 兼文王發之. 蓋羑里演『易』, 處之甚從容, 可見文王之德. 佯狂受辱, 處之極艱難, 可見箕子之志. 然此一時也, 文王因而發伏羲之易, 箕子因而發大禹之疇. 聖賢之於患難, 自系斯文之會, 蓋有天意存焉."[3]

호병문(胡炳文)이 말했다. "육오효의 말이 '기자가 밝음을 감춤이니 올바름을 지키는 것이 이롭다'고 했는데 「단전」을 해석하여 문왕과 겸하여 말하였다. 유리(羑里)에서 『역』을 펼쳐 넓히고 그것에 대처함이 매우 조용했으니 문왕의 덕을 알 수 있다. 미친 척하면서 치욕을 받고 그것에 대처함에 매우 어려웠으니 기자의 뜻을 알 수 있

2) 기자(箕子) : 중국 상(商)의 군주인 문정(文丁, 太丁이라고도 함)의 아들로 주왕(紂王)의 숙부(叔父)이다. 주왕(紂王)의 폭정(暴政)에 대해 간언(諫言)을 하다 받아들여지지 않자 미친 척을 하여 유폐(幽閉)되었다. 상(商)이 멸망한 뒤 석방되었으나 유민(遺民)들을 이끌고 주(周)를 벗어나 북(北)으로 이주하였다. 비간(比干), 미자(微子)와 함께 상(商) 말기 세 명의 어진 사람으로 꼽힌다.

3) 호병문(胡炳文), 『주역본의통석(周易本義通釋)』 권12.

다. 그러나 이는 한 때라 문왕이 그것을 바탕으로 복희(伏羲)의 역을 만들었고, 기자는 이것을 바탕으로 대우(大禹)의 범주[홍범]를 만들었다. 성현은 환난의 때에 스스로 사문(斯文)[4]의 기회로 삼으니 하늘의 뜻이 보존되어 있기 때문이다."

● 俞氏琰曰："大難, 謂羑里之囚也. 其難關系天下之大, 民命之所寄, 故曰大難. 內難. 謂家難也. 其難關系一家之內, 宗社之所寄也. 箕子爲紂之近親, 故曰內難."[5]

유염(俞琰)이 말했다. "큰 어려움은 유리의 감금을 말한다. 그 어려움은 천하의 큰 일과 관계되어 백성의 운명이 달린 것이므로 큰 어려움이라고 했다. '안에 있어 어렵다'는 것은 가문(家門)의 어려움이다. 그 어려움이 한 가문의 내부와 관련되어 종사(宗社)가 달린 것이다. 기자가 주와 가까운 친척이므로 '안에 있어 어렵다'고 했다."

4) 사문(斯文) : 『논아』「자한」: "공자가 광(匡)땅에서 경계심을 품고 있었다. 말했다. '문왕(文王)이 이미 죽었으니 문(文)이 이 몸에 있지 않겠는가! 하늘이 장차 이 문(文)을 없애려 하셨다면 뒤에 죽는 사람이 이 문(文)에 참여하지 못하였을 것이다. 그러나 하늘이 이 문(文)을 없애려 하지 않으셨으니, 광(匡)땅 사람들이 나를 어떻게 하겠는가?[子畏於匡, 曰, '文王旣沒, 文不在玆乎! 天之將喪斯文也, 後死者不得與於斯文也, 天之未喪斯文也, 匡人, 其如予何?]"라고 하였다.
5) 유염(俞琰), 『주역집설(周易集說)』 권17.

37. 가인家人䷤괘

家人, 女正位乎內, 男正位乎外, 男女正, 天地之大義也.

가인은 여자가 안에서 지위를 바르게 하고 남자가 밖에서 지위를 바르게 하니, 남자와 여자가 올바른 것이 천지의 큰 뜻이다.

本義

以卦體九五六二釋"利女貞"之義.

괘의 형체에서 구오(九五)효와 육이(六二)효로 "여자가 올바른 것이 이롭다"는 뜻을 해석하였다.

程傳

「彖」以卦才而言. 陽居五, 在外也, 陰居二, 處內也, 男女各得其正位也. 尊卑內外之道正, 合天地陰陽之大義也.

「단전」에서는 괘의 자질로 말했다. 양이 오(五)의 위치에 자리하여 밖에 있고,[1] 음이 이(二)의 위치에 자리하여 안에 처하니[2] 남자와 여자가 각각 그 올바른 지위를 얻었다. 높은 자리와 낮은 자리, 안과 밖의 도리가 올바르니 천지(天地)와 음양(陰陽)의 큰 뜻에 부합한다.

集說

● 孔氏穎達曰:"此因二五得正, 以釋家人之義, 並明女貞之旨."[3]

공영달(孔穎達)이 말했다. "이는 육이효와 구오효가 올바름을 얻은 것을 바탕으로 가인의 뜻을 해석하였고, 아울러 여자가 올바른 뜻을 밝혔다."

● 吳氏曰愼曰:"先言女正位乎內, 釋利女貞也."

오왈신(吳曰愼)이 말했다. "먼저 여자가 안에서 지위를 바르게 한다는 것을 말하여 '여자가 올바른 것이 이롭다'는 말을 해석했다."

1) 밖에 있고:구오효가 외괘(外卦)에 자리했다는 것을 말한다.
2) 안에 처하니:육이효가 내괘(內卦)에 자리했다는 것을 말한다.
3) 공영달(孔穎達), 『주역주소(周易注疏)』 권6.

家人有嚴君焉, 父母之謂也.

가인에는 존엄한 어른이 있으니 부모를 말한다.

本義

亦謂二五.

또한 육이효와 구오효를 말하였다.

程傳

家人之道, 必有所尊嚴而君長者, 謂父母也. 雖一家之小, 無尊嚴則孝敬衰, 無君長則法度廢. 有嚴君而後家道正, 家者國之則也.

가문(家門)의 도는 반드시 존엄하여 지도하고 어른 노릇하는 자가 있어야만 하니 부모를 말한다. 작은 집안일지라도 존엄한 사람이 없다면 효도와 공경함이 없어지고, 지도하고 어른 노릇하는 사람이 없으면 법도가 무너진다. 존엄한 어른이 있고 난 뒤에 집안의 도가 올바르게 되니 가문이란 나라의 모범이다.

集說

● 王氏申子曰 : "父道固主乎嚴, 母道尤不可以不嚴. 猶國有尊嚴之君長也. 無尊嚴則孝敬衰, 無君長則法度廢. 故家人一卦, 大要以剛嚴爲尙."[4]

왕신자(王申子)가 말했다. "아버지의 도리는 엄격한 것을 주로 하고 어머니의 도리는 더욱 엄격하지 않으면 안 된다. 나라에 지도하고 어른 노릇하는 사람이 있는 것과 같다. 존엄한 사람이 없으면 효와 공경이 쇠퇴하고 지도하고 어른 노릇하는 사람이 없으면 법도가 무너진다. 그러므로 가인 한 괘의 큰 요체는 굳세고 엄격함을 숭상한다."

4) 왕신자(王申子), 『대역집설(大易緝說)』 권6.

父父子子, 兄兄弟弟, 夫夫婦婦, 而家道正, 正家而天下定矣.

부모는 부모답고 자식은 자식답고 형은 형답고 아우는 아우답고 남편은 남편답고 아내는 아내다움에 집안의 도가 올바르게 되니, 집안을 바르게 하면 세상이 안정된다.

本義

上父, 初子, 五三夫, 四二婦, 五兄三弟. 以卦畫推之, 又有此象.

상효는 부모이고 초효는 자식이며 오효와 삼효는 남편이고 사효와 이효는 아내이고 오효는 형이고 삼효는 동생이다. 이 괘의 획으로 추론하면 또 이러한 상이 있다.

程傳

父子, 兄弟夫婦各得其道, 則家道正矣. 推一家之道, 可以及天下, 故家正則天下定矣.

부모와 자식, 형과 아우, 남편과 아내가 각각 그 올바른 도리를 얻으면 집안의 도가 올바르게 된다. 한 집안의 도를 미루어 천하에 미칠 수 있으므로, 집안을 올바르게 하면 천하가 안정되는 것이다.

集說

● 俞氏琰曰 : "「彖辭」擧其端, 故但言利女貞. 「彖傳」極其全, 故兼言男女之正, 而又以父子兄弟夫婦推廣而備言之."

유염(俞琰)이 말했다. "「단사(彖辭)」의 말에서 그 단서를 거론했으므로 단지 여자의 올바름이 이롭다고 말했다. 「단전」에서는 그 온전함을 지극히 했으므로 남자와 여자의 올바름을 겸하여 말했고 또 부모와 자식, 형과 동생, 남편과 아내로 미루어 넓히고 갖추어 말했다."

● 林氏希元曰 : "正家而天下定, 猶云人人親其親長其長而天下平, 不作正家之效說."

임희원(林希元)이 말했다. "집안을 바르게 하여 천하를 안정시키는 것은 사람들이 그 친족을 친애하고 어른을 어른 대접하여 천하를 평온하게 하는 것과 같으니 집안을 바르게 하는 효과를 가지고 말한 것은 아니다."[5]

案

六十四卦, 六爻剛柔皆得位者, 唯旣濟而已. 此外則中四爻得位者三卦, 家人 · 蹇 · 漸也. 然家人名義, 獨取於風火之卦者, 一則風自火出, 爲風化有原之象. 二則蹇 · 漸之中爻雖得位, 而初上不皆陽爻. 凡『易』取類, 上爻有父之象. 故蠱卦下五爻皆曰'父母', 至上爻則變其文也. 初爻有子之象, 故蠱曰'有子', 觀曰'童

5) 임희원(林希元), 『역경존의(易經存疑)』 권5.

觀', 隨漸曰'小子', 中孚曰'其子', 皆指初爻也. 二爲女, 正位乎內, 母道也. 五爲男, 正位乎外, 父道也. 然必初上皆陽, 然後父子之象備. 又必三陽四陰, 各得其位, 然後兄弟夫婦, 粲然於一卦之中矣. 「彖傳」先擧二五, 始明其爲男女之正, 繼明其爲父母之嚴, 以兩爻爲卦主也. 然後悉推家人以切卦位, 旣以盡正家之義. 又以見家人之象推配於爻畫者, 獨此卦爲合也. 『本義』精且當矣.

64괘에서 여섯효가 강(剛)과 유(柔)의 위치를 모두 얻은 것은 오직 기제(旣濟䷾)괘 뿐이다. 이외에서 가운데 네효가 위치를 얻는 것은 세 괘인데 가인(家人䷤)괘 · 건(蹇䷦)괘 · 점(漸䷴)괘이다.
그러나 가인(家人)괘 이름의 뜻이 오직 바람을 상징하는 손(巽☴)괘와 불을 상징하는 이(離☲)괘를 취한 것은 첫째 바람이 불에서 나와 풍화(風化)에 근원이 있는 모습이 있기 때문이다. 둘째 건(蹇)괘와 점(漸)괘 가운데 효가 비록 지위를 얻었지만 초효와 상효는 모두 양효가 아니다.
『역』에서 종류를 취하는 데 상효는 아버지의 모습이 있다. 그래서 고(蠱䷑)의 아래 다섯 효는 모두 '부모(父母)'라고 말했는데 상효에 이르면 그 문장이 바뀐다. 초효는 아들의 모습이 있으므로 고(蠱)괘에서는 '유자(有子)'라 했고 관(觀)괘에서는 '동관(童觀)'이라 했고 수(隨)괘와 점(漸)괘에서는 '소자(小子)'라 했고 중부(中孚)괘에서는 '기자(其子)'라 했으니 모두 초효를 가르킨다.
이(二) 효는 여자이고 안에서 지위를 바르게 하니 어머니의 도이다. 오효는 남자이고 밖에서 바르게 하니 아버지의 도이다. 그러나 반드시 초효와 상효가 모두 양인 뒤에 아버지와 아들의 모습이 갖추어진다. 또 반드시 삼효가 양이고 사효가 음으로 각각 그 지위를 얻은 뒤에 형제(兄弟)와 부부(夫婦)가 분명하게 한 괘의 가운데에 있다.

「단전」에서는 먼저 이효와 오효를 들어 남자와 여자의 올바름을 비로소 밝히고 이어서 아버지와 어머니의 엄격함을 밝혔으니 두 효가 괘의 주효가 된다. 그런 뒤에 가인(家人)을 모두 미루어서 괘의 지위를 절실하게 하여 집안을 바르게 하는 뜻을 다하였다. 또 가인(家人)의 모습을 드러내어 효에 미루어 배열한 것은 유독 이 괘만이 부합된다. 『주역본의』의 해설이 정밀하고 또 타당하다.

38. 규睽䷥괘

睽, 火動而上, 澤動而下, 二女同居, 其志不同行.

규는 불은 움직여 위로 올라가고 연못은 움직여 아래로 흘러가며 두 여자가 함께 살지만 그 뜻이 함께 가지 않는 것이다.

本義

以卦象釋卦名義.

괘의 상(象)으로 괘 이름의 뜻을 해석하였다.

程傳

「彖」先釋睽義, 次言卦才, 終言合睽之道, 而贊其時用之大. 火之性動而上, 澤之性動而下, 二物之性違異, 故爲睽義. 中少二女雖同居, 其志不同行, 亦爲睽義. 女之少也, 同處, 長

則各適其歸, 其志異也. 言睽者, 本同也. 本不同, 則非睽也.

「단전」에서는 먼저 '규(睽)'의 의미를 해석하고, 그 다음에 괘의 자질을 말했으며, 마지막으로 분열을 통합하는 방도를 말하고서 그 때와 작용의 위대함을 찬미했다.

불의 성질은 움직여 올라가고 연못의 성질은 움직여 아래로 흘러가 두 가지의 성질이 서로 어긋나 다르므로 분열의 뜻이다.

중년과 소녀 두 여자가 함께 살지만 그 뜻이 함께 가지 않으니, 역시 분열의 뜻이다. 여자가 어릴 적에 함께 살다가 장성하면 각각 시집갈 곳으로 가니, 그 뜻이 다르다.

분열이라고 말한 것은 본래 동일했던 것이기 때문이다. 본래 동일하지 않다면 분열하지도 않는다.

案

二女同居之卦多矣. 獨於睽·革言之者, 以其皆非長女也. 凡家有長嫡, 則有所統率而分定, 其不同行不相得, 而至於乖異變易者, 無長嫡而分不定之故爾.

두 여자가 함께 거주하는 괘는 많다. 유독 규(睽☲☱)괘와 혁(革☱☲)괘에서 그 점을 말한 것은 모두 장녀가 아니기 때문이다. 집안에는 적장자가 있으면 통솔하는 바가 있어 본분이 정해져 다르게 가지 않다가 괴리되고 달라지는 데 이르니 적장자가 없으면 본분이 정해지지 않기 때문이다.

說而麗乎明, 柔進而上行, 得中而應乎剛, 是以小事吉.

기뻐하고 밝음에 붙으며 부드러움이 나아가 위로 가서 알맞음을 얻어 굳셈에 호응하니, 그래서 작은 일에 길하다.

本義

以卦德卦變卦體釋卦辭.

괘의 덕과 괘의 변과 괘의 체로 괘사(卦辭)를 해석하였다.

程傳

卦才如此, 所以"小事吉"也. 兌, 說也, 離, 麗也, 又爲明. 故爲說順而附麗於明. 凡離在上而「彖」欲見柔居尊者, 則曰"柔進而上行", 晉·鼎是也. 方睽乖之時, 六五以柔居尊位, 有說順麗明之善, 又得中道而應剛, 雖不能合天下之睽, 成天下之大事, 亦可以小濟, 是於小事吉也. 五以明而應剛, 不能致大吉, 何也? 曰, 五陰柔, 雖應二, 而睽之時, 相與之道未能深固. 故二必"遇主於巷", 五"噬膚", 而無咎也. 天下睽散之時, 必君臣剛陽中正, 至誠協力, 而後能合也.

괘의 자질이 이와 같으니 "작은 일에 길하다." 태(兌☱)괘는 기쁨이고 이(離☲)괘는 붙음이고 또 밝음이다. 그래서 기뻐하고 순종하며 밝음에 붙어 의지하고 있는 모습이다.
이(離☲)괘가 위에 있을 때는 「단전」에서 부드러움이 존귀한 자리에 있는 것을 드러내려고, "부드러움이 나아가 위로 갔다"고 했으니 진(晉䷢)괘와 정(鼎䷱)괘가 이것이다.
분열되고 괴리되는 때에 육오효는 부드러움으로 존귀한 지위에 자리했고 기뻐하면서 순종하며 밝음에 붙어 있는 선함을 가지고 있으며 또 중도(中道)를 얻어 굳셈에 호응해서 천하의 분열을 화합하여 천하의 큰일을 이룰 수는 없지만, 또한 작은 일은 이룰 수 있으니, 이것이 작은 일에는 길하다는 말이다.
육오효는 밝음으로 굳셈에 호응하는데 큰 길함을 이루지 못하는 것은 어째서인가? 이렇게 답하겠다. 육오효는 음의 부드러움으로 구이효와 호응하지만 분열의 때에 서로 함께 하는 도가 깊고 견고할 수 없다. 그러므로 구이효는 "반드시 군주를 골목에서 만나고"[1], 육오효는 "살을 깊이 깨물듯이 하면"[2] 허물이 없다.
천하가 분열되는 때 반드시 군주와 신하가 굳센 양으로 중정(中正)을 지키고, 지극히 성실함으로 협력한 뒤에 분열된 상황을 화합시킬 수 있다.

集說

● 何氏楷曰 : "『易』無樂乎柔主也, 而獨離居外體者, 每稱焉. 乾

1) 군주를 골목에서 만나고 : 『주역』「규(睽)괘」 구이효.
2) 살을 깊이 깨물듯이 하면 : 『주역』「규(睽)괘」 육오효.

下離上曰大有, 曰, '柔得尊位, 大中而上下應之.' 艮下離上曰旅, 曰, '柔得中乎外而順乎剛.' 離下離上曰離, 曰, '柔麗乎中正故亨.' 震下離上曰噬嗑, 曰, '柔得中而上行.' 坤下離上曰晉, 曰, '柔進而上行.' 兌下離上曰睽, 巽下離上曰鼎, 皆曰, '柔進而上行, 得中而應乎剛.' 坎下離上曰未濟, 猶曰, '柔得中也.' 下卦兌說, 上卦柔中, 皆以小心行柔道者. 象之所謂'小事吉'者此耳."[3]

하해(何楷)[4]가 말했다. "『역』에서는 부드러운 군주를 즐겨하지 않는데 유독 이(離☲)괘가 외체(外體)에 있는 경우는 매번 칭찬했다. 건(乾☰)괘가 아래에 있고 이(離☲)괘가 위에 있는 대유(大有䷍)괘에서는 '부드러움이 존귀한 지위를 얻고 크게 중도를 얻어 위와 아래가 호응한다'고 했다. 간(艮☶)괘가 아래에 있고 이(離☲)괘가 위에 있는 여(旅䷷)괘에서는 '부드러움이 밖에서 중도를 얻고 부드러움에 호응한다'고 했다. 이(離☲)괘가 아래에 있고 이(離☲)괘가 위에 있는 이(離䷝)괘에서는 '부드러움이 중정에 붙어있으므로 형통하다'고 했다. 진(震☳)괘가 아래에 있고 이(離☲)괘가 위에 있는 서합(噬嗑䷔)괘는 '부드러움이 중도를 얻고 위로 행한다'고 했다. 곤(坤☷)괘가 아래에 있고 이(離☲)괘가 위에 있는 진(晉䷢)괘는 '부드러움이 나아가 위로 행한다'고 했다. 태(兌☱)괘가 아래에 있

3) 하해(何楷), 『고주역정고(古周易訂詁)』 규(睽)괘.

4) 하해(何楷) : 자는 현자(玄子)이고 호는 황여(黃如)이다. 명말청초 때 장주 진해위(漳州鎭海衛 : 현 복건성 용해시〈龍海市〉) 사람이다. 천계(天啓) 5년(1625)에 진사에 급제하여 벼슬은 호부주사(戶部主事), 공과급사중(工科給事中), 호부상서(戶部尙書) 등을 역임했다. 직언과 직간으로 유명했는데, 말년에 정성공(鄭成功)의 부친인 정지룡(鄭芝龍)과 뜻이 어긋나서 사직하고 귀향했다. 저서에는 『고주역정고(古周易訂詁)』, 『시경세본고의(詩經世本古義)』 등이 있다.

고 이(離☲)괘가 위에 있는 규(睽䷥)괘와 손(巽☴)괘가 아래에 있고 이(離☲)괘가 위에 있는 정(鼎䷱)괘는 모두 '부드러움이 나아가 위로 행하고 중도를 얻어 굳셈에 호응한다'고 했다. 감(坎☵)괘가 아래에 있고 이(離☲)괘가 위에 있는 미제(未濟䷿)괘는 오히려 '부드러움이 중도를 얻었다'고 했다. 하괘(下卦)인 태(兌☱)괘는 기쁨이고 상괘(上卦)인 이(離☲)괘의 부드러움은 중도를 얻어 모두 신중하게 부드러운 도를 행한다. 「단전」에서 '작은 일은 길하다'고 한 것은 이와 같을 뿐이다.

案

此「彖」言卦之善, 與鼎略同. 鼎曰"元亨", 而此卦但曰"小事吉"者, 當睽之時故也. 凡釋卦名畢, 則文義略斷, 而特擧卦辭釋之, 其與此卦之義相似者, 則革卦釋名辭之例, 尤爲顯著也. 今釋卦名而文意不斷, 直連釋辭之義而總結之. 蓋明乎當睽之時, 有此數善, 是以"小事吉". 亦唯因睽之時, 故有此數善, 而唯"小事吉"也. 凡彖傳名辭之義不分者皆此類.

이 「단전」에서 괘의 선함을 말한 것은 정(鼎䷱)괘와 조금 다르다.[5] 정괘에서는 "크게 형통하다" 했고, 이 괘에서는 단지 "작은 일에서 길하다"고 한 것은 분열의 때이기 때문이다.
괘의 이름을 해석한 뒤에 문장의 의미를 대략 판단하고 특별히 괘의 말을 거론하여 해석하는데, 이 괘의 의미와 서로 유사한 것은 혁(革䷰)괘의 이름과 괘의 말을 해석하는 사례에서 더욱 드러난

5) 『주역』「정(鼎)괘」「단전」: "겸손하여 귀와 눈이 총명하며, 부드러움이 나아가 위로 행하고 중도를 얻어 굳셈에 호응하여 크게 형통한 것이다.[巽而耳目聰明, 柔進而上行, 得中而應乎剛, 是以元亨.]"라고 하였다.

다.[6] 지금 괘의 이름을 해석하고 문장의 의미를 판단하지 않고 직접 괘사(卦辭)의 뜻을 연이어 해석하고 총괄했다.
분열의 때를 당하여 이 몇 가지 선함이 있어 "작은 일에서 길하다"는 것을 밝혔다. 또한 오직 분열의 때이기 때문에 이 몇 가지 선함이 있어 오직 "작은 일에서 길하다"는 말이다. 「단전」에서 괘명과 괘사의 뜻이 나누어지지 않은 것은 모두 이와 같은 부류이다.

6) 『주역』「혁(革)괘」「단전」: "변혁이니 물과 불이 서로 다투어 변화를 생성하며 두 여자가 함께 살되 그 뜻을 서로 얻지 못하는 것이 변혁이다. 하루가 지나야 믿는 것은 변혁하여 믿도록 하는 것이다. 문명(文明)하여 기뻐하고 크게 형통하여 올바르니 변혁하여 합당하기 때문에 그 후회가 없어진 것이다.[革, 水火相息, 二女同居, 其志不相得, 曰革. 己日乃孚, 革而信之. 文明以說, 大亨以正, 革而當, 其悔乃亡.]"라고 하였다.

天地睽而其事同也, 男女睽而其志通也, 萬物睽而其事類也, 睽之時用大矣哉

하늘과 땅은 분열되어 있지만 그 일은 동일하고, 남자와 여자는 차이가 나지만 그 뜻은 통하며, 만물은 다양하지만 그 일은 같은 종류이니, 분열의 때와 작용이 크도다!

本義

極言其理而贊之.

그 이치를 지극하게 말하여 찬미하였다.

程傳

推物理之同, 以明睽之時用, 乃聖人合睽之道也. 見同之爲同者, 世俗之知也. 聖人則明物理之本同, 所以能同天下而和合萬類也. 以天地男女萬物明之. 天高地下, 其體睽也, 然陽降陰升, 相合而成化育之事則同也. 男女異質, 睽也, 而相求之志則通也. 生物萬殊, 睽也, 然而得天地之和, 稟陰陽之氣, 則相類也. 物雖異而理本同, 故天下之大, 群生之衆, 睽散萬殊, 而聖人爲能同之, 處睽之時, 合睽之用. 其事至大, 故云 "大矣哉!"

사물의 이치가 동일함을 추론하여 분열의 때와 작용을 밝혔으니,

이는 성인이 분열을 화합시키는 방도이다. 동일함에서 동일하다는 점을 보는 것은 세속의 앎이다. 성인은 사물의 이치가 본래 동일함을 분명하게 아니, 그래서 세상을 동화시키고 만 가지 종류를 화합시킨다. 하늘과 땅, 남자와 여자, 만물을 가지고 밝혔다.
하늘은 높고 땅은 낮아 그 형체는 분열되어 있지만, 양기(陽氣)는 내려오고 음기(陰氣)는 올라가 서로 화합하여 변화하고 양육하는 일을 이루니 동일하다. 남자와 여자는 질적으로 차이가 나서 분열하지만, 서로를 구하는 뜻은 통한다. 생물들은 만 가지로 다양하여 대립하지만 천지의 조화를 얻고 음양의 기운을 품수 받았으니 서로 같은 부류이다.
모든 사물은 다르지만 그 이치는 본래 같으므로 천하의 큰 것과 여러 생명체의 다양함이 차이가 나고 만 가지지만 성인은 그것을 동일화시킬 수 있으니 분열의 때에 처하여 분열을 화합하는 작용이 있다. 그 하는 일이 지극히 크기 때문에 "크도다!"라고 했다.

集說

● 趙氏汝楳曰 : "天地不睽, 則淸濁淆瀆. 男女不睽, 則外內無別. 萬物不睽, 則生化雜糅. 睽者其體, 合者其用."[7]

조여매(趙汝楳)가 말했다. "하늘과 땅이 분열되지 않으면 맑음과 흐림이 뒤섞인다. 남자와 여자가 분열되지 않으면 안과 밖에 분별이 없다. 만물이 분열되지 않으면 탄생과 조화가 혼잡하다. 분열은 그 체(體)가 되고 화합은 그 용(用)이다."

7) 조여매(趙汝楳), 『주역집문(周易輯聞)』 권4.

39. 건蹇䷦괘

> 蹇, 難也, 險在前也. 見險而能止, 知矣哉.
> 건은 고난을 뜻하니, 위험이 앞에 있다. 위험을 보고 멈추어 설 수 있으니, 지혜롭구나!

本義

以卦德釋卦名義而贊其美.

괘의 덕으로 괘의 이름과 뜻을 해석하고 그 아름다움을 찬미하였다.

程傳

蹇, 難也. 蹇之爲難, 如乾之爲健. 若易之爲難, 則義有未足. 蹇有險阻之義, 屯亦難也, 困亦難也. 同爲難而義則異. 屯者, 始難而未得通, 困者, 力之窮, 蹇乃險阻艱難之義, 各不同也. "險在前也", 坎險在前, 下止而不得進, 故爲蹇. 見險而能止, 以卦才言, 處蹇之道也. 上險而下止, "見險而能止"也. 犯險而進, 則有悔咎, 故美其能止爲知也. 方蹇難之時, 唯能止爲善. 故諸爻除五與二外, 皆以"往"爲失, "來"爲得也.

건(蹇䷦)은 험난함이다. 건이 험난함인 것은 건(乾䷀)괘의 '건'이 강건함을 뜻하는 것과 같다. 만약 괘의 이름을 난(難)이라고 바꾸면, 의미가 충분하지 못하다.

건(蹇)괘에는 위험한 장애라는 뜻이 있다. 준(屯䷂)괘의 혼돈도 험난함이고, 곤(困䷮)괘의 곤경도 험난함을 뜻한다. 험난함이라는 점에서는 동일하지만 그 뜻은 다르다. 준(屯)은 처음에 어려워서 소통하지 못하는 것이고, 곤(困)은 힘이 궁색한 것이고, 건(蹇)은 바로 위험과 장애로 막혀서 험난한 뜻이니 각기 다르다.

"위험이 앞에 있다"고 한 것은 웅덩이의 위험이 앞에 있어 아래에서 멈춰 나아갈 수가 없기 때문에 험난함이다. 위험을 보고 멈출 수 있음을 괘의 자질로 말하면 험난함에 대처하는 방도이다. 위로는 위험이고 아래로는 멈춤이니, "위험을 보고 멈추어 설 수 있다." 위험을 무시하고 나아가면 후회와 허물이 있으므로 멈출 수 있는 것을 지혜롭다고 찬미한 것이다.

고난하고 험난한 때 오직 멈출 수 있는 것이 가장 좋다. 그러므로 여러 효에서 구오효와 육이효를 제외하고 모두 "간다"는 것을 손실로 여겼고 "온다"는 것을 이득으로 보았다.

集說

● 項氏安世曰 : "險而止爲蒙, 止於外也. '見險而能止'爲智, 止於內也. 止於外者, 阻而不得進也. 止於內者, 有所見而不妄進也. 此蒙與蹇之所以分也. 屯與蹇皆訓難, 屯者動乎險中, 濟難者也, 蹇者止乎險中, 涉難者也. 此屯, 與蹇之所以分也."[1]

항안세(項安世)가 말했다. "위험에서 멈추는 것이 어리석은 몽(蒙䷃)괘인데 밖에서 멈춘다. '위험을 보고 멈출 수 있는' 것이 지혜로우니 안에서 멈추는 일이다. 멈춤은 험난함에서 나아갈 수 없는 것이다. 안에서 멈춤은 보는 것이 있어 함부로 나아가지 않는다. 이것이 몽괘와 건괘가 구분되는 점이다. 준(屯䷂)괘와 건(蹇䷦)괘는 모두 험난함으로 풀이하는데, 준괘는 위험 가운데서 움직이는 것으로 험난함을 구제하고, 건괘는 위험 가운데 멈춤으로 험난함을 건너는 일이다. 이것이 준괘와 건괘가 구분되는 까닭이다."

● 王氏申子曰 : "冒險而進, 豈知者之事. 故諸爻皆喜來而惡往. 唯二與五不言來往. 蓋君臣濟蹇者也. 其可見險而遽止乎! 其止者, 處蹇之事也. 其不止者, 濟蹇之事也."[2]

왕신자(王申子)가 말했다. "위험을 무릅쓰고 나아가는 것이 어찌 지혜로운 자의 일인가! 그러므로 여러 효는 모두 오는 것을 기뻐했고 가는 것을 미워했다. 오직 이효와 오효는 가고 오는 것을 말하지 않았다. 군주와 신하가 험난함을 구제하기 때문이다. 그들이 위험을 보고 성급하게 멈출 수 있겠는가! 멈추는 것은 험난함에 처하는 일이다. 멈추지 않는 것은 험난함을 구제하는 일이다."

1) 항안세(項安世), 『주역완사(周易玩辭)』 권8.
2) 왕신자(王申子), 『대역집설(大易緝說)』 권6.

蹇利西南, 往得中也, 不利東北, 其道窮也. 利見大人, 往有功也, 當位貞吉, 以正邦也. 蹇之時用大矣哉.

험난한 때 서남쪽이 이로운 것은 가서 알맞음을 얻기 때문이고, 동북쪽이 이롭지 않은 것은 그 도리가 궁색해지기 때문이다. 대인을 만남이 이롭다는 가서 공이 있는 것이고, 지위를 감당하고 올바르게 행하면 길하다는 나라를 바로 잡는 일이다. 험난함의 때와 작용이 크구나!

本義

以卦變卦體釋卦辭, 而贊其時用之大也.

괘의 변(變)과 괘의 체(體)로 괘사(卦辭)를 해석하여 그 때와 작용이 큼을 찬미하였다.

程傳

蹇之時, 利於處平易. 西南坤方爲順易, 東北艮方爲險阻. 九上居五而得中正之位, 是往而得平易之地, 故爲利也. 五居坎險之中, 而謂之平易者, 蓋卦本坤, 由五往而成坎, 故但取往而得中, 不取成坎之義也. 方蹇而又止危險之地, 則蹇益甚矣, 故不利東北, 其道窮也, 謂蹇之極也.

험난한 때에 평탄하고 쉬운 곳에 처하는 것이 이롭다. 서남쪽은 곤(坤☷)괘의 방위이므로 순조롭고 평탄한 곳이고, 동북쪽은 간(艮☶)괘의 방위이므로 위험과 장애가 된다. 구(九)가 위로 올라가 오(五)의 위치에 자리하여 중정(中正)의 지위를 얻었으니, 이는 가서 평탄한 곳을 얻은 것이므로 이롭다.
구오효가 위험한 장애 가운데 자리했는데 평이한 곳이라고 말한 것은 감(坎☵)괘가 본래 곤(坤☷)괘였는데, 구오효가 그 위치에 가서 감괘가 되었기 때문에 가서 중도를 얻은 뜻만을 취하고, 감괘가 된 의미는 취하지 않아서이다.
험난함의 때가 되었는데 또 위험한 곳에 멈추게 되면 험난함이 더욱 심해지므로 동북쪽은 이롭지 않고 도(道)가 궁색해지니 험난함이 극도에 달한다는 말이다.

蹇難之時, 非聖賢不能濟天下之蹇, 故利於見大人也. 大人當位, 則成濟蹇之功矣, 往而有功也. 能濟天下之蹇者, 唯大正之道. 夫子又取卦才而言, 蹇之諸爻, 除初外, 餘皆當正位, 故爲貞正而吉也. 初六雖以陰居陽而處下, 亦陰之正也. 以如此正道正其邦, 可以濟於蹇矣. 處蹇之時, 濟蹇之道, 其用至大, 故云大矣哉. 天下之難, 豈易平也? 非聖賢不能, 其用可謂大矣. 順時而處, 量險而行, 從平易之道, 由至正之理, 乃蹇之時用也.

험난한 때에 성현이 아니라면 천하의 험난함을 구제할 수 없으므로 대인을 만나면 이롭다. 대인이 지위를 맡으면 험난함을 구제하는 공을 이루니 가서 공이 있다.
천하의 험난함을 구제할 수 있는 것은 오직 공명정대한 도이다. 공자는 또 괘의 자질을 가지고 말했으니 건괘의 여러 효 가운데 초육효를 제외하고 나머지 모두 올바른 지위를 맡았으므로 올바르게 행하여 길하게 된다.

초육효는 음(陰)으로 양(陽)에 자리했지만 아래에 처하니 또한 음(陰)의 올바름이다. 이와 같은 정도(正道)로 그 나라를 바로잡는다면 험난함을 구제할 수 있다. 험난한 때에 처하여 험난함을 구제하는 도리는 그 작용이 지극히 크므로 크다고 했다. 천하의 험난함을 어찌 쉽게 평정할 수 있겠는가? 성현이 아니라면 불가능하니 그 작용이 크다고 할만하다.

그 때에 순응하면서 처신하고 위험을 헤아리면서 행하며 평탄하고 쉬운 방도를 따르고 지극히 올바른 이치를 따르니, 이것이 험난함의 때와 작용이다.

集說

● 薛氏溫其曰 : "諸卦皆指內爲來, 外爲往, 則此往得中謂五也. 蹇 · 解相循, 覆視蹇卦則爲解. 九二得中. 則曰'其來復吉, 乃得中也'. 往者得中, 中在外也. 來復得中, 中在內也."

설온기(薛氏溫其)가 말했다. "여러 괘는 모두 안을 가리켜 온다고 하고 밖을 가리켜 간다고 하니, 여기에 가서 중도를 얻는다는 것은 오효를 말한다. 건(蹇䷦)괘와 해(解䷧)괘는 서로 순환하니 건괘를 뒤집어서 보면 해괘가 된다. 해괘 구이효가 중도를 얻으니[3] '와서

3) 『주역』「해(解)괘」 : "구이효는 사냥하여 세 마리 여우를 잡아, 누런 화살을 얻으니, 올바르게 하여 길하다.[九二, 田獲三狐, 得黃矢, 貞吉.]"라고

회복하는 것이 길하다는 말은 중도를 얻는 것이다.'[4]라고 했다. 가는 것이 중도를 얻는 것은 중도가 밖에 있다. 와서 다시 중도를 얻는 것은 중도가 안에 있다."

● 胡氏炳文曰："坎·睽·蹇皆非順境， 夫子以爲雖此時亦有可用者, 故皆極言贊之. 坎·睽釋卦辭後, 復從天地人物極言之, 以贊其大. 蹇則釋卦辭以贊之而已. 蓋上文所謂'往得中''有功''正邦'卽其用之大者也."

호병문(胡炳文)이 말했다. "감(坎☵)괘·규(睽☲)괘·건(蹇☵)괘는 모두 순탄하지 않은 때이니 공자가 이 때일지라도 또한 작용할 수 있는 것이 있으므로 매우 찬미했다. 감괘와 규괘는 괘의 말을 해석한 뒤에 다시 천지인물을 따라 지극하게 말하여 그 큼을 찬미했다. 건괘는 괘의 말을 해석하여 찬미했을 뿐이다. 위의 문장에서 '가서 중도를 얻는다' '공이 있다' '나라를 바로 잡는다'고 한 말이 바로 그 작용이 큰 것이다."

案

「彖傳」於蹇·解言"得中"者, 但取其進退之合宜, 不躁動以犯難, 爲"利西南"之義耳. 諸家必以坤·坎·艮之象求之, 猶乎漢儒鑿智之餘也.

「단전」에서 건(蹇)괘와 해(解)괘에서 "중도를 얻는다"고 한 것은 단

하였다.

4) 『주역』「해(解)괘」「단전」.

지 그 진퇴가 마땅함에 합치된다는 뜻을 취했으니, 조급하게 움직여 험난함을 범하지 않는 것이 "서남쪽이 이롭다"는 뜻일 뿐이다. 여러 학자들이 반드시 곤(坤☷)괘 · 감(坎☵)괘 · 간(艮☶)괘의 모습에서 이를 구하니, 한나라 유학자들이 천착하여 오류를 저지르는 것과 같다.

40. 해解䷧괘

解, 險以動, 動而免乎險解.

풀어짐은 험난한 곳에서 움직이니, 움직이면 위험을 면하는 것이 풀어짐이다.

本義

以卦德釋卦名義.

괘의 덕으로 괘 이름의 뜻을 해석하였다.

程傳

坎險震動, "險以動"也. 不險則非難, 不動則不能出難. 動而出於險外, 是"免乎險難"也, 故爲解.

감(坎☵)괘는 험난함이고, 진(震☳)괘는 움직임이니, 험난한 곳에서 움직이는 모습이다. 위험하지 않다면 험난함이 아니고 움직이지 않으면 험난한 곳에서 벗어날 수 없다. 움직여서 위험한 곳 밖으로 나오니, 이것이 험난한 때 위험을 면한 것이므로, 풀어짐이다.

集說

● 何氏楷曰 : "以畫觀之, 蹇之反. 以卦觀之, 屯之反. 蹇止於險下, 不如屯動乎險中. 屯動乎險中, 又不如解動乎險外也."

하해(何楷)가 말했다. "획으로 보면 건(蹇䷦)괘가 뒤집어진 것이다. 괘로 보면 준(屯䷂)괘의 반대이다.[1] 건(蹇)괘는 위험 아래에 멈추었으니 준괘가 위험 가운데서 움직이는 것만 못하다. 준괘는 위험 가운데서 움직이니 또 해괘가 위험 밖에서 움직이는 것만 못하다."

1) 준(屯䷂)괘의 반대이다. 준괘는 수뢰준(水雷屯)이고 해괘는 뢰수해(雷水解)이다.

解, 利西南, 往得衆也, 其來複吉, 乃得中也, 有攸往夙吉, 往有功也.

"풀어짐은 서남쪽이 이롭다"는 가서 군중을 얻는 것이다. "와서 회복하는 것이 길하다"는 중도를 얻는 것이다. "나아갈 일이 있다면, 일찍 하는 것이 길하다"는 나아가면 공이 있다는 말이다.

本義

以卦變釋卦辭. 坤爲衆, 得衆, 謂九四入坤體. "得中""有功", 皆指九二.

괘의 변화로 괘의 말을 해석하였다. 곤(坤☷)은 무리가 되니, 무리를 얻었다는 것은 구사(九四)효가 곤체(坤體)로 들어감을 말한다. "중도를 얻고" "공(功)이 있다"는 것은 모두 구이(九二)효를 가리킨다.

程傳

解難之道, 利在廣大平易, 以寬易而往濟解, 則得衆心之歸也. 不云無所往, 省文爾. 救亂除難, 一時之事, 未能成治道也. 必待難解無所往, 然後來復先王之治, 乃得中道, 謂合宜也. 有所爲, 則"夙吉"也, 早則往而有功, 緩則惡滋而害深矣.

험난함을 해결하는 방도는 그 이로움이 넓고 크고 평탄하고 쉬운 곳에 있으니, 관대하고 평이함으로 나아가 구제하고 위험에서 풀려

나면 군중의 마음이 돌아오게 된다.

"나아갈 필요가 없다"고 말하지 않은 것은 글을 생략했을 뿐이다. 혼란을 구제하고 험난함을 없앰은 한 때의 일이니 다스리는 도를 완성할 수 있는 것이 아니다. 반드시 험난함이 해결되어 나아갈 필요가 없게 된 뒤에 선왕(先王)의 정치를 회복해야 중도(中道)를 얻게 되니 마땅함에 부합된다.

도모할 일이 있으면 일찍 하면 길하니 일찍 하면 가서 공로가 있고 늦게 하면 악(惡)이 불어나 해로움이 깊어진다.

集說

● 王氏安石曰:"有難則往, 所以濟難. 難已則來而復, 所以保常. 濟難以權, 保常以中, 此所以吉."

왕안석이 말했다. "험난함이 있으면 가는 것이 험난함을 구제하는 뜻이다. 험난함이 그쳤다면 와서 회복하는 것이 상도를 보존하는 일이다. 권도(權道)로 험난함을 구제하고 중도(中道)로 상도(常道)를 보존하는 것이 길하다."

● 郭氏雍曰:"其來復吉乃得中者, 險難旣解而來復, 乃得中道, 所謂獲三狐而得黃矢者也. 有攸往夙吉, 往有功者. 如射隼於高墉之上者也."[2)]

곽옹(郭雍)이 말했다. "'와서 회복하는 것이 길하다는 말은 중도를

2) 곽옹(郭雍), 『곽씨전가역설(郭氏傳家易說)』

얻는 것이다'는 험난함이 해결되어 다시 회복하면 중도를 얻는다는 뜻이니, '사냥하여 세 마리 여우를 잡아, 누런 화살을 얻는다'[3]는 말이다. '나아갈 일이 있다면, 일찍 하는 것이 길하다는 말은 나아가면 공이 있다'는 뜻인데, '새매를 높은 담장 위에서 쏘아 잡는다'[4]는 말이다."

● 徐氏幾曰 : "乃得中, 指二也. 蓋禍亂已散, 則復反於安靜之域, 不事煩擾, 以靜而吉也."[5]

서기(徐幾)가 말했다. "중도를 얻었다는 것은 구이효를 가리킨다. 재난이 없어지면 다시 안정된 영역에 돌아오니 번거로운 일을 하지 않아 고요하여 길하다."

● 邱氏富國曰 : "大抵處時方平者, 易緩. 除惡不盡者, 易滋. 聖人於患難方平之際, 旣不欲人以多事自疲, 又不欲人以無事自怠也."[6]

구부국(邱富國)이 말했다. "평온해지려고 할 때 쉽게 이완된다. 완

---

3) 『주역』「해괘」: "구이효는 사냥하여 세 마리 여우를 잡아, 누런 화살을 얻으니, 올바르게 하여 길하다.[九二, 田獲三狐, 得黃矢, 貞吉.]"라고 말하였다.

4) 『주역』「해괘」: "상육효는 공(公)이 새매를 높은 담장 위에서 쏘아 잡으니, 이롭지 않음이 없다.[上六, 公用射隼于高墉之上, 獲之, 无不利.]"라고 하였다.

5) 한림시독교래(翰林侍讀喬萊), 『역사(易俟)』 권12.

6) 한림시독교래(翰林侍讀喬萊), 『역사(易俟)』 권12.

전하게 악을 제거하지 못하면 그 악은 쉽게 불어난다. 성인은 환난이 평온해질 때, 사람들이 많은 일을 하여 피로해지지 않도록 했고 사람들이 아무런 일도 하지 않아 나태해지지 않도록 했다."

案

之東北爲進前, 之西南爲退後, 然則來復卽"利西南"之義也. 而以"得衆""得中"重釋之者, "得衆", 釋利字之義. 言能修內固本, 則得人心之歸也. "乃"字卽承此意言之. 謂唯其"利西南", 故必來復乃得中道也. "得衆""得中", 亦但論義理, 似不必牽合卦象.

동북쪽으로 가는 것은 앞으로 나가는 일이고 서남쪽으로 가는 것은 뒤로 물러나는 일이니, 와서 회복한다는 것은 "서남쪽으로 가는 것이 이롭다"는 뜻이다.
"무리를 얻고" "중도를 얻는다"는 말로 "무리를 얻는" 일이 이로움이라는 글자를 해석한 뜻이다.
안을 수양하고 근본을 견고하게 하면 사람의 마음이 돌아옴을 얻는다. "내(乃)"라는 글자는 이 뜻을 이어서 말한 것이다.
오직 "서남쪽이 이롭다"고 했으므로 반드시 와서 회복해야 중도를 얻는다. "무리를 얻고" "중도를 얻는 것" 또한 의리로 논한 것이니 반드시 괘상에 견강부회할 필요는 없다.

天地解而雷雨作, 雷雨作而百果草木皆甲坼, 解之時大矣哉.

하늘과 땅이 풀려 우레와 비가 일어나고, 우레와 비가 일어나 온갖 과실과 초목의 싹이 모두 열려 터지니, 풀어짐의 때가 크구나!

本義

極言而贊其大也.

극진히 말하여 그 큼을 찬미하였다.

程傳

旣明處解之道, 復言天地之解, 以見解時之大. 天地之氣, 開散交感而和暢, 則成雷雨, 雷雨作而萬物皆生發甲坼. 天地之功, 由解而成, 故贊"解之時大矣哉!"王者法天道, 行寬宥, 施恩惠, 養育兆民, 至於昆蟲草木, 乃順解之時, 與天地合德也.

풀어짐에 처하는 방도를 밝히고 다시 하늘과 땅의 풀어짐을 말하여, 풀어짐의 때가 큼을 드러낸 것이다.
하늘과 땅의 기운이 열리고 풀려 서로 교감하여 화합하고 창대해지면 우레와 비를 이루고, 우레와 비가 일어나면 만물이 모두 생겨나 싹이 튼다. 하늘과 땅의 공로가 이 풀어짐을 통해 완성되므로 풀어짐의 때가 위대하다고 찬미했다.

왕(王)은 천도(天道)를 본받아 관대하게 용서하고 은혜를 베풀어 수많은 백성을 양육하니, 곤충과 초목에 이르기까지 풀어지는 때에 순응하여 천지(天地)와 더불어 덕을 합치한다.

集說

● 王氏弼曰 : "天地否結, 則雷雨不作. 交通感散, 雷雨乃作也. 雷雨之作, 否結則散, 故百果草木皆甲坼."[7]

왕필(王弼)[8]이 말했다. "하늘과 땅이 막혀 응결되면 우레와 비가 일어나지 않는다. 교감하고 소통해야 우레와 비가 일어난다. 우레와 비가 일어나면 막혀 응결된 것이 흩어지므로 온갖 과실과 초목이 모두 열려 터진다."

● 胡氏炳文曰 : "解上下體易爲屯, 動乎險中爲屯, 動而出乎險之外爲解. 屯象草穿地而未申, 解則雷雨作而百果草木皆甲坼. 當蹇之未解, 必動而免乎險, 方可以爲解. 蹇之既解, 則宜安靜

---

7) 왕필(王弼), 『주역주(周易註)』

8) 왕필(王弼, 226~249) : 자는 보사(輔嗣)이고, 산양(山陽) 고평(高平 : 현 산동성 금향 현〈金鄕縣〉) 사람이다. 중국 삼국시대 위(魏)나라의 철학자이며, 상서랑(尙書郞)을 지냈다. 왕필은 24세의 나이로 죽을 때 이미 도가경전 『도덕경(道德經)』과 유교경전 『주역(周易)』의 탁월한 주석가였다. 이러한 주석서들을 통해 중국 사상에 형이상학을 소개하는 데 기여했으며, 유가와 도가가 회통할 수 길을 열었다. 저서로는 『주역주(周易注)』, 『주역약례(周易略例)』, 『노자주(老子注)』·『노자지략(老子指略)』, 『논어역의(論語繹疑)』 등이 있다.

而不可久煩擾. 故蹇·解之時, 聖人皆贊其大."

호병문(胡炳文)이 말했다. "해(解䷧)괘의 상체와 하체를 뒤집으면 준(屯䷂)괘이니 위험 속에서 움직이는 것이 준괘이고 움직여서 위험의 밖으로 나온 것이 해괘이다. 준괘의 모습은 초목의 땅을 뚫으려고 하는 데 아직 펼쳐지지 못한 것이고 해괘의 모습은 우레와 비가 일어나 온갖 과실과 초목이 모두 열려 터진 것이다. 험난함이 해결되지 못했을 때는 움직여서 위험을 면해야 비로소 풀어진다. 험난함이 풀어지면 마땅히 안정되어 오래도록 번거롭게 해서는 안 된다. 그러므로 건(蹇)괘와 해(解)괘의 때를 두고 성인이 모두 그 큼을 찬미했다."

41. 손損䷨괘

損, 損下益上, 其道上行.

덜어내는 것은 아래를 덜어내어 위를 증진시키므로 그 도가 위로 행한다.

本義

以卦體釋卦名義.

괘의 체(體)로 괘 이름 뜻을 해석하였다.

程傳

損之所以爲損者, 以損於下而益於上也. 取下以益上, 故云 "其道上行". 夫損上而益下則爲益, 損下而益上則爲損, 損基本以爲高者, 豈可謂之益乎?

손괘가 덜어냄을 뜻하는 것은 아래에서 덜어내어 위를 증진시키기 때문이다. 아래에서 덜어내어 위를 증진시키므로 "그 도가 위로 행한다"고 했다.
위를 덜어내어 아래를 증진시키는 것이 익(益)괘이고, 아래를 덜어내어 위를 증진시키는 것이 손괘이니, 기초와 근본을 덜어내어 높게 만드는 것을 어찌 덧붙임이라 할 수 있겠는가?

集說

● 蔡氏清曰："損下益上，利歸於上也，故曰其道上行．下損則上不能獨益矣，卦所以爲損也."[1]

채청(蔡清)[2]이 말했다. "아래를 덜어내어 위를 덧붙이니 이로움이 위로 귀결되므로 '그 도가 위로 행한다'고 했다. 아래를 덜어내면 위만 홀로 유익할 수가 없으니 괘가 덜어냄이 된다."

● 林氏希元曰："損下益上，下損則上亦損，故曰其道上行，道

1) 채청(蔡清), 『역경몽인(易經蒙引)』 권6.
2) 채청(蔡清, 1453~1508) : 명(明)대 진강(晉江) 사람으로, 자는 개부(介夫)이고 별호는 허재(虛齋)이다. 31세에 진사에 급제하여 벼슬은 남경문선랑중(南京文選郎中) · 강서제학부사(江西提學副使) 등을 역임하였다. 명대의 저명한 이학가(理學家)로서 주로 이정(二程)과 주희(朱熹)의 저술 연구를 통해 그들의 사상을 계승하였다. 특히 천주(泉州) 개원사(開元寺)에서 역학연구단체를 결성하여 90여 책을 출간하면서 청원학파(清源學派)를 이루었다. 이정기(李廷機) · 장악(張嶽) · 임희원(林希元) · 진침(陳琛) 등의 학자들이 그 학파의 주요 구성원이었다. 저술로는 『사서몽인(四書蒙引)』·『역경몽인(易經蒙引)』·『허재문집(虛齋文集)』 등이 있다.

者, 損之道也.『程傳』小注蒙引俱作利歸於上說, 愚謂卦以損下取名, 所重不在於利, 又難以道爲利."[3]

임희원(林希元)[4]이 말했다. "아래를 덜어내고 위를 덧붙인다는 것은 아래를 덜어내면 위도 또한 덜어지므로 그 도가 위로 행한다고 하는데, 이때 도는 덜어내는 도이다.『정전』의 소주에서,『역경몽인(易經蒙引)』은 모두 이로움이 위로 귀결된다 설명했는데 내가 생각하기 이 괘는 아래를 덜어내는 것으로 괘 이름을 취하여 중요한 바가 이로움에 있지 않고, 또 도를 가지고 이로움을 삼기도 어렵다."

案

蔡氏林氏兩說, 沿襲用之. 今思之, 於卦義皆未全. 蓋說者但主取民財一事耳, 豈知如人臣之致身事主, 百姓之服役奉公? 皆損下益上之事也. 必如此, 然後上下交而志同, 豈非其道上行乎! "上行", 與"地道卑而上行"之義同. 下能益上, 則道上行矣. 上能益下, 則道大光矣. 如此則道字方有意味, 而於兩卦諸爻之義亦合.

3) 임희원(林希元),『역경존의(易經存疑)』권6.
4) 임희원(林希元, 1481~1565) : 명(明)대 동안 신점(同安新店) 사람으로, 자는 무정(茂貞)이고 호는 차애(次崖)이다. 명(明) 정덕(正德)11년(1516)에 진사에 급제하여 남경대리사평사(南京大理寺評事), 광서사주판관(廣西泗州判官), 흠주지주(欽州知州) 등을 역임했다. 학문으로는 정주학과 채청(蔡清)의『역경몽인(易經蒙引)』을 중시했다. 특히『주역』을 다른 경전에 비해 극히 높게 평가하여, 오경 가운데『역경』을 뺀 나머지는 강물과 같고『역경』은 바다와 같다고 했다. 저술로는『역경존의(易經存疑)』,『사서존의(四書存疑)』,『임차애선생문집(林次崖先生文集)』등이 있다.

채씨[채청]와 임씨[임희원] 두 학설은 답습하여 사용된다. 지금 생각해보면 괘의 뜻은 모두 온전하지 못하다. 이 괘에 대해 말하는 사람들은 단지 백성의 재산 한 가지 일만을 취했을 뿐이니, 어찌 신하가 몸을 이끌어 군주를 섬기고 백성이 복역하여 공을 섬기는 일을 알겠는가? 모두 아래를 덜어서 위를 덧붙이는 일이다.

반드시 이와 같은 뒤에 위와 아래가 교류하여 뜻이 같아지니, 어찌 그 도가 위로 행하는 것이 아니겠는가? "위로 행한다"는 것과 "지도(地道)는 낮추어 위로 행한다"[5]는 뜻이 같다.

아래에서 위를 덧붙일 수 있다면 도가 위로 행한다. 위에서 아래를 덧붙일 수 있다면 도가 크게 빛난다. 이와 같으면 도라는 글자에 의미가 있어 두 괘에 있는 여러 효의 뜻 또한 합치한다.

---

5) 『주역』「겸괘」「단전」: "'겸손은 형통하다'는 것은 하늘의 도는 아래로 교류하여 빛이 밝게 빛나고, 땅의 도는 스스로를 낮추어 위로 행하는 것이다.[謙亨, 天道下濟而光明, 地道卑而上行.]"라고 하였다.

損而有孚, 元吉無咎可貞, 利有攸往, 曷之用, 二簋可用享, 二簋應有時, 損剛益柔有時, 損益盈虛, 與時偕行.

덜어내되 믿음이 있으면 크게 길하여 허물이 없고 올바르게 할 수 있어, 나아가는 것이 이롭다. “어떻게 쓰겠는가? 두 대그릇으로도 제사를 드릴 수 있다”는 두 대그릇으로 제사에 올리는 마땅한 때가 있으며, 굳셈을 덜어 부드러움을 증진시키는 때가 있다는 말이다. 덜어내고 증진시키며 채우고 비우는 것은 때에 맞게 행해야 한다.

本義

此釋卦辭. “時”, 謂當損之時.

이는 괘사(卦辭)를 해석한 것이다. “때”는 덜어내는 때를 말한다.

程傳

謂損而以至誠, 則有此“元吉”以下四者, 損道之盡善也. 夫子特釋“曷之用二簋可用享”, 卦辭簡直, 謂當損去浮飾. 曰何所用哉, 二簋可以享也. 厚本損末之謂也. 夫子恐後人不達, 遂以爲文飾當盡去, 故詳言之. 有本必有末, 有實必有文, 天下萬事無不然者. 無本不立, 無文不行.

덜어내되 지극히 성실함으로 하면, 이렇게 "크게 길하다"는 것 이하의 네 가지가 있으니, 덜어내는 방도에서 최선을 다하였다.
공자가 특별히 "어떻게 쓰겠는가? 두 대그릇으로도 제사를 드릴 수 있다"는 말을 해석했는데, 괘의 말은 간단하고 직설적이어야 하므로 마땅히 헛된 장식을 제거해야 한다. 그래서 "어떻게 쓰겠는가? 두 그릇으로도 제사를 드릴 수 있다"고 했다. 이는 근본을 두텁게 하고 지엽적인 것을 덜어내야 한다는 말이다.
공자는 후세 사람들이 이 뜻을 이해하지 못하고, 모든 꾸미는 장식을 응당 없애 버려야 한다고 생각할까봐 염려하여, 상세하게 말했다.
근본이 있으면 반드시 지엽적인 것이 있고, 실질이 있으면 반드시 꾸밈이 있으니, 세상의 모든 일에 그렇지 않은 일이 없다.
근본이 없으면 세상에서 서지 못하고, 꾸밈이 없으면 세상에서 행해질 수가 없다.[6]

父子主恩, 必有嚴順之體. 君臣主敬, 必有承接之儀. 禮讓存乎內, 待威儀而後行, 尊卑有其序, 非物采則無別, 文之與實, 相須而不可缺也. 及夫文之勝, 末之流, 遠本喪實, 乃當損之時也.

6) 근본이 없으면 세상에서 서지 못하고, 꾸밈이 없으면 세상에서 행해질 수가 없다 : 『예기(禮記)』에 나온 말이다. 『예기』「예기(禮器)」: "선왕이 예를 세움에 근본이 있고 꾸밈이 있다. 충신(忠信)이 예의 근본이고 의리(義理)가 예의 꾸밈이다. 근본이 없으면 세상에 서지 못하고, 꾸밈이 없으면 세상에서 행해질 수 없다.[先王之立禮也, 有本, 有文. 忠信, 禮之本也. 義理, 禮之文也. 無本不立, 無文不行.]"라고 하였다.

부모와 자식 사이에는 은혜를 주된 것으로 하지만 반드시 엄격하고 순종하는 체통이 있고, 군주와 신하는 공경을 주된 것으로 하지만 반드시 받들고 대접하는 예의가 있다.
예의와 겸양은 마음속에 있는 것이지만, 반드시 겉으로 드러난 위엄과 형식이 있고 난 후에 시행되며, 높고 낮은 사회적 위계는 순서가 있지만 겉으로 드러난 꾸밈이 아니면 구별할 수가 없으니, 꾸밈과 실질은 서로 필요로 하기 때문에 하나라도 결여될 수가 없다. 그러나 꾸미는 것이 지나치게 과도하고 지엽적인 것에 빠져 근본에서 멀어지고 실질을 잃어버리면, 마땅히 덜어내야 할 때이다.

故云曷所用哉? 二簋足以薦其誠矣. 謂當務實而損飾也. 夫子恐人之泥言也, 故復明之曰, "二簋之質, 用之當有時, 非其所用而用之, 不可也." 謂文飾未過而損之, 與損之至於過甚, 則非也. 損剛益柔, 有時剛爲過, 柔爲不足, 損益皆損剛益柔也, 必順時而行, 不當時而損益之, 則非也. 或損或益, 或盈或虛, 唯隨時而已. 過者損之, 不足者益之, 虧者盈之, 實者虛之, 與時偕行也.

그러므로 어떻게 쓰겠는가? 두 대그릇으로도 정성을 충분히 제사드릴 수 있다고 했다. 이는 마땅히 실질에 힘쓰고 허례허식을 덜어내라는 말이다. 공자는 사람들이 말에 집착하고 얽매일 것을 염려했으므로, "두 그릇의 소박함은 그것을 사용할 마땅한 때가 있으니, 그것을 사용할 때가 아닌 데도 사용하게 되면 옳지 않다"고 다시 밝혀 말했다. 이는 꾸미는 장식이 과도하지도 않은데 덜어내거나 덜어내는 것이 과도하게 심하게 되면 잘못이라는 말이다.
굳셈을 덜어서 부드러움을 증진시키는 것은 어떨 때는 굳셈이 과도하고 부드러움이 부족하니, 덜어내거나 증진시키는 것은 모두 굳셈을 덜어내어 부드러움을 증진시키는 것이다. 그러나 반드시 적절한 때를 따라 시행해야 하고 적당한 때가 아닌데도 덜어내거나 증진시키면 잘못이다.

덜어내기도 하고 더하기도 하며 채우기도 하고 비우기도 하니 오직 때를 따를 뿐이다. 과도한 것은 덜어내고 부족한 것은 증진시키며 이지러진 것은 채우고 꽉 찬 것은 비우되, 때에 맞게 행해야 한다.

集說

● 徐氏幾曰 : "卦辭曰損有孚, 「彖傳」曰損而有孚, 加以'而'字, 義曉然矣."

서기(徐幾)[7]가 말했다. "괘의 말에서 '덜어냄은 믿음이 있다'는 말은 「단전」에서 '덜어내어 믿음이 있다'고 했으니 '이(而)'자를 덧붙여 뜻이 분명해졌다."

● 張氏清子曰 : "當其可之謂時, 當損而損, 時也. 不當損而損, 則非時."

7) 서기(徐幾) : 자는 자여(子與)이고, 호는 진재(進齋)이다. 송대 숭안(崇安 : 현 복건성 무이산시〈武夷山市〉) 사람이다. 송 리종(理宗) 경정(景定) 5년(1264)에 적공랑(迪功郎)에 천거되고, 건녕부교수(建寧府教授) 겸 건안서원산장(建安書院山長) 겸 숭정전설서(崇政殿說書)를 제수 받았다. 박학다재(博學多才)하였고 특히 역학에 정통하여 『역집(易輯)』, 『역의(易義)』 등을 저술하였다.

장청자(張清子)가 말했다. "그 일이 가능할 만한 것이 때이니 덜어낼 만한 때 덜어내는 것이 때이다. 덜어내서는 안 되는데 덜어내면 때가 아니다."

案

『程傳』之義, 施於賁卦則可. 此卦所謂損者, 乃謂時當節損. 如家則稱貧富之有無, 國則視凶豐爲豐儉之類耳. 故曰"損而有孚". 言時雖不得已而損, 而以"有孚"行之. 如祭祀雖不能備品, 而以至誠將之也. "二簋", 喻節損之義. 然下云"損剛益柔"者, 非以損剛喻二簋也. 剛爲本, 喻孚誠. 柔爲末, 喻儀物. 以孚誠之有餘, 補儀物之不足. 則雖二簋而不嫌於簡矣. 此"損剛益柔"之義.

『정전(程傳)』의 뜻은 비(賁)괘에 있으니 옳다. 이 괘가 덜어냄이라고 하는 것은 마땅히 절도 있게 덜어내는 때임을 말한다. 예를 들어 집안에서는 빈부의 유무를 저울질하고 나라에서는 흉함과 풍요가 풍요와 검소가 되는 것을 보는 부류일 뿐이다. 그러므로 "덜어내되 믿음이 있다"고 했다.
때가 부득이하게 덜어내야 한다면 "믿음을 가지고 행한다"는 말이다. 예를 들어 제사에 물건을 완비할 수가 없다면 지극한 정성으로 행하는 것이다. "두 대그릇"은 절약하여 덜어내는 뜻을 비유했다. 그러나 아래에서 "굳셈을 덜어내어 부드러움을 덧붙인다"고 한 것은 굳셈을 덜어내는 것이 두 대그릇을 비유한 것은 아니다. 굳셈은 근본이고 믿음과 진실을 비유한다. 부드러움은 말단이니 의례적인 물건을 비유한다. 여유가 있는 믿음과 진실로 부족한 의례적인 물건을 보충한다. 두 대그릇일지라도 간소하다는 혐의가 없다. 이것이 "굳셈을 덜어내어 부드러움을 덧붙인다"는 뜻이다.

42. 익益䷩괘

> **益, 損上益下, 民說無疆, 自上下下, 其道大光.**
> 덧붙임은 위에서 덜어내어 아래에 보태주니, 백성이 기뻐함에 끝이 없고, 위로부터 아래로 낮추니, 그 도는 크게 빛난다.

本義

以卦體釋卦名義.

괘의 체(體)로 괘 이름의 뜻을 해석하였다.

程傳

以卦義與卦才言也. 卦之爲益, 以其"損上益下"也. 損於上而益下, 則民說之. "無疆", 爲無窮極也. 自上而降己以下下, 其道之大光顯也. 陽下居初, 陰上居四, 爲自上下下之義.

괘의 의미와 괘의 자질로 말했다. 괘가 익괘가 되는 것은 "위에서 덜어내어 아래에 보태주기" 때문이다. 위에서 덜어 아래에 보태주면 백성이 기뻐한다.

"끝이 없다"는 것은 궁극이 없다는 말이다. 위에서 자신을 내려 아래로 낮추면 그 도는 크게 빛을 드러낸다.

양효가 내려와 초(初)에 자리하고 음효는 올라가 사(四)에 자리하니 위로부터 아래로 낮춘다는 뜻이다.

集說

● 胡氏炳文曰:"損其道上行以上兩句, 皆釋損義. 益其道大光以上四句, 皆釋益義."

호병문이 말했다. "덜어내어 그 도가 위로 행한다는 두 구절은 덜어냄의 뜻을 해석했다. 덧붙여 그 도가 크게 빛난다는 네 구절은 덧붙임의 뜻을 해석했다."

“利有攸往”, 中正有慶. “利涉大川”, 木道乃行.

“나감이 이롭다.”는 중정으로 기쁜 일이 있는 것이다. “큰 강을 건넘이 이롭다.”는 나무의 도가 곧 행해진 말이다.

本義

以卦體卦象釋卦辭.

괘의 체와 괘의 상(象)으로 괘사(卦辭)를 해석하였다.

程傳

五以剛陽中正居尊位, 二復以中正應之, 是以中正之道益天下, 天下受其福慶也. 益之爲道, 於平常無事之際, 其益猶小. 當艱危險難, 則所益至大, 故“利涉大川”也. 於濟艱險, 乃益道大行之時也. ‘益’誤作‘木’, 或以爲上巽下震, 故云“木道”, 非也.

구오효는 굳센 양이자 중정(中正)으로 존귀한 지위에 자리했고 육이효도 다시 중정으로 호응하니, 이는 중정의 도로 천하를 유익하게 하여 천하가 그 복과 기쁨을 받는다.

덧붙임의 도는 어떤 일도 없는 평상시에는 그 유익함이 오히려 작지만 고난과 위험에 당면했을 때는 그 유익함이 매우 크므로, “큰 강을 건넘이 이롭다.” 위험과 고난을 해결하는 것이 바로 덧붙임의 도가 크게 행해지는 때이다.

'익(益)'을 잘못해서 '목(木)'으로 썼다. 어떤 사람은 위는 나무를 상징하는 손(巽)괘이고 아래는 우레를 상징하는 진(震)괘이므로 "배의 도"라고 했는데, 잘못된 해석이다.[1]

集說

● 朱氏震曰 : "利涉大川言木者三, 益也, 渙也, 中孚也, 皆巽也."

주진(朱震)이 말했다. "'큰 강을 건넘이 이롭다'는 말에서 나무를 말한 경우가 세 가지이니 익(益)괘, 환(渙䷺)괘[2], 중부(中孚䷼[3])괘이다. 이는 모두 손(巽☴)괘이다."

---

1) 잘못된 해석이다 : 한당(漢唐)시대 유학자들은 목(木)으로 해석하여 배를 의미한다고 했다. 호원도 그렇게 해석하고 있다. "큰 강을 건너면 이롭다는 것은 목도(木道)가 행해지는 것으로, 위의 손괘는 나무이고 아래의 진괘는 움직임이므로 나무가 배의 노가 되어 움직이면 큰 내를 건널 수 있다.[利涉大川, 木道乃行者, 上巽爲木, 下震爲動, 故以木爲舟楫, 動則能涉大川也.]" 정이천은 배를 뜻하는 나무가 아니라 익(益)이라는 글자가 잘못 써진 것으로 해석한다. 그러나 주자도 "아래의 진괘와 위의 손괘는 모두 나무의 모습이다.[下震上巽皆木之象.]"라고 하였다.

2) 『주역』「환(渙)괘」: "흩어짐은 형통하다. 왕(王)이 종묘를 두는 것에 이르면, 큰 강을 건넘이 이로우니, 올바름을 지킴이 이롭다.[渙, 亨. 王假有廟, 利涉大川, 利貞.]"라고 하였다.

3) 『주역』「중부(中孚)괘」: "진실한 믿음이 돼지와 물고기에게까지 미치면, 길하니, 큰 강을 건넘이 이롭고, 올바름을 굳게 지킴이 이롭다.[中孚, 豚魚, 吉, 利涉大川, 利貞.]"라고 하였다.

益動而巽, 日進無疆. 天施地生, 其益無方. 凡益之道, 與時偕行.

보태줌은 움직이는 데 공손하여, 날로 증진하는 데 끝이 없다. 하늘은 베풀고 땅은 생성하여 그 유익함은 고정된 장소가 없다. 보태주는 도는 때에 맞게 함께 행한다.

本義

動巽, 二卦之德. 乾下施, 坤上生, 亦上文卦體之義, 又以此極言贊益之大.

움직임과 공손함이 두 괘의 덕이다. 건(乾)은 아래로 베풀고 곤(坤)은 위로 생겨나니 또한 위 문장에서 괘의 형체를 뜻하니 또 이것으로 보태줌이 큼을 칭찬하며 지극히 말했다.

程傳

又以二體言卦才, 下動而上巽, "動而巽"也. 爲益之道, 其動巽順於理, 則其益日進, 廣大無有疆限也. 動而不順於理, 豈能成大益也? 以天地之功, 言益道之大, 聖人體之以益天下也. 天道資始, 地道生物, "天施地生", 化育萬物, "各正性命", 其益可謂無方矣. 方, 所也. 有方所, 則有限量. 無方, 謂廣大無窮極也. 天地之益萬物, 豈有窮際乎? 天地之益无窮者, 理而已矣. 聖人利益天下之道, 應時順理, 與天地合, 與時偕行也.

또 두 괘의 형체로 괘의 자질을 말했다. 아래는 움직이고 위는 공손하니 "움직이는 데 공손하다." 보태주는 방도는 그 움직임이 이치에 공손하고 순종하면 그 유익함이 날로 증진되어 광대하고 한계가 없다. 움직이는 데 이치에 순종하지 않으면 어떻게 큰 유익함을 이루겠는가?

하늘과 땅의 공으로 보태줌의 도가 위대함을 말했으니 성인이 이를 체득하여 천하를 유익하게 한다. 하늘의 도는 만물이 이를 바탕으로 해서 시작하고 땅의 도는 만물을 생성시키니 "하늘이 베풀고 땅이 생성시켜", 만물을 조화시키고 양육하여, "각각 그 본성[性]과 명(命)을 올바르게 하니", 그 유익함은 고정된 장소가 없다고 할만하다. 방(方)이란 장소이다. 고정된 장소가 있으면, 일정한 한계가 있다. 고정된 장소가 없는 것은 만물을 유익하게 하는 것이 넓고 커서 한계가 없다는 말이다. 하늘과 땅이 만물을 유익하게 하는 데 어찌 한계가 있겠는가? 하늘과 땅이 끝없이 만물을 유익하게 만드는 것 자체가 이치일 뿐이다.

성인이 천하를 유익하게 하는 방도는 때에 호응하고 이치에 순종하여 하늘과 땅과 함께 화합하는 것이니, 때와 더불어 모든 일을 행한다.

集說

● 顧氏象德曰 : "既奮發, 又沈潛, 學所以日新. 故日進無疆. 天下施, 地上行, 化所以不已. 故其益無方. 此皆時之自然者, 故曰凡益之道, 與時偕行."

고상덕(顧象德)이 말했다. "분발했다가 또 침잠하니 배움이 날로 새롭게 된다. 그러므로 날로 증진하여 끝이 없다. 하늘이 아래로 베풀고 땅이 위로 행하니 화육이 그치지 않는다. 그러므로 그 유익함이 고정된 장소가 없다. 이것이 모두 때의 자연스러움이다. 그러므로 보태주는 도는 때와 함께 행한다고 했다.

案

動巽取卦德, 施生取卦象. 風者天施也, 故姤有施命之象. 雷者地生也, 故解有甲坼之象. 損之"與時偕行"者, 時當損而損也. 益之"與時偕行"者, 時當益而益也. 人事也, 造化也, 非氣候之至, 則不能強爲益也.

움직임과 공손함으로 괘의 덕을 취했고 베품과 생성으로 괘의 상을 취했다. 바람은 하늘이 베푸는 것이다. 그러므로 구(姤䷫)괘에서는 명령을 베푸는 상[4]이 있다. 우레는 땅이 생성하는 것이다. 그러므로 해(解䷧)괘에 열매가 터지는[5] 상이 있다.

손(損)괘의 "때와 함께 모두 행한다"는 때가 마땅히 덜어내야 할 때라면 덜어내는 것이다. 익(益)괘의 "때와 함께 모두 행한다"는 때가 마땅히 보태야할 때라면 보태는 것이다.

인간사에서 만들어 나가는 일은 기후(氣候)가 이르는 것이 아니므로 억지로 보태줄 수가 없다.

4) 『주역』「구(姤)괘」「상전」: "하늘 아래에 바람이 부는 것이 구괘의 모습이니, 군주는 이것을 본받아 명령을 시행하여 사방四方에게 알린다.[天下有風, 姤, 后以施命誥四方.]"라고 하였다.

5) 『주역』「해(解)괘」「단전」: "하늘과 땅이 풀려 우레와 비가 일어나고, 우레와 비가 일어나 백 가지 과실과 초목의 싹이 모두 열려 터지니, 풀어짐의 때가 크구나![天地解而雷雨作, 雷雨作而百果草木皆甲坼, 解之時大矣哉.]"라고 하였다.

43. 쾌夬䷪괘

夬, 決也, 剛決柔也. 健而說, 決而和.

쾌는 과감하게 결단하여 척결함이니 굳셈이 부드러움을 척결하는 것이다. 강건하되 기뻐하며 척결하면서도 화합한다.

本義

釋卦名義而贊其德.

괘 이름의 뜻을 해석하여 그 덕을 찬미하였다.

程傳

"夬"爲決義, 五陽決上之一陰也. "健而說, 決而和", 以二體言卦才也. 下健而上說, 是健而能說, 決而能和, 決之至善也. 兌說爲和.

"쾌(夬)"는 결단하는 뜻이니, 다섯 양(陽)효가 위 하나의 음(陰)효를 척결하는 것이다. "강건하되 기뻐하며, 척결하면서도 화합한다"는 말은 두 괘의 형체로 괘의 자질을 말하였다. 아래 건(乾☰)괘는 강건함이고 위의 태(兌☱)괘는 기쁨이니 이는 강건하면서도 기뻐할 수 있고 척결하면서도 화합할 수 있는 것이므로, 척결하는 최선의 방도이다. 태괘의 기쁨이 화합이다.

集說

● 何氏楷曰 : "君子以天下萬物爲一體, 如陽德之無所不及. 其於小人, 未嘗仇視而物畜之也. 唯獨恐其剝陽以爲世道累, 則不容於不去耳, 而矜惜之意, 未嘗不存, 此和意也."

하해(何楷)가 말했다. "군자는 천하 만물을 하나의 몸으로 여기니 마치 양의 덕이 미치지 않는 곳이 없는 것과 같다. 소인에 대해 원수처럼 보고 사물을 비축한 적이 없다. 오직 양을 깎아서 세상의 도를 혼란하게 만드는 것을 근심하니 제거하지 않을 수가 없을 뿐이지 가엽게 여기는 뜻이 없어본 적이 없다. 이것이 화합하는 뜻이다.

案

凡釋卦名之後, 復有贊語者, 皆以起釋辭之端. 此言"健而說, 決而和", 起"揚於王庭"以下之意也.

괘의 이름을 해석한 후에 다시 그 말을 찬미한 것은 모두 괘사를 해석하는 단서를 일으킨 것이다. 이는 "강건하되 기뻐하며 척결하면서도 화합한다"는 말로 뒤에 나오는 "왕의 조정에서 드러낸다"는 말을 일으켰다.

"揚於王庭", 柔乘五剛也. "孚號有厲", 其危乃光也. "告自邑不利卽戎", 所尙乃窮也. "利有攸往", 剛長乃終也.

"왕의 조정에서 드러낸다"는 것은 부드러움이 다섯 개의 굳셈을 타고 있기 때문이다. "믿음으로 명령하여 위험이 있음을 알게 한다."는 그 위태로움이 마침내 빛나는 것이다. "자신의 읍으로부터 통고하고 군사를 추종하는 것은 이롭지 않다"는 숭상함이 마침내 궁색해지는 것이다. "나감이 이롭다"는 굳셈의 성장이 마침내 끝난다는 말이다.

本義

此釋卦辭. "柔乘五剛", 以卦體言, 謂以一小人加於衆君子之上, 是其罪也. "剛長乃終", 謂一變卽爲純乾.

이는 괘사(卦辭)를 해석한 것이다. "부드러움이 다섯 개의 굳셈을 타고 있다"는 것은 괘의 형체로 말했으니, 한 소인이 여러 군자의 위에 타고 있음을 말하는 데 이것이 그 죄이다. "굳셈의 성장이 마침내 끝난다"는 것은 한번 변하면 순수한 건(乾☰)이 됨을 말한다.

程傳

柔雖消矣, 然居五剛之上, 猶爲乘陵之象. 陰而乘陽, 非理之

甚, 君子勢旣足以去之, 當顯揚其罪於王朝大庭, 使衆知善惡也. 盡誠信以命其衆, 而知有危懼, 則君子之道, 乃無虞而光大也. 當先自治, 不宜專尙剛武. 卽戎, 則所尙乃至窮極矣. 夬之時所尙, 謂剛武也. 陽剛雖盛, 長猶未終, 尙有一陰, 更當決去, 則君子之道純一而無害之者矣, 乃剛長之終也.

부드러움이 비록 소멸되지만 다섯 개의 굳셈 위에 자리하여 올라타서 능멸하려는 모습이다. 음(陰)이 양(陽)을 올라타고 있는 것은 이치에 매우 어긋난 것이다. 군자의 세력은 그것을 제거하기에는 충분하니 마땅히 그 죄를 왕의 조정의 큰 뜰에 공개적으로 드러내어 사람들이 선과 악을 분명하게 알게 해야 한다.
진실과 믿음을 다해 사람들에게 명령하여 그 위태로움과 두려움이 있음을 알게 하면 군자의 도가 근심이 없게 되어 크게 빛난다. 마땅히 먼저 스스로 다스려야 하고 오직 굳센 무력을 숭상해서는 안 된다. 군사를 추종하면 숭상하는 것이 마침내 궁색한 지경에 이르게 된다. 척결하는 때 숭상하는 것은 바로 굳센 무력을 말한다.
양의 굳셈이 무성하지만 자라나 끝남이 없음과 같으니, 오히려 하나의 음이 있어 다시 척결해 나간다면, 군자의 도가 순일하여 해가 없는 것이다. 이에 굳셈의 자라남이 끝난다.

集說

● 孔氏穎達曰 : "剛克之道, 不可常行. 若專用威猛, 以此卽戎, 則便爲尙力取勝, 卽是決而不和, 其道窮矣. 所以唯告自邑不利卽戎者, 只爲所尙乃窮故也."[1]

공영달(孔穎達)이 말했다. "굳셈이 극복하는 도를 항상 행할 수는 없다. 만약 위엄과 사나움만을 써서 이것으로 전쟁을 하면 무력을 숭상하여 승리를 쟁취하겠지만 척결하여 화합하지 못하니 그 도가 궁하다. 그래서 오직 자신의 읍(邑)으로부터 통고하고 군사를 추종하는 것이 이롭지 않는 이유는 숭상하는 것이 궁하기 때문이다."

● 項氏安世曰 : "其危乃光, 與中未光相應. 不利卽戎, 與暮夜有戎相應. 剛長乃終, 與終有凶相應."

항안세(項安世)가 말했다. "그 위태로움이 '중도는 크게 빛나지 못한다'[2]는 말과 서로 호응한다. '군사를 추종하는 것은 이롭지 않다'는 것은 '늦은 밤에 적군이 있다'[3]는 말과 서로 호응한다. '굳셈의 자라남이 곧 끝난다'는 것은 '끝내 흉함이 있다'[4]는 말과 서로 호응한다."

● 胡氏炳文曰 : "復利有攸往, 剛長也. 夬利有攸往, 剛長乃終也. 小人有一人之未去, 猶足爲君子之憂. 人欲有一分之未盡, 猶足爲天理之累. 必至於純陽爲乾, 方爲剛長乃終也."

---

1) 공영달(孔穎達), 『주역주소(周易注疏)』 권7.
2) 『주역』「쾌(夬)괘」:「상전」에서 말하였다. "중(中)을 이룬 행위에는 허물은 없지만 중도(中道)는 크게 빛나지 못한다.[象曰, 中行无咎, 中未光也.]"라고 하였다.
3) 『주역』「쾌(夬)괘」: "구이효는 두려워하고 호령하는 것이니, 늦은 밤에 적군이 있더라도, 걱정할 것이 없다.[九二, 惕號, 莫夜有戎, 勿恤.]"
4) 『주역』「쾌(夬)괘」: "상육효는 울부짖어도 소용없으니, 끝내 흉함이 있다.[上六, 无號, 終有凶.]"라고 하였다.

호병문(胡炳文)이 말했다. "복(復䷗)괘의 '가는 바가 있으면 이롭다'는 말은 굳셈이 자라는 것이다. 쾌(夬䷪)괘의 '가는 바가 있다면 이롭다'는 말은 굳셈의 자라남이 곧 끝난다는 것이다. 소인을 한 사람이라도 제거하지 못한다면 군자의 근심이 되기에 충분하다. 인간의 욕심을 조금이라도 다하지 못하면 천리의 누가 되기에 충분하다. 반드시 순수한 양인 건(乾䷀)에 이르러야 굳셈의 자라남이 곧 끝난다."

● 吳氏曰愼曰 : "復利有攸往, 譬如平地之一簣. 故喜其進而曰剛長也. 夬利有攸往, 譬如九仞之尙虧一簣. 故恐其止而曰剛長乃終也."

오왈신(吳曰愼)이 말했다. "복괘의 '가는 바가 있으면 이롭다'는 것은 비유하자면 평지에 한 삼태기를 쌓는 것[5]과 같다. 그러므로 그 나아감을 기뻐하는 것이니 굳셈이 자라난다고 했다. 쾌괘의 '가는 바가 있으면 이롭다'는 것은 비유하자면 아홉 길의 산을 만드는 데 한 삼태기에서 공이 이지러진다[6]고 한 것과 같다. 그러므로 그 멈춤을 근심하여 굳셈의 자라남이 곧 끝난다고 했다."

5) 『논어』「자한」 : "비유컨대 산을 쌓는데 한 삼태기의 흙을 이루지 못하여 그침도 내가 그친 것이며, 비유컨대 땅을 평평히 함에 비록 한 삼태기의 흙을 덮었으나 나아감도 내가 가는 것이다.[子曰, 譬如爲山, 未成一簣止, 吾止也. 譬如平地, 雖覆一簣進, 吾往也.]"라고 하였다.
6) 『서경』「주서 · 여오(旅獒)」 : "아홉 길의 산을 만듦에 공이 한 삼태기에서 이지러진다.[爲山九仞, 功虧一簣.]"라고 하였다.

44. 구姤䷫괘

姤, 遇也, 柔遇剛也.

구는 마주침이니, 부드러움이 굳셈을 만난 것이다.

本義

釋卦名.

괘의 이름을 해석하였다.

程傳

姤之義遇也. 卦之爲姤, 以柔遇剛也, 一陰方生, 始與陽相遇也.

구(姤)의 뜻은 만남이다. 괘가 구(姤)인 것은 부드러움이 굳셈을 만났기 때문이다. 하나의 음(陰)이 이제 막 생겨나 양(陽)과 서로 만났다.

集說

● 趙氏汝楳曰 : "柔遇剛者, 明非剛遇柔也."[1]

조여매(趙汝楳)가 말했다. “부드러움이 굳셈을 만난 것은 굳셈이 부드러움을 만난 것이 아니라는 점을 밝혔다.”

● 林氏希元曰；“依『本義』是陽遇陰，依「彖傳」是陰遇陽. 「彖傳」乃『本義』以一陰而遇五陽意. 蓋「彖傳」是爲下文‘勿用取女，不可與長’而設也.”[2]

임희원(林希元)이 말했다. “『주역본의』에 의하면 양이 음을 만나는 것인데, 「단전」에 의하면 음이 양을 만났다. 「단전」은 『주역본의』의 하나의 음이 다섯 양을 만났다는 뜻이다. 「단전」은 아래에 나오는 ‘여자를 취하지 말라고 한 것은 함께 오래도록 지속할 수 없기 때문이다’라는 구절 때문에 한 말이다.”

案

“柔遇剛”者，以柔爲主也. 如臣之專制，如牝之司晨，得不謂壯乎？故不復釋“女壯”，而直釋“勿用取女”之義.

“부드러움이 굳셈을 만난” 것은 부드러움을 위주로 했다. 예를 들어 신하가 전제하는 것이나 여자가 관리가 되는 것이니 어찌 강성할 수 있겠는가? 그러므로 다시 “여자가 강성한다”고 해석했고 “여자를 취하지 말라”는 뜻을 직접적으로 해석했다.

1) 조여매(趙汝楳), 『주역집문(周易輯聞)』 권5.
2) 임희원(林希元), 『역경존의(易經存疑)』 권6.

勿用取女, 不可與長也.

여자를 취하지 말라고 한 것은 함께 오래도록 지속할 수 없기 때문이다.

本義

釋卦辭.

괘사(卦辭)를 해석하였다.

程傳

一陰旣生, 漸長而盛, 陰盛則陽衰矣. 取女者欲長久而成家也, 此漸盛之陰, 將消勝於陽, 不可與之長久也. 凡女子小人夷狄, 勢苟漸盛, 何可與久也? 故戒勿用取如是之女.

하나의 음(陰)이 막 생겨나서 점차로 자라나 성대하게 되니 음이 성대하면 양이 쇠락한다. 여자를 취하는 것은 오래도록 지속하여 가정을 이루려는 일이니, 이렇게 점차로 성대해지는 음은 양을 사라지게 하여 우세해질 것이니 함께 오래도록 지속할 수 없다.
여자와 소인과 오랑캐는 그 세력이 점차 성대해지면 어떻게 함께 오래도록 지속할 수 있겠는가? 그러므로 이와 같은 여자는 취하지 말라고 경계하였다.

集說

● 鄭氏康成曰 : "一陰承五陽, 苟相遇耳, 非禮之正. 女壯如是, 故不可娶."

정강성(鄭康成)이 말했다. "하나의 음이 다섯 양을 잇고 있으니 서로 만났을 뿐이지 예의의 올바름은 아니다. 여자가 이렇게 강성하므로 아내로 취하지 않는다."

● 王氏肅曰 : "女不可娶, 以其不正, 不可與長久也."

왕숙(王肅)이 말했다. "여자를 아내로 취할 수 없는 것은 그 바르지 않음으로 함께 오래할 수 없기 때문이다."

● 蘇氏軾曰 : "姤者所遇而合, 無適應之謂也, 故其女不可與長."[3]

소식(蘇軾)이 말했다. "구(姤)는 만나서 합하지만 적절하게 호응함이 없는 것을 말하므로 그 여자는 함께 오래할 수 없다."

● 李氏舜臣曰 : "以一陰遇五陽, 女下於男, 有女不正之象. 故曰勿用取女. 咸所以取女吉者, 以男下女, 得昏姻正禮故也. 若蒙之六三, 以陰而先求陽, 其行不順, 故亦曰"勿用取女."

이순신(李舜臣)[4]이 말했다. "하나의 음이 다섯 양을 만나니 여자가

3) 소식(蘇軾), 『동파역전(東坡易傳)』 권5.

남자에게로 내려가는 것이라 여자가 부정한 모습이 있다. 그러므로 여자를 취하지 말라고 했다. 함(咸䷞)괘에서 여자를 취하면 길하다고 한 것은 남자가 여자에게로 내려가니 혼례의 올바른 예를 얻었기 때문이다. 예를 들어 몽(蒙䷃)괘의 육삼효는 음으로 먼저 양을 구하니 그 행함이 순조롭지 못하므로 또한 '여자를 취하지 말라'고 했다."

4) 이순신(李舜臣) : 송(宋)대 선정(仙井) 사람으로 자는 자사(子思)이고 호는 융산(隆山)이다. 건도(乾道) 2년(1166)에 진사에 급제하여 벼슬은 성도부교수(成都府教授)를 역임하였다. 『역』 연구에 전념하였는데, 특히 주자에게 수학한 적이 있는 풍의(馮椅)와 친밀히 교류하였다고 한다. 저술로는 『역본전(易本傳)』 32권이 있었다고 하는데 전해지지 않고, 풍의(馮椅)의 『후재역학(厚齊易學)』에 그의 글이 소개되고 있다.

天地相遇, 品物咸章也.

하늘과 땅이 서로 만나 다양한 것들이 모두 밝아진다.

本義

以卦體言.

괘의 체(體)로 말하였다.

程傳

陰始生於下, 與陽相遇, "天地相遇"也. 陰陽不相交遇, 則萬物不生, "天地相遇", 則化育庶類. "品物咸章", 萬物章明也.

음이 처음 아래에서 생겨나 양과 서로 만났으니, "하늘과 땅이 서로 만난" 것이다. 음과 양이 서로 교제하고 만나지 않으면 만물이 생겨나지 못하고, "하늘과 땅이 서로 만나면", 여러 종류의 만물을 변화시키고 양육시켜 "다양한 것들이 모두 밝아지니", 만물이 밝게 드러난다.

剛遇中正, 天下大行也.

굳셈이 중정(中正)을 만나 천하에 크게 행해진다.

本義

指九五.

구오를 가리킨다.

程傳

以卦才言也. 五與二皆以陽剛居中與正, 以中正相遇也. 君得剛中之臣, 臣遇中正之君, 君臣以剛陽遇中正, 其道可以大行於天下矣.

괘의 자질로 말했다. 구오효와 구이효는 모두 양의 굳셈으로 가운데와 올바름에 자리했으니, 이는 중정(中正)으로 서로 만난 것이다. 군주가 굳세면서 알맞은 신하를 얻고 신하는 중정(中正)을 이룬 군주를 만나 군주와 신하가 굳센 양으로 중정(中正)을 만난다면, 그 도가 세상에 크게 행해질 수 있다.

姤之時義大矣哉!

마주침의 때와 의리가 크구나!

本義

幾微之際, 聖人所謹.

기미가 보이는 때 성인이 삼간 것이다.

程傳

贊姤之時與姤之義至大也. 天地不相遇, 則萬物不生. 君臣不相遇, 則政治不興. 聖賢不相遇, 則道德不亨. 事物不相遇, 則功用不成. 姤之時與義, 皆甚大也.

마주침의 때와 만남의 의리(義理)가 매우 큼을 찬미했다. 하늘과 땅이 서로 만나지 않으면 만물이 생겨나지 않는다. 군주와 신하가 서로 만나지 않으면 정치가 흥하지 못한다. 성인과 현자가 서로 만나지 않으면 도와 덕이 형통하지 못한다. 사물이 서로 만나지 않으면 공용이 완성되지 않는다. 만남의 때와 의리는 모두 매우 크다.

集說

● 『朱子語類』問 : "姤之時義大矣哉! 『本義』云, 幾微之際, 聖人所謹, 與伊川之說不同, 何也?”
曰 : “上面說天地相遇至天下大行也, 而不好之漸已生於微矣, 故當謹於此.”[5]

『주자어류』에서 물었다. “구(姤)의 때와 의리가 크구나! 『주역본의』에서는 기미가 보이는 때를 성인이 삼간 것이라고 했는데 이천의 말과 다른 것은 어째서입니까?”
대답했다. “앞부분의 ‘천지가 서로 만난다’부터 ‘천하에 크게 행해진다’는 구절은 좋지 않은 것이 점점 미미한 곳에서 생기기 때문에 당연히 여기서 삼가라고 한 것이다.”

● 吳氏曰愼曰 : “姤爲陰遇陽之卦. 陰陽有當遇者, 如天地相遇, 及君臣夫婦之類, 是不能相無者, 有遇而當制者, 如勿用取女. 及小人妄念之類, 是不容並立者. 時義大矣哉! 『程傳』重‘遇’字, 專以遇之善者言, 『本義』重制字, 專以遇之不善者言. 竊意此語總承上文兩端而言可也.”

오왈신(吳曰愼)이 말했다. “구(姤)는 음이 양을 만나는 괘이다. 음양은 당연히 만남이 있으니, 하늘과 땅이 만나거나 군주와 신하, 남편과 아내가 만나는 부류와 같다. 이들은 서로 없을 수가 없는 것이지만 만나서 마땅히 제어해야 하니 여자를 취하지 말라는 뜻과 같다. 그리고 소인의 망령된 생각과 같은 부류는 함께 있을 수 없다. 때와 의리가 크다! 『정전』에서는 만난다는 의미의 ‘우(遇)’를 중시했으니 오로지 만남의 좋음을 가지고 말했고, 『주역본의』에서는 제어하는 의미의 ‘제(制)’라는 글자를 중시했으니, 오로지 만남의

5) 『주자어류』 72권, 119조목.

좋지 않음을 가지고 말했다. 이 말이 위 문장의 두 단서를 총괄적으로 이었다는 점을 생각해야 좋다."

案

必如天地之相遇, 而後品物咸章也. 必如此卦以群剛遇中正之君, 然後"天下大行也". 苟天地之相遇, 而有陰邪幹於其間, 君臣之相遇, 而有宵類介乎其側, 則在天地爲伏明, 在國家爲隱慝, 而有女壯之象矣.

반드시 하늘과 땅이 서로 만난 뒤에 "다양한 것들이 모두 밝아진다." 반드시 이 괘처럼 여러 양이 중정(中正)의 군주를 만난 뒤에 "천하에 크게 행해진다." 하늘과 땅이 만났는데 어둡고 사특한 일이 그 사이에서 간여하고 군주와 신하가 만났는데 소인배들이 그 측근에서 개입하면 천지에서는 밝음이 감춰지고 나라와 가문에서는 간사함이 감춰지니 여자가 강성해지는 모습이다.

45. 췌萃☱☷괘

萃, 聚也. 順以說, 剛中而應, 故聚也.

췌는 모이는 것이다. 순종하면서 기뻐하고 굳세면서 알맞음을 이루어 호응하므로 모인다.

本義

以卦德卦體釋卦名義.

괘의 덕과 괘의 체로 괘 이름의 뜻을 설명하였다.

程傳

萃之義聚也. "順以說", 以卦才言也. 上說而下順, 爲上以說道使民, 而順於人心, 下說上之政令, 而順從於上. 旣上下順說, 又陽剛處中正之位, 而下有應助, 如此故所聚也. 欲天下之萃, 才非如是不能也.

췌(萃)의 뜻은 모인다는 것이다. "순종하면서 기뻐한다"는 괘의 자질로 말한 것이다. 위는 기뻐하고 아래는 순종하니 윗사람은 기쁘게 하는 방도로 백성을 부려 사람들의 마음에 순응하고, 아랫사람은 윗사람의 정치적 명령에 기뻐하면서도 윗사람에게 순종한다. 위와 아래가 순종하면서 기뻐하고 또 양의 굳셈이 중정(中正)한 자리에 처했고 아래에 호응하여 도와주는 사람이 있으니, 이와 같으므로 사람들이 함께 모인 것이다. 세상 사람들을 모이게 하려면 그 자질이 이와 같지 않다면 불가능하다.

案

"順以說, 剛中而應", 亦非正釋卦名, 乃就卦德而推原所以聚者, 以起釋辭之端也. 蓋"順以說", 是以順道感格, 起假廟用牲之意. "剛中而應", 是有德者居位, 而上下應之, 起見大人有攸往之意.

"순종하면서 기뻐하고 굳세면서 알맞음을 이룬다"는 것은 또한 괘의 이름을 바로 해석한 것이 아니고, 괘의 덕을 취하여 모이게 되는 이유를 추론했으니, 괘의 말을 해석하는 단서를 일으켰다.
"순종하면서 기뻐한다"는 것은 순종하는 방도로 감격하게 해서 종묘에 이르고 희생을 쓰는 뜻을 일으킨 것이다. "굳세면서 알맞음을 이루어 호응한다"는 것은 덕이 있는 자가 지위에 자리하여 위와 아래가 호응하니 대인을 만나고 나아가는 바가 있으면 이롭다는 뜻을 일으킨 것이다.

"王假有廟", 致孝享也. "利見大人亨", 聚以正也. "用大牲吉, 利有攸往", 順天命也.

"왕이 종묘에 이른다"는 효도로 제사를 드리는 일에 이르는 것이다. "대인을 만나는 것이 이로우니 형통하다" 것은 올바름으로 모이기 때문이다. "큰 희생을 쓰는 것이 길하니, 나아가는 것이 이롭다"는 천명을 따르는 것이다.

本義

釋卦辭.

괘사(卦辭)를 해석하였다.

程傳

王者萃人心之道, 至於建立宗廟, 所以致其孝享之誠也. 祭祀, 人心之所自盡也, 故萃天下之心者, 無如孝享. 王者萃天下之道, 至於有廟, 則其極也. 萃之時, 見大人則能亨, 蓋聚以正道也. 見大人, 則其聚以正道, 得其正則亨矣. 萃不以正, 其能亨乎? "用大牲", 承上"有廟"之文, 以享祀而言. 凡事莫不如是, 豐聚之時, 交於物者當厚, 稱其宜也. 物聚而力贍, 乃可以有爲, 故利有攸往, 皆天理然也. 故云"順天命也".

왕이 사람들의 마음을 함께 모으는 방도가 종묘를 세우는 데까지 이르렀으니 효도로 제사를 드리는 정성이 지극하게 이른 것이다. 제사는 사람들의 마음을 저절로 다하게 하므로 세상 사람들의 마음을 모으는 데는 효도로 제사를 드리는 일만 한 것이 없다. 왕이 세상 사람들을 모으는 방도가 종묘를 세우는 데에 이르면 그것은 매우 극진한 것이다.
사람들이 모이는 때 대인을 만나면 형통할 수 있는 것은 정도(正道)로 사람들을 모으기 때문이다. 대인을 만나면 그가 정도로 사람들을 모으니 정도를 얻으면 형통하다. 사람들을 모으는 데 정도(正道)로써 하지 않는다면 그것이 형통할 수 있겠는가?
"큰 희생을 쓴다."는 것은 위의 "종묘를 세운다"는 글을 이어서 제사를 드리는 일로 말한 것이다. 모든 일이 이와 같지 않음이 없으니 풍성하게 모일 때 재물들을 마땅히 넉넉하게 교류해야 하니 그 마땅함에 걸맞게 하는 일이다. 재물들이 모이고 힘이 넉넉하면 일을 도모할 수 있으므로, 나아가는 것이 이롭다. 모두 천리(天理)가 그러한 것이므로 "천명을 따르는 것이다"라고 했다.

集說

● 來氏知德曰："盡志以致其孝，盡物以致其享."

래지덕(來知德)이 말했다. "뜻을 다하여 효도를 다하고 제물을 다하여 그 제사를 다한다."

觀其所聚, 而天地萬物之情可見矣.
그 모이는 바를 보면 천지와 만물의 실정을 볼 수 있다.

本義

極言其理而贊之.

그 이치를 지극히 말하여 찬미하였다.

程傳

觀萃之理, 可以見天地萬物之情也. 天地之化育, 萬物之生成, 凡有者皆聚也. 有無動靜終始之理, 聚散而已, 故觀其所以聚, 則"天地萬物之情可見矣".

모이는 이치를 보면 천지와 만물의 실정을 볼 수 있다. 하늘과 땅이 만물을 변화시켜 양육하고, 만물이 생겨나 형성되는 데 모든 것은 다 모인다.

유(有)·무(無), 동(動)·정(靜), 시(始)·종(終)의 이치는 모이고 흩어지는 것일 뿐이다. 그러므로 그 모이는 까닭을 보면 천지와 만물의 실정을 볼 수 있다.

集說

- 王氏弼曰: "方以類聚, 物以群分. 情同而後乃聚, 氣合而後乃群."

왕필이 말했다. "'방향은 부류로써 모아지고 사물은 무리로 나뉜다'[1]고 했다. 정이 같은 뒤에 모이고 기가 합해진 뒤에 무리짓는다."

● 胡氏炳文曰, "咸之情通, 恆之情久, 聚之情一, 然其所以感所以恆所以聚, 則皆有理存焉. 如天地聖人之感, 感之理也. 如日月之得天, 聖人之久於道, 恆之理也. 萃之聚以正, 所謂順天命, 聚之理也. 凡天地萬物之可見者, 皆此理之可見矣. 故『本義』於所感, 則曰'極言感通之理', 於所恆, 則曰'極言恆久之道', 於所聚, 亦曰'極言其理而贊之'."

호병문이 말했다. "함(咸䷞)괘에서 교감의 정이 통하고 항(恒䷟)괘에서 항상성의 정이 오래 지속되고 췌(萃䷬)에서 모임의 정은 하나이다. 그러나 그 교감하고 오래 지속되고 모이는 것은 모두 이치가 있다. 천지와 성인의 교감은 감응의 이치이다. 해와 달이 하늘을 얻거나 성인이 도를 오래 지속하는 것은 항상성의 이치이다. 췌괘의 모임은 올바름으로 하니 천명을 따른다는 말로 모임의 이치다. 천지 만물에서 볼 수 있는 것은 모두 이 이치를 볼 수 있다. 그러므로 『주역본의』에서는 감응하는 것에 대해 '감통의 이치를 지극히

1) 『주역』「계사상」 1장 ; "하늘은 높고 땅은 낮으니 건곤(乾坤)이 정해지고, 낮은 것과 높은 것이 진열되니 귀천(貴賤)이 자리하고, 동정(動靜)에 상도가 있으니 강(剛)과 유(柔)가 결단되고, 방향은 유(類)로써 모아지고 사물은 무리로써 나누어지니 길흉(吉凶)이 생기고, 하늘에 있어서는 상(象)이 이루어지고 땅에 있어서는 형체(形體)가 이루어지니 변화(變化)가 나타난다.[天尊地卑, 乾坤定矣, 卑高以陳, 貴賤位矣, 動靜有常, 剛柔斷矣, 方以類聚, 物以群分, 吉凶生矣, 在天成象, 在地成形, 變化見矣.]"라고 하였다.

말했다'고 했고, 오래 지속하는 것에 대해서는 '항구성의 도를 지극하게 말했다'고 했으며, 모임에 대해서도 그 '이치를 지극하게 말하여 찬미했다'고 했다."

案

順天命, 雖繫於用大牲利有攸往之下, 然連假廟見大人之意, 皆在其中矣. 蓋萬物本乎天, 人本乎祖, 方以類聚, 物以羣分. 聖人作而萬物覩, 是乃天地人物之所以聯屬而不散者. 實天之命也. 咸恆皆推言造化人事, 而後終之以天地萬物之情可見. 此卦則天人之義已備. 故言順天命而遂極贊之.

"천명을 따른다"는 것은 "큰 희생을 쓴다"와 "가는 바가 있으면 이롭다" 이하의 말과 연결되어 있지만, "종묘에 이른다"와 "대인을 보는 것이 이롭다"는 뜻과 연결되어 있으니, 모두 그 가운데에 있다. 만물은 하늘에 근본하고 사람은 조상에 근본하니, 방향은 부류에 따라 모이고 사물은 무리에 따라 나뉜다. 성인이 일어나 만물을 보니 이것이 곧 천지인물이 연속되어 흩어지지 않는 것으로 하늘의 명을 실현한 것이다.
함(咸䷞)괘와 항(恒䷟)괘는 모두 인간사를 만들어 나가는 일을 추론하여 말했고 뒤에서 천지만물의 정을 볼 수 있다고 끝맺었다. 이 괘는 하늘과 사람의 뜻이 구비되었다. 그러므로 천명을 따른다고 말하여 지극히 찬미했다.

46. 승升䷭괘

柔以時升.

부드러움이 때에 따라 올라간다.

本義

以卦變釋卦名.

괘의 변(變)으로 괘의 이름을 해석하였다.

集說

● 孔氏穎達曰 : "升之爲義, 自下升高, 故就六五居尊以釋名升之義."[1]

공영달이 말했다. "승(升)의 뜻은 아래로부터 높은 곳으로 올라가

1) 공영달(孔穎達), 『주역주소(周易注疏)』 권8.

는 것이므로 육오효가 존귀한 지위에 자리한 것을 취하여 승이라는 뜻을 해석했다."

● 徐氏幾曰:"升·晉二卦, 皆以柔爲主. 剛則有躁進之意."

서기(徐幾)[2]가 말했다. "승(升䷭)과 진(晉䷢) 두 괘는 부드러움을 주로 한다. 굳셈은 조급하게 나아가는 뜻이 있다."

● 龔氏煥曰:"「彖傳」柔以時升, 似指六五而言, 非謂卦變, 故下文言剛中而應, 亦謂二應五也."

공환(龔煥)[3]이 말했다. "「단전」에서 '부드러움이 때에 따라 올라간다'는 육오효를 가리켜 말한 것 같지만 괘의 변화가 아니다. 그러므로 아래 글에서 굳셈이 알맞음을 이루고 호응한다고 했으니 또한 구이효가 육오효에 호응하는 것이다."

---

2) 서기(徐幾): 자는 자여(子與)이고, 호는 진재(進齋)이다. 송대 숭안(崇安: 현 복건성 무이산시〈武夷山市〉) 사람이다. 송 리종(理宗) 경정(景定) 5년(1264)에 적공랑(迪功郎)에 천거되고, 건녕부교수(建寧府敎授) 겸 건안서원산장(建安書院山長) 겸 숭정전설서(崇政殿說書)를 제수받았다. 박학다재(博學多才)하였고 특히 역학에 정통하여 『역집(易輯)』, 『역의(易義)』 등을 저술하였다.

3) 공환(龔煥): 자는 유문(幼文)이고, 천봉선생(泉峯先生)이라고 불렸다. 원(元)대 임천(臨川)사람이다. 요응중(饒應中)에게 사사하여 본체를 밝히고 실천에 옮기는 데 힘썼다. 당시 아직 과거제도가 시행되지 못했는데, 시행되면 반드시 정자와 주자의 학문을 법식으로 삼아야 한다고 주장했다. 과연 뒤에 그의 말대로 시행되었다.

巽而順, 剛中而應. 是以大亨.

공손하고 순종하며 굳세면서 알맞음을 이루어 호응한다. 그래서 크게 형통한 것이다.

本義

以卦德卦體釋卦辭.

괘의 덕과 괘의 체(體)로 괘의 말을 해석하였다.

程傳

以二體言, 柔升, 謂坤上行也. 巽旣體卑而就下, 坤乃順時而上, 升以時也, 謂時當升也. 柔旣上而成升, 則下巽而上順, 以巽順之道升, 可謂時矣. 二以剛中之道應於五, 五以中順之德應於二, 能巽而順, 其升以時, 是以元亨也. 「彖」文誤作'大亨', 解在大有卦.

두 괘의 형체로 설명했으니 부드러움이 올라간다는 것은 곤(坤☷)괘가 위로 올라가는 것을 말한다. 손(巽☴)괘는 형체가 아래에 있으면서 자신을 낮추고 곤괘는 때에 순응하면서 상승하여 때에 따라서 올라가 마땅히 올라가야할 때라는 말이다.
부드러움이 올라가서 상승하게 되면 아래는 공손하고 위는 순종하는 것이니 공손하면서 때에 순종하는 방도로 올라가면 때에 맞는다고 할 만하다.

구이효가 굳세면서도 알맞음을 이룬 방도로 육오효에 호응하고, 육오효는 중을 이루어 순종하는 덕으로 구이효에 호응하여, 공손하면서 순종할 수 있고 그 상승함이 때에 맞으니, 크게 좋고 형통하다. 「단전」의 글에는 '대형(大亨)'으로 잘못되어 있으니, 그 해석은 대유(大有)괘에 나와 있다.[4]

---

4) 그 해석은 대유(大有)괘에 나와 있다 : 정이천은 '대형(大亨)'이 아니라 '원형(元亨)'이라고 본다. 그래서 대유괘에서 이렇게 설명한다. "'원형(元亨)이라는 글이 들어간 괘는 4개가 있는데, 대유(大有)괘, 고(蠱)괘, 승(升)괘, 정(鼎)괘이다. 오직 승괘의 「단전」에서만 다른 괘를 잘못 따라서 '원형'이 아니라 '대형(大亨)'이라고 적혀 있다."

用見大人勿恤, 有慶也. 南征吉, 志行也.

대인을 만나되 근심하지 말라는 경사가 있는 것이다. 남쪽으로 가면 길하다는 뜻이 행해지는 것이다

程傳

凡升之道, 必由大人. 升於位則由王公, 升於道則由聖賢. 用巽順剛中之道以見大人, 必遂其升. "勿恤", 不憂其不遂也. 遂其升, 則己之福慶, 而福慶及物也. 南, 人之所向. 南征, 謂前進也. 前進則遂其升而得行其志, 是以吉也.

올라가는 방도는 반드시 대인을 통해 이루어야만 한다. 지위에 오르려면 왕공(王公)을 통해 이루어야 하고, 도(道)에 오르려면 성현(聖賢)을 통해 이루어야만 한다. 공손하고 순종하며 굳세면서도 알맞음을 이룬 도리로 대인을 만나면 반드시 그 올라감을 이룰 것이다. "근심하지 말라"는 올라감을 이루지 못할까를 근심하지 않는 것이다. 올라감을 이루면 자신의 복과 경사이고, 복과 경사는 사람들에게 미치는 것이다.

남쪽이란 사람들이 향하는 곳이다. 남쪽으로 간다는 말은 앞으로 나아간다는 뜻이다. 앞으로 나가면 올라감을 이루고, 그 뜻을 행할 수 있으니, 그래서 길하다.

案

"柔以時升"之義, 或主四言, 或主五言, 或主上體之坤而言. 然卦之有六四六五, 及坤居上體者多矣, 皆得名爲升乎? 則其說似皆未確. 蓋時升者, 固以坤居上體, 而四五得位言也. 然唯巽爲下體, 故其升也有根. 蓋巽乃陰生之始也. 陰自下生以極於上, 如木之自根而滋生, 以至於枝葉繁盛, 此謂升之義矣. 此卦與無妄反對, 無妄者, 陽爲主於內也, 而其究爲健. 升者, 陰爲主於內也, 而其究爲順. 無妄之彖曰"剛自外來而爲主於內", 明剛德自內以達於外也. 升彖曰"柔以時升", 明陰道自下以達於上也. 然則"柔以時升"云者, 尤當以初六之義爲重. 故無妄六爻, 獨初九曰吉. 此卦六爻亦唯初六曰大吉. 則二卦之所重者可知矣. 其下云, "巽而順, 剛中而應", 亦與無妄"動而健, 剛中而應"之辭相似. 皆連釋名之義以釋元亨也.

"부드러움이 때에 따라 올라간다"는 뜻은 어떤 사람은 육사효를 주로 해서 말하고, 어떤 사람은 육오효를 주로 해서 말하며, 어떤 사람은 상체의 곤(坤☷)괘를 주로 해서 말한다. 그러나 괘에 육사효와 육오효가 있고 곤(坤☷)괘가 상체에 있는 것도 많은데 모두 그 이름을 승(升)이라고 할 수 있겠는가? 그러므로 그 학설들은 모두 확실하지 않은 것 같다. 왜냐하면 때에 따라 올라간다는 것은 분명 곤(坤☷)괘가 상체에 자리하고 육사효와 육오효가 지위를 가지고 있는 것을 말하기 때문이다.
그러나 오직 손(巽☴)괘가 하체이므로 그 올라감에도 뿌리가 있다. 왜냐하면 손(巽☴)괘는 음이 생겨나는 시작이기 때문이다. 음이 아래로부터 생겨나 가장 높은 곳에 이르는 것은 나무가 뿌리로부터 자라나 가지와 잎이 번성하게 되는 것과 같으니 이것이 올라감의 뜻이다.

이 괘는 무망(无妄䷘)과 반대되니 무망괘는 양이 안에서 주효가 되어 그 궁극이 건(乾☰)괘의 강건함이 된다. 올라감은 음이 안에서 주효가 되어 그 궁극이 곤(坤)괘의 유순함이 된다.
무망괘의 「단전」에서 "굳셈이 밖에서 와서 안에서 주인이 된다"고 했으니 굳센 덕이 안에서 밖으로 이른 것을 밝혔다. 승괘의 「단전」에서 "부드러움이 때를 따라 올라간다"고 했으니 음의 도가 아래에서부터 위에 이르렀음을 밝혔다. 그러므로 "부드러움이 때에 따라 올라간다"고 한 것은 마땅히 초육효의 뜻이 가장 중요하다. 그러므로 무망괘의 여섯 효에서 오직 초구효만이 길하다고 했다.
이 괘에서 여섯 효 또한 오직 초육효만이 크게 길하다고 했다. 그러므로 두 괘에서 중요한 것을 알 수 있다. 그 아래에서 "공손하고 순종하며 굳세면서 알맞음을 이루어 호응한다"고 했으니 또한 무망괘에서 "움직이면서 강건하고 굳세면서 알맞음을 이루어 호응한다"는 말과 서로 유사하다. 모두 괘 이름의 뜻을 해석하여 크게 형통하다는 것을 풀이했다.

47. 곤困䷮괘

困剛揜也.

곤경은 굳셈이 가리워진 것이다.

本義

以卦體釋卦名.

괘의 체(體)로 괘의 이름을 해석하였다.

程傳

卦所以爲困, 以剛爲柔所掩蔽也. 陷於下而掩於上, 所以困也, 陷亦掩也. 剛陽君子而爲陰柔小人所掩蔽, 君子之道困窒之時也.

괘가 곤(困)괘가 된 까닭은 굳셈이 부드러움에게 가려졌기 때문이다. 아래에서 빠지고 위에서 가려지는 것은 어려움을 당하는 까닭이니, 빠지는 일 또한 가려지는 것이다. 굳센 양인 군자가 부드러운 음인 소인에게 가려졌으니 군자의 도가 어렵고 막히는 때이다.

險以說, 困而不失其所, 亨, 其唯君子乎. 貞大人吉, 以剛中也. 有言不信, 尙口乃窮也.

험난하지만 기뻐하여 곤경에 빠져도 형통함을 잃지 않으니, 오직 군자일 것이다. 곧은 대인이라 길한 것은 굳세면서 중도를 지켰기 때문이고 말을 해도 믿지 않는 것은 입을 숭상하여 곤궁한 것이다.

本義

以卦德卦體釋卦辭.

괘의 덕과 괘의 체(體)로 괘의 말을 해석하였다.

程傳

以卦才言處困之道也, 下險而上說, 爲處險而能說. 雖在困窮艱險之中, 樂天安義, 自得其說樂也. 時雖困也, 處不失義, 則其道自亨, 困而不失其所亨也. 能如是者, 其唯君子乎! 若時當困而反亨, 身雖亨, 乃其道之困也. 君子, 大人通稱. 困而能貞, 大人所以吉也. 蓋其以剛中之道也, 五與二是也. 非剛中, 剛遇困而失其正矣. 當困而言, 人所不信, 欲以口免困, 乃所以致窮也. 以說處困, 故有尙口之戒.

괘의 재질로 곤경에 처하는 도를 말하였다. 아래는 험하고 위는 기뻐하니 험난함에 처하였으나 기뻐할 수 있다. 비록 곤궁하고 험난함 가운데에 있으나 천명을 즐거워하고 올바른 의리에 편안하여 스스로 기쁨과 즐거움을 얻는다. 때가 비록 곤경에 처했으나 처함이 의리를 잃지 않으면 그 도가 저절로 형통하니, 이는 곤경에 빠졌으나 형통한 바를 잃지 않는 것이다. 이와 같이 할 수 있는 자는 오직 군자일 것이다!

때가 마땅히 어려워야 하는데 도리어 형통하다면 몸은 비록 형통하나 도는 어려운 것이다. 군자는 대인을 통칭한 말이다. 곤경에 처했으나 곧을 수 있는 것은 대인이 길한 까닭이다. 굳세면서 중도를 따르기 때문이니, 오효와 이효가 그렇다. 굳세면서 중도를 지키지 않으면 곤경에 처해 그 올바름을 잃는다.

곤경에 처하여 말하면 사람이 믿지 않으니 입으로 곤경을 벗어나고자 하면 바로 궁지에 이르게 된다. 기쁨으로 곤경에 처했기 때문에 입을 숭상하는데 대한 경계를 하였다.

集說

鄭氏汝諧曰: "九二陷於中, 九四九五爲上六所掩, 是以爲困. 以上下卦言之, 則合坎兌而成也. 坎, 難也. 兌, 說也. 困而安於難, 則不失其所亨. 困而取說於人, 尙口乃窮也."

정여해(鄭汝諧)가 말했다. "구이효는 가운데 빠졌고 구사효와 구오효는 상육효에 의해 가리워졌으니 이것이 곤경이다. 상괘와 하괘로 말하면 감(坎☵)괘와 태(兌☱)괘가 합하여 이루어졌다. 감괘는 어려움이다. 태괘는 기쁨이다. 곤경에 처했는데 어려움에 편안히 여기면 그 형통함을 잃지 않는다. 곤경에 처해 사람들에게 기쁨을 취하려는 것은 입을 숭상하는 일이니 궁지에 빠진다."

案

此卦所以爲剛掩者, 『本義』備矣. 蓋諸卦之二五剛中, 皆爲陰掩者. 唯困與節. 然以二體言之, 則節坎陽居上, 兌陰居下, 此困所以獨爲剛掩也. 此義與卦象亦相貫, 水在澤上, 非澤之所能掩也. 水在澤中, 則爲所掩矣. "險以說"者, 非處險而說也, 險有致說之理, '以'字與'而'字, 義不同也. 唯險有致說之理, 故困有所爲亨者. 然以小人處之, 則困而困耳, 不知其所爲亨, 故不能因困而得亨. 因困而得其所亨者, 非君子其孰能之. 下剛中之大人, 卽不失所亨之君子也, 指二五言. "尙口乃窮"者, 處困之極, 務說於人, 指上六言.

이 괘가 굳셈이 가려진 까닭은 『주역본의』에 갖추어졌다. 여러 괘의 이효와 오효가 굳세면서 중도를 이루었지만 모두 음에 의해 가리워진 것은 오직 곤(困䷮)와 절(節䷻)괘이다. 그러나 두 체로 말하자면 절(節)괘는 감(坎☵)괘의 양이 상체에 자리하고 태(兌☱)괘의 음이 하체에 자리하니 이것이 곤괘가 홀로 굳셈이 가리워진 것이다.

이 뜻과 괘의 모습 또한 서로 관통하니 물이 연못 위에 있는 것이지 연못이 가릴 수 있는 것이 아니다. 물이 연못 가운데 있으면 가리워진 것이다. "곤경하면서 기뻐한 것"은 험난함에 처하여 기뻐하는 것이 아니라 험난함에도 기뻐할 이치가 있다는 말이니 '이(以)'라는 글자는 '이(而)'자와 뜻이 다르다.

오직 험난함 속에도 기쁨에 이를 이치가 있으므로 곤경에 형통함이 있는 것이다. 소인이 처하면 곤경에 빠져 곤란을 겪을 뿐이라서 그 형통함을 알지 못하므로 곤경에 처하여 형통함을 얻을 수 없다. 곤경을 바탕으로 형통함을 얻을 수 있는 것은 군자가 아니면 그 누가 할 수 있겠는가?

아래 굳세면서 중도를 이룬 대인은 그 형통함을 잃지 않은 군자이니 구이효와 구오효를 말한다. "입을 숭상하면 궁지에 몰린다"는 것은 곤경의 극한에 처하여 사람들을 기쁘게 하는 데 힘쓰니 상육효를 말한다.

48. 정井䷯괘

巽乎水而上水, 井. 井養而不窮也.

물속에 들어가 물을 퍼 올리는 것이 우물이다. 우물은 길러주어도 고갈되지 않는다.

本義

以卦象釋卦名義.

괘의 상(象)으로 괘의 이름을 해석하였다.

集說

● 鄭氏康成曰 : "坎, 水也. 巽木, 桔槔也. 桔槔引瓶下入泉口, 汲水而出, 井之象也."[1]

1) 이정조(李鼎祚), 『주역집해(周易集解)』 권10.

정강성(鄭康成)이 말했다. “감(坎☵)은 물이다. 손(巽☴)은 나무이니 두레박틀이다. 두레박틀이 이 두레박을 샘에 넣어 물을 끌어 올리는 것이 정괘의 모습이다.”

● 荀氏爽曰 : “木入水出, 井之象也.”[2]

순상(荀爽)[3]이 말했다. “나무가 들어가 물이 나오는 것이 정괘의 모습이다.”

案

釋名之下, 又著“井養而不窮也”一句, 亦以起釋辭之意.

---

2) 이정조(李鼎祚), 『주역집해(周易集解)』 권10.

3) 순상(荀爽, 128~190) : 후한의 역학자로 영천(潁川) 영음(潁陰, 하남성 許昌) 사람이며, 자는 자명(慈明)이고, 이름은 서(諝)이며, 순숙(荀淑)의 여섯째 아들이다. 12살 때 『춘추』와 『논어』에 통하여 경서를 깊이 연구하고 관직에 나오려는 부름을 받았으나, 응하지 않았다. 환제(桓帝) 166년에 지극한 효성으로 천거되어 낭중(郎中)에 임명되어 대책을 올려 시폐(時弊)에 대해 통렬하게 지적했지만, 곧 벼슬을 버리고 떠났다. 당고(黨錮)의 화(禍)가 일어나자 바닷가에 숨어 10여 년을 지냈다. 헌제(獻帝) 때 다시 등용되어 사공(司空)을 지냈으며, 사도(司徒) 왕윤(王允)과 동탁(董卓)을 제거하려 하다가 뜻을 이루지 못하고 죽었다. 저서로는 『역전(易傳)』과 『시전(詩傳)』, 『예전(禮傳)』, 『상서정경(尙書正經)』, 『춘추조례(春秋條例)』, 『공양문(公羊問)』 등이 있었지만 모두 없어졌고, 비직(費直)의 고문역학(古文易學)을 연구한 『주역순씨주(周易荀氏注)』의 일부가 『옥함산방집일서』 및 『한위이십일가역주(漢魏二十一家易注)』에 전할 뿐이다.

괘의 이름 아래에 또 "우물은 길러주어도 고갈되지 않는다"는 한 구절 역시 괘사를 해석하는 뜻을 일으킨다.

“改邑不改井”, 乃以剛中也. “汔至亦未繘井”, 未有功也, 羸其甁, 是以凶也.

“고을은 바꾸어도 우물은 바꿀 수 없다”는 것은 굳세면서 중도를 이루었기 때문이다. “거의 이르렀는데도 우물에서 두레박줄을 빼내지 못한 것이다”는 말은 공이 없고, 두레박 물병을 깨뜨렸기 때문에 흉하다.

本義

以卦體釋卦辭. “無喪無得, 往來井井”兩句, 意與“不改井”同, 故不復出. “剛中”, 以二五而言. 未有功而敗其甁, 所以凶也.

괘의 체로 괘의 말을 해석하였다. “잃는 것도 없고 얻는 것도 없으며, 오고 가는 이가 모두 우물을 사용한다”는 두 구절은, 그 뜻이 “우물은 바꿀 수 없다”는 말과 같으므로 다시 나오지 않았다. “굳세면서 중도를 이루었다”는 이효와 오효로 말한 것이다. 공이 없고 두레박을 깨뜨렸으니, 이 때문에 흉하다.

程傳

巽入於水下而上其水者, 井也. 井之養於物不有窮已, 取之而不竭, 德有常也. 邑可改, 井不可遷, 亦其德之常也. 二五之爻剛中之德, 其常乃如是, 卦之才, 與義合也. 雖使幾至, 旣

未爲用, 亦與未繘井同. 井以濟用爲功, 水出乃爲用, 未出則何功也. 甁所以上水而致用也, 羸敗其甁, 則不爲用矣, 是以凶也.

물속에 들어가 물을 퍼 올리는 것이 우물이다. 우물이 사람을 길러 주는 데 끝이 없어 아무리 취해도 고갈되지 않으니, 그 덕에 항상성이 있다. 고을은 바꿀 수 있지만 우물은 바꿀 수 없으니 또한 그 덕의 항상성이다.
구이효와 구오효의 강중(剛中)한 덕이 이와 같이 그 항상성을 지속하니, 괘의 자질과 마땅한 의리에 부합한 것이다. 설사 거의 이르렀더라도 사람들에게 도움을 주는 작용을 이루지 못했다면, 또한 우물에 두레박 끈을 드리우지 못한 것과 같다.
우물은 사람들에게 도움을 주는 작용을 그 공으로 삼는다. 그러나 물을 길어 올려야 사람들에게 도움이 되니, 물을 길어 올리지 못하면 무슨 공이 있겠는가?
두레박 물병은 물을 길어 올려 사람들에게 도움을 주는 작용을 이루는 것이니, 그 물병을 깨뜨렸다면 그런 작용을 이루지 못해, 흉한 것이다.

集說

● 蘇氏軾曰 : "井井未嘗有得喪, 繘井之爲功, 羸甁之爲凶, 在汲者爾."[4]

4) 소식(蘇軾), 『동파역전(東坡易傳)』 권5.

소식(蘇軾)이 말했다. "우물을 사용할 때, 마른 적이 없는 데 두레박줄을 빼내는 것이 공이고, 두레박 물병을 깨뜨린 것은 흉하니, 물을 퍼올리는 것일 뿐이다."

● 晁氏說之曰 : "或謂彖主三陽言. 五寒泉食, 是陽剛居中, 邑可改而井不可改也. 三井渫不食, 是未有功也. 二甕敝漏, 是羸其瓶而凶者也."

조열지(晁說之)[5]가 말했다. "「단전」은 세 양효를 주로 하여 말했다. 오효는 시원한 샘물을 먹을 수 있으니 양의 굳셈이 알맞음에 자리한 것이어서 고을은 바꿀 수 있지만 우물은 바꿀 수 없다. 삼효는 우물이 깨끗한데도 먹지 않으니 공이 없다. 이효는 항아리가 깨져 새니 두레박 물병을 깨트려 흉하다."

● 郭氏雍曰 : "不言無喪無得往來井井者, 蓋皆系乎剛中之德, 聖人擧一以明之耳."[6]

곽옹(郭雍)[7]이 말했다. "'잃는 것도 없고 얻는 것도 없으며, 오고

5) 조열지(晁說之, 1059~1129) : 자는 이도(以道)이고, 자호는 사마광을 존경하여 경우생(景迂生)이라고 하였다. 오경(五經)에 해박했는데 특히 역학에 능통하였다. 당시 소동파가 그의 학문을 자득한 것이라고 높게 평가하였다고 한다. 『유언(儒言)』, 『경우생집(景迂生集)』 등을 저술하였는데, 『경우생집』에 「역원성기보(易元星紀譜)」와 「역규(易規)」가 전한다.

6) 곽옹(郭雍), 『곽씨전가역설(郭氏傳家易說)』 권5.

7) 곽옹(郭雍, 1091~1187) : 자는 자화(子和)이고, 호는 백운선생(白雲先

가는 이가 모두 우물을 사용한다'는 말을 하지 않는 것은 모두 강중(剛中)의 덕과 연결되기 때문이니 성인은 하나를 거론하여 밝혔을 뿐이다."

案

井唯有常. 故其體則"無喪無得", 其用則"往來井井". 王道唯有常, 故其體則久而無弊, 其用則廣而及物. 故言"改邑不改井", 足以包下二者.

우물은 오직 항상성이 있다. 그러므로 그 체(體)는 "잃는 것도 없고 얻는 것도 없고" 그 용(用)은 "오고 가는 이가 모두 우물을 사용한다."
왕도는 오직 항상성이 있으니, 그러므로 그 체는 오래 지속되어 낡아지지 않고 그 용은 넓어 만물에 미친다. 때문에 "고을은 고쳐도 우물은 고칠 수 없다"고 했으니 아래 두 가지를 충분히 포괄한다.

生)이다. 남송 낙양(洛陽 : 현 하남성 낙양시) 사람이다. 정이(程頤)의 제자인 곽충효(郭忠孝)의 둘째 아들로 가학을 계승했다. 벼슬길에 나아가지 않고 평생 섬주(陝州) 장양산(長楊山)에 은거하면서 역학과 의학에 정통했다고 한다. 『주역(周易)』에 대해서는 정이(程頤)의 학설을 계승·발전시켰다. 저서에 『곽씨전가역설(郭氏傳家易說)』, 『괘사지요(卦辭指要)』, 『시괘변의(蓍卦辨疑)』 등이 있고, 순희(淳熙) 초에 학자들이 곽씨 두 부자와 이정(二程), 장재(張載), 유초(游酢), 양시(楊時) 등 칠가(七家)의 설을 모아 『대역수언(大易粹言)』을 편집했다.

49. 혁革䷰괘

革, 水火相息, 二女同居, 其志不相得, 曰革.

변혁이니, 물과 불이 서로 다투어 변화를 생성하며, 두 여자가 함께 살되 그 뜻을 서로 얻지 못하는 것이 변혁이다.

本義

以卦象釋卦名義. 大略與睽相似. 然以相違而爲睽, 相息而爲革也. "息", 滅息也, 又爲生息之義, 滅息而後生息也.

괘의 상으로 괘의 이름과 뜻을 해석하였다. 대체로 규(睽)괘와 서로 비슷하다. 그러나 서로 어긋나서 규(睽)괘가 되고 서로 없애버려 혁(革)괘가 된다. "없애버림"은 소멸시킴이며 또 생겨남의 뜻이니, 없어진 뒤에 생겨나는 것이다.

程傳

澤火相滅息, 又二女志不相得, 故爲革. "息"爲止息, 又爲生

息, 物止而後有生, 故爲生義. 革之"相息", 謂止息也.

연못과 불은 서로 없애려 하며, 또 두 여자가 뜻이 서로 맞지 않으므로 변혁이다. "식(息)"[1]은 그친다는 뜻도 되고, 또 낳아서 번식시킨다는 뜻도 되니, 모든 사물은 멈춘 뒤에 새로운 것을 낳으므로, 생겨난다는 뜻이다. 혁괘에서 말한 '서로 다투어 변화를 생성한다[相息]'[2]는 말은 멈춘다는 뜻이다.

集說

● 朱氏震曰: "兌澤離火, 而「象」曰水火, 何也? 曰, 坎兌一也.

1) 식(息): 왕필이나 공영달은 변화가 일어나는 의미로 해석하는데, 호원은 "식은 멸(滅)이다"라고 해석한다. 정이천은 없앤다는 뜻과 변화를 일으켜 새로운 것이 생겨난다는 뜻을 동시에 취하고 있다.

2) 서로 다투어 변화를 생성한다: 수화상식(水火相息)의 번역은 "물과 불이 서로 다투어 변화가 생성된다"는 의미이다. 왕필은 "식(息)이란 변화가 생겨나는 것을 말한다. 불은 올라가려고 하고 연못의 물은 내려가려고 한다. 물과 불이 서로 다투고 난 후에 변화가 생겨난다.[息者, 生變之謂也. 火欲上而澤欲下, 水火相戰, 而後生變者也.]"고 해석했고, 공영달도 왕필과 동일하게 해석하고 있으면서 이런 말을 덧붙인다. "변화가 생겨나면 본래의 성질이 개혁된다. 물이 뜨거워져서 끓게 되고 불의 찬 기운이 더워진다. 불의 뜨거운 성질은 없어져서 기는 차게 된다. 이것을 변혁이라고 한다.[變生, 則本性改矣. 水熱而成湯, 火滅而氣冷, 是謂革也.]" 정이천은 멈춤과 번식이라는 두 가지 뜻을 가지고 설명하면서 '멈춘다'는 의미를 취한다. 그러나 '멈춘다'는 것은 각각의 본분에서 멈춘다는 뜻이므로, 다툰다는 의미를 취하지는 않았지만 각각의 본분에서 멈추어 새로운 상황을 창조하고 개혁한다는 의미를 말하고 있다.

澤者水所鍾, 無水則無澤矣. 坎上爲雲, 下爲雨. 上爲雲者, 澤之氣也. 下爲雨, 則澤萬物也. 故屯·需之坎爲雲, 小畜之兌亦爲雲. 坎爲川, 大畜之兌亦爲川. 坎爲水, 革兌亦爲水. 坎陽兌陰, 陰陽二端, 其理則一. 知此始可言象矣."[3]

주진(朱震)[4]이 말했다. "태(兌☱)괘는 연못이고 이(離☲)는 불인데 「단전」에서는 물과 물을 말하는 것은 무엇 때문인가? 답한다. 감(坎☵)괘와 태(兌☱)괘는 동일하다. 연못은 물이 모인 것이니 물이 없으면 연못도 없다. 물이 위로 올라가면 구름이 되고 아래로 내려오면 비가 된다. 위로 올라가면 구름이 된다는 연못의 기운이다. 아래로 내려오면 비가 된다는 것은 만물을 윤택하게 하는 것이다. 그러므로 준(屯䷂)괘와 수(需䷄)괘의 감(坎☵)괘는 구름이 되고, 소축(小畜䷈)괘의 태(兌☱)괘 또한 구름이다. 감(坎☵)은 냇물이니 대축(大畜䷙)괘의 태(兌☱)괘 또한 냇물이다. 감(坎☵)괘는 물이니 혁(革䷰)괘의 태(兌☱)괘 또한 물이다. 감(坎☵)괘는 양이고 태(兌☱)괘는 음이니 음양은 두 단서이지만 그 이치는 하나다. 이것을 알면 그 모습을 말할 수 있다."

● 『朱子語類』云: "革之象不曰澤在火上, 而曰澤中有火. 蓋水在火上, 則水滅了火, 不見得火炎則水涸之義. 澤中有火, 則二物並在, 有相息之象."[5]

---

3) 주진(朱震), 『한상역전(漢上易傳)』 권5.
4) 주진(朱震, 1072~1138) : 자는 자발(子發)이고, 당시 한상선생(漢上先生)이라 불리었다. 송대 형문군(荊門軍 : 현 호북성 소속) 사람으로 한림학사(翰林學士)를 여러 번 역임하였다. 저서는 『한상역전(漢上易傳)』이 있다.

『주자어류』에서 말했다. "혁괘의 모습을 연못이 불 위에 있다고 하지 않고 연못 가운데 불이 있다고 했다. 물은 불 위에 있으면 물이 불을 없애고 불꽃을 보지 못하면 물이 말랐다는 뜻이다. 연못 가운데 불이 있으면 두 가지가 모두 있으니 서로 다투어 변화를 생성하는 모습이다."

● 李氏舜臣曰 : "不同行, 不過有相離之意, 故止於睽. 不相得, 則不免有相克之事, 故至於革."

이순신(李舜臣)[6]이 말했다. "함께 가지 않으니 서로 떨어지는 뜻이 있는 것에 불과하므로 규(睽䷥)에 그친다. 서로 얻지 못하면 서로 이기는 일이 있음을 면치 못하니 혁(革)괘에 이른다.

● 胡氏炳文曰 : "旣濟水在火上, 不曰相息者何也? 坎之水, 動水也, 火不能息之. 澤之水, 止水也, 止水在上而火炎上, 故息."[7]

호병문(胡炳文)이 말했다. "기제(旣濟䷾)에서 물은 불 위에 있는데 서로 다투어 변화를 생성한다고 말하지 않은 까닭은 무엇인가? 감

5) 『주자어류』 73권, 22조목.

6) 이순신(李舜臣) : 송(宋)대 선정(仙井) 사람으로 자는 자사(子思)이고 호는 융산(隆山)이다. 건도(乾道) 2년(1166)에 진사에 급제하여 벼슬은 성도부교수(成都府敎授)를 역임하였다. 『역』 연구에 전념하였는데, 특히 주자에게 수학한 적이 있는 풍의(馮椅)와 친밀히 교류하였다고 한다. 저술로는 『역본전(易本傳)』 32권이 있었다고 하는데 전해지지 않고, 풍의(馮椅)의 『후재역학(厚齋易學)』에 그의 글이 소개되고 있다.

7) 호병문(胡炳文), 『주역본의통석(周易本義通釋)』 권12.

(坎☵)괘의 물은 움직이는 물이니 불을 없앨 수 없다. 연못의 물은 멈춘 물이니 멈춘 물이 위에 있고 불이 위로 타오르기 때문에 번식한다."

巳日乃孚, 革而信之. 文明以說, 大亨以正, 革而當, 其悔乃亡.

시간이 지나야 믿음은 변혁하여 믿게 하는 것이다. 문명(文明)하여 기뻐하고 크게 형통하여 올바르니 변혁하여 합당하기 때문에 그 후회가 없어진다.

本義

以卦德釋卦辭.

괘의 덕으로 괘사(卦辭)를 해석하였다.

程傳

事之變革, 人心豈能便信? 必終日而後孚. 在上者於改爲之際, 當詳告申令, 至於巳日, 使人信之. 人心不信, 雖強之行, 不能成也. 先王政令, 人心始以爲疑者有矣. 然其久也必信, 終不孚而成善治者, 未之有也. "文明以說", 以卦才言革之道也. 離爲文明, 兌爲說, 文明則理無不盡, 事無不察. 說則人心和順. 革而能照察事理, 和順人心, 可致大亨而得貞正. 如是變革得其至當, 故悔亡也. 天下之事, 革之不得其道, 則反致弊害, 故革有悔之道. 唯革之至當, 則新舊之悔皆亡也.

일의 변혁을 사람의 마음이 어떻게 곧바로 믿을 수 있겠는가? 반드시 하루가 지난 후에야 믿게 된다. 윗자리에 있는 사람은 변혁할 즈음에 마땅히 상세하게 알리고 거듭 명령하여 하루가 지난 후에 사람들이 믿도록 해야 한다. 사람들의 마음이 믿지 않으면 억지로 강행할지라도 효과를 이룰 수 없다.

선왕의 정치적 명령에 대해 사람들의 마음이 처음에는 의심하는 자가 있었다. 그러나 오래 지나면 반드시 믿으니 결국 사람들이 믿지 않고 좋은 정치를 이룬 자는 있지 않았다.

"문명하여 기뻐한다"는 것은 괘의 자질로 변혁의 방도를 말했다. 이(離☲)괘는 문명(文明)이고 태(兌☱)괘는 기뻐함이다. 문명(文明)하면 이치를 다하지 않음이 없고 살피지 않는 일이 없다. 기뻐하면 사람들의 마음이 화답하며 순종한다.

변혁하면서 일의 이치를 밝게 관찰하고 사람들의 마음에 조화하여 따를 수 있다면 크게 형통하여 올바름을 얻을 수 있다. 이와 같이 변혁하여 지극히 합당함을 얻게 되므로 후회가 없어진다.

천하의 일은 변혁하는 데 도리를 얻지 못하면 도리어 폐해를 불러오므로 변혁에는 후회의 도가 있다. 지극히 합당한 변혁이어야만이 변혁 이전과 이후의 후회가 모두 없어진다.

集說

● 胡氏炳文曰: "「彖」未有言悔亡者, 唯革言之. 革易有悔也, 必革而當其悔乃亡. 當字卽是貞字. 一有不貞, 則有不信, 有不通, 皆不當者也."

호병문이 말했다. "「단전」에서는 후회가 없어진다는 말을 한 적이 없는데 오직 혁괘에서만 말했다. 변혁은 쉽게 후회가 생기니 반드시 변혁하여 마땅히 그 후회를 없애야 한다. '마땅히'라는 말은 올바름이다. 하나라도 올바르지 않으면 믿지 않게 되고 통하지 않게 되니 모두 합당하지 않는 것이다."

案

"文明以說, 大亨以正", 兩"以"字, 上句重在文明. 蓋至明則事理周盡, 故以此而順人心, 有所更改, 則無不宜也. 下句重在正, 蓋其大亨也, 以正行之, 則無不順也. 凡「彖傳」用"以"字者, 文體正倒, 皆可互用. 如"順以動", 及"動而以順行", 其義一也.

"문명(文明)하여 기쁘고 크게 형통하여 올바르다"라는 구절의 두 '이(以)'자에서 위 구절은 문명에 중요성이 있다. 지극히 밝으면 일의 이치를 두루 다 하게 되므로 이것으로 사람의 마음을 따라 개혁하는 것이 있으면 마땅하지 않음이 없다. 아래 구절은 올바름에 중요성이 있다. 크게 형통한 것은 올바름으로 행하면 순조롭지 않음이 없다.
「단전」에서 '이(以)'라는 글자를 사용한 것은 문체가 전도되니 서로 사용할 수 있다. 예를 들어 "순조롭게 움직인다"는 말과 "움직여서 순조롭게 행한다"는 것은 그 뜻이 하나이다.

天地革而四時成，湯武革命，順乎天而應乎人，革之時大矣哉.

천지가 변혁하여 사계절이 이루어지며, 탕왕과 무왕이 천명을 변혁하여, 하늘에 순종하고 사람들에게 호응했으니, 변혁의 때가 크구나!

本義

極言而贊其大.

지극히 말하여 그 큼을 찬미하였다.

程傳

推革之道，極乎天地變易，時運終始也. 天地陰陽推迂變易而成四時，萬物於是生長成終，各得其宜，革而後四時成也. 時運旣終，必有革而新之者. 王者之興，受命於天，故易世謂之革命. 湯武之王，上順天命，下應人心，"順乎天而應乎人"也. 天道變改，世故遷易，革之至大也. 故贊之曰"革之時大矣哉!"

변혁의 도리를 추론하여 천지가 변하고 뒤바뀌는 것과 천시(天時)가 운행하는 시작과 끝을 지극하게 말했다. 천지의 음양이 미루어 옮기고, 고치고 바뀌어 사계절을 이루며, 만물이 이에 생겨나고 자라고 이루어지고 끝마치는 것이 각각 그 마땅함을 얻으니, 이는 변혁한 뒤에 사계절이 이루어지는 것이다. 천시의 운행이 끝나면 반드시 변혁하여 새롭게 하는 것이 있다.

왕이 일어날 때 하늘로부터 천명(天命)을 받으므로 세상을 뒤집는 것을 혁명(革命)이라 한다. 탕왕과 무왕은 위로 천명에 순종하고 아래로 사람들의 마음에 호응했으니, 이것이 "하늘에 순종하고 사람들에게 호응한다"는 말이다.

천도가 변화하여 개혁하고 옛 왕조가 옮겨지고 바뀌는 것이 지극히 위대한 변혁이므로 "변혁의 때가 크도다!"라고 찬미했다.

集說

『朱子語類』云 : "革是更革之謂, 到這裏須盡翻轉更變一番, 所謂上下與天地同流, 豈曰小補之哉. 小補之者, 謂扶衰救弊, 逐些補緝, 如錮露家事相似. 若是更革, 則須徹底從新鑄造一番, 非止補其罅漏而已."[8]

『주자어류』에서 말했다. "변혁은 다시 고치는 것을 말하는데 여기에 이르러 반드시 뒤집어져 다시 한번 변하니 이른바 '위 아래가 모두 천지와 함께 흐르니 어찌 조금 보탬이 있다고 하겠는가?'[9]라고

8) 『주자어류』 73장, 29조목.

9) 『맹자』「진심상」: "패자(覇者)의 백성들은 매우 즐거워하고, 왕자(王者)의 백성들은 호호(皞皞)하다. 죽여도 원망하지 않으며 이롭게 하여도 공(功)으로 여기지 않는다. 그러므로 백성들이 날로 개과천선(改過遷善)을 하면서도 누가 그렇게 만든 줄을 알지 못한다. 군자가 지나는 곳에 교화가 되며, 마음에 두고 있으면 신묘(神妙)해진다. 그러므로 상하(上下)가 천지(天地)와 더불어 함께 흐르나니, 어찌 조금 보탬이 있다고 하

한 말이다. '조금 보탬이 있다'란 쇠약한 것을 부축하고 폐단을 구하며 이런 것을 쫓아내고 새로운 것을 보충한다는 뜻으로 집안 일을 다스리는 것과 비슷하다. 만약 개혁한다면 철저하게 새로운 것을 다시 만들어내야지, 틈이 새는 것을 보수하는데 그쳐서는 안 된다."

겠는가.[霸者之民驩虞如也, 王者之民皞皞如也. 殺之而不怨, 利之而不庸, 民日遷善而不知爲之者. 夫君子所過者化, 所存者神, 上下與天地同流, 豈曰小補之哉?]"라고 하였다.

50. 정鼎䷱괘

鼎, 象也. 以木巽火, 亨飪也. 聖人亨以享上帝, 而大亨以養聖賢.

정은 상이니 나무가 불에 들어가 음식을 삶아 익히는 것이다. 성인이 삶아서 상제께 제향하고, 크게 삶아 성현을 기른다.

本義

以卦體二象釋卦名義. 因極其大而言之. 享帝貴誠, 用犢而已. 養賢則饔飧牢禮, 當極其盛, 故曰"大亨".

괘의 체와 두 상(象)으로 괘의 이름과 뜻을 해석하고 그에 따라 그 큼을 지극하게 말하였다. 상제께 제향하는 것은 정성을 귀중히 여기니 송아지를 쓸 뿐이다. 어진 이를 봉양함은 옹손(饔飧)과 뇌례(牢禮)[1]를 매우 성대하게 해야 하므로 '크게 삶음'이라고 말하였다.

1) 옹손(饔飧)과 뇌례(牢禮) : 빈객이 처음 당도했을 때 대접하는 예를 옹(饔)이라고 하고, 폐백을 마치고 대접하는 예를 손(飧)이라고 한다. 『주

程傳

卦之爲鼎, 取鼎之象也. 鼎之爲器, 法卦之象也. 有象而後有器, 卦復用器而爲義也. 鼎, 大器也, 重寶也. 故其制作形模, 法象尤嚴. 鼎之名'正'也, 古人訓'方', '方'實'正'也. 以形言, 則耳對植於上, 足分峙於下. 周圓內外, 高卑厚薄, 莫不有法而至正. 至正然後成安重之象. 故鼎者法象之器, 卦之爲鼎, 以其象也. "以木巽火", 以二體言鼎之用也. "以木巽火", 以木從火, 所以亨飪也. 鼎之爲器, 生人所賴至切者也. 極其用之大, 則"聖人亨以享上帝", "大亨以養聖賢". 聖人, 古之聖王, 大言其廣.

이 괘가 정괘가 되는 이유는 가마솥의 모습을 취했기 때문이다. 가마솥이 요리 기구가 되는 것은 괘의 모습을 모방한 것이다. 모습이 있은 뒤에 기구가 있고, 괘는 다시 기구를 사용하여 뜻으로 삼았다. 가마솥은 큰 요리 기구이고 중요한 보물이다. 그러므로 모양을 제작하거나 모습을 본받는 일이 매우 엄격하다. 정(鼎)의 이름은 '정(正)'이니 옛 사람들은 '방(方)'으로 풀이했고, '방(方)'에는 실제로 '방정(方正)하다'는 뜻이다.
형체로 말하자면 귀가 위에서 마주보고 있고 발이 아래로 나누어 버티고 있다. 안팎이 두루 둥글고 높고 낮음과 두껍고 얇은 것이 모두 법도가 있어 지극히 올바르지 않음이 없다. 지극히 바른 뒤에야 안정되고 중후한 모습이 있다. 그러므로 가마솥이란 모습을 본받은

례(周禮)』 정현(鄭玄)의 주(注)에서는 옹손(饔飧)이 곧 뇌례(牢禮)라고 하였다. 뇌례(牢禮)는 소 · 양 · 돼지의 세 가지 희생을 갖추어 빈객을 대접하는 예이다.

기물이니, 이 괘가 정괘가 된 것은 그 모습 때문이다.
"나무로 불에 들어간다"는 것은 두 괘의 형체로써 가마솥의 용도를 말했다. "나무로써 불에 들어간다"는 나무로 불을 태우는 것이니 삶아서 음식을 만드는 일이다.
가마솥이라는 요리 기구는 살아있는 사람이 매우 절실하게 의지하는 것이다. 그 용도를 극대화하면 "성인이 삶아서 상제께 제향하고 크게 삶아 성현을 배양한다." 성인은 옛 성왕(聖王)을 말한다. '대(大)'란 그 용도가 매우 넓다는 말이다

集說

● 蔡氏淵曰:"祭之大者, 無出於上帝. 賓客之重者, 無過於聖賢."

채연(蔡淵)[2]이 말했다. "제사의 큰 것은 상제로부터 벗어나지 않는다. 빈객의 중대함은 성현에서 넘어서지 않는다."

案

釋名之後, 繼以"享帝""養賢"兩句, 指明卦義之所主也, 與井"養而不窮也"對觀之, 便明. 蓋彼主養民, 此主享帝養賢. 而享帝之

2) 채연(蔡淵, 1156~1236) : 자는 백정(伯靜)이고, 호는 절재(節齋)이다. 송대 건양(建陽 : 현 복건성 건양) 사람으로 채원정의 맏아들이다. 부친의 뜻을 이어 주경야독하여, 특히 『역』에 조예가 깊었고 그에 관한 저술이 많다. 저서는 『주역훈해(周易訓解)』, 『역상의언(易象意言)』, 『괘효사지(卦爻辭旨)』 등이 있다.

實, 尤在於養賢也.

이름을 해석한 뒤에 "삶아서 제사드린다." "성현을 봉양한다"는 구두절은 모두 괘가 지닌 의미의 주된 바를 가리켜 밝혔으니 정(井)괘의 "배양하여 끝이 없다"는 구절과 상대해서 보면 분명하다. 그 정(井)괘는 백성을 기르는 일을 주로 했고 이 정(鼎)괘는 상제께 제사드리고 성현을 봉양드리는 일을 주로 했다. 상제께 제사 드리는 실제는 더욱이 성현을 봉양하는 데 있다.

巽而耳目聰明, 柔進而上行, 得中而應乎剛, 是以元亨.

공손하여 귀와 눈이 총명하며 부드러움이 나아가 위로 올라가고 중도를 얻었으며 굳셈에 호응하여 크게 형통하다.

本義

以卦象卦變卦體釋卦辭.

괘의 상(象)과 괘의 변(變)과 괘의 체(體)로 괘사(卦辭)를 해석하였다.

程傳

上旣言鼎之用矣, 復以卦才言. 人能如卦之才, 可以致元亨也. 下體巽, 爲巽順於理, 離明而中虛於上, 爲耳目聰明之象. 凡離在上者, 皆云"柔進而上行". 柔在下之物, 乃居尊位, 進而上行也. 以明居尊而得中道, 應乎剛, 能用剛陽之道也. 五居中, 而又以柔而應剛, 爲得中道. 其才如是, 所以能元亨也.

위에서 가마솥의 쓰임을 말했고, 다시 괘의 자질을 말했다. 사람이 이와 같이 괘의 자질처럼 할 수 있다면 크게 형통함을 이룰 수 있다. 아래 괘의 형체는 손(巽☴)괘로 이치에 공손하게 순종하며, 위의 이(離☲)괘는 현명하여 윗자리에서 마음을 비우고 있으니 눈과 귀가 총명한 모습이다.

64괘 가운데 이(離☲)괘가 위에 있는 경우는 모두 "부드러움이 나아가 위로 올라간다."고 했다. 부드러움은 아래에 있는 것인데 존귀한 지위에 자리하니 나아가 위로 올라간 것이다. 밝음으로 존귀한 지위에 자리하면서 중도를 얻었고 굳센 사람에게 호응하니, 굳센 양의 도리를 쓸 수 있다. 육오효는 중(中)의 위치에 자리하고, 또 부드러움으로 강한 사람에게 호응하니 중도를 얻었다. 그 자질이 이와 같으니, 크게 형통할 수 있다.

集說

● 單氏渢曰:"巽以養下, 則達聰而明目者也. 柔進而上行, 則不爲驕亢者也. 得中而應剛, 則能養聖賢者也."

단풍(單渢)이 말했다. "공손하여 아랫사람을 기르면 귀가 달통하고 눈이 밝은 자이다. 부드러움이 나아가 위로 올라가면 교만한 자가 아니다. 중도를 얻고 굳셈에 호응하면 성현을 기를 수 있는 자이다."

● 劉氏曰:"得中而應乎剛者, 以柔居中, 下應九二之剛, 乃能用賢也. 柔得尊位, 卑巽以下賢, 是以致元亨."

유씨(劉氏)가 말했다. "중도를 얻고 굳셈에 호응하는 자는 부드러움으로 중(中)의 위치에 자리하여 아래로 구이효의 굳셈에 호응했으니 현자를 등용할 수 있는 자이다. 부드러움이 존귀한 지위를 얻어 공손하게 현자에 낮추니 크게 형통함을 얻는다."

● 張氏清子曰 : "上體離也, 離爲目, 而兼耳言之者, 蓋以六五爲鼎耳而取也."

장청자(張清子)가 말했다. "상체(上體)는 이(離☲)괘이니 이괘는 눈인데 귀를 겸하여 말했다. 육오효가 가마솥의 귀를 취했기 때문이다."

51. 진震䷲괘

震, 亨.

진은 형통하다.

本義

震有亨道, 不待言也.

진(震)에는 형통할 도(道)가 있으니, 말할 필요가 없다.

震來虩虩, 恐致福也, 笑言啞啞, 後有則也.

우레의 진동이 일어날 때 돌아보고 두려워함은 복을 이루는 것이고, 웃고 말하는 소리가 즐거운 것은 이후에 법도가 있다.

本義

"恐致福", 恐懼以致福也, 則, 法也.

"복을 이루는 것"은 두려워하여 복을 이루는 일이다. 칙(則)은 법(法)이다.

程傳

震自有亨之義, 非由卦才. 震來而能恐懼, 自修自愼, 則可反致福吉也. "笑言啞啞", 言自若也. 由能恐懼, 而後自處有法則也. "有則", 則安而不懼矣, 處震之道也.

진(震)은 저절로 형통할 수 있는 뜻이 있으나, 괘의 자질로 말미암아 그런 것은 아니다. 우레가 일어날 때 두려워하여 스스로 수양하고 스스로 신중할 수 있다면 도리어 복과 길함에 이를 수 있다. "웃고 말하는 소리가 즐겁다"는 태연자약함을 말한 것이다. 두려워하고 근심할 수 있은 뒤에야 스스로 처신하는 데 법도가 있다. "법도가 있으면" 안정되어 두려워하지 않을 것이니 우레에 대처하는 방도이다.

集說

● 董氏曰 : "致福云者, 見君子常以危爲安也. 有則云者, 見君子不以忽忘敬也."

동씨(董氏)가 말했다. "복을 이룬다고 말한 것은, 군자는 항상 위험을 안정으로 여김을 보여준다. 법칙이 있다고 말한 것은, 군자는 갑자기 경(敬)을 잊지 않음을 보여준다."

● 李氏過曰 : "有則, 謂君子所履, 出處語默, 皆有常則, 不以恐懼而變也."

이과(李過)가 말했다. "법칙이 있다는 것은 군자가 이행하는 바와 세상에 나아가 처신하고 말하고 침묵하는 데 모두 일정한 법칙이 있어 두려워하며 변하지 않는다는 말이다."

震驚百裏, 驚遠而懼邇也. 出可以守宗廟社稷, 以爲祭主也.

우레 소리가 진동하여 백리를 놀라게 함은 멀리 있는 자를 놀라게 하고 가까이 있는 자를 두렵게 하는 것이다. 숟가락과 울창주를 잃지 않음은 군주가 나와서 종묘와 사직을 지켜 제사의 주인이 되는 것이다.

本義

程子以爲"邇也"下, 脫"不喪匕鬯"四字, 今從之. 出, 謂繼世而主祭也. 或云, '出'卽'鬯'字之誤.

정자(程子)는 "이야(邇也)" 아래에 "숟가락과 울창주를 잃지 않는다" 네 글자가 빠졌다고 여겼으니 이제 그것을 따른다. '출(出)'은 대를 이어 제사를 주관하는 것을 말한다. 어떤 사람은 '출(出)'은 바로 '창(鬯)'자의 오자라고 한다.

程傳

雷之震及於百里, 遠者驚, 近者懼, 言其威遠大也. 「象」文脫"不喪匕鬯"一句, 卦辭云"不喪匕鬯", 本謂誠敬之至, 威懼不能使之自失. 「彖」以長子宜如是, 因承上文用長子之義通解之. 謂其誠敬能"不喪匕鬯", 則君出而可以守宗廟社稷爲祭主也. 長子如是, 而後可以守世祀承國家也.

우레의 진동이 백리(百里)에 미쳐 멀리 있는 자가 놀라고 가까이 있는 자가 두려워하니 그 위엄이 멀고 크다는 점을 말했다.

「단전」의 글에는 "숟가락과 울창주를 잃지 않는다"는 한 구절이 빠져 있다. 괘사(卦辭)에서 "숟가락과 울창주를 잃지 않는다"는 것은 본래 정성과 공경이 지극하여, 위엄과 두려움이 정신을 잃게 할 수 없다는 것을 말한다.

「단전」에서 장남은 마땅히 이와 같이 해야 한다는 것은 위 문장을 이어 장남의 뜻을 사용하여 전체적으로 해석했다. 그 정성과 공경이 "숟가락과 울창주를 잃지 않을 수 있다"면, 군주가 나와서 종묘와 사직을 지켜 제사의 주인이 될 수 있다는 말이다. 장남이 이와 같이 한 뒤에야 대대로 이어오는 제사를 지키고 나라와 가문을 계승할 수 있다.

集說

● 『朱子語類』云 : "震便自是亨. 震來虩虩, 是恐懼顧慮, 而後便笑言啞啞. 震驚百裏. 便也不喪匕鬯. 文王語已是解震亨了, 孔子又自說長子事."[1)]

『주자어류』에서 말했다. "우레는 본래 형통하다. '우레의 진동이 일어날 때 돌아보고 두려워 한다'는 것은 두렵고 염려하는 것인데, 뒤에 '웃으며 말하는 소리가 즐겁다'고 했다. '우레소리가 백리를 놀라게 한다'는 '숟가락과 울창주를 잃지 않는다'는 말이다. 문왕의 말은 이미 '우레가 형통하다'고 해석했고, 공자는 또 장남의 일을 말했다."

1) 『주자어류』 73권, 37조목.

● 邱氏富國曰 : "驚者, 卒然遇之而動乎外. 懼者, 惕然畏之而變於中."[2]

구부국(邱富國)[3]이 말했다. "놀라는 것은 갑자기 당해 밖에서 움직이는 상황이다. 두려운 것은 놀라면서 두려워하여 마음속에서 변하는 사태이다."

● 張氏清子曰 ; "出者, 卽「說卦」'帝出乎震'之謂. 主者, 卽「序卦」'主器莫若長子'之謂. 若舜之烈風雷雨弗迷, 可以出而嗣位矣."

장청자(張清子)가 말했다. "나온다는 것은 「설괘전」에서 '상제는 진(震)에서 나왔다'고 하는 말이다. 주재한다는 것은 「서괘전」에서 '기물을 주재하는 데는 장자만한 것이 없다'는 말이다. 순이 '열풍과 뇌우에 혼미하지 않은'[4] 것이라면 나와서 왕위를 이을 수 있다."

2) 구부국(丘富國), 『주역집해(周易輯解)』 권3.

3) 구부국(丘富國) : 자는 행가(行加)이고, 남송 건안(建安 : 현 복건성 건구〈建甌〉) 사람이다. 주자의 문인으로 주자의 역학사상을 주로 계승 발전시켰다. 이종(理宗) 순우(淳祐) 7년(1247)에 진사에 급제하여 벼슬은 단주첨판(端州僉判)을 역임했다. 남송이 망하자 은거하고 벼슬하지 않았다. 저서에는 『주역집해(周易輯解)』, 『역학설약(易學說約)』, 『경세보유(經世補遺)』가 있다.

4) 『서경』「우서 · 순전」 제2장 : "오전(五典)을 삼가 아름답게 하라 하시니 오전(五典)이 능히 순하게 되었으며, 백규(百揆)에 앉히시니 백규(百揆)가 때로 펴졌으며, 사문(四門)에서 손님을 맞이하게 하시니 사문(四門)이 화목하며, 큰 산기슭에 들어가게 하시니 열풍(烈風: 맹렬한 바람)과 뇌우(雷雨: 천둥 번개가 치고 비가 옴)에 혼미하지 않으셨다.[愼徽五典, 五典, 克從, 納于百揆, 百揆時敍, 賓于四門, 四門, 穆穆, 納于大麓, 烈風雷雨, 弗迷.]"라고 하였다.

● 蔡氏清曰："懼深於驚, 遠近之別也."[5]

채청(蔡清)[6]이 말했다. "두려움은 놀람보다 심하니, 멀고 가까움으로 구별한다."

● 楊氏啟新曰："乾者自強而已矣, 而曰惕. 震者動而已矣, 而曰懼. 惕之爲強也, 見惕之非惴懾也. 懼之爲動也, 見懼之非驚恐也."

양계신(楊啟新)이 말했다. "강건한 것은 스스로 강할 뿐이므로 근심스럽다고 했다. 진동하는 것은 움직일 뿐이므로 두렵다고 했다. 근심이 강한 것은 근심이 두려움이 아님을 드러낸다. 두려움이 움직임을 만드는 것은 두려움이 놀람이 아님을 드러낸다."

5) 채청(蔡清), 『역경몽인(易經蒙引)』 권6상.

6) 채청(蔡清, 1453~1508) : 명(明)대 진강(晉江) 사람으로, 자는 개부(介夫)이고 별호는 허재(虛齋)이다. 31세에 진사에 급제하여 벼슬은 남경문선랑중(南京文選郎中)·강서제학부사(江西提學副使) 등을 역임하였다. 명대의 저명한 이학가(理學家)로서 주로 이정(二程)과 주희(朱熹)의 저술 연구를 통해 그들의 사상을 계승하였다. 특히 천주(泉州) 개원사(開元寺)에서 역학연구단체를 결성하여 90여 책을 출간하면서 청원학파(清源學派)를 이루었다. 이정기(李廷機)·장악(張嶽)·임희원(林希元)·진침(陳琛) 등의 학자들이 그 학파의 주요 구성원이었다. 저술로는 『사서몽인(四書蒙引)』, 『역경몽인(易經蒙引)』, 『허재문집(虛齋文集)』 등이 있다.

52. 간艮䷳괘

> **艮, 止也. 時止則止, 時行則行, 動靜不失其時, 其道光明.**
>
> 간(艮)은 멈춤이다. 그쳐야 할 때 그치고 가야 할 때 가서 움직임과 고요함에 그 때를 잃지 않으니, 그 도가 밝게 드러난다.

本義

此釋卦名. 艮之義則止也, 然行止各有其時. 故時止而止, 止也, 時行而行, 亦止也. 艮體篤實. 故又有光明之義. 大畜, 於艮, 亦以輝光言之.

이는 괘의 이름을 해석한 것이다. 간(艮)의 뜻은 멈춤이나, 가고 멈춤이 각각 때가 있다. 그러므로 때가 그쳐야 할 경우에 그치는 것도 멈춤이고, 때가 가야 할 경우에 가는 것도 또한 멈춤이다.
간(艮)괘의 형체는 돈독하고 진실하므로 광명(光明)한 뜻이 있다. 대축(大畜)괘도 간(艮)에서 또한 휘광(輝光)으로 말하였다.

程傳

艮爲止. 止之道唯其時, 行止動靜不以時, 則妄也. 不失其時, 則順理而合義. 在物爲理, 處物爲義, 動靜合理義, 不失其時也, 乃其道之光明也. 君子所貴乎時, 仲尼行止久速是也. 艮體篤實, 有光明之義.

간은 멈춤이다. 멈춤의 도는 오직 때에 달려 있으니 나아가고 멈추며 움직이고 고요함을 때에 맞게 하지 않으면 허망한 거짓이다. 때를 잃지 않으면 이치에 따라 마땅한 의리에 합치한다.
사물의 측면에서는 이치라 하고 그 사물에 대처하는 측면에서는 마땅한 의리라고 한다. 움직임과 고요함이 이 이치와 합당한 의리에 합치하면 그 때를 잃지 않은 것이니, 그 도가 밝게 빛난다.
군자가 귀중하게 여기는 것은 때이니 공자가 떠나고 멈추는 데 오래 하거나 신속하게 함[1]이 이것이다. 간(艮)괘의 체질은 돈독하고 진실하여 밝게 빛나는 뜻이 있다.

集說

● 程子曰 : "時止則止, 時行則行, 時行對時止而言, 亦止其所也. 動靜不失其時, 皆止其所也."

정자(程子)가 말했다. "때가 그쳐야 할 경우 그치고 때가 행해야 할

1) 떠나고 멈추는 데 오래 하거나 신속하게 함 : 『맹자』「공손추상」 : "벼슬할 만하면 벼슬하고, 멈출 만하면 멈추고, 오래 할만하면 오래하고 신속하게 할 만하면 신속하게 하는 것이 공자이다.[可以仕則仕, 可以止則止, 可以久則久, 可以速則速, 孔子也.]"라고 하였다.

경우 행하니, 때가 행하는 것을 때가 멈추는 것에 대비하여 말한 것은 또한 그 제자리에 멈추는 일이다. 움직임과 고요함에 그 때를 잃지 않는 것은 모두 그 제자리에 멈추는 일이다."

● 張子曰:"艮一陽爲主於兩陰之上, 各得其位, 而其勢止也. 『易』言光明者, 多艮之象, 著則明之義也."

장자(張子:張載)가 말했다. "간괘에서 하나의 양이 두 음 위에서 주도하여 각각 그 지위를 얻고 그 세력을 그친다. 『역』에서 광명(光明)을 말하는 것은 간(艮☶)괘의 상이 많으니 드러나면 밝게 빛난다는 뜻이다."

● 『朱子語類』云:"時止則止, 時行則行, 行固非止, 然行而不失其理, 乃所以爲止也."[2]

『주자어류』에서 말했다. "때가 멈추어야 할 경우 멈추고, 때가 행해야 할 경우 행하니, 행하는 것은 멈추는 것이 아니지만 행하여 그 이치를 잃지 않는 것이 멈춤이 되는 까닭이다."

● 問: "艮之象何以爲光明."
曰:"定則明. 凡人胸次煩擾, 則愈見昏昧. 中有定止, 則自然光明. 莊子所謂泰宇定而天光發是也."[3]

2) 『주자어류』 73권, 49조목.
3) 『주자어류』 73권, 50조목.

『주자어류』에서 물었다. "간괘의 모습이 왜 광명입니까?"
대답했다. "안정되면 빛난다. 사람의 가슴이 번뇌하고 요란하면 더욱 어둡다. 마음 속이 안정되어 멈추면 저절로 빛이 난다. 『장자』에서 '마음이 태연하고 안정되어 있는 사람은 자연스러운 빛을 발한다'[4]는 말이 이것이다."

案

釋名之下, 先著此四句, 亦所以爲釋辭之端. "時止則止", 則所謂"艮其背不獲其身"也. "時行則行", 則所謂"行其庭不見其人"也.

괘의 이름을 해석한 아래에 먼저 이 네 구절을 쓴 것 또한 말을 해석하기 위한 단서가 된다.
"때가 그쳐야 할 경우 그친다"는 것은 "그 등에서 멈춰 그 몸을 얻

4) 『장자』「경상초」: "마음이 태연하고 안정되어 있는 사람은 자연스러운 빛을 발한다. 자연스러운 빛을 발하는 사람은 자신의 진실한 모습을 드러내고, 만물은 본연의 모습을 지킨다. 마음이 닦인 사람은 언제나 일정한 덕을 지니고 있다. 일정한 덕을 지닌 사람에게는 사람들이 귀의하게 되고 하늘이 그를 돕게 된다. 사람들이 귀의하는 사람을 천민(天民)이라고 한다. 하늘이 도와주는 사람을 천자(天子)라고 한다. 배우는 자는 그가 배울 수 없는 것을 배우려 한다. 행하려는 사람은 그가 실행할 수 없는 것을 실행하려 한다. 변론하는 자는 그가 변론할 수 없는 것들을 변론하려 한다. 그가 알 수 없는 경지에 그칠 줄 아는 것이 최상이다. 만약 이에 따르지 않는 자가 있다면 자연의 도가 그를 패망시킬 것이다.[宇泰定者, 發乎天光. 發乎天光者, 人見其人, 物見其物. 人有修者, 乃今有恒. 有恒者, 人舍之天助之. 人之所舍, 謂之天民. 天之所助, 謂之天子. 學者, 學其所不能學也. 行者, 行其所不能行也. 辯者, 辯其所不能辯也. 知止乎其所不能知, 至矣. 若有不即是者, 天鈞敗之.]"라고 하였다.

지 못한다"는 말이다. "때가 행해야 할 경우 행한다"는 것은 "뜰에 가면서 그 사람을 보지 못한다"는 말이다.

艮其止, 止其所也. 上下敵應, 不相與也. 是以不獲其身, 行其庭, 不見其人, 無咎也.

그쳐야 할 곳에서 멈춤은 제자리에 멈춘 것이다. 위와 아래가 대등하게 맞서 호응하며 서로 함께 하지 않는다. 이 때문에 몸을 잡지 못하고 뜰에 가면서도 사람을 보지 못하여 허물이 없다.

本義

此釋卦辭, 易背爲止, 以明背卽止也. 背者, 止之所也. 以卦體言, 內外之卦, 陰陽敵應而不相與也. 不相與則內不見己, 外不見人, 而無咎矣. 晁氏云,"艮其止", 當依卦辭作"背".

이는 괘의 말을 해석한 것이다. '배(背)'를 바꾸어 '지(止)'라 한 것은 '배(背)'가 곧 지(止)임을 밝힌 것이다. 등은 그치는 장소이다.
괘의 형체로 말하면 내괘와 외괘가 모두 음양(陰陽)이 대등하게 맞서 호응하며 서로 함께 하지 않는다. 서로 함께 하지 않으면 안으로는 자기를 보지 못하고 밖으로는 남을 보지 못하여 허물이 없다.
조씨[조열지]가 "'간기지(艮其止)'의 지(止)는 마땅히 괘의 말을 따라 배(背)로 써야 한다"고 했다.

程傳

"艮其止", 謂止之而止也. 止之而能止者, 由止得其所也. 止而不得其所, 則無可止之理. 夫子曰 : 於止知其所止, 謂當止之所也. 夫有物必有則, 父止於慈, 子止於孝, 君止於仁, 臣止於敬, 萬物庶事, 莫不各有其所, 得其所則安, 失其所則悖. 聖人所以能使天下順治, 非能爲物作則也. 唯止之各於其所而已. "上下敵應", 以卦才言也. 上下二體以敵相應, 無相與之義. 陰陽相應, 則情通而相與, 乃以其敵故不相與也. 不相與則相背, 爲"艮其背", 止之義也. 相背故"不獲其身""不見其人", 是以能止, 能止則"無咎"也.

"그쳐야 할 곳에서 멈춘다"는 그쳐야 할 때에 멈추는 것을 말한다. 그쳐야 할 때 멈출 수 있는 것은 멈춤이 제 위치를 얻었기 때문이다. 그쳐서 제 위치를 얻지 못하면 멈출 수 있는 이치는 없다. 공자가 "멈춤에 그쳐야 할 곳을 안다"[5]고 했으니 마땅히 그쳐야 할 곳을 말한다. 사물이 있으면 반드시 법도가 있으니 부모는 자애에 머물고 자식은 효에 머물고, 군주는 인(仁)에 머물고 신하는 경(敬)에 머물러 모든 것과 모든 일이 각각 제 위치에 멈추어 있지 않음이 없으니, 제 위치를 얻으면 편안하고 제 위치를 잃으면 혼란하다. 성인이 세상을 순조롭게 다스릴 수 있는 것은 일을 만들고 법도를 만들기 때문이 아니라 오직 각각 제 위치에 멈추게 할 수 있었기 때문이다.
"위와 아래가 대적하여 호응한다"는 괘의 자질로 말한 것이다. 위와 아래 두 괘의 형체가 대적하며 서로 호응해서 서로 함께 할 뜻이

5) 『대학』 3장 : "『시(詩)』에서 말하기를 '짹짹 우는 황새여, 산 깊고 숲이 울창한 곳에서 멈추어 있다'고 하니, 공자가 말하기를 '멈춤에 그쳐야 할 곳을 아니, 사람으로서 새만도 못해서야 되겠는가!'[詩云, 緡蠻黃鳥, 止于丘隅. 子曰, 於止, 知其所止, 可以人而不如鳥乎!]"라고 하였다.

없다. 음과 양이 서로 호응하면 정(情)이 통하여 서로 함께 하지만, 대적하여 맞서기 때문에 서로 함께 하지 않는다. 서로 함께 하지 않으면 서로 등지니, 그 등에서 멈춘다는 것은 제 위치에 그친다는 뜻이다. 서로 등지기 때문에 몸을 잡지 못하고 사람을 보지 못해서 제 위치에 그칠 수 있으니 제 위치에 그칠 수 있으면 허물이 없다.

集說

● 孔氏穎達曰 : "『易』背爲止, 以明背者無見之物, 卽是可止之所也. 艮其止, 是止其所止也. 故曰'艮其止, 止其所也'. 凡應者一陰一陽, 二體不敵, 今上下之位, 爻皆峙敵, 不相交與, 故曰'上下敵應, 不相與也.' 然八純之卦, 皆六爻不應, 何獨於此言之? 謂此卦旣止而不交, 爻又峙而不應, 與止義相協, 故兼取以明之."[6)]

공영달(孔穎達)이 말했다. "『역』에서 등은 멈춤이 되니 등은 볼 수 없는 것이라서 멈출 수 있는 장소임을 밝혔다. 그쳐야 할 곳에서 멈춤은 멈춰야 할 제 자리에서 멈추는 것이다. 그러므로 '그쳐야할 곳에서 멈춤은 제자리에 멈추기 때문이다'라고 했다. 호응하는 자가 하나의 음과 하나의 양, 두 체가 대적하지 않는데, 지금은 위와 아래의 지위에서 효가 모두 대적하고 서로 교류하여 함께 하지 않으므로 '위와 아래가 대적하여 호응해서 서로 함께 하지 않기 때문이다'라고 했다. 그러나 8개의 순수한 괘는 모두 여섯 효가 호응하지 않는데 왜 유독 이 괘에서만 말했는가? 이 괘는 이미 그쳐서 교류하지 않고 효(爻)에서도 또 대적하여 호응하지 않으니, 멈춤의

6) 공영달(孔穎達), 『주역주소(周易注疏)』 권9.

뜻과 서로 협조하므로 겸하여 취해 밝혔다."

● 蘇氏軾曰 : "艮其止, 止其所也, 此所以不獲其身也. 上下敵應, 不相與也, 此所以行其庭, 不見其人也."[7)]

소식(蘇軾)이 말했다. "'그쳐야 할 곳에서 멈춤은 제자리에 멈추기 때문이다'는 '그 몸을 얻지 못한다'는 말이다. '위와 아래가 대적하여 호응해서 서로 함께 하지 않기 때문이다'라는 것은 '뜰을 가지만 그 사람을 보지 못한다'는 말이다."

● 『朱子語類』云 : "艮其止止其所也, 上句止字, 便是背字. 故下文便繼之云是以不獲其身, 更不再言艮其背也. 下句止字, 是解艮字, 所字, 是解背字. 蓋云止於所當止也. '艮其背'是止於止, '行其庭不見其人'是止於動. 故曰'時止則止, 時行則行.'"[8)]

『주자어류』에서 말했다. "'그쳐야 할 곳에서 멈춤은 제자리에서 멈추었기 때문이다'에서 앞 구절의 '지(止)'자는 바로 '배(背)'자이다. 그러므로 뒷 구절에서 그것을 이어 '그러므로 그 자신을 얻지 못한다'고 하고, 다시는 '간기배(艮其背)'라고 하지 않았다. 아래 구절의 '지'자는 '간(艮)'자를 풀이 하였고, '소(所)'자는 '배(背)'를 풀이하였다. 단지 마땅히 멈춰야 할 곳에서 그친다고 말했다. '간기배'는 그쳐야 할 곳에서 그치는 것이다. '뜰을 걸어도 그 사람을 보지 못한다'는 움직임에서 그치는 뜻이다. 그러므로 '그쳐야 할 때 그치고 행해야 할 때 행한다'고 했다."

7) 소식(蘇軾), 『동파역전(東坡易傳)』 권5.
8) 『주자어류』 73권, 54조목.

● 又云 : "艮其背了, 靜時不獲其身, 動時不見其人, 所以「彖辭」「傳」中, 說是以不獲其身, 行其庭, 不見其人, 無咎也. 周先生所以說定之以仁義中正而主靜."[9]

또 말했다. "그 등에서 멈추었으면 고요할 때 그 몸을 얻지 못하고 움직일 때 그 사람을 보지 못하니, 「단사」와 「단전」에서 '그래서 그 자신을 잡지 못한다. 뜰을 거닐면 그 사람을 보지 못하니 허물이 없다'고 했다. 주선생(周先生 : 周敦頤)이 '인의중정(仁義中正)으로 정립하되 고요함을 주로 한다'고 했다.

● 項氏安世曰 : "卦辭爲艮其背, 「傳」爲艮其止. 晁氏說之曰, '「傳」亦當爲艮其背. 自王弼以前, 無艮其止之說.' 今案古文'背'字爲'北', 有訛爲'止'字之理."[10]

항안세(項安世)가 말했다. "괘의 말은 '그 등에서 멈춘다'고 하고 「단전」에서는 '그쳐야 할 곳에서 멈춘다'고 했다. 조열지(晁說之)가 '「단전」에서도 또한 그 등에 멈춘다로 해야 한다. 왕필 이전에는 그쳐야 할 곳에서 멈춘다는 말이 없다'고 했다. 지금 고문(古文)을 살펴보니 '배(背)'자는 모두 '배(北)'자로 되어 있으니, 변화되어 '지(止)'자로 될 리가 있다."

● 胡氏炳文曰 : "不獲其身以下三句, 皆從背說. 背則自視不獲其身, 行其庭則見其人. 『本義』所謂止而止, 行而止, 卽程子所謂靜亦定, 動亦定也."

9) 『주자어류』 73권, 47조목.
10) 항안세(項安世), 『주역완사(周易玩辭)』 권10.

호병문(胡炳文)이 말했다. "'그 몸을 잡지 못한다'는 아래 세 구절은 모두 등을 따라서 말했다. 등은 스스로 보아 그 몸을 얻을 수 없고 뜰에 나아가면 그 사람을 볼 수 없다. 『주역본의』에서 말하는 멈추어야 할 때 멈추고 행해야 할 때 행한다고 한 것은 정자(程子 : 程明道)가 말하는 고요할 때도 안정되고 움직일 때도 안정된다는 말이다."

案

此是以卦體爻位釋卦辭, 以卦體言, 陽上陰下, "止其所也". 以爻位言, 陰陽無應, "不相與也". "艮其背"內兼此二義, 故其止所者, 爲"不獲其身", "不相與"者, 爲"不見其人". 孔氏所謂卦旣止而不交, 爻又峙而不應者, 極爲得之.

이는 괘의 형체와 효의 위치로 괘의 말을 해석한 것이다. 괘의 형체로 말하면 양이 위에 있고 음이 아래에 있어 "그 제자리에서 멈춘다"는 것이다. 효의 위치로 말하면 음양이 호응함이 없으니 "서로 함께 하지 않는다"는 것이다.
"그 등에 멈춘다"는 것은 안에서 이 두 뜻을 겸했으므로 그 멈춘 곳은 "그 몸을 얻지 못한다"는 뜻이 되고, "서로 함께 하지 않는다"는 것은 "그 사람을 보지 못한다"는 뜻이 된다.
공영달이 괘에서 이미 멈추어 교류하지 않으므로, 효(爻)에서도 또 대적하여 호응하지 않는다고 한 것은 매우 옳은 말이다.

53. 점漸䷴괘

漸之進也, 女歸吉也.

점차적으로 나아감은 여자가 시집가는 데 길하다.

本義

'之'字疑衍, 或是'漸'字.

'지(之)'자는 의심컨대 연문이거나, '점(漸)'자인 듯하다.

程傳

如漸之義而進, 乃女歸之吉也. 謂正而有漸也, 女歸爲大耳, 它進亦然.

점차적인 뜻과 같이 나아가면 여자가 시집가는 데 길하다. 올바르면서 점차적인 순서가 있는 것을 말하니 여자가 시집가는 일은 가장 큰 일일 뿐이고, 그 밖의 나아감 역시 그러하다.

集說

● 郭氏雍曰 : "傳言漸之進, 如女之歸則吉, 所以明卦辭也. 蓋世俗多失漸進之道, 獨女歸有漸存焉耳."[1]

곽옹(郭雍)이 말했다. "「단전」에서 점차적인 나아감은 여자가 시집가는 듯이 하면 길하다고 했으니 괘의 말을 밝힌 것이다. 세속에서는 점차적으로 진입하는 방도를 많이 잃었는데 오직 여자가 시집가는 데 점차적인 방도가 있을 뿐이다."

● 毛氏璞曰 : "『易』未有一義明兩卦者, 晉進也, 漸亦進, 何也? 漸非進, 以漸而進耳."

모박(毛璞 : 毛伯玉)이 말했다. "『역』에는 한 가지 뜻으로 두 가지 괘를 밝히는 것이 없는데 진(晉䷢)괘가 나아감인데 점(漸)괘도 나아감은 무엇 때문인가? 점(漸)은 나아감이 아니라 점차적으로 나아감일 뿐이다."

案

曰漸之進也, 以別於晉之進, 升之進也.

점차적인 나아감이라고 했는데, 진(晉)괘의 나아감이나 승(升)괘의 나아감과 구별한 것이다.

---

1) 곽옹(郭雍), 『곽씨전가역설(郭氏傳家易說)』 권5.

進得位, 往有功也. 進以正, 可以正邦也.

나아가 지위를 얻으니 나아가면 공이 있을 것이다. 나아가기를 올바름으로 하니 나라를 바로잡을 수 있다.

本義

以卦變釋'利貞'之意, 蓋此卦之變, 自渙而來. 九進居三, 自旅而來, 九進居五, 皆爲得位之正.

괘의 변(變)으로 '이정(利貞)'의 뜻을 해석하였다. 이 괘의 변은 환(渙☴☵)로부터 와서 구(九)가 나아가 삼(三)에 자리하고 여(旅☲☶)로부터 와서 구(九)가 나아가 오(五)에 자리했으니 모두 자리의 바름을 얻었다.

程傳

漸進之時, 而陰陽各得正位, 進而有功也. 四復由上進而得正位, 三離下而爲上, 遂得正位, 亦爲進得位之義. 以正道而進, 可以正邦國至於天下也. 凡進於事, 進於德, 進於位, 莫不皆當以正也.

점차적으로 나아가는 때 음과 양이 각각 올바른 지위를 얻으니 나아가 공이 있다. 육사효가 다시 위로 나아가 올바름을 얻고 구삼효는 아래를 떠나 윗사람이 되어 마침내 올바른 지위를 얻으니 또한 나아가 지위를 얻는 뜻이 된다.
정도(正道)로 나아가면 나라를 바로잡을 수 있고 천하를 바로잡을 수 있다. 어떤 일에 나아가고 덕에 나아가고 지위에 나아가는 데 마땅히 정도로 하지 않는 것이 없다.

集說

● 梁氏寅曰："卦自二至五, 陰陽各得正位, 此所以進而有功也. 進得位, 以位言. 進以正, 以道言."[2]

양인(梁寅)[3]이 말했다. "괘는 이효에서 오효에 이르기까지 음양이 각각 올바른 자리를 얻으니 이것이 나아가서 공이 있다. 나아가 자리를 얻음은 지위로 말한 것이다. 정도로 나아감은 도로 말한 것이다."

2) 양인(梁寅), 『주역참의(周易參義)』 권4.
3) 양인(梁寅, 1309~1390) : 자는 맹경(孟敬)이고, 호는 양오경(梁五經) 또는 석문선생(石門先生)이다. 원말명초 강서 신유(江西新喩 : 현 강서성 신여시〈新餘市〉) 사람으로 대대로 농사를 지어 가난했다. 스스로 배우기를 게을리 하지 않아 오경(五經)에 정통했고, 백가(百家)의 학설을 두루 익혔다. 여러 차례 과거에 응시했지만 떨어졌다. 원나라 말에 일찍이 집경로유학훈도(集慶路儒學訓導)로 부름을 받아 2년 동안 있다가 사직하고 은거하여 학생들을 가르쳤다. 명나라 초기에 명유(名儒)로 불려 예국(禮局)에서 각종 예제(禮制)에 대해 토론했는데, 논리가 정확하고 예리해 여러 학자들이 탄복했다. 예악서(禮樂書)를 찬수하고 벼슬을 내렸지만 사양하고 귀향하여 석문산(石門山)에서 학문을 강론했다. 저서에 『예서연의(禮書演義)』, 『주례고주(周禮考注)』, 『춘추고서(春秋考書)』 등이 있었지만 전해지지 않고, 『석문집(石門集)』과 『주역참의(周易參義)』, 『시연의(詩演義)』만 남아 있다.

案

梁氏之說得之. 蓋"進得位", 以卦位言. "進以正", 以人事言. 在卦爲得位者, 在人事卽是得正也. 正邦, 亦只是申有功之意. 易卦中四爻得位者, 旣濟曰"定也", 家人曰"正家而天下定矣", 蹇漸皆曰"以正邦也". 蓋董子正朝廷以正百官, 正百官以正萬民之意也.

양씨[양인]의 말이 옳다. "나아가 지위를 얻는다"는 괘의 자리로 말한 것이다. "나아가기를 올바름으로 한다"는 인간사로 말한 것이다. 괘에서 자리를 얻은 자는 인간사에서 올바름을 얻는 것이다. 나라를 바르게 하는 것 또한 공이 있다는 뜻을 펼친 것이다.
『역』의 괘에서 네 효가 지위를 얻은 것은 기제(旣濟䷾)괘에서 "정한다[定]"[4]라 했고, 가인(家人䷤)괘에서는 "세상이 안정된다"[5]고 했고, 건(蹇䷦)괘와 점(漸)괘에서는 "나라를 바르게 한다"고 했다. 이는 동중서가 조정을 바르게 하여 백관을 바르게 하고, 백관을 바르게 하여 만민을 바르게 한다는 뜻이다.

---

4) 기제괘에서는 정(定)이라는 말이 없다.
5) 『주역』「가인(家人)괘」「단전」: "부모는 부모답고 자식은 자식답고 형은 형답고 아우는 아우답고 남편은 남편답고 아내는 아내다움에 집안의 도가 올바르게 되니, 집안을 바르게 하면 세상이 안정된다.[父父子子兄兄弟弟夫夫婦婦而家道, 正, 正家而天下定矣.]"라고 하였다.

其位, 剛得中也.

그 지위는 굳셈이 중도를 얻었다.

本義

以卦體言, 謂九五也.

괘의 체(體)로 말하였으니 구오효를 말한다.

程傳

上云"進得位往有功也", 統言陰陽得位, 足以進而有功. 復云"其位剛得中也", 所謂位者, 五以剛陽中正得尊位也. 諸爻之得正, 亦可謂之得位矣. 然未若五之得尊位, 故特言之.

위에 "나아가 지위를 얻으니 나아가면 공이 있을 것이다"라고 한 것은 음과 양이 지위를 얻어서 나아가 공이 있음을 총괄해서 말하였다. 다시 "그 지위는 굳셈이 중도를 얻었다"라는 말에서 지위는 구오효가 굳센 양의 자질과 중정(中正)의 덕으로 존귀한 지위를 얻은 것이다. 여러 효가 올바름을 얻은 것도 그 지위를 얻었다고 말할 수 있지만 구오효가 존귀한 지위를 얻은 것만 못하므로 구오효만을 특별히 말했다.

集說

● 梁氏寅曰："上言進得位，以自二至五四爻言之也．此又言其位剛得中，以九五言之也．"[6]

양인(梁寅)이 말했다. "위에서 나아가 지위를 얻었다고 한 것은 이효에서 오효까지 네 효를 가지고 말하였다. 여기서 또 그 지위가 굳셈이 중도를 얻었다고 한 것은 구오효를 가지고 말하였다."

6) 양인(梁寅), 『주역참의(周易參義)』 권4.

止而巽, 動不窮也.

멈추고 공손하므로 움직여 곤궁하지 않다.

本義

以卦德言漸進之義.

괘의 덕으로 점차적으로 나아가는 뜻을 말했다.

程傳

內艮止, 外巽順, 止爲安靜之象, 巽爲和順之義. 人之進也, 若以欲心之動, 則躁而不得其漸, 故有困窮. 在漸之義, 內止靜而外巽順, 故其進動不有困窮也.

내괘의 간(艮☶)괘는 멈춤이고, 외괘의 손(巽☴)괘는 순종이다. 멈춤은 편안하고 고요한 모습이고 공손은 화합하고 순종하는 뜻이다. 사람이 나아가는 데에 욕심이 동요하면 조급하여 점차적인 순서를 따르지 못하므로, 곤궁하게 된다. 점차적으로 나아가는 뜻에서 보면 안으로는 멈춰 고요하고 겉으로는 공손하여 순종하므로 그 나아가고 행동하는 데에 곤궁함이 없다.

集說

● 吳氏曰愼曰 : "止而巽, 終是進. 但進以漸, 故卦名爲漸. 若巽而止, 則終於止而事壞亂矣, 故卦名爲蠱. 內外先後之辨, 不可易也."

오왈신(吳曰愼)이 말했다. "멈추어 공손한 것은 결국 나아간다. 단지 나아가는 데 점진적으로 하므로 괘의 이름이 점(漸)이다. 만약 공손하여 멈추면 결국 멈춤에서 끝나 일이 붕괴되고 혼란스러우므로 괘의 이름이 고(蠱䷑)괘가 된다. 안과 밖 그리고 앞과 뒤의 분별을 바꿀 수 없다.

案

"剛得中", "止而巽", 又就中四爻內特擧九五與卦德, 申"女歸""利貞"之義. 節卦"說以行險", "當位""中正"同.

"굳셈이 중도를 얻었다"와 "멈추고 공손하다"는 것은 또 가운데 네 효에서 특히 구오효와 괘의 덕을 거론하여 "여자가 시집간다"와 "올바름이 이롭다"는 뜻을 펼쳤다. 절(節䷻)괘에서 "기뻐하여 험난함을 행한다"와 "지위에 합당하다" "중정을 얻었다"는 것과 같다.

54. 귀매歸妹䷵괘

歸妹, 天地之大義也. 天地不交而萬物不興, 歸妹人之終始也.

여자가 시집가는 일이란 천지의 큰 뜻이다. 하늘과 땅이 교제하지 않으면 만물이 일어나지 않으니, 시집가는 일은 사람의 시작과 끝이다.

本義

釋卦名義也. 歸者, 女之終. 生育者, 人之始.

괘 이름의 뜻을 해석하였다. 시집감은 여자의 끝이다. 낳고 기르는 것은 사람의 시작이다.

程傳

"一陰一陽之謂道", 陰陽交感, 男女配合, 天地之常理也. 歸妹, 女歸於男也, 故云天地之大義也. 男在女上, 陰從陽動,故爲女歸之象, 天地不交, 則萬物何從而生? 女之歸男, 乃生生相續之道. 男女交而後有生息, 有生息而後其終不窮. 前者有終, 而後者有始. 相續不窮, 是人之終始也.

"한 번 음(陰)하고 한 번 양(陽)하는 것을 도(道)라고 한다. 음과 양이 서로 교감하고 남자와 여자가 짝을 이루어 합하는 것이 하늘과 땅의 통상적인 이치이다.

귀매(歸妹)란 여자가 남자에게 시집가는 일이므로 천지의 큰 뜻이라고 했다. 남자가 여자 위에 있고 음이 양을 따라 움직이므로 여자가 시집가는 모습이다. 하늘과 땅이 교제하지 않으면 만물이 어디로부터 생겨나겠는가? 여자가 남자에게 시집가는 일이 바로 낳고 낳아 계속하여 대를 잇는 방도이다.

남자와 여자가 교제한 후에 생겨나 자라는 것이 있고 생겨나 자란 후에야 그 끝이 무궁하다. 앞 선 것에 끝이 있고 뒤 선 것에 다시 시작이 있어 서로 이음이 끝이 없으니 이것이 사람의 시작과 끝이다.

集說

● 項氏安世曰: "有男女然後有夫婦, 天地之大義也. 有夫婦然後有父子, 人之終始也."[1)]

항안세(項安世)가 말했다. "남녀가 있고 난 뒤에 부부(夫婦)가 있으니 천지의 큰 뜻이다. 부부가 있고 난 뒤에 부자(父子)가 있으니 사

1) 항안세(項安世), 『주역완사(周易玩辭)』 권10.

람의 시작과 끝이다."

案

將言歸妹之凶, 而先言其本天地之大義, 猶姤言"柔遇剛"之失, 而又推本於天地相遇之正也. 由此言之, 陰陽原不可以相無, 而唯當愼之始以防其敝者, 是易之道也.

귀매의 흉함을 말하려고 먼저 그 근본인 천지의 큰 뜻을 말했으니 구(姤☰)괘에서 "부드러움이 굳셈을 만나"는 과실을 말하고 또 천지가 서로 만나는 올바름을 추론한 것과 같다. 이것으로 말하면 음양은 원래 서로 없을 수가 없으니 마땅히 신중하게 시작하는데서부터 그 폐단을 예방하는 것이 역의 방도이다.

說以動, 所歸妹也.

기뻐하여 움직임이 시집가는 일이다.

本義

又以卦德言之.

또 괘의 덕으로 말하였다.

集說

● 鄭氏汝諧曰 : "長男居上, 少女居下, 以女下男也. 少女說以動, 而又先下於男, 其所歸者妹, 故以征則凶, 且無攸利."[2)]

정여해(鄭汝諧)가 말했다. "장남이 위에 자리하고 소녀가 아래에 자리하여 여자가 남자에게 내려간다. 소녀가 기뻐하면서 움직여 또 먼저 남자에게 내려가니 그 시집가는 자가 소녀이므로 가면 흉하고 또 이로운 바가 없다."

案

卦德說以動, 則與咸之止而說者異矣. 卦象女先於男, 是所欲歸

---

2) 정여해(鄭汝諧), 『역익전(易翼傳)』「하경(下經)」 하.

者妹也. 又以少女從長男, 是所歸者乃妹也. 所歸妹一句兼此二意, 可見其失於禮, 又愆於義也. 夫"說以動", 則徇乎情. 所歸妹, 則不能止乎禮義, 此卦之所以凶乎! 本義以卦德言之, 實則兼卦德卦象在內.

괘의 덕이 기뻐하면서 움직이니 함(咸䷞)괘의 멈추어 기뻐하는 것과는 다르다. 괘의 상(象)이 여자가 남자보다 앞서니 시집가려고 하는 자는 소녀이다. 또 소녀가 장남을 따르니 시집가려는 자가 곧 소녀이다.

귀매(歸妹)라는 한 구절은 이 두 뜻을 겸하고 있으니 예를 잃었고 또 마땅함에 어긋남을 알 수 있다. "기뻐하면서 움직인다"는 정(情)을 따르는 것이다. 시집가려는 것이 예와 마땅함에 멈출 수 없으니 이 괘가 흉한 까닭이다!

『주역본의』에서는 괘의 덕으로 말했지만 실제로 괘의 덕과 괘의 모습이 그 안에 있다.

征凶, 位不當也. 无攸利, 柔乘剛也.

가면 흉한 것은 자리가 합당하지 않기 때문이다. 이로울 바가 없는 것은 부드러움이 굳셈을 탔기 때문이다.

本義

又以卦體釋卦辭. 男女之交, 本皆正理. 唯若此卦, 則不得其正也.

또 괘의 형체로 괘의 말을 해석하였다. 남자와 여자의 교제는 본래 모두 올바른 이치이다. 오직 이 괘와 같으면 그 올바름을 얻지 못한다.

程傳

以二體釋歸妹之義. 男女相感說而動者, 少女之事, 故以"說而動", 所歸者妹也. 所以征則凶者, 以諸爻皆不當位也. 所處皆不正, 何動而不凶? 大率以說而動, 安有不失正者? 不唯位不當也, 又有乘剛之過, 三五皆乘剛. 男女有尊卑之序, 夫婦有唱隨之禮, 此常理也. 如恒是也. 苟不由常正之道, 徇情肆欲, 唯說是動, 則夫婦瀆亂, 男牽欲而失其剛, 婦狃說而忘其順, 如歸妹之乘剛是也. 所以凶, 無所往而利也. 夫陰陽之配合, 男女之交媾, 理之常也. 然從欲而流放, 不由義理, 則淫邪無所不至, 傷身敗德, 豈人理哉? 歸妹之所以凶也.

이 두 괘의 형체로 귀매괘의 뜻을 해석했다. 남자와 여자가 서로 감응하여 기뻐하면서 움직이는 것은 소녀의 일이므로 "기뻐하여 움직이니" 시집가는 것이 소녀이다.

함부로 가면 흉한 것은 여러 효가 모두 합당한 자리가 아니기 때문이다. 처신하는 바가 모두 올바르지 않으면 어떻게 행동한들 흉하지 않겠는가? 대부분 기뻐하면서 움직인다면 어찌 정도(正道)를 잃지 않는 자가 있겠는가? 단지 자리가 합당하지 않을 뿐만이 아니라 또 굳셈을 타고 있는 잘못이 있다. 육삼효와 육오효는 모두 굳셈을 탔다. 남자와 여자에게는 존귀하고 낮은 순서가 있고 남편과 부인에게는 먼저 부르고 그에 따라 화답하는 예의가 있으니, 이것이 통상적인 이치이다. 예를 들어 항(恒)괘가 그러하다. 만일 통상적이고 올바른 도리를 따르지 않고 사사로운 감정을 따르고 욕심에 빠져 오직 기뻐하면서 움직인다면 남편과 부인 사이의 질서가 혼란해지고 남자는 욕심에 이끌려 그 굳셈을 잃고 부인은 기쁨에 빠져 순종하는 것을 잊으니 예를 들어 귀매괘에서 굳셈을 타고 있는 것이 그러하다. 그래서 흉하니, 가서 이로운 바가 없다.

음과 양이 짝을 이루어 합하고 남자와 여자가 교제하여 합하는 것이 이치의 상도(常道)이다. 그러나 욕심에 따라 방종한 데로 흘러 마땅한 의리(義理)를 따르지 않으면 과도하고 거짓된 데 이르지 않음이 없어 몸을 상하고 덕을 해치니 어찌 사람의 도리이겠는가? 귀매괘가 그래서 흉한 것이다.

集說

● 陸氏希聲曰 : "『易』以咸恒爲夫婦之道, 漸歸妹爲夫婦之義.

漸四爻得正, 故女歸吉. 歸妹四爻失正, 故征凶."[3]

육희성(陸希聲)[4]이 말했다. "『역』에서 함(咸)괘와 항(恒)괘는 부부(夫婦)의 도리이고 점(漸)괘와 귀매(歸妹)괘는 부부의 마땅함이다. 점(漸䷴)괘의 네 효는 올바름을 얻었으므로 여자가 시집가는 것이 길하고 귀매(歸妹䷵)괘의 네 효는 올바름을 잃었으므로 가면 흉하다."

● 吳氏曰愼曰 : "卦以少女從長男, 則非其配偶. 說以動, 則恣情縱欲. 中爻不正, 則陰陽皆失其常. 三五柔乘剛則不順, 宜其凶也. 然四者又以說以動爲重."

오왈신(吳曰愼)이 말했다. "괘는 소녀가 장남을 따르니 그 배필의 짝이 아니다. 기뻐하면서 움직이니 정에 맡기고 욕심을 좇는다. 가운데 효가 올바르지 않으니 음양이 모두 그 상도를 잃었다. 삼효와 오효는 부드러움이 굳셈을 타고 있어 순종하지 않으니 그 흉함이 마땅하다. 그러나 네 효는 또한 기뻐함과 움직임을 중요한 것으로 여긴다."

案

中四爻皆失正位者. 除未濟外, 唯睽·解及此卦, 而家人·睽·漸·歸妹, 皆言男女之道者也. 家人以得位而正, 故睽以失位而

3) 이형(李衡), 『주역의해촬요(周易義海撮要)』 권5.
4) 육희성(陸希聲) : 자는 홍경(鴻磬)이고, 호는 군양둔수(君陽遁叟)(一稱君陽道人)이며, 당나라 소주(蘇州) 부인(府人) 사람이다. 박식하며 글을 잘 지었다. 저서에는 『도덕진경전(道德眞經傳)』이 있다.

乖, 漸以得位而吉, 故歸妹以失位而凶也. 他卦有柔乘剛而義與歸妹不同者, 義與卦變.

가운데 네 효가 모두 올바른 위치를 잃은 것이다. 미제(未濟)괘를 제외하고 오직 규(睽)괘와 해(解)괘 및 이 괘, 그리고 가인(家人)괘 · 규(睽)괘 · 점(漸)괘 · 귀매(歸妹)괘는 모두 남녀의 도를 말했다. 가인괘는 지위를 얻어 올바르므로 규괘는 지위를 잃어 어긋나고, 점괘는 지위를 얻어 길하므로 귀매괘는 지위를 잃어 흉하다. 다른 괘에는 부드러움이 굳셈을 탔지만 뜻이 귀매괘와 다른 것이 있으니, 뜻이 괘와 함께 변하였다.

55. 풍豐䷶괘

豐, 大也. 明以動, 故豐.
풍(豐)은 큼이다. 밝음으로 움직이므로 풍성하다.

本義

以卦德釋卦名義.

괘의 덕으로 괘의 이름을 해석했다.

程傳

豐者, 盛大之義. 離明而震動, 明動相資而成豐大也.

풍(豐)이란 성대하다는 뜻이다. 이(離☲)는 밝음이고 진(震☳)은 움직임이니 밝음과 움직임이 서로 바탕하여 풍성함을 이루었다.

集說

● 楊氏簡曰 : 以明而動, 故豐故亨. 以昏而動, 則反是矣.

양간(楊簡)이 말했다. 밝음으로 움직이므로 풍성하고 형통하다. 어두움으로 움직이면 이와 반대이다.

案

"明以動故豐", 亦非正釋名義, 乃推明其所以致豐之故, 以起釋辭之端, 與壯 · 萃同. '以'字與'而'字不同, '而'字有兩意, '以'字只是一意, 重在首字. 如以剛而動, 所以致壯, 可見處壯者之必貞也. 以順而說, 所以致聚, 可見處萃者之必順也. 以明而動, 所以致豐. 可見處豐者之必明也. 卦爻之義, 皆欲其明而防其昏, 故傳先發此義, 以示玩辭之要.

"밝음으로 움직이므로 풍성하다"는 말은 또한 이름의 뜻을 곧바로 해석한 것이 아니라 풍성함에 이르는 연유를 미루어 밝혀 괘사를 해석하는 단서를 일으켰으니 대장(大壯)괘나 췌(萃)괘와 동일하다. '이(以)'자와 '여(與)'자는 다르고 '이(而)'자는 두 가지 뜻이 있고 '이(以)'자는 한 가지 뜻이 있으니 머리글자로 놓는 것이 중요하다. 예를 들어 굳셈으로 움직이는 것이 강성함에 이르는 까닭이니 강성함에 처하는 것은 반드시 올바름이라는 것을 알 수 있다. 순종으로 기뻐하는 것이 모임에 이르는 까닭이니 모임에 처하는 것은 반드시 순종이라는 것을 알 수 있다. 밝음으로 움직임이 풍성함에 이르는 까닭이다. 풍성함에 처한 자는 반드시 밝음을 볼 수 있다.
괘효의 뜻은 모두 그 밝음을 밝혀 그 어두움을 예방하는 것이니 처하는 데 『정전』은 이 뜻을 먼저 밝혀 괘의 말을 완미하는 요점을 보였다.

王假之, 尙大也. "勿憂宜日中", 宜照天下也.

"왕이 이른다"는 큰 것을 숭상하는 것이다. "근심하지 말고 해가 중천에 있듯이 해야 한다"는 마땅히 천하에 비추어야 하는 것이다.

本義

釋卦辭.

괘사(卦辭)를 해석하였다.

程傳

王者有四海之廣, 兆民之衆, 極天下之大也, 故豐大之道, 唯王者能致之. 所有旣大, 其保之治之之道亦當大也. 故王者之所尙至大也. 所有旣廣, 所治旣衆, 當憂慮其不能周及. 宜如日中之盛明, 普照天下, 無所不至, 則可勿慮矣. 如是, 然後能保其豐大. 保有豐大, 豈小才小知之所能也.

왕은 넓은 사해와 많은 백성을 소유하여 천하의 큼을 지극히 하므로 풍성하고 오직 왕자만이 이룰 수 있다. 소유한 것이 이미 크니 보존하고 다스리는 도가 또한 마땅히 커야 한다. 그러므로 왕이 숭상하는 바는 지극히 크다.

소유한 것이 이미 넓고 다스려지는 것이 이미 많으면 두루 미치지 못할까 근심해야 한다. 마땅히 해가 중천에서 성대하게 밝아 널리 천하를 비추어 이르지 않는 곳이 없는 것 같으면 근심하지 않을 수 있다. 이와 같은 뒤라야 풍성하고 큼을 보전할 수 있다. 풍성하고 큼을 보전함이 어찌 작은 재주와 작은 지혜로 할 수 있겠는가?

集說

● 吳氏曰愼曰:“所以宜日中者, 恐日中則昃也. 照天下, 日中時. 昃, 日中後.”

오왈신(吳曰愼)이 말했다. “해가 중천에 있는 것이라고 한 까닭은 해가 중천에 있으면 기울어지기 때문이다. 천하를 비추는 데 해가 중천에 있다. 기울어지면 해가 중천에서 넘어간 뒤이다.”

案

尙大, 謂王者至此所尙者大也. 志意廣大, 則不能謹小慮微, 而明有所不照, 卽昏之徵而衰之兆也. 故言宜日中者. 謂能常明不昏, 則能常中不昃.

큰 것을 숭상한다는 말은 왕이 여기에 이르면 숭상하는 것이 크다는 뜻이다. 지향과 뜻이 넓고 크면 작은 것에 신중하고 미세한 것을 사려할 수 없어 밝힘에 비추지 못하는 것이 있으니 어둠의 징조이고 쇠락의 징조이다. 그러므로 마땅히 해가 중천에 있듯이 하라고 했다. 항상 밝음을 유지하여 어둡지 않을 수 있으면 항상 중천에서 기울어지지 않을 수 있다.

日中則昃, 月盈則食, 天地盈虛, 與時消息, 而況於人乎? 況於鬼神乎?

해가 중천에 뜨면 기울고 달이 차면 이지러지니 하늘과 땅의 성쇠도 때에 따라 나아가고 물러나는데 하물며 사람은 어떠하겠는가? 귀신은 어떠하겠는가?

本義

此又發明卦辭外意, 言不可過中也.

이는 또 괘사(卦辭) 밖에 있는 뜻을 밝힌 것이니 중도를 지나쳐서는 안 됨을 말하였다.

程傳

旣言豐盛之至, 復言其難常以爲誡也. 日中盛極, 則當昃昳. 月旣盈滿, 則有虧缺. 天地之盈虛, 尙與時消息, 況人與鬼神乎! 盈虛, 謂盛衰. 消息, 謂進退. 天地之運, 亦隨時進退也. 鬼神, 謂造化之跡. 於萬物盛衰可見其消息也. 於豐盛之時而爲此誡, 欲其守中不至過盛, 處豐之道, 豈易也哉!

풍요의 성대함이 지극함에 이른 것을 말했다가, 다시 그것이 오래도록 지속시키기 어렵다는 점을 말했다. 해가 중천에 있어 성대함이 극한에 이르면 당연히 기운다. 달이 가득 차서 보름달이 되면 이지러짐이 있다. 하늘과 땅의 성쇠(盛衰)도 때에 따라 나아가고 물러나는데, 하물며 사람과 귀신은 어떠하겠는가?

'영허(盈虛)'는 성쇠(盛衰)를 말하고 '소식(消息)'은 나아가고 물러나는 것을 말한다. 하늘과 땅의 운행도 때에 따라 나아가고 물러난다. '귀신'은 조화(造化)의 흔적을 말한다. 만물의 성쇠에서 그 나아가고 물러나는 모습을 볼 수 있다. 성대히 풍요한 때 이런 경계를 한 것은 중도(中道)를 지켜 과도한 성대함에 이르지 않게 하려고 한 것이니, 풍요에 대처하는 도가 어찌 쉽겠는가?

集說

● 孔氏穎達曰: "先陳天地, 後言人鬼神者, 欲以輕譬重, 亦先尊後卑也. 日月先天地者, 承上宜日中之文. 遂言其昃食, 因擧日月以對, 然後並陳天地, 作文之體也."[1]

공영달(孔穎達)이 말했다. "먼저 천지를 나열하고 뒤에 사람과 귀신을 말한 것은 가벼움으로 무거움을 비유하려고 한 것이니 또한 존귀함을 먼저하고 낮음을 뒤로 한 것이다. 해와 달이 천지보다 앞선 것은 앞의 '마땅히 해가 중천에 떠 있듯이 한다'는 문장을 이었다. 비로소 기울어지고 이지러진다고 말하고 해와 달을 거론하여 짝을 지은 뒤에 하늘과 땅을 나란히 나열했으니, 문장을 짓는 문체이다."

● 『朱子語類』云: "豐卦象許多言語, 其實只在'日中則昃月盈則

1) 공영달(孔穎達), 『주역주소(周易注疏)』 권9.

食天地盈虛與時消息數語上. 這盛得極, 常須謹謹保守得日中時候方得. 不然, 便是偃仆傾壞了."[2]

『주자어류』에서 말했다. "풍(豊)괘 「단전」의 많은 말들은 사실 '해가 중천에 뜨면 기울고 달이 차면 이지러지니 하늘과 땅의 성쇠(盛衰)도 때에 따라 나아가고 물러난다'는 몇 마디 말에 있을 뿐이다. 이렇게 극성하면 항상 반드시 삼가고 조심하며 지켜 해가 중천에 떠 있는 듯이 해야 옳다. 그렇지 않으면 쓰러지고 무너진다."

● 問 : "鬼神者造化之跡. 然天地盈虛, 卽是造化之跡矣, 而復言鬼神何耶?"
曰 : "天地舉全體而言, 鬼神指其功用之跡, 似有人所爲者."

물었다. "귀신(鬼神)은 조화의 흔적입니다. 그러나 하늘과 땅이 가득하고 비는 것은 조화의 흔적인데 다시 귀신이라고 말한 것은 무엇 때문입니까?"
대답했다. "하늘과 땅은 전체를 들어 말한 것이고 귀신은 그 공용(功用)의 흔적을 가리키니, 마치 사람이 행한 것이 있는 듯하다."

● 毛氏璞曰 : "豐, 大也, 亦盈也. 唯有道者明德若不足, 未嘗中故不昃, 未嘗盈故不食. 日新則爲大, 反是則爲盈. 知日中之宜, 則知日昃之可戒."

모박(毛璞)이 말했다. "풍(豊)은 크고 또한 가득 차는 것이다. 오직 도를 가진 사람은 밝은 덕이 마치 부족한 듯하여 중천에 있은 적이

2) 『주자어류』 73권, 77조목.

없으므로 기울어지지 않고, 가득 찬 적이 없으므로 이지러지지 않는다. 날로 새롭게 하면 크게 되고 이와 반대되면 가득 찬다. 해가 중천에 떠야 하는 마땅함을 알면, 해가 기울어짐에 대해 경계해야 함을 안다."

● 林氏希元曰: "卦辭勿憂宜日中, 所以然處未之及, 此方言之以補卦辭之所未及. 故曰發明卦辭外意. 言辭外之意也, 雖曰辭外之意, 然實有此意, 但辭不及耳."[3]

임희원(林希元)[4]이 말했다. "괘의 말에서 근심하지 말고 마땅히 해가 중천에 떠 있는 듯이 하라는 것에는, 왜 그러한지 아직 언급하지 않았는데, 여기서 그것을 말하여 괘의 말에서 언급하지 않은 것을 보충했다. 그러므로 괘의 말 밖에 있는 뜻을 밝혔다고 말했다. 괘의 말 밖에 있는 뜻을 말했다고 했지만 괘의 말 밖에 있는 뜻을 말했더라도 실은 이 뜻은 있었고, 괘의 말에서 언급하지 않았을 뿐이다."

3) 임희원(林希元), 『역경존의(易經存疑)』 권7.
4) 임희원(林希元, 1481~1565) : 명(明)대 동안 신점(同安新店) 사람으로, 자는 무정(茂貞)이고 호는 차애(次崖)이다. 명(明) 정덕(正德)11년(1516)에 진사에 급제하여 남경대리사평사(南京大理寺評事), 광서사주판관(廣西泗州判官), 흠주지주(欽州知州) 등을 역임했다. 학문으로는 정주학과 채청(蔡清)의 『역경몽인(易經蒙引)』을 중시했다. 특히 『주역』을 다른 경전에 비해 극히 높게 평가하여, 오경 가운데 『역경』을 뺀 나머지는 강물과 같고 『역경』은 바다와 같다고 했다. 저술로는 『역경존의(易經存疑)』, 『사서존의(四書存疑)』, 『임차애선생문집(林次崖先生文集)』 등이 있다.

案

林氏之說得之. 朱子釋彖辭亦曰盛極當衰也.

임씨[임희원]의 말이 옳다. 주자는 「단전」의 말을 해석하여, 또한 "성대함이 지극하면 당연히 쇠락한다"고 했다.

56. 여旅䷷괘

旅, 小亨. 柔得中乎外而順乎剛, 止而麗乎明, 是以小亨. 旅, 貞吉也.

방랑은 조금 형통하다고 한 것은 부드러움이 밖에서 알맞음을 얻고 굳셈에 순종하며 멈추어 밝음에 붙어 있기 때문이다. 그래서 조금 형통하고, 방랑의 도가 올바르게 행해져 길하다.

本義

以體卦卦德釋卦辭.

괘의 체(體5)와 괘의 덕으로 괘의 말을 해석하였다.

程傳

六上居五, 柔得中乎外也. 麗乎上下之剛, 順乎剛也. 下艮止, 上離麗, "止而麗於明"也. 柔順而得在外之中, 所止能麗於明, 是以"小亨", 得旅之貞正而吉也. 旅困之時, 非陽剛中正有助

於下, 不能致大亨也. 所謂得在外之中, 中非一揆, 旅有旅之中也. 止麗於明, 則不失時宜, 然後得處旅之道.

육(六)이 오(五)의 자리에 위치한 것은 부드러움이 밖에서 알맞음을 얻은 것이다. 위와 아래의 굳셈이 붙어 있으니,[1] 굳센 자에게 순종하는 것이다. 아래의 간(艮☶)괘는 멈춤이고, 위의 이(離☲)괘는 붙어 있음이니 멈추어 밝음에 붙어 있는 것이다. 유순(柔順)하면서 밖에서의 알맞음 얻고 멈추어 밝음에 붙어 있으니 그래서 조금 형통하고 방랑의 올바른 도리를 얻어서 길하다.
방랑하면서 곤궁할 때 양의 굳셈과 중정(中正)을 이룬 사람이 아래에서 도와주지 않는다면 크게 형통함을 이룰 수 없다. 밖에서 알맞음을 얻었다는 것은 '알맞음[中]'이란 하나로 헤아릴 것[2]이 아니니 방랑하는 자에게는 방랑하는 알맞음이 있다.
밝음에 멈추어 의지한다면 그 때의 마땅함을 잃지 않으니 이렇게 한 뒤에야 방랑에 대처하는 방도를 얻는다.

---

1) 위와 아래의 굳셈이 붙어 있으니 : 육오효가 구사효와 상구효 사이에 매달려 있는 것을 말한다.
2) 하나로 헤아릴 것 : 일규(一揆)란 동일하게 헤아릴 것이 아니라는 말이다. 『맹자』「이루하」: "지역이 서로 떨어져 있는 것이 천 여리이고, 세대가 서로 뒤떨어져 있는 것이 천 여년이었지만, 뜻을 얻어 도를 중국에 행한 것은 부절을 합한 듯이 똑같았다. 앞의 성인과 뒤의 성인이 그 헤아려 보면 똑같다.[地之相去也, 千有餘裡, 世之相後也, 千有餘歲. 得志行乎中國, 若合符節, 先聖後聖, 其揆一也.]"라고 하였다. 맹자가 말하는 '규일(揆一)'이란 고대 성인인 순임금이나 후대의 성인인 문왕이 행한 정치적인 일들이, 겉으로 드러난 모습은 다르더라도 동일한 도리를 행한 것이라는 의미이다. 그래서 겉은 다르지만 동일한 도리를 뜻한다.

集說

● 王氏宗傳曰 : "用剛非旅道也. 故莫尙乎用柔. 然柔不可過也. 故莫尙乎得中. 以六居五, 得中位而屬外體, 麗乎二剛之間, 故曰柔得中乎外而順乎剛."

왕종전(王宗傳)[3]이 말했다. "굳셈을 쓰는 것은 방랑의 도가 아니다. 그러므로 부드러움을 쓰는 것을 숭상함만 못하다. 그러나 부드러움은 지나칠 수가 없다. 그러므로 알맞음을 얻는 것을 숭상함만 못하다. 육(六)으로 오(五)에 자리하여 중(中)의 위치를 얻어 외체(外體)에 속하면서 두 강함의 사이에 붙어있으므로 부드러움이 밖에서 알맞음을 얻어 굳셈에 순종한다고 했다."

案

處旅之道, 審幾度勢, 貴於明也. 待人接物, 亦貴於明也. 然明不可以獨用, 故必以止靜爲本而明麗焉, 與晉睽之主於順說者同.

방랑에 처하는 도는 기미를 살피고 세력을 헤아리는 것이니 밝음을 귀하게 여긴다. 사람을 대하고 사물을 접하는 데도 역시 밝음을 귀하게 여긴다. 그러나 밝음을 홀로 쓸 수 없으므로 반드시 멈춤과 고요함을 근본으로 하여 밝음이 붙어 있으니 진(晉䷢)괘와 규(睽䷥)괘가 순종과 기쁨을 주로 하는 것과 같다.

3) 왕종전(王宗傳) : 자는 경맹(景孟)이고, 송대 영덕(寧德 : 현 복건성 영덕시) 사람이다. 1181년에 진사에 급제하여 소주교수(韶州敎授)를 역임하였다. 왕필의 의리역학을 추종하여 상수역학을 배척하였다. 저서에는 『동계역전(童溪易傳)』이 있다.

旅之時義大矣哉!
방랑의 때와 의리가 크구나!

本義

旅之時爲難處

방랑의 때는 대처하기 어렵다.

程傳

天下之事, 當隨時各適其宜. 而旅爲難處, 故稱其時義之大.

천하의 일은 마땅히 때에 따라 각각 그 마땅함에 부합해야 한다. 그러나 방랑이라는 때는 대처하기 어렵기 때문에 그 때와 의리가 위대하다고 했다.

集說

● 俞氏琰曰: "旅之時最難處, 旅之義不可不知. 蓋其亨雖小, 其時義則大. 聖人小其亨而大其時義, 非大旅也, 大其處旅之道也."[4]

유염(俞琰)이 말했다. "방랑의 때는 가장 대처하기 어려우니 방랑의 뜻을 알지 않으면 안 된다. 형통함이 비록 작지만 그 때와 의리는 크기 때문이다. 성인은 그 형통함을 작게 여기고 그 뜻과 의리를 크게 여기나 방랑을 크게 여기는 것이 아니라 방랑을 대처하는 방도를 크게 여긴다."

● 錢氏一本曰:"難處者, 旅之時. 難盡者, 旅之義. 或以旅興, 或以旅喪, 所關甚大."

전일본(錢一本)이 말했다. "대처하기 어려운 것은 방랑의 때이다. 다하기 어려운 것은 방랑의 의리이다. 어떤 경우는 방랑으로 흥하고 어떤 경우는 방랑으로 잃으니 관련된 것이 매우 크다."

4) 유염(兪琰), 『주역집설(周易集說)』 권9.

57. 손巽☴괘

重巽以申命.

중복된 공손으로 명령을 거듭한다.

本義

釋卦義也 巽順而入, 必究乎下. 命令之象, 重巽故爲申命也.

괘의 뜻을 해석하였다. 공손하고 순종하여 들어가서 반드시 아래에 이르니 명령의 모습이다. 거듭된 손(巽☴)이므로 명령을 거듭함이 되는 것이다.

程傳

重巽者, 上下皆巽也. 上順道以出命, 下奉命而順從, 上下皆順, 重巽之象也. 又重爲重復之義. 君子體重巽之義, 以申復其命令. 申, 重復也, 丁寧之謂也.

중복된 손(巽☴)은 위와 아래가 모두 공손함이다. 위에서 도에 순종하여 명령을 내리고 아래에서 명령을 받들어 순종하여 위와 아래가 모두 순종하니 중복된 손의 모습이다.
또 중(重)은 중복의 뜻이다. 군자는 중복된 공손의 뜻을 체득하여 명령을 거듭해서 내린다. 신(申)은 중복한다는 말로 간곡하다는 뜻이다.

集說

● 石氏介曰 : "巽者齊也, 齊者申之以命令."

석개(石介)[1]가 말했다. "손(巽)은 제(齊)[2]이니, 신칙하는 자가 거듭해서 명령을 내린다."

1) 석개(石介, 1005~1045) : 자는 수도(守道)이고 혹은 공조(公操)이다. 곤주(兗州) 봉부(奉符) 사람이다. 북송(北宋) 초기 학사이며 사상가이다. 송대 이학(理學)의 선구자이다. 태산서원(泰山書院)과 조래(徂徠書书院)을 창건하여 『역』과 『춘추(春秋)』를 가르쳐서 의리(義理)를 중시했다. 세상에서는 조래선생(徂徠先生)이라 부른다. 태산(泰山)학파의 창시자이다. 이정(二程)과 주희(朱熹)에게 영향을 미쳤다. 천성(天聖) 8년에 진사(進士)가 되었으며 국자감직강을 역임했다. 손복(孫復), 호원(胡瑗)과 함께 북송 삼선생(三先生)으로 불린다. 백성을 천하 국가의 근본으로 여겼다. 저작은 『조래집(徂徠集)』이 있다.
2) 제(齊) : 고하다, 신칙하다는 의미가 있다. 『서경』「낙고(洛誥)」: "予齊百工, 伻從王于周[저는 백공들에게 고하여 주나라에서부터 왕을 따르도록 하겠습니다.]"라고 하였고, 왕개운(王闓運) 『상서전(尚書箋)』: "제(齊)는 신칙하다는 뜻이다.[齊, 飭也.]"라고 하였다.

● 朱氏震曰 : "巽爲風. 風者天之號令也, 故巽爲命. 內巽者命之始, 外巽者申前之命也. 重巽之象, 施之於申命. 先儒謂不違其令, 命乃行也."

주진(朱震)[3]이 말했다. "손(巽)은 바람이다. 바람은 하늘의 호령이므로 손(巽)은 명령이다. 안에 있는 손이 명령의 시작이므로 바깥의 손이 이전의 명령을 펼치는 것이다. 거듭된 손의 모습은 명령을 펼치는 것에 시행된다. 이전의 유학자들은 명령을 어기지 않았으니 명령이 곧 행함이다."

● 『朱子語類』問 : "申字是兩番降命令否?"
曰 : "非也, 只是丁寧反復說, 便是申命. 巽風也. 風之吹物, 無處不入, 無物不鼓動. 詔令之人人, 淪膚浹髓, 亦如風之動物也."[4]

『주자어류』에서 물었다. "신(申)이라는 글자는 명령을 두 번 내리는 것입니까?"
대답했다. "아니다. 단지 간곡하게 반복하여 말한 것이니 이것이 바로 신명(申命)이다. 손(巽)은 바람이다. 바람이 사물에 불면 들어가지 않는 곳이 없고 울려서 움직이지 않는 것이 없다. 조령(詔令)이 사람에게 들어가면 피부에 젖어들고 골수에 두루 미치는 것이

3) 주진(朱震, 1072~1138) : 자는 자발(子發)이고, 세칭 한상선생(漢上先生)이라 불리었다. 송대 형문군(荊門軍 : 현 호북성 소속) 사람으로 1115년에 진사에 급제하여 벼슬은 예부원외랑(禮部員外郞), 비서소감 겸임시경연(秘書少監兼任侍經筵), 중서사인(中書舍人), 한림학사(翰林學士) 등을 역임하였다. 『역』과 『춘추』에 해박하였고 저서에는 『한상역전(漢上易傳)』이 있다.
4) 『주자어류』 73권, 87조목.

또한 마치 바람이 사물을 움직이는 것과 같다."

● 俞氏琰曰 : "巽之取象, 在天爲風, 在人君爲命. 風者天之號令, 其入物也, 無不至. 命者人君之號令, 其入人也, 亦無不至."[5]

유염(俞琰)[6]이 말했다. "손이 취한 상(象)은 하늘에서는 바람이고 군주에게서는 명령이다. 바람은 하늘의 호령으로 사물에 들어가는 데 이르지 않는 곳이 없다. 명령은 군주의 호령으로 사람에게 들어가는 데 또한 이르지 않는 곳이 없다."

案

頒發號令以象天之風聲, 是已. 然須知巽者入也. 王者欲知民之休戚, 事之利弊, 則必淸問於下而察之周, 告誡於上而行之切. 此其所以"申命"也. 蓋始則入民情之隱, 而散其不善者, 終乃入人心之深, 而動其善者.

명령을 반포하는 것은 하늘이 바람 소리를 내는 것을 상징하니 이

5) 유염(俞琰), 『주역집설(周易集說)』 권19.

6) 유염(俞琰) : 자는 옥오(玉吾)이고, 호는 전양자(全陽子), 임옥산인(林屋山人), 석간도인(石澗道人) 등이다. 남송 말 원대 초기에 활동한 학자로 송대 오군(吳郡 : 현 강소성 소주〈蘇州〉) 사람이다. 어려서 가학을 익히고 젊어서는 기서(奇書)를 즐겨 연구하다가, 뒤늦게 과거시험 준비를 했다. 남송이 멸망하고 원대 조정이 들어서자 과거응시를 포기하고 은거하여 역학 연구에 전념하였다. 역학 관련 저술이 특히 많았는데, 대표적인 것으로 『주역집설(周易集說)』, 『독역거요(讀易擧要)』, 『역외별전(易外別傳)』 등이 있다.

것일 뿐이다. 그러나 손(巽)이 들어간다는 것을 알아야 한다. 왕이 백성의 기쁨과 슬픔, 일의 이로움과 폐단을 알려고 한다면 반드시 아랫사람에게 살펴 물어서 두루 살피고 윗사람에게 알리고 경계하여 절실하게 살핀다. 이것이 명령을 거듭하는 까닭이다.
처음에는 감추어진 백성의 실정으로 들어가 선하지 못한 것을 흩어 버리고, 결국에는 마음 깊숙이 들어가 그 선함을 움직이게 하는 것이다.

剛巽乎中正而志行, 柔皆順乎剛, 是以小亨. 利有攸往, 利見大人.

굳셈이 중정(中正)에 공손하여 뜻을 행하고, 부드러움이 모두 굳셈에 순종하여 그래서 조금 형통하다. 나아갈 바를 두는 것이 이롭고 대인을 만나는 것이 이롭다.

本義

以卦體釋卦辭. 剛巽乎中正而志行, 指九五. 柔, 謂初四.

괘의 체(體)로 괘의 말을 해석하였다. 굳셈이 중정(中正)에게 공손하여 뜻을 행한다는 것은 구오(九五)를 가리킨다. 부드러움은 초효와 사효를 말한다.

程傳

以卦才言也. 陽剛居巽而得中正, 巽順於中正之道也. 陽性上, 其志在以中正之道上行也. 又上下之柔, 皆巽順於剛. 其才如是, 雖內柔可以小亨也. 巽順之道, 無往不能入, 故"利有攸往". 巽順雖善道, 必知所從. 能巽順於陽剛中正之大人則爲利, 故"利見大人"也. 如五二之陽剛中正, 大人也. 巽順不於大人, 未必不爲過也.

괘의 자질로 말했다. 양의 굳셈이 공손한 위치에 자리하고 중정(中

正)을 얻었으니 중정의 도를 공손하게 따르는 것이다. 양(陽)의 성질은 위로 올라가니 그 뜻이 중정(中正)의 도로 위로 나아가려는 것이다. 또 위와 아래의 부드러움이 모두 굳셈을 공손하게 따른다. 그 자질이 이와 같으므로 안이 약하더라도 조금 형통할 수 있다.
공손하게 따르는 방도는 어디를 가든 들어가지 못하는 것이 없으므로 "나아갈 바를 두는 것이 이롭다." 공손하게 순종하는 것은 매우 좋은 방도이지만 반드시 따르는 사람을 알아야 한다. 양의 굳세고 중정(中正)의 대인(大人)을 공손하게 따르면 이로우므로 "대인을 만나면 이롭다." 구오효와 구이효 같이 양의 굳세고 중정(中正)한 자가 대인이다. 대인이 아니라 다른 사람을 공손하게 따른다면 허물이 되는 경우가 많다.

集說

● 胡氏瑗曰:"利見大有德之人, 以果斷而決白之, 然後所申之命令, 所行之事, 施之於人, 莫有不順之者. 如風之及於物, 罔有不入者也."[7]

호원(胡瑗)이 말했다. "덕을 크게 가진 사람을 만난다는 것이 이로우니 과감하게 결단한 뒤에 거듭한 명령하고 행해지는 일이 사람들에게 시행되어 순종하지 않는 자가 없다. 바람이 사물에게 미치듯이 들어가지 않는 것이 없다."

7) 호원(胡瑗), 『주역구의(周易口義)』 권9.

● 朱氏震曰 : "剛巽乎中正, 則所施當乎人心. 是以志行乎上下. 柔皆順乎剛, 則物無違者. 大人者九五, 剛巽乎中正者也."[8)]

주진(朱震)[9)]이 말했다. "굳셈이 중정에 공손하니 시행하는 것이 사람의 마음에 합당하다. 그래서 뜻이 위와 아래에 행해진다. 부드러움은 모두 굳셈에 순종하니 어기는 자가 없다. 대인은 구오효이니 굳셈이 중정에 공손한 자이다."

● 李氏舜臣曰 : "柔順乎剛, 剛巽乎中正者, 所以爲巽之體也. 若徒以一陰潛伏謂之爲巽, 而不究乎陰畫在二陽之下, 有順乎陽剛之象, 陽畫在二五之位, 有巽乎中正之德, 則巽之所以致亨者, 不可得而見矣. 利見大人者, 蓋指二五以陽剛之畫, 處中正之位, 而初四二陰出而順從之乃所以爲利也"

이순신(李舜臣)이 말했다. "부드러움이 굳셈에 순종하고 굳셈이 중정에 공손한 것이니 손(巽)의 형체이기 때문이다. 만약 하나의 음이 잠복하는 것을 손(巽☴)이라 하고 음획이 두 양 아래에 있어 양의 굳셈에 순종하는 상이고 양획은 이효와 오효의 위치에 있어 중정에 공손한 덕이라는 것을 궁구하지 않으면, 손이 형통함에 이르는 것을 볼 수 없다. 대인을 만나면 이롭다는 것은 이효와 오효가 양의 굳센 획으로 중정의 지위에 있고 초효와 사효 두 음효가 나와서 그것을 순종하여 이롭게 되는 것을 가리킨다."

8) 주진(朱震), 『한상역전(漢上易傳)』 권6.

9) 주진(朱震, 1072~1138) : 자는 자발(子發)이고, 당시 한상선생(漢上先生)이라 불리었다. 송대 형문군(荊門軍 : 현 호북성 소속) 사람으로 한림학사(翰林學士)를 여러 번 역임하였다. 저서는 『한상역전(漢上易傳)』이 있다.

● 項氏安世曰 : "以卦體言之, 重巽以申命, 是小亨也. 以九五言之, 剛巽乎中正而志行, 是利有攸往也. 以初六六四言之, 柔皆順乎剛, 是利見大人也. 「彖辭」與旅相類, 皆總陳卦義, 而用'是以'二字結之."[10]

항안세(項安世)가 말했다. "괘의 체로 말하면 거듭된 공손으로 명령을 펼쳐 작게 형통한다. 구오로 말하면 굳셈이 중정에 공손하여 뜻을 행하니 가는 것이 이롭다. 초육효와 육사효로 말하면 부드러움이 모두 굳셈에 순종하니 대인을 만나는 것이 이롭다. 「단사」는 여(旅䷷)괘와 유사하니[11] 모두 괘의 뜻을 늘어놓고 '시이(是以)' 두 글자를 써서 종결했다."

● 趙氏汝楳曰 : "卦本乾體, 一陰下生, 剛有巽之之象. 剛巽柔, 居二五中正之位. 柔既已生, 皆在二五之下, 有順乎剛之象."[12]

조여매(趙汝楳)[13]가 말했다. "괘는 본래 건체(乾體)인데 하나의 음

10) 항안세(項安世), 『주역완사(周易玩辭)』 권11.

11) 유사하니: 『주역』「여(旅)」「단전」: "방랑은 조금 형통하다고 한 것은 부드러움이 밖에서 알맞음을 얻고, 굳셈에 순종하며, 멈추고 밝은 빛에 붙어 있기 때문이다. 그래서 조금 형통하고, 방랑의 도가 올바르게 행해져 길하다.[旅小亨, 柔得中乎外, 而順乎剛, 止而麗乎明, 是以小亨旅貞吉也.]"라고 하였다.

12) 조여매(趙汝楳), 『주역집문(周易輯聞)』 권6.

13) 조여매(趙汝楳) : 송(宋)대 종실(宗室)로서, 명주(明州) 은현(鄞縣 : 현 절강성 영파시〈寧波市〉)에서 살았고, 조선상(趙善湘)의 아들이다. 이종(理宗) 보경(寶慶) 2년(1226) 진사에 급제하고, 호부시랑(戶部侍郎), 강회안무제치사(江淮安撫制置使) 등을 역임했다. 천수군공(天水郡公)에 봉해졌다. 역상(易象)에 정통했다. 저서에 『주역집문(周易輯聞)』, 『역아

이 아래에서 생겨나 굳셈이 공손하게 된 모습으로 있다. 굳셈이 부드러움에 공손하여 이효와 오효의 중정자리에 위치한다. 부드러움이 생겨났으니 모두 이효와 오효 아래에 있어 굳셈에 순종하는 모습이 있다."

● 何氏楷曰:"成卦之主, 在初與四, 陰始生而陽巽之, 二五其最近者也. 剛巽乎中正, 則不暴急以忤物, 故命不下格而志可行. 初四各處卦下, 柔皆順剛, 無有違逆, 所以教命得申, 成小亨以下之義也."[14]

하해(何楷)가 말했다. "괘를 이루는 주효는 초효와 사효에 있어 음이 비로소 생겨나 양이 공손하니 이효와 오효가 가장 가까운 자이다. 굳셈이 중정에 공손하면 포악하고 조급하게 사물을 거스르지 않으므로 명령이 경시되지 않고 뜻이 행해질 수 있다. 초효와 사효는 각각 괘 아래에 처하고 부드러움이 모두 굳셈에 순종하여 어기는 것이 없어 가르침의 명령이 거듭 시행되어 작게 형통한다는 이하의 뜻을 이룬다."

案

卦義是陰在內而陽入之, 非陽在外而陰入之也. 陰在內而陽入之者, 將以制之也. 制之者將以齊之也. 剛以中正之德爲巽, 則能入而制之矣. 至於柔皆順剛, 則豈有不受其制, 而至於不齊者乎? 彖傳詞義甚明, 李氏項氏何氏說皆合經意.

(易雅)』, 『역서총서(易敍叢書)』, 『서종(筮宗)』 등이 있다.
14) 하해(何楷), 『고주역정고(古周易訂詁)』 권6.

괘의 뜻은 음이 안에 있어 양이 들어가는 것이지 양이 밖에 있어 음이 들어가는 것이 아니다. 음이 안에 있어 양이 들어가는 것은 제어하려는 뜻이다. 제어하려는 뜻은 다스리려는 것이다. 굳셈이 중정의 덕으로 공손함이 되면 들어가 제어할 수 있다. 부드러움이 모두 굳셈에 순종하는 것에 이르면 어찌 그 제어를 받지 않아서 다스려지지 않음에 이르겠는가? 「단전」의 말 뜻이 매우 분명하여 이씨[이순신]와 항씨[항안세]와 하씨[하해]의 말이 모두 경의 뜻에 부합한다.

58. 태兌☱괘

兌, 說也.

태는 기쁨이다.

本義

釋卦名義.

괘의 이름의 뜻을 해석하였다.

集說

● 張氏雨若曰 : "此釋名義類咸. 兌者無言之說, 以說解兌. 兌木爲說. 特以其說不在言而稱兌耳."

장우약(張雨若)이 말했다. "이것은 이름의 뜻을 해석했으니 함(咸䷞)괘와 유사하다. 태는 말이 없는 기쁨이니 기쁨으로 태(兌)를 해석했다. 태는 나무로 기쁨이다. 특히 그 기쁨이 말에 있지 않아서 태(兌)라고 칭했을 뿐이다."

剛中而柔外, 說以利貞, 足以順乎天而應乎人. 說以先民, 民忘其勞, 說以犯難, 民忘其死. 說之大民勸矣哉.

굳셈이 가운데 있고 부드러움이 밖으로 드러나, 기쁘하게 하고 올바른 것이 이로우니, 하늘을 따르고 사람들에게 호응하기에 충분하다. 기쁘하게 하여 백성들을 이끌면 백성들은 그 수고로움을 잊고, 기쁘하게 하여 어려운 일을 범하게 하면 백성들은 그 죽음을 잊는다. 기쁨이 커서 백성들을 권면한다!

本義

以卦體釋卦辭而極言之.

괘의 체로 괘의 말을 해석하여 지극히 말하였다.

程傳

兌之義說也. 一陰居二陽之上, 陰說於陽而爲陽所說也. 陽剛居中, 中心誠實之象. 柔爻在外, 接物和柔之象. 故爲說而能貞也. "利貞", 說之道宜正也. 卦有剛中之德, 能貞者也. 說而能貞, 是以上順天理, 下應人心, 說道之至正至善者也. 若夫違道以干百姓之譽者. 苟說之道, 違道不順天, 干譽非應人, 苟取一時之說耳, 非君子之正道. 君子之道, 其說於民, 如天地之施, 感於其心而說服無斁. 故以之先民, 則民心說隨而忘其勞. 率之以犯難, 則民心說服於義而不恤其死. 說道之大, 民莫不知勸. 勸, 謂信之而勉力順從. 人君之道, 以人心說服爲本. 故聖人贊其大.

태(兌)의 뜻은 기쁨이다. 하나의 음효가 두 개의 양효 위에 자리해서, 음(陰)이 양(陽)을 기뻐하니 양(陽)에 의해 기쁘게 된 것이다. 양의 굳셈이 가운데 자리하니 마음속이 성실한 모습이다. 부드러운 효가 밖에 있으니, 사물과 접하는 데 조화롭고 유연한 모습이다. 그러므로 기쁨이면서도 올바를 수 있다.
"올바른 것이 이롭다"는 기쁘게 하는 방도는 마땅히 올바르게 해야 한다는 말이다. 괘에 강중(剛中)한 덕이 있으니 올바를 수 있는 자이다. 기쁘게 하면서도 올바를 수 있어서 위로 천리(天理)를 따르고 아래로 인심(人心)에 호응하니 기쁘게 하는 도리가 지극히 바르고 지극히 선하다.
도를 어기면서 백성들의 칭찬을 구하는 것은 구차하게 기쁘게 하는 방도이다. 도를 어김은 하늘을 따르는 것이 아니고 칭찬을 구차하게 구함은 인심에 호응하는 것이 아니어서 구차하게 순간의 기쁨을 취할 뿐이니 군자의 정도(正道)가 아니다.
군자의 도는 백성들을 기쁘게 하는 것이 마치 천지의 베풂과 같아 그 마음을 감동시켜 기쁘게 복종하면서 염증내지 않는다. 그러므로 그것으로 백성을 선도하면 민심은 기뻐하면서 따르고 그 수고로움을 잊는다.
통솔하여 어려움을 범하게 하면 민심은 그 마땅한 의리를 기뻐하면서 복종하여 그의 죽음을 근심하지 않는다. 기쁘게 하는 도가 커서 백성들 가운데 권면되지 않는 이가 없게 된다. 권면이란 신뢰하고 힘써 순종함을 말한다. 군주의 도는 민심이 기쁘게 복종하는 것을 근본으로 삼는다. 그러므로 성인이 그 큼을 찬미한 것이다.

集說

● 王氏弼曰 : "說而違剛則諂, 剛而違說則暴. 剛中而柔外, 所以說以利貞也, 剛中故利貞, 柔外故說亨."

왕필(王弼)이 말했다. "기뻐하게 하면서도 굳셈을 어기면 아첨이고 굳세면서 기쁨을 어기면 폭력이다. 굳셈이 가운데 있고 부드러움이 밖에 있어 기뻐하면서 올바름이 이로운 까닭이다. 굳셈이 가운데 있으므로 올바름이 이롭고, 부드러움이 밖에 있으므로 기뻐서 형통한다."

● 劉氏牧曰 : "天之所助者順也, 人之所助者信也. 柔外爲順, 剛中爲信, 故得順乎天而應乎人."

유목(劉牧)이 말했다. "하늘이 돕는 것이 순종이고 사람이 돕는 것이 믿음이다. 부드러움이 밖에 있는 것이 순종이 되고 굳셈이 가운데 있는 것이 믿음이다. 그러므로 천리를 따르고 인심에 호응한다."

● 呂氏祖謙曰 : "當適意時而說, 與處安平時而說, 皆未足爲難. 唯當勞苦患難而說, 始見眞說. 聖人以此先之, 故能使之任勞苦而不辭, 赴患難而不畏也."

여조겸(呂祖謙)[1]이 말했다. "뜻에 마땅하게 적합할 때 기쁘고, 편안한 곳에 처할 때 기뻐하는 것은 모두 어렵지는 않다. 오직 노고와 환난을 당해도 기뻐할 때 비로소 진정한 기쁨이 드러난다. 성인은 이것으로 선도하므로 그들에게 힘들고 고통스럽게 하는 데 사양하지 않고 환난으로 가는 데도 두려워하지 않는다."

1) 여조겸(呂祖謙, 1137~1181) : 자는 백공(伯恭)이고, 호는 동래선생(東萊先生)이다. 남송(南宋)대 무주(婺州 : 현 절강성 금화〈金華〉시) 사람이다. 주희(朱熹), 장식(張栻)과 더불어 동남삼현(東南三賢)으로 일컬어진다. 저명한 이학(理學)의 대가로 무학(婺學)을 창립했는데, 당시에 가장 영향력이었던 학파(學派)였다. 융흥(隆興) 1년(1163)에 진사에 급제하여 벼슬은 장사랑(將仕郞), 적공랑(迪功郞), 감담주남악묘(監潭州南嶽廟), 우적공랑(右迪功郞), 태학박사(太學博士), 국사원편수관(國史院編修官), 실록원검토관(實錄院檢討官), 비서성비서랑(秘書省秘書郞) 등을 역임했다. 저서에는 『좌전설(左傳說)』, 『동래좌씨박의(東萊左氏博議)』, 『역대제도상설(歷代制度詳說)』, 『송문감(宋文鑑)』 등이 있고, 주희(朱熹)와 더불어 『근사록(近思錄)』을 편집했다.

59. 환渙䷺괘

渙, 亨, 剛來而不窮, 柔得位乎外而上同.

흩어짐이 형통하다는 것은 굳셈이 와서 궁색해지지 않고 부드러움이 밖에서 자리를 얻어 위와 함께 하기 때문이다.

本義

以卦變釋卦辭

괘의 변(變)으로 괘사(卦辭)를 해석하였다.

程傳

渙之能亨者, 以卦才如是也. 渙之成渙, 由九來居二, 六上居四也. 剛陽之來, 則不窮極於下, 而處得其中, 柔之往, 則得正位於外, 而上同於五之中. 巽順於五, 乃上同也. 四五君臣之位, 當渙而比, 其義相通. 同五, 乃從中也, 當渙之時而守其中, 則不至於離散, 故能亨也.

흩어짐이 형통할 수 있는 것은 괘의 자질이 이와 같기 때문이다. 흩어짐이 흩어짐을 이루는 것은 구(九)가 아래로 와서 이(二)의 위치에 자리하고, 육(六)이 올라가서 사(四)의 위치에 자리하기 때문이다.[1] 굳센 양이 아래로 오니 아랫자리에서 궁지에 몰리지 않으면서 처신하는 데 그 알맞음 얻고 부드러움이 위로 가서 밖에서 올바른 지위를 얻어 위로 구오효의 알맞음과 함께 한다. 구오효에 공손하게 따르는 것이 바로 위와 함께 하는 것이다.
육사효와 구오효는 군주와 신하의 지위이니 흩어지는 때를 당하여 가까이 관계하면 그 의리(義理)가 서로 통한다. 구오효와 함께 한다는 것이 바로 중도를 따르는 것이다. 흩어지는 때를 당하여 그 중도를 지키면 분산되는 지경에까지 이르지 않으므로 형통할 수 있다.

集說

● 王氏弼曰 : "二以剛來居內則不窮於險, 四以柔得位乎外而與上同. 內剛而無險困之難, 外順而無違逆之乖. 是以亨也."[2]

왕필(王弼)이 말했다. "이(二)는 굳셈이 와서 안에 자리하면 위험에서 궁색하지 않고 사(四)는 부드러움으로 밖에 자리하여 위와 함께 한다. 안으로 굳세고 험하고 곤란한 어려움이 없고 밖으로 순종하

1) 양효인 구(九)가 아래로 와서 …… 사(四)의 지위에 자리하기 때문이다 : 건(乾☰)괘에서 원래 사(四)의 자리에 있던 양효인 구(九)가 아래로 내려가 감(坎☵)괘의 이(二)의 자리에 위치하고, 곤(坤☷)괘에서 원래 이(二)의 자리에 있던 음효인 육(六)이 위로 올라가 손(巽☴)괘의 사(四)의 자리에 위치한다는 말이다.
2) 왕필(王弼), 『주역주(周易註)』 권6.

여 거스르는 어긋남이 없다. 그래서 형통하다."

● 孔氏穎達曰 : "此就九二剛德居險, 六四得位從上, 釋所以能釋險難而致亨通."[3)]

공영달(孔穎達)이 말했다. "이것은 구이효의 굳센 덕이 위험에 자리하고 육사효가 지위를 얻어 위를 따르는 것을 취하여 험난함을 해소하고 형통함에 이르는 것을 해석했다."

● 馮氏椅曰 : "以二四往來明卦義, 不窮上同明亨. 剛來不窮, 卽需剛健不陷義, 不困窮之象."

풍의(馮椅)[4)]가 말했다. "이효와 사효의 왕래로 괘의 의미를 밝혔고 궁하지 않고 위와 함께 하는 것으로 형통함을 밝혔다. 굳셈이 와서 궁색해지지 않으니 수(需䷄)괘의 강건하지만 위험에 빠지지 않는 뜻과 곤궁하지 않는 모습이다."[5)]

---

3) 공영달(孔穎達), 『주역주소(周易注疏)』 권10.

4) 풍의(馮椅) : 자는 기지(奇之) 또는 의지(儀之)이고, 호는 후재(厚齋)이다. 송(宋)대 남강 도창(南康都昌 : 현 강서성 도창현) 사람이다. 광종(光宗) 소희(紹熙) 4년(1193)에 진사에 급제하여, 강서운사간판공사(江西運司幹辦公事), 상고현령(上高縣令) 등을 역임했다. 주희(朱熹)가 지남강군(知南康軍)으로 있을 때 제자가 되었는데, 주희는 그의 성실함에 감동하여 벗의 예로 대우했다고 한다. 역학(易學)에 정밀했다. 저서에 『후재역학(厚齋易學)』, 『주역집설명해(周易輯說明解)』, 『경설(經說)』, 『서명집설(西銘輯說)』, 『효경장구(孝經章句)』, 『상례소학(喪禮小學)』, 『공자제자전(孔子弟子傳)』, 『속사기(續史記)』, 『시문지록(詩文志錄)』 등이 있다.

● 林氏希元曰 : "柔得位乎外而上同, 是六四之柔, 得位乎外卦, 而上同九五. 四五同德, 斯足以濟渙矣, 故亨. 『本義』已定, 『語錄』雖謂未穩而未及更改."[6)]

임희원(林希元)[7)]이 말했다. "부드러움이 밖에서 자리를 얻어 위와 함께 하니 이것이 육사효의 부드러움이 외괘(外卦)에서 자리를 얻어 위로 구오효와 함께 한다. 육사효나 구오효와 같은 덕이니 흩어짐을 다스리기에 충분하므로 형통하다. 『주역본의』는 이미 확정했고 『어록』에서는 온당하지 못하다고[8)] 했으면서 다시 고치지는 않았다."

---

5) 『주역』「수(需)괘」「단전」 : "수(需)란 기다림으로 위험한 장애가 앞에 있는 모습이다. 강건하지만 위험에 빠지지는 않으니, 그 의리가 곤란과 궁핍에 빠지지는 않는다.[需須也, 險在前也. 剛建而不陷, 其義不困窮矣.]"라고 하였다.

6) 임희원(林希元), 『역경존의(易經存疑)』 권8.

7) 임희원(林希元, 1481~1565) : 명(明)대 동안 신점(同安新店) 사람으로, 자는 무정(茂貞)이고 호는 차애(次崖)이다. 명(明) 정덕(正德)11년(1516)에 진사에 급제하여 남경대리사평사(南京大理寺評事), 광서사주판관(廣西泗州判官), 흠주지주(欽州知州) 등을 역임했다. 학문으로는 정주학과 채청(蔡清)의 『역경몽인(易經蒙引)』을 중시했다. 특히 『주역』을 다른 경전에 비해 극히 높게 평가하여, 오경 가운데 『역경』을 뺀 나머지는 강물과 같고 『역경』은 바다와 같다고 했다. 저술로는 『역경존의(易經存疑)』, 『사서존의(四書存疑)』, 『임차애선생문집(林次崖先生文集)』 등이 있다.

8) 『주자어류』 73권, 103조목 : "'굳센 것이 와서 곤궁하지 않다'는 구삼효가 구이효로 된 것이고, '부드러운 것이 바른 지위를 얻어 위의 것과 함께 한다'는 육이효가 위로 올라가 육삼효가 된 것이다. 이 설명은 그리 온당치 않은 데 그 이유는 육삼효가 올바른 지위를 얻었다고 할 수 없기 때문이다. 그러나 이러한 예는 단지 하나의 효가 서로 바뀌며 옮겨간 것일 뿐 두 효가 서로 통하지 못할 일은 없다.['剛來不窮', 是九三來做二, '柔

案

"剛來而不窮"者, 固其本也. "柔得位乎外而上同"者, 致其用也. 固本則保聚有其基, 致用則聯屬有其具.

"굳셈이 와서 궁색해지지 않는다"는 그 근본이 견고한 것이다. "부드러움이 밖에서 지위를 얻어 위와 함께 한다"는 그 쓰임에 이르는 것이다. 근본이 견고하면 모이는 데 토대가 있고 쓰임에 이르면 연합하는 데 그 도구가 있다.

得位而上同', 是六二上做三. 此說有些不穩, 卻爲是六三不喚做得位. 然而某這箇例, 只是一爻互換轉移, 無那隔驀兩爻底.]"라고 하였다.

王假有廟, 王乃在中也.

왕이 종묘에 이른다는 말은 왕이 마침내 중(中)에 있는 것이다.

本義

中, 謂廟中.

중은 종묘의 중심이다.

程傳

王假有廟之義, 在萃卦詳矣. 天下離散之時, 王者收合人心, 至於有廟, 乃是在其中也. 在中, 謂求得其中, 攝其心之謂也. 中者, 心之象. "剛來而不窮", "柔得位而上同", 卦才之義, 皆主於中也. 王者拯渙之道, 在得其中而已. 孟子曰, "得其民有道, 得其心斯得民矣." 亨帝立廟, 民心所歸從也. 歸人心之道無大於此, 故云, 至於有廟, 拯渙之道極於此也.

왕이 종묘에 이른다는 말의 뜻은 췌(萃)괘에 자세하게 설명했다.[9)]

9) 『주역』「췌(萃)괘」: "함께 모이게 하는 일은 형통하니 왕이 종묘에 이른다.[萃, 亨, 王假有廟.]"라고 하였다. 정이천은 이렇게 설명하고 있다. "세상에서 사람들의 마음을 모으고 여러 사람들의 뜻을 총괄하는 방도는 한 가지가 아니지만 그 지극히 위대한 방도는 종묘를 사용하는 방도보다 더 뛰어난 것이 없다. 그러므로 왕이 세상 사람들의 마음을 모으는 방도

세상 사람들이 흩어져 떠날 때 왕은 민심을 수습하고 화합해서 종묘에 이르면 이것이 곧 중(中)에 있는 것이다. 중에 있다는 것은 중도(中道)를 구하여 얻는 것이니 민심을 통섭하는 것을 말한다. 중(中)은 마음의 모습이다.

"굳셈이 와서 궁색해지지 않고 부드러움이 지위를 얻어 위와 함께 했다"라고 했는데 괘가 지닌 자질의 뜻이 모두 중(中)을 주로 했다. 왕이 흩어지는 것을 구제하는 방도는 중을 얻는 데 달려 있을 뿐이다. 맹자(孟子)가 "백성을 얻는 데 방법이 있으니, 마음을 얻으면 백성을 얻는다"[10]고 했다.

상제(上帝)에게 제사를 하고 종묘를 세우는 것은 민심이 돌아오고 따르는 것이다. 민심을 돌아오게 하는 방도 가운데 이보다 더 위대한 것은 없으므로 종묘에 이른다고 했으니, 흩어지는 것을 구제하는 방도가 여기에서 지극한 것이다.

集說

● 何氏楷曰 : "王乃在中者, 非在廟中之謂. 王者之心, 渾然在

에서 종묘를 두는 것에 이르면 모으는 방도가 지극한 것이다."

10) 『맹자』「이루상」: "걸왕과 주왕이 천하를 잃은 것은 백성을 잃었기 때문이니, 백성을 잃은 것은 민심을 잃은 것이다. 천하를 얻는 데는 방도가 있으니 백성을 얻으면 천하를 얻는다. 백성을 얻는 데는 방도가 있으니 민심을 얻으면 백성을 얻는다. 민심을 얻는 데는 방도가 있으니 백성이 원하는 것을 위하여 모아 주고 백성이 싫어하는 것을 베풀지 말아야 할 뿐이다.[桀紂之失天下也, 失其民也, 失其民者, 失其心也. 得天下有道, 得其民, 斯得天下矣, 得其民有道, 得其心, 斯得民矣, 得其心有道, 所欲與之聚之, 所惡勿施爾也.]"라고 하였다.

中, 則不薦之孚, 直有出於儀文之外者, 宜其精神之與祖考相爲感格也."

하해(何楷)가 말했다. "왕이 중에 있다는 것은 종묘의 가운데 있다는 말이 아니다. 왕의 마음이 혼연하게 중도에 있으면 제사음식을 아직 올리지 않은 믿음이[11] 곧장 위의(威儀)의 겉으로 드러나 마땅히 그 정신이 조상과 함께 서로 감격한다."

---

11) 『주역』「관(觀)괘」: "관(觀)은 손만 씻고 제사음식을 올리지 않았을 때처럼 하면 믿음이 있어서 우러러 본다.[觀, 盥而不薦, 有孚, 顒若.]"라고 하였다.

"利涉大川", 乘木有功也.

"큰 강을 건넘이 이롭다"는 나무를 타고 공이 있는 것이다.

程傳

治渙之道, 當濟於險難. 而卦有乘木濟川之象. 上巽木也, 下坎水, 大川也, 利涉險以濟渙也. 木在水上, 乘木之象. 乘木所以涉川也. 涉則有濟渙之功, 卦有是義有是象也.

흩어짐을 다스리는 방도는 마땅히 험난과 어려움을 해결해야만 한다. 괘에 나무배를 타고 강을 건너는 모습이 있다.
위의 손(巽☴)괘는 나무이고 아래의 감(坎☵)괘는 물이니 큰 강이다. 이것이 험난함을 건너 흩어짐을 해결하는 것이 이롭다는 말이다. 나무가 물 위에 있는 것은 나무배를 타는 모습이다. 나무배를 탄다는 것은 곧 강을 건너는 일이다.
강을 건너면 흩어진 짐을 해결하는 공이 있으니 괘에 이러한 의미가 있고 이러한 모습이 있다.

集說

● 胡氏炳文曰："『易』以巽言利涉大川者三, 皆以木言. 益曰木道乃行, 中孚曰乘木舟虛, 渙曰乘木有功也. 十三卦舟楫之利, 獨取諸渙, 亦以此也."

호병문(胡炳文)[12]이 말했다. "『역』에는 손괘로 큰 강을 건너는 것이 이롭다고 말하는 것이 세 곳인데, 모두 나무를 가지고 말했다. 익괘에서는 '나무의 도가 곧 행해진 것이다'고 했고, 중부괘에서는 '비어 있는 나무배를 탄다'라고 했으며, 환괘에서는 '나무를 타고 공이 있는 것이다'라고 했다. 13괘에서 '배를 타는 이익'은 유독 환괘에서 취했으니, 또한 이를 가지고 말한 것이다."

案

"王乃在中", 謂九五居中, 便含至誠感格之意. "乘木有功", 謂木在水上, 便含濟險有具之意.

"왕이 마침내 중(中)에 있다"라고 한 구오에 있는 중(中)은 바로 지극한 정성과 감격의 뜻을 포함한다. "나무를 타고 공이 있는 것이다"는 나무가 물 위에 있음을 말하니, 바로 험한 상황을 구제하는 도구를 갖추었다는 뜻을 포함한다.

12) 호병문(胡炳文, 1250~1333) : 원나라 휘주(徽州) 무원(婺源) 사람으로 자는 중호(仲虎)이고, 호는 운봉(雲峰)이다. 주희(朱熹)의 종손(宗孫)에게 『주역』과 『서경』을 배워 주자학에 잠심했으며, 특히 『주역』에 뛰어났다. 신주(信州) 도일서원(道一書院) 산장(山長)을 지내고, 난계주학정(蘭溪州學正)이 되었는데, 나가지 않았다. 저서에 『주역본의통석(周易本義通釋)』과 『서집해(書集解)』, 『춘추집해(春秋集解)』, 『예서찬술(禮書纂述)』, 『사서통(四書通)』, 『대학지장도(大學指掌圖)』, 『오경회의(五經會義)』, 『이아운어(爾雅韻語)』 등이 있다.

60. 절節䷻괘

節, 亨, 剛柔分而剛得中.

절제가 형통하다는 것은 굳셈과 부드러움이 나뉘어져 굳셈이 중도를 얻었기 때문이다.

本義

以卦體釋卦辭.

괘의 체로 괘사(卦辭)를 해석하였다.

程傳

節之道, 自有亨義, 事有節則能亨也. 又卦之才, 剛柔分處, 剛得中而不過, 亦所以爲節, 所以能亨也.

절제의 도는 본래 형통할 수 있는 뜻이 담겨 있으니 어떤 일이건 절제하면 형통할 수 있다. 또 괘의 자질이 강(剛)과 유(柔)가 나뉘어져 굳셈이 중도를 얻어 지나치지 않으니 또한 절제이고, 그래서 형통할 수 있다.

集說

● 趙氏玉泉曰:"統觀全體, 而剛柔適均, 則剛以濟柔, 柔以濟剛, 一張一弛, 唯其稱也. 析觀二體, 而二五得中, 則不失之過, 不失之不及, 一損一益, 唯其宜也. 由是以制數度而隆殺皆中, 以議德行而進反皆中, 此節之所以亨也."

조옥천(趙玉泉)이 말했다. "전체를 통괄해서 보면 강(剛)과 유(柔)가 적절하게 균등하면 굳셈이 부드러움을 다스리고 부드러움이 굳셈을 다스려서 한편으로 긴장하고 한편으로 이완하니 오직 대칭일 뿐이다. 두 체를 분석해 보면 이효와 오효가 중도를 얻으면 지나친 과실을 범하지 않고 미치지 못하는 과실을 범하지 않아 한 번 덜고 한 번 보태주니 오직 마땅함일 뿐이다. 이것으로 도수(度數)를 제정하여 높이고 낮추는 데[1] 모두 중도에 맞고, 덕행을 의론하여 나아가고 돌아옴에 모두 중도에 맞으니 이것이 절제가 형통한 까닭이다."

---

1) 높이고 낮추는 데 : 융살(隆殺)에 대한 번역이다. 『예기(禮記)』「향음주의(鄕飮酒義)」:"至於衆賓, 升受, 坐祭, 立飮, 不酢而降, 隆殺之義別矣."에 대해 정현은 "존귀한 자는 예를 높이고 낮은 자는 예를 낮추는 것이 존비의 구별이다.[尊者禮隆, 卑者禮殺, 尊卑別也.]"라고 주석하였다.

苦節不可貞, 其道窮也.

괴로운 절제는 올바를 수 없다는 그 도가 궁지에 몰리기 때문이다.

本義

又以理言.

또 이치로 말했다.

程傳

節至於極而苦, 則不可堅固常守, 其道已窮極也.

절제가 극한에 이르러 괴로우면 견고하게 오래 지킬 수 없으니 그 도가 이미 궁극에 이른 것이다.

集說

● 孔氏穎達曰 : "若以苦節爲正, 則其道困窮."[2)]

공영달(孔穎達)이 말했다. "만약 괴로운 절제가 올바르다면 그 도는 곤궁하다."

2) 공영달(孔穎達), 『주역주소(周易注疏)』 권10.

● 吳氏應回曰 : "中節則和, 否則不和. 稼穡作甘, 以得中央之土也. 火炎上則苦, 亦以焦枯之極也. 剛得中而能節, 乃爲九五之甘. 柔失中而過節, 則爲上六之苦. 故物得中則甘, 失中則苦."

오응회(吳應回)가 말했다. "절도에 맞으면 조화롭고 그렇지 않으면 조화롭지 못하다. 농사짓는 데 단비를 내리면[3] 중앙의 토를 얻는다. 불길이 올라오면 괴로우니 또한 마른 초목의 극단이다. 굳셈이 알맞음을 얻어 절제할 수 있으니 구오효의 달콤함이다. 부드러움이 알맞음을 잃어 지나치게 절제하니 상육효의 괴로움이다. 그러므로 사물이 알맞음을 얻으면 달콤하고 알맞음을 잃으면 괴롭다."

● 俞氏琰曰 : "凡物過節則苦. 味之過正, 形之過勞, 心之過思, 皆謂之苦. 節而苦, 則非通行之道, 故曰其道窮也."[4]

유염(俞琰)이 말했다. "사물이 지나치게 절제하면 괴롭다. 맛이 과도하게 바르고 형체가 과도하게 피로하고 마음이 과도하게 사려하는 것이 모두 괴롭다고 한다. 절제하여 괴로우면 통하여 행하는 도가 아니므로 그 도가 곤궁해진다고 했다."

● 黃氏淳耀曰 : "合於中, 卽甘卽亨. 失其中, 卽苦卽窮. 苦與甘反, 窮與亨反."

---

3) 단비를 내리면 : 작감(作甘)을 번역한 말이다. 가뭄을 해결하는 단비를 말한다. 『서경』「부열상」 : 상나라 고종(高宗)이 재상(宰相)인 부열(傅說)에게 "만약 큰 가뭄이 들면 너를 단비로 삼으련다.[若歲大旱 用汝作霖雨.]"라고 하였다.

4) 유염(俞琰), 『주역집설(周易集說)』 권19.

황순요(黃淳耀)[5]가 말했다. "중도에 합하면 달콤하고 형통하다. 중도를 잃으면 괴롭고 곤궁하다. 괴로움과 달콤함이 상반되고 곤궁과 형통이 상반된다."

5) 황순요(黃淳耀, 1605~1645) : 명나라 말기 소주부(蘇州府) 가정(嘉定) 곧 지금의 산해시(上海市) 사람으로 자는 온생(蘊生)이고, 호는 도암(陶庵)이다. 복사(復社)의 구성원이다. 숭정(崇禎) 16년(1643) 진사가 되었지만, 관직은 받지 않았다. 귀향해 더욱 열심히 경적(經籍)을 연구했다. 홍광(弘光) 원년(1645) 가정의 민중들이 청나라에 항거하는 봉기를 일으키자 후동증(侯峒曾)과 함께 지도자로 추대되었다. 그런데 성이 파괴되자 동생 황연요(黃淵耀)와 함께 암자에 들어가 목을 매어 자살했다. 문인들이 정문(貞文)이라 사시(私謚)했다. 시문에 능했다. 저서에 『도암집(陶庵集)』 22권과 『산좌필담(山左筆談)』 등이 있다.

說以行險, 當位以節, 中正以通.

기뻐하면서 위험을 행하고 지위에 합당하게 절제하고, 중정(中正)을 이루어 통한다.

本義

又以卦德卦體言之, "當位""中正", 指五. 又坎爲通.

또 괘의 덕과 괘의 체로 말하였다. "지위에 합당하다"와 "중정을 이루었다"는 것은 오효를 가리킨다. 또 감(坎☵)괘 통함이 된다.

程傳

以卦才言也. 內兌外坎, "說以行險"也. 人於所說則不知已, 遇艱險則思止. 方說而止, 爲節之義. "當位以節", 五居尊, 當位也. 在澤上, 有節也. 當位而以節, 主節者也. 處得中正, 節而能通也. 中正則通, 過則苦矣.

괘의 자질로 말했다. 내괘(內卦)는 태(兌☱)괘이고 외괘(外卦)는 감(坎☵)괘이니 "기뻐하면서 위험을 행한다." 사람들은 기쁜 것에 대해서는 그칠 줄 모르고 어려움과 위험을 만나서야 그칠 것을 생각한다. 기뻐하면서 그친다는 것이 절제의 뜻이다.
"지위에 합당하게 절제한다"고 했는데, 구오효가 존귀한 지위에 있는 것이 지위에 합당하다. 연못 위에 있음이 절제가 있는 것이다.

지위에 합당하고 절제하니 절제를 주도하는 자이다.

처하는 데 중정(中正)을 얻으니 절제하면서 통할 수 있다. 중정(中正)을 이루면 통하고, 과도하면 괴롭다.

集說

● 孔氏穎達曰 : "更就二體及四五當位, 重釋行節得亨之義, 以明苦節之窮也."[6]

공영달(孔穎達)이 말했다. "두 체와 사효·오효가 지위에 합당한 것을 취하여, 절제를 행하여 형통함을 얻는 뜻을 거듭 해석하여, 괴로운 절제의 곤궁을 밝혔다."

● 林氏希元曰 : "九五陽剛居尊, 當位以主節於上. 而所節者得其中正, 是可以通行於天下."[7]

임희원(林希元)[8]이 말했다. "구오효는 양의 굳셈으로 존귀한 지위

6) 공영달(孔穎達), 『주역주소(周易注疏)』 권10.
7) 임희원(林希元), 『역경존의(易經存疑)』 권8.
8) 임희원(林希元, 1481~1565) : 명(明)대 동안 신점(同安新店) 사람으로, 자는 무정(茂貞)이고 호는 차애(次崖)이다. 명(明) 정덕(正德)11년(1516)에 진사에 급제하여 남경대리사평사(南京大理寺評事) , 광서사주판관(廣西泗州判官), 흠주지주(欽州知州) 등을 역임했다. 학문으로는 정주학과 채청(蔡淸)의 『역경몽인(易經蒙引)』을 중시했다. 특히 『주역』을 다른 경전에 비해 극히 높게 평가하여, 오경 가운데 『역경』을 뺀 나머지는 강물과 같고 『역경』은 바다와 같다고 했다. 저술로는 『역경존의(易經存疑)』, 『사서존의(四書存疑)』, 『임차애선생문집(林次崖先生文集)』 등이 있다.

에 자리했고 지위에 합당하여 위에서 절제를 주도한다. 절제하는 것이 중정을 얻어 천하에 통하여 행할 수 있다."

案

"說以行險", 先儒說義未明. 蓋節有阻塞難行之象, 所謂險也. 而其所以亨者, 則以其有安適之善, 而無拘迫之苦, 所謂說也. "當位"以位言, "中正"以德言. 當位則有節天下之權, 中正則能通天下之志. 此三句, 當依孔氏爲總申「彖辭」之義. 說則不苦, 而通則不窮矣. 蓋上文旣以全卦之善言之, 此又專主九五及卦德以申之, 正與漸卦同例.

"기뻐하면서 위험을 행한다"는 것은 이전 유학자들이 설명한 뜻이 분명하지 않다. 절괘는 위험이 있고 행하기 어려운 상이 있어 위험이라고 한다. 형통할 수 있는 것은 편안하고 적합한 선이 있고 구속되어 압박하는 괴로움이 없기 때문에 기쁨이라고 한다.
"지위에 합당하다"는 것은 지위로 말했고 "중정을 얻었다"는 것은 덕으로 말했다. 지위에 합당하면 천하를 절제하는 권도가 있고 중정을 얻으면 천하의 뜻에 통할 수 있다.
이 세 구절은 공영달이 「단전」의 말 뜻을 총괄적으로 펼친 것에 의거해야만 한다. 기쁘면 괴롭지 않고 통하면 곤궁하지 않다. 위 문장은 전체 괘의 선함으로 말했고, 이것은 오로지 구오효와 괘의 덕을 주로 하여 펼쳤으니, 바로 점(漸)괘와 동일한 예이다.

天地節而四時成, 節以制度, 不傷財, 不害民.

하늘과 땅이 절제하여 사계절을 이루니 절제하여 법도를 제정하고 재물을 손상하지 않으며 백성을 해롭게 하지 않는다.

本義

極言節道.

절제의 도를 지극하게 말하였다.

程傳

推言節之道. 天地有節, 故能成四時, 無節則失序也. 聖人立制度以爲節, 故能不傷財害民. 人欲之無窮也, 苟非節以制度, 則侈肆至於傷財害民矣.

절제하는 도를 추론하여 말했다. 하늘과 땅에 절제가 있으므로 사계절을 이룰 수 있으니, 절제가 없으면 순서를 잃는다.
성인은 법도(法度)를 제정하여 절제했으므로 재물을 손상하지 않고 백성을 해롭게 하지 않는다.
사람의 욕심은 끝없는데 절제하여 법도를 제정하지 않으면 사치스럽고 남용하여 재물을 손상하고 백성을 해롭게 하는 지경에 이른다.

集說

● 孔氏穎達曰 : “天地以氣序爲節, 使寒暑往來各以其序, 則四時功成也. 王者以制度爲節, 使用之有道, 役之有時, 則不傷財不害民也.”

공영달(孔穎達)이 말했다. “천지는 기의 순서로 절제하니 추위와 더위를 왕래하게 하는 데 각각 그 순서로 하면 사계절의 공을 이룬다. 왕자는 법도를 제정하여 절제하니 쓰는 데 도가 있게 하고 부리는 데 때에 맞게 하면 재물을 상하게 하지 않고 백성을 해롭게 하지 않는다.”

● 吳氏曰愼曰 : “革曰天地革而四時成, 此曰天地節而四時成. 限止之謂節, 改易之謂革. 節淺而革深, 節先而革後. 四時擧其大者言之, 天地之化, 刻刻相節, 時時相革.”

오왈신(吳曰愼)이 말했다. “혁괘에서 천지가 변혁하여 사계절을 이룬다고 했으니, 이는 천지가 절제하여 사계절을 완성한다는 말이다. 한도에 맞게 멈추는 것이 절제이고 개혁하는 것이 변혁이다. 절제가 얕으면 변혁이 깊고, 절제가 앞의 것이라면 변혁은 뒤의 것이다. 사계절은 그 큰 것으로 말한 것이니 천지의 변화는 시시각각으로 서로 절제하고 시시각각으로 서로 변혁한다.”

61. 중부中孚䷼괘

中孚, 柔在內而剛得中, 說而巽, 孚乃化邦也.

중부(中孚)는 부드러움이 안에 있고 굳셈이 중도를 얻어 기뻐하면서 공손하여 진실한 믿음이 마침내 나라를 감화시킨다.

本義

以卦體卦德釋卦名義.

괘의 체와 괘의 덕으로 괘 이름의 뜻을 해석하였다.

程傳

二柔在內, 中虛爲誠之象. 二剛得上下體之中, 中實爲孚之象. 卦所以爲中孚也. "說而巽", 以二體言卦之用也. 上巽下說, 爲上至誠以順巽於下, 下有孚以說從其上. 如是, 其孚乃能化於邦國也. 若人不說從, 或違拂事理, 豈能化天下乎?

두 부드러움이 안에 있어 가운데가 텅 비어 있는 것이 진실함의 모습이다. 두 굳셈이 상체(上體)와 하체(下體)의 가운데 자리를 얻어 중심이 꽉 찬 것이 믿음의 모습이다. 그래서 괘가 진실한 믿음이 된다.
"기뻐하면서 공손하다"는 것은 두 가지 괘의 형체로 괘의 작용을 말했다. 위는 공손함이고 아래는 기쁨이니 윗사람이 지극히 성실함으로 아랫사람에게 순종하고 공손하며 아랫사람은 믿음을 가지고 그 윗사람을 기뻐하면서 따른다. 이와 같이 하면 그 진실한 믿음이 온 나라를 감화시킨다. 만약 사람들이 기뻐하면서 따르지 않는다면 일의 이치를 어긴 것이니 어떻게 세상을 감화시킬 수 있겠는가?

集說

● 張子曰 : "孚者, 覆乳之象也. 夫覆乳者必剛外而柔內. 雖柔內, 非陽則不生, 故剛得中而爲孚也."[1]

장자(張子 : 張載)가 말했다. "부(孚)는 알을 덮는 모습이다. 알을 덮는 것은 반드시 굳셈이 밖에 있고 부드러움이 안에 있다. 부드러움이 안에 있지만 양이 아니면 낳지 못하므로 굳셈이 알맞음을 얻어서 믿음이 된다."

● 王氏宗傳曰 : "以成卦觀之, 在二體則爲中實, 在全體則爲中虛. 蓋中不虛則有所累, 有所累, 害於信者也. 中不實則無所主,

1) 장재(張載), 『정몽(正蒙)』「대역(大易)」.

無所主則又失其信矣, 故曰中孚."[2]

왕종전(王宗傳)[3]이 말했다. "괘가 이루어진 것으로 보건데 두 체(體)에서 가운데가 꽉 찼고 괘 전체에서는 가운데가 텅 비었다. 가운데가 텅 비지 않으면 얽매이는 바가 있고 얽매이는 바가 있으면 믿음에 해롭다. 가운데가 꽉 차지 않으면 주도하는 바가 없고 주도하는 바가 없으면 또 믿음을 잃기 때문에 진실한 믿음이라고 했다."

案

"柔在內而剛得中", 其義甚精, 非柔在內則中不虛矣, 非剛得中則中又不實矣. 地至虛也, 然唯陰中有陽, 故受天氣而生物. 月至虛也, 然唯水陰根陽, 故受日光而發照. 物之雌牝, 受陽精而胎化者亦然. 此卦之名, 所以取於乳卵者此也. 老子亦曰 : 髣兮髴! 其中有物. 窈兮冥! 其中有精. 眞精之中, 其中有信. 蓋見及此也.

"부드러움이 안에 있고 굳셈이 중을 얻었다"는 말의 뜻이 매우 정밀하니, 유함이 안에 있지 않으면 가운데가 텅 비지 않고 굳셈이 가운데를 얻지 못하면 가운데가 또 꽉 차지 않는다. 땅은 지극히 텅 비었으나 오직 음 가운데에 양이 있으므로 하늘의 기를 받아서 만물을 낳는다.

---

2) 왕종전(王宗傳), 『동계역전(童溪易傳)』 권2.

3) 왕종전(王宗傳) : 자는 경맹(景孟)이고, 송대 영덕(寧德 : 현 복건성 영덕시) 사람이다. 1181년에 진사에 급제하여 소주교수(韶州教授)를 역임하였다. 왕필의 의리역학을 추종하여 상수역학을 배척하였다. 저서에는 『동계역전(童溪易傳)』이 있다.

달은 지극히 텅 비었으나 오직 수음(水陰)이 양(陽)에 뿌리하므로 햇빛을 받아서 비춘다. 사물의 암컷이 양정(陽精)을 받아서 잉태하는 것 또한 그러하다. 이 괘의 이름을 알에서 취한 것이 이것이다. 노자 또한 "비슷하구나! 그 가운데 사물이 있다. 그윽하고 어둡구나! 그 가운데 정수가 있다. 참된 정수 가운데 그 가운데 믿음이 있다."[4]고 했다. 이 말도 이를 언급한 것이다.

又案

無妄天德也, 天德實, 實則虛矣. 故曰無妄, 言其虛也. 中孚地德也, 地德虛, 虛則實矣. 故曰中孚, 言其實也. 唯無妄之主於虛也, 故六爻之義, 皆貴乎無謀望作爲之私. 反是則有妄矣. 唯中孚之主於實也, 故六爻之義, 皆貴乎有誠心實德之積. 反是則非孚矣. 二卦之義, 實相表裏.

무망(無妄)은 하늘의 덕이고 하늘의 덕은 진실하고 진실하면 텅 빈다. 그러므로 무망이라고 했으니 그 텅 빔을 말했다. 중부(中孚)는 땅의 덕이고 땅의 덕은 텅 비었고 텅 비면 진실하다. 그러므로 중부라고 했으니 그 꽉 참을 말했다.

4) 『노자도덕경』 21장 : "텅 빈 덕의 포용만을 오로지 도는 따를 뿐이다. 도라는 것은 황홀하다. 황홀하구나! 그 가운데 모습이 있다. 황홀하구나! 그 가운데 사물이 있다. 그윽하고 어둡구나! 그 가운데 정수가 있다. 그 정수가 참으로 참되다. 그 가운데 믿음이 있다. 예로부터 지금까지 그 이름 사라지지 않으니 이로써 뭇 처음을 살필 수 있다. 처음의 모습을 내가 어떻게 알 것인가? 이것으로 안다.[孔德之容, 唯道是從. 道之爲物, 唯恍唯惚. 惚兮恍兮! 其中有象. 恍兮惚兮! 其中有物. 窈兮冥兮, 其中有精. 其精甚眞, 其中有信. 自古及今, 其名不去, 以閱終甫. 吾何以知終甫之然哉? 以此.]"라고 하였다.

오직 무망(無妄)괘에서는 텅 빔을 주로 했으므로 여섯 효의 뜻이 모두 꾀하고 바라며 작위하는 사사로움이 없는 것을 귀하게 여긴다. 이와 반대되면 망령됨이 있다. 오직 중부(中孚)괘에서는 꽉 참을 주로 했으므로 여섯 효의 뜻이 모두 정성스런 마음과 진실한 덕이 쌓임을 귀하게 여겼다. 이와 반대되면 믿음이 없다. 두 괘의 뜻은 실제로 서로 표리를 이룬다.

豚魚吉, 信及豚魚也. 利涉大川, 乘木舟虛也.

돼지와 물고기에게까지 미치어 길한 것은 믿음이 돼지와 물고기에게 미친 것이다. 큰 강을 건넘이 이로운 것은 나무배를 타되 배가 비었기 때문이다.

本義

以卦象言.

괘의 상(象)으로 말하였다.

程傳

信能及於豚魚, 信道至矣, 所以吉也. 以中孚涉險難, 其利如乘木濟用而以虛舟也. 舟虛則無沈覆之患. 卦虛中, 爲虛舟之象.

믿음이 돼지와 물고기에게까지 미칠 수 있다면 믿음의 도가 지극한 것이니 그래서 길하다.
진실한 믿음으로 위험과 어려움을 건너면 그 이로움이 마치 나무배를 타고 강을 건너는 데 빈 배를 쓰는 것과 같다. 배가 비었으면 침몰하거나 뒤집어질 근심이 없다. 괘에서 가운데가 텅 빈 것이 빈 배의 모습이다.

集說

● 王氏弼曰 : “用中孚以涉難, 若乘木舟虛也.”

왕필(王弼)이 말했다. “진실한 믿음으로 험난함을 건너니 마치 배를 탔는데 배가 텅 빈 것과 같다.”

● 鄭氏湘鄉曰 : “仁及草木, 言草木難仁也. 誠動金石, 言金石難誠也. 信及豚魚, 言豚魚難信也.”

정상향(鄭湘鄉)이 말했다. “어진 마음이 초목에까지 미친다는 것은 초목은 어진 마음을 갖기 어렵다는 말이다. 진실함이 금석을 감동시킨다는 것은 금석은 진실하기 어렵다는 말이다. 믿음이 돼지와 물고기에게까지 미쳤다는 것은 돼지와 물고기는 믿음을 가지기 어렵다는 말이다.”

● 蔡氏清曰 : “木在澤上, 旣爲乘木之象, 外實內虛, 又爲舟虛之象.”5)

채청(蔡清)이 말했다. “나무가 연못 위에 있으니 나무를 타는 모습이 된다. 밖은 꽉 찼고 안은 텅 비었으니 또 배가 빈 모습이다.”

● 吳氏曰愼曰 : “豚魚吉, 蓋信及豚魚者之吉, 非豚魚吉也. 故在卦辭不可以豚魚吉三字爲句, 當以中孚豚魚爲讀. 「象傳」信及豚魚, 卽中孚豚魚也.”

---

5) 채청(蔡清), 『역경몽인(易經蒙引)』 권8.

오왈신(吳曰愼)이 말했다. "돼지와 물고기가 길한 것은 믿음이 돼지와 물고기에게 미친 길함이지 돼지와 물고기의 길함이 아니다. 그러므로 괘의 말에서 돼지와 물고기가 길하다는 세 글자를 한 구절로 보아서는 안 되고 마땅히 중부(中孚)가 돼지와 물고기에게 미쳤다는 구절로 읽어야만 한다. 「단전」에서 믿음이 돼지와 물고기에게까지 미쳤다는 것은 중부가 돼지와 물고기에게 미쳤다는 뜻이다."

中孚以利貞, 乃應乎天也.

진실한 믿음을 가지고 올바름을 굳게 지킴이 이로운 것은 마침내 하늘에 호응할 것이다.

本義

信而正, 則應乎天矣.

믿으면서 올바르면 하늘이 호응한다.

程傳

中孚而貞, 則應乎天矣. 天之道, 孚貞而已.

진실한 믿음을 가지고 올바르게 지키면 하늘에 호응할 것이다. 하늘의 도는 믿음을 가지고 올바름을 굳게 지키는 것일 뿐이다.

集說

蘇氏軾曰 : "天道不容僞."[6]

소식(蘇軾)이 말했다. "하늘의 도는 거짓을 허용하지 않는다."

---

6) 소식(蘇軾), 『동파역전(東坡易傳)』 권6.

62. 소과小過䷽괘

小過, 小者過而亨也.

작은 것이 과도함은 작은 것이 과도하여 형통한 것이다

本義

以卦體釋卦名義與其辭.

괘의 체로 괘의 이름과 뜻 그리고 그 말을 해석했다.

程傳

陽大陰小. 陰得位, 剛失位而不中, 是小者過也. 故爲小事過, 過之小. 小者與小事有時而當過, 過之亦小, 故爲小過. 事固有待過而後能亨者, 過之所以能亨也.

양(陽)은 크고 음(陰)은 작다. 음은 지위를 얻고 굳셈은 지위를 잃어 알맞음을 이루지 못했으니 이것이 작은 것이 과도함이다.

그러므로 작은 일이 과도한 것이 되고 과도한 것이 작다.
작은 것과 작은 일은 어떤 때는 당연히 과도하게 할 경우가 있고 과도함 또한 작기 때문에 작은 일의 과도함이다. 어떤 일은 과도하게 한 뒤에야 형통한 경우가 있으니, 과도하게 하는 것이 형통할 수가 있다.

集說

● 孔氏穎達曰 : "順時矯俗, 雖過而通."[1]

공영달(孔穎達)이 말했다. "때를 따라 세속을 교정하는데 비록 과도하더라도 통한다."

● 朱氏震曰 : "小過, 小者過也. 蓋事有失之於偏, 矯其失, 必待小有所過, 然後偏者反於中. 謂之過者, 比之常理則過也. 過反於中, 則其用不窮而亨矣. 故曰小者過而亨也."[2]

주진(朱震)이 말했다. "소과(小過)는 작은 것이 지나침이다. 어떤 일에 치우친 것에서 과실이 생기는데 그 과실을 바로 잡는 데 반드시 작은 것에서 지나침이 있은 뒤에 치우친 것이 알맞음으로 돌아온다. 과도한 것은 상리(常理)에 비해 지나친 것이다. 지나친 것이 알맞음으로 돌아오면 그 쓰임이 끝이 없어 형통하다. 그러므로 작은 것이 과도하여 형통하다고 했다."

1) 공영달(孔穎達), 『주역주소(周易注疏)』 권10.
2) 주진(朱震), 『한상역전(漢上易傳)』 권6.

● 王氏宗傳曰 : "言以過故亨也. 天下固有越常救失之事, 如象所謂過乎恭 · 過乎哀 · 過乎儉是也. 不有所過, 安能亨哉? 故曰小者過而亨也."

왕종전(王宗傳)이 말했다. "과도하므로 형통하다고 했다. 천하에는 상도를 넘어서서 과실을 구하는 일이 있는데, 예를 들어 「상전」에서 공손함을 과도하게 하고 슬픔을 과도하게 하고 검소함을 과도하게 한다고 한 말이 이것이다. 과도함이 있지 않으면 어떻게 형통할 수 있겠는가? 그러므로 작은 것이 과도하여 형통하다고 했다."

案

此釋義, 與遯而亨也同. 遯非得已之事, 然必遯而後亨. 小過亦非得已之事, 然必過而後亨, 故其釋義同也.

이 해석한 뜻은 둔(遯)괘에서 은둔하여 형통하다는 것과 같다. 은둔은 부득이한 일이지만 반드시 은둔한 뒤에 형통하다. 소과(小過) 또한 부득이한 일이지만 반드시 과도한 뒤에 형통하므로 그 해석한 뜻이 같다.

過以利貞, 與時行也.

과도하게 하되 올바름을 지킴이 이로움은 때에 따라 행하는 것이다.

程傳

過而利於貞, 謂"與時行也". 時當過而過, 乃非過也, 時之宜也, 乃所謂正也.

과도하게 하되 올바름을 지킴이 이로움은 "때에 따라 행한다"는 것을 말한다. 때가 마땅히 지나쳐야만 한다면 지나친 것은 과도함이 아니라 때의 마땅함이고 이것이 곧 정도(正道)이다.

集說

● 蘇氏軾曰 : "「彖」之所謂利貞, 卽象之所謂過乎恭, 儉與哀者, 時當然也."3)

소식(蘇軾)이 말했다. "「단전」에서 올바름을 지킴이 이롭다고 한 것은 「상전」에서 과도하게 공손하고 검소하고 슬퍼한다는 것을 말하니 때가 당연하다."

3) 소식(蘇軾), 『동파역전(東坡易傳)』 권6.

● 朱氏震曰 : "君子制事, 以天下之正理, 所以小過者, 時而已. 故曰過以利貞, 與時行也."[4]

주진(朱震)이 말했다. "군자가 일을 제어하는 데 천하의 정리(正理)로 하니 작은 것이 지나침은 때일 뿐이다. 그러므로 과도하되 올바름이 이로우니 때에 따라 행한다고 했다."

● 蔡氏淵曰 : "與時行, 謂隨小過之時而用其正也."[5]

채연(蔡淵)[6]이 말했다. "때에 따라 행하는 것은, 작은 것이 과도할 때에 따라 그 정도를 쓰는 것이다."

● 龔氏煥曰 : "道貴得中, 過非所尙, 然隨時之宜, 施當其可則過也, 乃所以爲中也. 故曰過以利貞, 與時行也. 與時行而不失其貞, 則過非過矣."

공환(龔煥)[7]이 말했다. "도는 알맞음을 얻는 것을 귀하게 여기니

4) 주진(朱震), 『한상역전(漢上易傳)』 권6.
5) 채연(蔡淵), 『주역괘효경전훈해(周易卦爻經傳訓解)』 권하.
6) 채연(蔡淵, 1156~1236) : 자는 백정(伯靜)이고, 호는 절재(節齋)이다. 송대 건양(建陽 : 현 복건성 건양) 사람으로 채원정의 맏아들이다. 부친의 뜻을 이어 주경야독하여, 특히 『역』에 조예가 깊었고 그에 관한 저술이 많다. 저서는 『주역훈해(周易訓解)』, 『역상의언(易象意言)』, 『괘효사지(卦爻辭旨)』 등이 있다.
7) 공환(龔煥) : 자는 유문(幼文)이고, 천봉선생(泉峯先生)이라고 불렸다. 원(元)대 임천(臨川)사람이다. 요응중(饒應中)에게 사사하여 본체를 밝히고 실천에 옮기는 데 힘썼다. 당시 아직 과거제도가 시행되지 못했는

지나침은 숭상할 것이 아니다. 그러나 때의 마땅함을 따라 옳은 것을 시행하면 과도하지만 그것이 곧 알맞음이다. 그러므로 과도하되 올바름을 지키는 것이 이롭고 때에 따라 행한다고 했다. 때에 따라 행하여 그 올바름을 잃지 않으면 지나침이 과도한 것이 아니다.

데, 시행되면 반드시 정자와 주자의 학문을 법식으로 삼아야 한다고 주장했다. 과연 뒤에 그의 말대로 시행되었다.

柔得中, 是以小事吉也.

부드러움이 알맞음을 얻으니 그래서 작은 일이 길하다.

本義

以二五言.

이효와 오효로 말했다.

剛失位而不中, 是以不可大事也.

굳셈이 자리를 잃고 중도를 못했으니, 그래서 큰 일은 안 된다.

本義

以三四言.

삼효와 사효로 말했다.

程傳

小過之道, 於小事有過則吉者, 而「彖」以卦才言吉義. "柔得中", 二五居中也. 陰柔得位, 能致小事吉耳, 不能濟大事也. "剛失位而不中", 是以不可大事, 大事非剛陽之才不能濟. 三不中, 四失位, 是以不可大事. 小過之時, 自不可大事, 而卦才又不堪大事, 與時合也.

작은 일에서 지나침의 도는 작은 일에서 과도함이 있으면 길하니 「단전」에서는 괘의 자질로 길한 뜻을 말했다.
"부드러움이 가운데를 얻었다"는 것은 육이효와 육오효가 중(中)의 위치에 자리한 것이다. 음의 부드러움이 지위를 얻어 작은 일의 길함에 이를 수 있을 뿐이고 큰 일을 해결할 수는 없다.
"굳셈이 지위를 잃고 도를 얻지 못했으니 그래서 큰 일은 안 된다"는 말에서 큰 일은 굳센 양의 자질을 지닌 사람이 아니라면 해결할 수 없다. 구삼효는 중을 얻지 못했고 구사효는 지위를 잃었으니 그래서 큰 일은 안 된다.
작은 것이 과도한 때는 본래 큰 일은 안 되니 괘의 자질도 큰 일을 감당할 수가 없어 때에 부합하는 것이다.

集說

● 朱氏震曰 : "於小事有過而不失其正則吉, 柔得中也. 作大事非剛得位得中不能濟, 失位則無所用其剛, 不中則才過乎剛. 是以小過之時, 不可作大事也."[8]

주진(朱震)이 말했다. "작은 일에서 과도하지만 그 올바름을 잃지 않으면 길하니 부드러움이 알맞음을 얻었다. 큰 일을 하는 데 굳셈이 지위를 얻고 알맞음을 얻지 않으면 해결할 수 없으니 지위를 잃으면 그 굳셈을 쓸 곳이 없고, 알맞음을 이루지 못하면 재주가 굳셈에 과도하다. 그래서 소과의 때는 큰 일을 할 수 없다."

● 胡氏炳文曰 : "矯天下之枉者, 以過爲正. 然剛過而中爲大過, 柔得中爲小過. 是則事有當過者, 而皆不可外乎中也."[9]

호병문(胡炳文)이 말했다. "천하의 구부러진 것을 바로잡는 일은 과도함으로 올바름을 삼는다. 그러나 굳셈이 과도하면 알맞음이 크게 지나치고 부드러움이 알맞음을 얻으면 작은 것이 과도하다. 그

8) 주진(朱震), 『한상역전(漢上易傳)』 권6.
9) 호병문(胡炳文), 『주역본의통석(周易本義通釋)』 권12.

러하니 일에서 마땅히 과도해야 하는 것이 있지만 모두 알맞음에서 벗어나서는 안 된다."

案

任大事貴剛, 取其強毅, 可以遺大投艱也. 處小事貴柔, 取其畏愼, 爲能種細勤小也. 二者皆因乎時, 得中者, 適乎時之謂也. 此卦"柔得中", "剛失位而不中", 則有行小事適時, 而行大事則非其時之象.

큰 일을 맡기는 데 굳셈을 귀하게 여겨 그 강함과 굳셈을 취하여 큰 임무를 맡겼다.[10] 작은 일에 처하여 부드러움을 귀하게 여겨 그 두려움과 신중함을 취하여 세밀하게 하고 작은 일에 근심할 수 있다.
두 가지는 모두 때를 따라 알맞음을 얻는 것이니 때에 적합하다고 한다. 이 괘는 "부드러움이 알맞음을 얻었고" "굳셈이 지위를 잃어 알맞음을 이루지 못했으니" 작은 일을 행하는 데 때를 따르고 큰 일을 행하는 데 그 때가 아닌 모습이다.

10) 큰 임무를 맡겼다. : 투간(投艱)을 해석한 말이다. 중요한 임무를 부여했다는 뜻이다. 『서경』「대고(大誥)」: "내 일은 하늘의 부름을 받은 것이니, 나의 몸에 큰 일을 내려 어려움을 맡기신 것이다.[予造天役, 遺大投艱于朕身.]"라고 하였는데, 공영달은 "이 어려운 일을 나에게 주셨다.[投擲此艱難之事於我身.]"라고 주석했다.

有飛鳥之象焉, 飛鳥遺之音, 不宜上宜下大吉, 上逆而下順也.

나는 새가 소리를 남기는 데 위로 향하는 것은 마땅하지 않고 아래로 향하는 것을 마땅히 하면 크게 길하다는 것은 위로 올라가면 거슬리고 아래로 내려오면 순조롭기 때문이다.

本義

以卦體言.

괘의 체로 말하였다.

程傳

"有飛鳥之象焉", 此一句不類「象」體. 蓋解者之辭誤入「象」中. 中剛外柔, 飛鳥之象. 卦有此象, 故就飛鳥爲義. 事有時而當過, 所以從宜, 然豈可甚過也? 如過恭過哀過儉, 大過則不可, 所以在小過也. 所過當如飛鳥之遺音. 鳥飛迅疾, 聲出而身已過, 然豈能相遠也? 事之當過者亦如是. 身不能甚遠於聲, 事不可遠過其常, 在得宜耳. "不宜上宜下", 更就鳥音取宜順之義. 過之道, 當如飛鳥之遺音. 夫聲逆而上則難, 順而下則易, 故在高則大. 山上有雷, 所以爲過也. 過之道, 順行則吉, 如飛鳥之遺音宜順也. 所以過者, 爲順乎宜也. 能順乎宜, 所以大吉.

"나는 새의 모습이 있다"는 이 한 구절은 「단전」의 문체와 유사하지 않다. 아마도 해석하는 자의 말이 잘못해서 「단전」 가운데로 들어간 듯하다. 가운데가 굳셈이고 바깥이 부드러움이니 나는 새의 모습이다. 이 괘에 이러한 모습이 있으므로 나는 새를 취하여 뜻으로 삼았다.

어떤 일은 때에 따라 과도하게 해야만 할 경우가 있으니 마땅함을 따르기 위한 것이지만, 어찌 지나치게 과도하게 할 수 있겠는가? 예를 들어 공손함을 과도하게 하고 슬픔을 과도하게 하고 검소함을 과도하게 하는 것과 같으니 큰 것을 과도해서는 안 되지만 작은 것을 과도하게 하는 까닭이 된다.

과도하게 하기를 마땅히 새가 나는 소리를 남기는 듯이 해야 한다. 새가 날아가는 것은 매우 빨라서 소리가 나면 새는 이미 멀리 가버리고 없지만, 어찌 서로 멀리 있을 수 있겠는가? 일을 처리하는데 마땅히 과도한 것도 이와 같다. 몸은 소리보다 아주 멀 수가 없고, 일도 상도(常道)에서 너무 멀어 과도해서도 안 되니, 그 마땅함을 얻는 것에 있을 뿐이다.

"위로 가는 것은 마땅하지 않고 내려오는 것을 마땅히 한다"는 말은 다시 새의 소리를 가지고 마땅함을 따른다는 뜻을 취했다. 과도한 방도는 마땅히 나는 새가 소리를 남기듯이 해야 한다. 소리는 바람을 거슬러 위로 향하면 큰 소리를 내기가 어렵고 바람을 따라 아래로 향하면 큰 소리를 내기가 쉽기 때문에 산 위에서 소리를 내면 크게 들린다. 산 위에 우레가 있는 모습이 과도함이다.

과도한 방도는 이치를 따라 행하면 길하니, 마치 나는 새가 소리를 남기는 것처럼 마땅함에 따르는 것이다. 과도하게 하는 이유는 마땅함을 따르기 위해서이다. 마땅함을 따를 수 있으므로 크게 길하다.

集說

● 王氏弼曰:“施過於不順, 凶莫大焉. 施過於順, 過更變而爲吉也.”[11]

왕필(王弼)이 말했다. “과도함을 순종하지 않는 것에 시행함은 흉함보다 큰 것이 없다. 과도함을 순종하는 데 베풀면 과도함이 변해서 길함이 된다.”

● 胡氏瑗曰:“四陰在外, 二陽在內, 是內實外虛. 故有飛鳥之象也. 飛鳥翔空, 無所依著, 愈上則愈窮, 是上則逆也. 下附物則身可安, 是下則順也. 猶君子之人, 過行其事以矯世勵俗, 必下附人情, 亦宜下而不宜上也.”[12]

호원(胡瑗)이 말했다. “네 음이 밖에 있고 두 양이 안에 있으니 안은 꽉 찼고 밖은 텅 비었다. 그러므로 새가 나는 모습이 있다. 나는 새가 창공을 나는 데 의지할 것이 없을 때 위로 올라가면 올라갈수록 궁해지니 이것이 위로 올라가면 거슬린다는 것이다. 아래로 사물이 받쳐주면 몸이 편안해질 수 있으니 이것이 아래로 내려가면 순조롭다는 말이다. 군자가 그 일을 과도하게 행하여 세상을 교정하고 세속을 바로잡는 데 반드시 아래로 인정이 받쳐주어야 하니 또한 마땅히 아래로 내려가야지 위로 올라가서는 안 되는 것과 같다.”

---

11) 왕필(王弼), 『주역주(周易註)』 권6.
12) 호원(胡瑗), 『주역구의(周易口義)』 권10.

● 朱氏震曰 : "上逆也, 故不宜上. 下順也, 故宜下. 小過之時, 事有時而當過, 所以從宜, 不可過越已甚, 不然必凶也."[13]

주진(朱震)이 말했다. "위로 올라가면 거슬리므로 마땅히 위로 올라가면 안 된다. 아래로 내려가면 순조로우므로 마땅히 아래로 내려가야 한다. 소과의 때에 일을 할 경우 어떤 때는 마땅히 과도하게 하여 마땅함을 따라야 하니 과도한 것이 지나치게 심하면 안 된다. 그렇지 않으면 반드시 흉하다."

● 俞氏琰曰 : "溯風而上爲逆, 隨風而下爲順."[14]

유염(俞琰)이 말했다. "바람을 거슬러 올라가면 거슬리고, 바람을 따라서 내려가면 순조롭다."

● 方氏時化曰 : "聖人因此卦有飛鳥之象, 遂卽象以戒之曰 : 飛鳥有遺音云. 遺音如何? 言不宜上宜下大吉云耳. 夫鳥上飛則逆, 下飛則順, 其大致也. 今自謂宜下而不宜上焉, 實爲二陽諷也."

방시화(方時化)가 말했다. "성인은 이 괘에 나는 새의 모습이 있는 것에 따라 나는 새가 소리를 남긴다고 했다. 남기는 소리는 어떠한 것인가? 위로 올라가는 것은 마땅하지 않고 아래로 내려오는 것이 마땅하니 크게 길하다고 운운한 것일 뿐이다. 새는 위로 날아 올라가면 거슬리고 아래로 날면 순조로우니 큰 것이 이른다. 지금은 스

13) 주진(朱震), 『한상역전(漢上易傳)』 권6.
14) 유염(俞琰), 『주역집설(周易集說)』 권19.

스로 마땅히 아래로 내려가고, 위로 올라가는 것은 마땅하지 않다고 하니, 실제로는 두 양을 비유한 것이다."

● 吳氏曰愼曰 : "以卦體言, 陰乘陽爲逆, 承陽爲順 四陰分居上下, 有逆順之象."

오왈신(吳曰愼)이 말했다. "괘의 체로 말하면 음이 양을 타고 있는 상황을 거슬리는 것이고 양을 잇는 것이 순조롭게 된다. 네 음이 위아래로 나뉘어 자리하니 거슬리고 순조로운 상이 있다."

案

四陽居中, 則有棟梁之象, 四陰居外, 則有羽毛之象. 君子之任大事, 則爲天下棟梁. 修細行, 則爲天下羽儀. 此二卦取象之意也. 然以其陰陽皆過多也. 故謂之大過·小過. 事固有過以爲中者, 無嫌於過也. 然必過而不失其中, 乃歸於無過. 故棟則惡其太剛而折. 太重而橈, 故宜隆於上, 不可橈於下也. 羽則惡其柔而無立. 輕而不戢, 故宜就於下, 不可颺於上也. 大過之象曰"剛過而中", 不橈乎下, 斯爲剛之中矣. 小過之象, 曰柔得中. 不宜上宜下, 斯爲柔之中矣.

네 양이 가운데 자리한 것은 대들보의 모습이고[15] 네 음이 밖에 자리한 것은 깃털의 모습이다. 군자가 큰 일을 맡은 것은 천하의 대들보가 된다. 세밀한 행함을 닦는 것은 천하의 모범이 된다. 이 두

15) 대들보의 모습이고 : 대과(大過䷛)괘의 모습이 네 양이 가운데 자리했다. 대과괘는 대들보로 비유했다.

괘는 상징의 의미를 취했다. 그러나 음양이 모두 과하거나 많다. 그러므로 대과(大過)와 소과(小過)라고 했다.

일에는 분명 과도한 것이 알맞음을 이루는 것이 있어 과도함의 혐의가 없다. 그러나 반드시 과도하되 그 알맞음을 잃지 않아서 과도함이 없는 것에 귀결된다. 그러므로 대들보는 그 지나치게 굳센 것을 미워하여 부러진다. 지나치게 무거워 휘어졌으므로 마땅히 위로 올라가야 하지 아래에서 휘어져서는 안 된다. 깃털은 그 부드러움을 미워하여 설 수가 없다. 가벼워 잡을 수 없으므로 마땅히 아래에서 취해야지 위에서 흩날릴 수 없다.

대과(大過)괘의 「단전」에서 "굳셈이 과하되 알맞음을 이루어 아래에서 휘어지지 않았다고 했으니, 이것이 굳셈의 알맞음이다. 소과(小過)괘의 「단전」에서 부드러움이 알맞음을 이루어 위로 올라가는 것은 마땅하지 않고 아래로 내려가는 것이 마땅하다고 했으니 이것이 부드러움의 알맞음이다.

63. 기제既濟䷾괘

旣濟, 亨, 小者亨也.

완성된 때 형통함은 작은 일들이 형통한 것이다.

本義

濟下疑脫'小'字.

제(濟)라는 글자 아래에 '소(小)'자가 탈락한 것 같다.

集說

● 陸氏銓曰 : "國家當極盛時, 縱有好處, 都只是尋常事. 所以說小者亨."

육전(陸銓)[1]이 말했다. "나라와 가문이 매우 성대할 때를 당하여

---

1) 육전(陸銓) : 육전은 명나라 사람으로 자는 선지(選之)이다. 은현(鄞縣) 사람이다. 생졸연대는 분명하지 않다. 명나라 세종(世宗) 가정(嘉靖) 14년 전후 사람이다. 가정 2년(1523)에 진사가 되어 형부주사(刑部主事)

좋은 일이 있더라도 모두 일상적인 사안일 뿐이다. 그래서 작은 일이 형통하다고 했다."

案

亨小之義, 陸氏說善. 旣濟之時, 自然事事亨通. 然特其小者爾, 聖人之制治保邦也. 制度之立, 綱紀之修, 以爲小, 而精神之運, 心術之動, 以爲大. 故屯難之時而大亨者, 以其"動乎險中", 不敢安寧也. 旣濟之時而亨小者, 以其已安已治, 四達不悖也. 「彖」所以言"初吉終亂"者以此, 「象」所以言"思患""豫防"者亦以此.

형통함이 작다는 뜻은 육씨[육전]의 말이 좋다. 모두 완성 했을 때 저절로 모든 일이 형통하다. 그러나 특히 작은 일일 뿐이니 성인이 다스림을 제어하고 나라를 보존한다.
제도를 세우는 일과 기강을 닦는 일을 작다고 여기고 정신의 운용과 심술(心術)의 움직임을 크다고 여겼다. 그러므로 혼란하고 어려울 때 크게 형통한 것은 "위험 가운데서 움직여"[2] 감히 편안하지 않다. 이미 완성된 때에 형통함이 작은 것은 이미 편안하고 다스려져 사방이 어그러지지 않는다.
「단전」에서 "처음에는 길하나 결국에는 어지럽다"[3]고 한 것은 이

에 제수받았다. 동생과 『과쟁대례(戈爭大禮)』를 편찬했다가 옥고를 치렀다. 후에 광서안찰사(廣西按察使)가 되었다.

2) 『주역』「준(屯)괘」「단전」: "혼돈이니, 강(剛)과 유(柔)가 교류하기 시작했으나 어려움이 생겨나서, 험난함 속에서 움직인다.[屯, 剛柔始交而難生, 動乎險中.]"라고 하였다.

3) 『주역』「기제(旣濟)괘」: "이미 완성 된 때는 형통하는 것이 작은 일이라서 올바름을 굳게 지키는 것이 이로우니, 처음에는 길하고 결국에는 어

때문이고 「상전」에서 "환난을 생각하여 미리 방비한다"[4]고 한 것 역시 이 때문이다.

지럽다.[旣濟, 亨小, 利貞, 初吉終亂.]"라고 하였다.

4) 『주역』「기제(旣濟)괘」「상전」: "물이 불 위에 있는 것이 기제괘의 모습이니, 군자는 이것을 본받아 환난을 생각하여 미리 방비한다.[象曰, 水在火上, 旣濟, 君子以思患而豫防之.]"라고 하였다.

利貞, 剛柔正而位當也.

굳센 올바름이 이로운 것은 강(剛)과 유(柔)가 올바르고 위치가 합당하기 때문이다

本義

以卦體言.

괘의 체로 말하였다.

程傳

旣濟之時, 大者固已亨矣, 唯有小者未亨也. 時旣濟矣, 固宜貞固以守之. 卦才剛柔正當其位. 當位者其常也. 乃正固之義, 利於如是之貞也. 陰陽各得正位, 所以爲旣濟也.

이미 완성 된 때에 큰 일들은 이미 형통하고 오직 작은 일들만이 아직 형통하지 않았다. 때가 완성된 때이니 마땅히 올바름을 굳게 지켜야 한다.
괘의 자질이 강(剛)과 유(柔)가 올바르고 그 위치가 합당하다. 위치가 합당한 것이 바로 상도(常道)이다. 이것이 바로 올바름을 굳게 지킨다는 뜻이므로, 이와 같이 올바른 것이 이롭다. 음과 양이 각각 올바른 지위를 얻어 이미 완성된 것이다.

集說

● 俞氏琰曰 : "三剛三柔, 皆正而位皆當. 六十四卦之中, 獨此一卦而已. 故特贊之也."[5]

유염(俞琰)[6]이 말했다. "세 굳셈과 세 부드러움이 모두 올바르고 지위가 모두 합당하다. 64괘 가운데 오직 이 한 괘일 뿐이다. 그러므로 특히 찬미했다."

5) 유염(俞琰), 『주역집설(周易集說)』 권9.

6) 유염(俞琰) : 자는 옥오(玉吾)이고, 호는 전양자(全陽子), 임옥산인(林屋山人), 석간도인(石澗道人) 등이다. 남송 말 원대 초기에 활동한 학자로 송대 오군(吳郡 : 현 강소성 소주〈蘇州〉) 사람이다. 어려서 가학을 익히고 젊어서는 기서(奇書)를 즐겨 연구하다가, 뒤늦게 과거시험 준비를 했다. 남송이 멸망하고 원대 조정이 들어서자 과거응시를 포기하고 은거하여 역학 연구에 전념하였다. 역학 관련 저술이 특히 많았는데, 대표적인 것으로 『주역집설(周易集說)』, 『독역거요(讀易擧要)』, 『역외별전(易外別傳)』 등이 있다.

初吉, 柔得中也.

처음에 길한 것은 부드러움이 알맞음을 이룬 것이다.

本義

指六二.

육이효를 가리킨다.

程傳

二以柔順文明而得中, 故能成旣濟之功. 二居下體, 方濟之初也, 而又善處, 是以吉也.

육이효가 유순하면서 문명(文明)하고 알맞음을 얻었으므로 이미 완성하는 공을 이룰 수 있다. 육이효는 하체(下體)에 자리하니 이제 막 완성되려는 초기이고 또 잘 처신하여, 그래서 길하다.

集說

● 梁氏寅曰 : "旣濟柔得中在下卦, 則初吉而終亂, 以文明已過, 而坎險繼之也. 未濟柔得中在上卦, 則始未濟而終亨, 以出乎坎險, 而正當文明也."

양인(梁寅)이 말했다. “기제(旣濟)괘에서 부드러움이 알맞음을 이룬 것은 하괘(下卦)에 있으니 처음에는 길하고 끝내 어지럽고 문명(文明)함이 이미 지나쳐서 위험이 계속된다. 미제(未濟)괘에서 부드러움이 알맞음을 이룬 것은 상괘(上卦)에 있으니 처음에 아직 완성되지 않았으나 결국에는 형통하고 위험에서 벗어나 문명함이 옳고 합당하다.”

案

凡『易』義以剛中爲善, 而旣濟未濟皆善柔中者. 旣濟以內卦爲主, 至外卦則向乎未濟矣. 未濟亦以內卦爲主, 至外卦則向乎旣濟矣. 亦猶泰之善在二, 而否之善在五.

『역』의 뜻은 굳셈이 알맞음을 이룬 것을 선하게 여기나 기제(旣濟)괘와 미제(未濟)괘는 모두 부드러움이 알맞음을 이룬 것이 선하다. 기제괘는 내괘를 주로 하여 외괘에 이르면 미제괘로 향한다. 미제괘 또한 내괘를 주로 하여 외괘에 이르면 기제괘로 향한다. 또한 태(泰)괘의 선함은 이효에 있고 비(否)괘의 선함이 오효에 있다.

終止則亂, 其道窮也.

끝에서 그치면 혼란한 것은 그 도가 궁색해지기 때문이다.

程傳

天下之事, 不進則退, 無一定之理. 濟之終不進而止矣, 無常止也, 衰亂至矣. 蓋其道已窮極也. 九五之才非不善也, 時極道窮, 理當必變也. "聖人至此奈何?" 曰: "唯聖人爲能通其變於未窮, 不使至於極也, 堯舜是也, 故有終而無亂."

천하의 일은 나아가지 않으면 물러나니, 하나로 고정된 이치는 없다. 완성된 끝에 나아가지 않고 그치지만 항상 멈추어 있는 것은 없어 쇠락과 혼란이 이른다. 그 도가 궁색해져 극한에 이르렀기 때문이다.

구오효의 자질은 선하지 않는 것은 아니지만 때가 극한에 이르고 도가 궁색해졌으니 이치상 반드시 변해야만 한다. "성인은 여기에 이르면 어떻게 하는가?" 이렇게 답하겠다. "오직 성인만이 궁색한 지경에 이르지 않았을 때 변통을 하여 극한에 이르지 않도록 할 수 있으니, 요(堯)와 순(舜)이 그러하므로 끝에 이르러서도 혼란이 없었다."

集說

● 侯氏行果曰: "由止故物亂而窮也. 『乾鑿度』曰, '旣濟未濟者,所以明戒愼, 全王道也.'"[7]

후행과(侯行果)가 말했다. "멈추었으므로 사물이 혼란하여 궁지에 이른다. 『건착도』에서 '기제(旣濟)괘와 미제(未濟)괘는 경계와 신중함을 밝혔고 왕도를 보존했다."

● 胡氏瑗曰 : "天下久治, 則人苟安, 萬務易墜, 禍患不警, 故持盈守成之道, 當須至兢至愼, 然後可以久濟. 苟止於逸樂, 不自省懼, 以爲終安, 亂斯至矣, 此聖人深戒之辭"[8]

호원(胡瑗)이 말했다. "천하를 오래 다스리면 사람들은 편안해지고 많은 일들이 쉽게 추락하며 재앙과 근심을 경계하지 않으므로 지키고 이루는 도를 잡아 지극히 조심하고 신중한 뒤에 오래도록 다스릴 수 있다. 진실로 안일과 즐거움에 멈추고 스스로 반성하고 근심하지 않고 끝까지 편안할 것이라고 여긴다면, 혼란이 이에 이르니, 이것은 성인이 깊이 경계한 말이다."[9]

● 張氏淸子曰 : "卦曰終亂, 而「象」曰終止則亂, 非終之能亂也. 於其終而有止心, 此亂之所由生也."

장청자(張淸子)가 말했다. "괘사에서는 끝내 혼란할 것이라고 했고 「단전」에서는 끝에서 그치면 혼란하다고 했으니, 끝에서 혼란할 수 있는 것이 아니다. 그 끝에서 멈추는 마음이 있으면 이것이 혼란이

7) 이정조(李鼎祚), 『주역집해(周易集解)』 권12.
8) 호원(胡瑗), 『주역구의(周易口義)』 권10.
9) 호원(胡瑗), 『주역구의(周易口義)』 권10.

생기는 이유이다."

● 俞氏琰曰 : "人之常情, 處無事則止心生. 止則怠, 怠則有患而不爲之防, 此所以亂也. 當知終止則亂, 不止則不亂也."[10]

유염(俞琰)이 말했다. "사람의 상정(常情)은 아무 일도 없는 곳에 처하면 마음이 생기는 것이 멈춘다. 멈추면 태만해지고 태만해지면 근심이 있는데도 방비하지 않으니, 여기에서 혼란이 생긴다. 마땅히 끝에서 그치면 혼란해지고 그치지 않으면 혼란해지지 않는다는 것을 알아야 한다."

10) 유염(俞琰), 『주역집설(周易集說)』 권9.

64. 미제未濟䷿괘

未濟, 亨, 柔得中也.

미완성이 형통하다는 것은 부드러움이 알맞음을 얻었기 때문이다.

本義

指六五言.

육오효를 가리켜 말하였다.

程傳

以卦才言也. 所以能亨者, 以"柔得中"也. 五以柔居尊位, 居剛而應剛, 得柔之中也. 剛柔得中, 處未濟之時可以亨也.

괘의 자질로 말했다. 형통할 수 있는 이유는 "부드러움이 알맞음을 얻었기" 때문이다. 육오효가 부드러움으로 존귀한 지위에 자리하고 굳셈에 자리하면서 굳센 사람과 호응하여 부드러운 중도를 얻었다.

강(剛)과 유(柔)가 중도를 얻었으니 미완성의 때에 처하여 형통할 수 있다.

集說

● 蔡氏淵曰:"旣濟之後必亂. 故主在下卦而亨取二. 未濟之後必濟. 故主在上卦而亨取五."

채연(蔡淵)[1]이 말했다. "이미 완성한 뒤에 반드시 혼란하다. 그러므로 주효는 하괘에 있고 형통함은 이효를 취했다. 미완성의 뒤에는 반드시 다스린다. 그러므로 주효는 상괘에 있고 형통함은 오효를 취했다."

1) 채연(蔡淵, 1156~1236) : 자는 백정(伯靜)이고, 호는 절재(節齋)이다. 송대 건양(建陽 : 현 복건성 건양) 사람으로 채원정의 맏아들이다. 부친의 뜻을 이어 주경야독하여, 특히 『역』에 조예가 깊었고 그에 관한 저술이 많다. 저서는 『주역훈해(周易訓解)』, 『역상의언(易象意言)』, 『괘효사지(卦爻辭旨)』 등이 있다.

小狐汔濟, 未出中也. 濡其尾無攸利, 不續終也. 雖不當位, 剛柔應也.

어린 여우가 과감하게 강물을 건넘은 위험 가운데서 벗어나지 못한 것이다. 꼬리를 적시니 이로움이 없다는 것은 계속하여 끝마치지 못하기 때문이다. 지위가 합당하지 못하지만 강(剛)과 유(柔)가 서로 호응한다.

程傳

據二而言也. 二以剛陽居險中, 將濟者也. 又上應於五, 險非可安之地. 五有當從之理, 故果於濟如小狐也. 旣果於濟, 故有濡尾之患, 未能出於險中也. 其進銳者其退速, 始雖勇於濟, 不能繼續而終之, 無所往而利也. 雖陰陽不當位, 然剛柔皆相應. 當未濟而有與, 若能重愼, 則有可濟之理. 二以汔濟, 故濡尾也. 卦之諸爻皆不得位, 故爲未濟. 雜卦云, "未濟, 用之窮也". 謂三陽皆失位也. 斯義也, 聞之成都隱者.

구이효를 근거해서 말했다. 구이효는 굳센 양으로 위험한 가운데 자리하여 그 위험을 건너려는 자이다. 또 위로 육오효와 호응하고 있고 위험은 안정될 수 있는 위치가 아니다.
육오효에는 마땅히 따라야 할 이치가 있으므로 과감하게 건너려는 것이 마치 어린 여우와 같다. 과감하게 강물을 건너려고 하므로 꼬리를 강물에 적시는 환난이 있으니 위험 가운데서 벗어날 수 없다. 앞으로 나아가는 데에 날카로운 자는 물러서는 데에도 신속하니 처음에는 용감하게 건넜지만 끝까지 지속시키면서 끝마치지 못하여 어디를 가든 이로움이 없다.

비록 음(陰)과 양(陽)이 위치가 합당하지 않지만 강(剛)과 유(柔)가 모두 서로 호응한다. 미완성의 때에 함께 하고 있으니 만약 거듭 신중할 수 있다면 미완성을 해결할 수 있는 이치는 있다.

구이효가 과감하게 건너므로 꼬리를 강물에 적신다. 괘의 여러 효가 모두 제 위치를 얻지 못했기 때문에 미완성이라고 했다. 「잡괘전」에 "미완성은 남자의 궁함이다"라고 했다. 세 양이 모두 제 위치를 잃은 것을 말한 것이다. 이러한 뜻을 나는 성도(成都)의 은자에게 들었다.

集說

● 『朱子語類』云 : "小狐汔濟, 汔字訓幾, 與井卦同. 旣曰幾, 便是未出坎中."[2]

『주자어류』에서 말했다. "'작은 여우가 거의 물을 건넜다'의 '흘'(汔)자는 '거의'라는 뜻으로 정(井)와 같다. 이미 '거의'라고 했으니 아직 위험에서 벗어나지 못한 것이다."

● 郭氏鵬海曰 : "旣濟之吉, 以柔得中, 未濟之亨, 亦以柔得中, 則敬愼勝也. 旣濟之亂以終止, 未濟之無攸利以不續終, 則克終難也. 旣濟之貞以剛柔正, 未濟之可濟以剛柔應, 則交濟之功

2) 『주자어류』 73권, 156조목.

也. 既曰柔得中, 而又有不續終之戒, 可見濟事無可輕忽之時. 既曰不當位, 又著剛柔之應, 可見得人無不可濟之享."

곽붕해(郭鵬海)가 말했다. "기제(既濟)의 길함은 부드러움이 알맞음을 얻었기 때문이고 미제(未濟)의 형통함은 또한 부드러움이 알맞음을 얻었기 때문이니 경(敬)과 신중함이 우세한 것이다. 기제가 끝에서 멈추어 혼란하고 미제가 계속하여 끝마치지 못해 이로울 것이 없으니 결국에 어려움을 극복한다.
기제는 강(剛)과 유(柔)가 올바르므로 굳세고, 미제는 강(剛)과 유(柔)가 호응하여 다스릴 수 있으니, 교제하여 다스리는 공이다. 이미 부드러움이 알맞음을 얻었다고 하고 또 계속하여 끝마치지 못한다는 경계가 있으니, 다스리는 일은 가볍게 홀시할 수 없는 때임을 알 수 있다. 이미 지위가 합당하지 않다고 하고 또 강(剛)과 유(柔)의 호응을 드러내니, 사람을 얻어 다스리지 못함이 없는 형통함을 알 수 있다."

● 吳氏曰愼曰: "既濟曰終止則亂, 此曰無攸利, 不續終也. 蓋事之既濟而生亂, 與未濟而無終者, 皆一念之怠爲之, 君子是以貴自強不息."

오왈신(吳曰愼)이 말했다. "기제괘에서는 끝에서 멈추어 혼란하다고 말하고, 여기서는 계속하여 끝마치지 못해 이로울 것이 없다고 했다. 일이 완성되어 혼란을 일으키고 완성하지 못하여 끝맺지 못한 것은 모두 한결같이 생각의 나태함이 그렇게 한 것이니, 군자는 스스로 강하게 만들기를 그치지 않는 자강불식(自强不息)을 귀하게 여긴다."

| 역주자 소개 |

신창호申昌鎬

현 고려대학교 교수

고려대학교 박사(Ph. D, 동양철학/교육철학 전공)

권우(卷宇) 홍찬유(洪贊裕), 일평(一平) 조남권(趙南勸), 중관(中觀) 최권흥(崔權興), 위재(威齋) 김중렬(金重烈), 수강(修岡) 유명종(劉明鍾) 선생 등으로부터 한학 및 동양학 사사

한국교육철학학회 회장(역임)

「중용(中庸) 교육사상의 현대적 조명」(박사논문) 외 『관자』, 「주역 계사전」, 『유교의 교육학 체계』, 한글사서(『논어』, 『맹자』, 『대학』, 『중용』) 등 100여 편의 논저가 있음

김학목金學睦

현 고려대학교 연구교수

건국대학교 박사(Ph. D, 한국철학 전공)

해송학당 원장(사주명리 · 동양학 강의)

「박세당의 『신주도덕경』 연구」(박사논문)를 비롯하여 『왕필의 노자주』, 『하상공의 노자』, 『한국주역대전』 등 50여 편의 논저가 있음

심의용沈義用

현 숭실대학교 H.K 연구교수

숭실대학교 박사(Ph. D, 주역철학 전공)

「정이천의 『역전』 연구」(박사논문)를 비롯하여 『주역』, 『성리대전』, 『인역』, 『주역과 운명』, 『세상과 소통하는 힘』 『시적 상상력으로 주역을 읽다』 등 30여 편의 논저가 있음.

윤원현尹元鉉

전 고려대학교 연구교수

臺灣 文化大學校 박사(Ph. D, 주자철학 전공)

한중철학회 회장(역임)

「從朱子思想中之天人架構闡論其義理脈絡」(박사논문)를 비롯하여 『성리대전』, 『태극해의』, 『역학계몽』, 『율려신서』 등 10여 편의 논저가 있음.

한 국 연 구 재 단
학술명저번역총서
[동 양 편] 620

주역절중周易折中 6

초판 인쇄 2018년 11월 1일
초판 발행 2018년 11월 15일

편 찬 | 이광지
책임역주 | 신창호
공동역주 | 김학목 · 심의용 · 윤원현
펴 낸 이 | 하운근
펴 낸 곳 | 學古房

주 소 | 경기도 고양시 덕양구 통일로 140 삼송테크노밸리 A동 B224
전 화 | (02)353-9908 편집부(02)356-9903
팩 스 | (02)6959-8234
홈페이지 | www.hakgobang.co.kr
전자우편 | hakgobang@naver.com, hakgobang@chol.com
등록번호 | 제311-1994-000001호

ISBN 978-89-6071-796-1 94140
978-89-6071-287-4 (세트)

값 : 48,000원

이 책은 2015년도 정부재원(교육부)으로 한국연구재단의 지원을 받아 연구되었음 (NRF-2015S1A5A7018113).
This work was supported by National Research Foundation of Korea Grant funded by the Korean Government(NRF-2015S1A5A7018113).

이 도서의 국립중앙도서관 출판예정도서목록(CIP)은 서지정보유통지원시스템 홈페이지(http://seoji.nl.go.kr)와 국가자료종합목록시스템(http://www.nl.go.kr/kolisnet)에서 이용하실 수 있습니다. (CIP제어번호 : CIP2018032006)